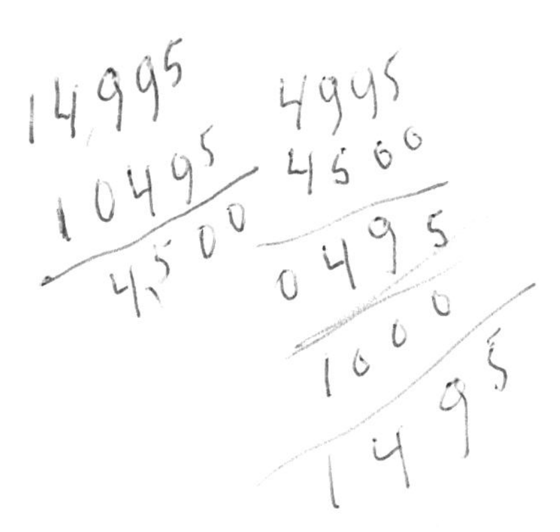

'Ze houdt ons al een hele tijd in de gaten.'
'Ga verder, Tom.'
'Soms lijkt het wel alsof ze er altijd is, achter een stapel stenen, in de schaduw van de toren, onder een van de oude graven. Ze kan zich heel goed verstoppen.'
'Dat moet wel.'
'Soms komt ze heel dichtbij zonder dat je het in de gaten hebt. Je staat bijvoorbeeld aan iets anders te denken en dan opeens hoor je een van haar stemmen, en heel even trap je erin. Dan lijkt het net alsof je broertje of je moeder zich om de hoek verstopt.'
'Terwijl je weet dat dat niet zo is?'
'Nee, dat is zij. Het meisje met de stemmen. Maar als je je omdraait is ze weg. Soms, als je heel snel bent, kun je haar nog net heel even zien. Maar meestal zie je niks. Alles is net als daarvoor, behalve...'
'Behalve wat?'
'Behalve dat het net lijkt alsof er iets heel geheimzinnigs aan de hand is. Je voelt gewoon diep vanbinnen dat ze er nog is. Dat ze je weer in de gaten houdt.'

Bloedschande

Van dezelfde auteur

Offerande
Bezwering

Sharon Bolton

Bloedschande

A.W. Bruna Uitgevers B.V., Utrecht

Oorspronkelijke titel
Blood Harvest

Vertaling
Anda Witsenburg
Omslagbeeld
Kruizen: Roy Bishop/Arcangel Images
Meisje: Mark Owen/Arcangel Images/HH
Omslagontwerp
Wil Immink Design

ISBN 978 90 229 9730 7
NUR 305

Dit boek is gedrukt op papier dat het keurmerk van de Forest Stewardship Council (FSC) mag dragen. Bij dit papier is het zeker dat de productie niet tot bosvernietiging heeft geleid. Een flink deel van de grondstof is afkomstig uit bossen en plantages die worden beheerd volgens de regels van FSC. Van het andere deel van de grondstof is vastgesteld dat hiervoor geen houtkap in de laatste resten waardevol bos heeft plaatsgevonden. Daarom mag dit papier het FSC Mixed Sources label dragen. Voor dit boek is het FSC-gecertificeerde Munkenprint gebruikt. Dit papier is 100% chloor- en zwavelvrij gebleekt en wordt geleverd door Arctic Paper Munkedals AB, Zweden.

Een tijd om te baren

De tien jaar oude Tom en zijn familie zijn pas verhuisd naar een dorp aan de rand van de hei. Maar de problemen beginnen als Tom een mysterieus kind ziet dat zich verschuilt op het naburige kerkhof.

Een tijd om te sterven

Psychiater Evi probeert een jonge vrouw te behandelen die zwaar depressief is door de verdwijning van haar dochtertje. Haar huis werd door een hevige brand in de as gelegd, maar drie jaar later is ze er nog altijd van overtuigd dat haar dochtertje de brand heeft overleefd.

Een tijd om te doden

Harry is de nieuwe dominee van het dorp die al snel een goed contact weet op te bouwen met de inwoners. Maar ongewone gebeurtenissen in en om de kerk geven hem het gevoel dat hij niet echt welkom is en dat dit vreemde dorp een afschuwelijk geheim verbergt.

Voor de Coopers, die hun prachtige, nieuwe huis aan de rand van de hei hebben gebouwd...

'Vecht niet tegen monsters, om te voorkomen dat je een monster wordt, en als je in de afgrond kijkt, kijkt de afgrond ook in jou.'

Friedrich Nietzsche, Duits filosoof (1844-1900)

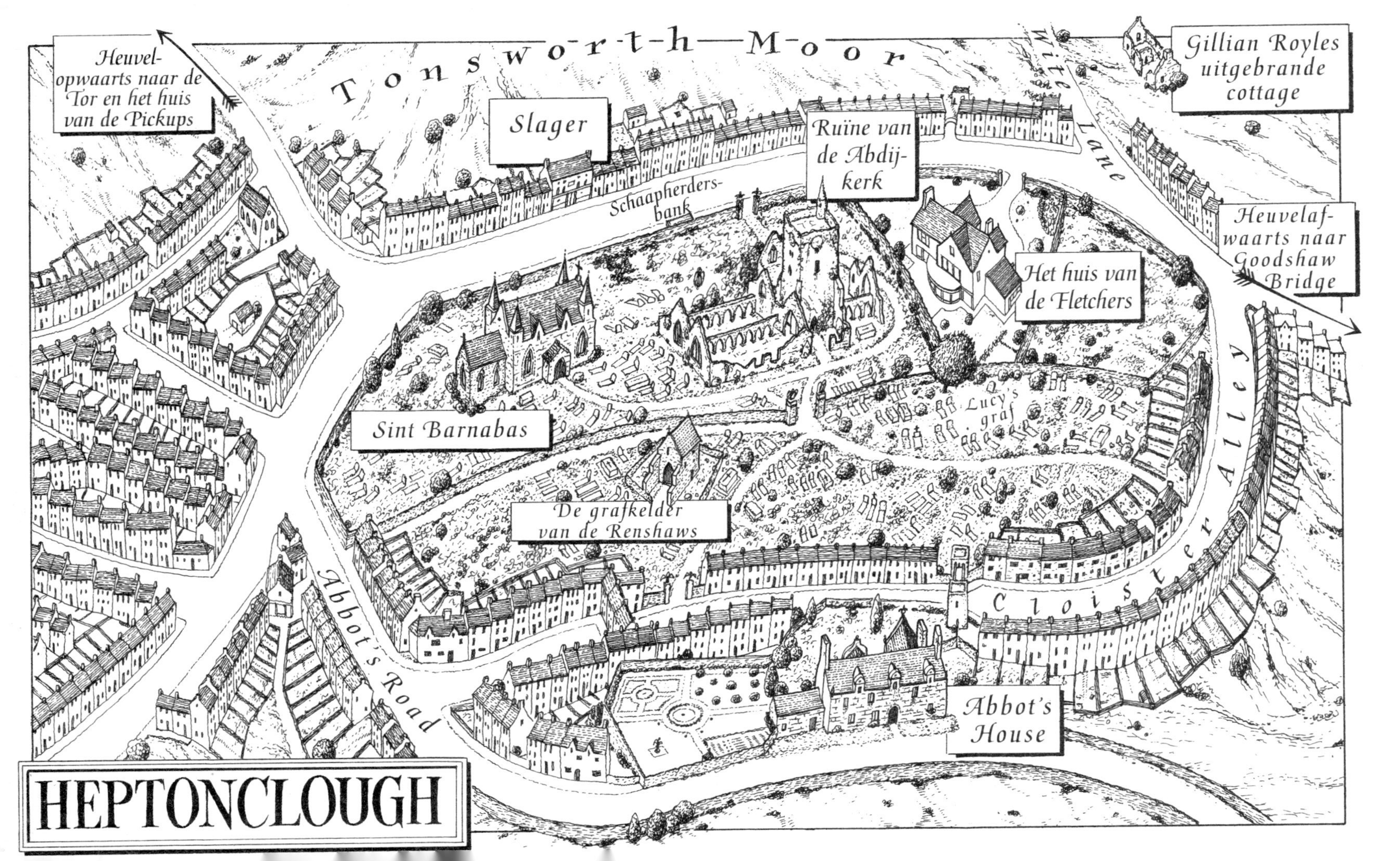
Tonsworth Moor
Heuvel-
opwaarts naar de
Tor en het huis
van de Pickups
Slager
Ruïne van
de Abdij-
kerk
Wite Lane
Gillian Royles
uitgebrande
cottage
Heuvelaf-
waarts naar
Goodshaw
Bridge
Schaapherders-
bank
Het huis van
de Fletchers
Sint Barnabas
Lucy's
graf
De grafkelder
van de Renshaws
Cloister Alley
Abbot's Road
Abbot's
House
HEPTONCLOUGH

Proloog

3 november

Het was eindelijk gebeurd, datgene waar hij achteraf bezien steeds zo bang voor was geweest. Het was eigenlijk bijna een opluchting om te weten dat het ergste voorbij was, dat hij niet meer hoefde te doen alsof. Misschien kon hij er nu mee stoppen te doen of dit een gewoon dorp was en dit normale mensen waren. Harry haalde diep adem en kwam tot de ontdekking dat de dood rook naar een riool, naar vochtige aarde en industrieel plastic.

De schedel op nog geen twee meter afstand leek piepklein. Alsof hij misschien wel in de palm van zijn hand zou passen. De hand was bijna nog erger. Hij lag half verborgen in de modder, de botten nauwelijks bijeengehouden door bindweefsel, alsof hij uit de grond probeerde te kruipen. Het felle kunstlicht knipperde als een stroboscoop en even leek de hand te bewegen.

De regen op het plastic boven Harry's hoofd ratelde als een machinegeweer. De wind zo hoog op de hei was bijna stormachtig en de provisorische wanden van de politietent waren niet in staat hem helemaal tegen te houden. Toen hij een paar minuten geleden zijn auto had geparkeerd, was het kwart over drie geweest. Het donkerste moment van de nacht. Harry merkte dat hij zijn ogen had gesloten.

De hand van hoofdinspecteur Rushton lag nog op zijn arm, hoewel ze inmiddels de binnenste afzetting hadden bereikt. Ze mochten niet verder. Er waren nog zes andere mensen in de tent, allemaal in dezelfde witte overalls met capuchon en dezelfde rubberlaarzen die Harry en Rushton ook net hadden aangetrokken.

Harry voelde dat hij trilde. Met zijn ogen nog altijd dicht luisterde hij naar het onophoudelijke geroffel van de regen op het dak van de tent. Hij zag nog steeds die hand. Toen hij voelde dat hij begon te wankelen deed hij zijn ogen open en viel bijna om.

'Een beetje achteruit, Harry,' zei Rushton. 'Op de mat blijven, alsjeblieft.'

Harry deed wat hem werd gezegd. Het leek wel of zijn lichaam uit zijn vel barstte: de geleende laarzen knelden vreselijk, zijn kleren zaten veel te strak, de botten in zijn hoofd voelden te dun. Het lawaai van de wind en de regen

ging maar door, als de soundtrack van een slechte film. Te veel licht, te veel lawaai zo midden in de nacht.
De schedel was weggerold van het lijf. Harry kon een ribbenkast zien, zo klein, nog met kleren aan, piepkleine knoopjes die glinsterden in het licht.
'Waar zijn de anderen?' vroeg hij.
Hoofdinspecteur Rushton boog zijn hoofd en ging hem voor over de aluminium platen die als stapstenen over de modder waren gelegd, parallel aan de muur om het kerkhof. 'Kijk uit waar je loopt, jongen,' zei Rushton. 'Het is hier een ontzettende troep. Daar, zie je ze?'
Ze bleven staan aan het einde van de binnenste afzetting. Het tweede lichaam was nog intact, maar leek niet groter dan het eerste. Het lag met het gezicht naar beneden in de modder. Aan de linkervoet zat nog een klein rubberlaarsje.
'Het derde ligt bij de muur,' zei Rushton. 'Moeilijk te zien, half verborgen onder de stenen.'
'Ook een kind?' vroeg Harry. Losse stukken plastic van de tent zwiepten heen en weer in de wind en hij moest bijna schreeuwen om zich verstaanbaar te maken.
'Het lijkt er wel op,' zei Rushton. Zijn bril zat vol regendruppels. Hij had hem nog niet schoongeveegd sinds hij de tent in was gekomen. Misschien was hij blij dat hij niet zo goed kon zien. 'Zie je waar de muur naar beneden is gekomen?' ging hij verder.
Harry knikte. De stenen muur die de afscheiding vormde tussen het terrein van de Fletchers en de begraafplaats was over een lengte van ongeveer drie meter ingestort en de aarde die hij tegen had gehouden was als een kleine aardverschuiving in de tuin gegleden. Een oude taxusboom was met de muur omgevallen. In het felle kunstlicht deed hij denken aan het loshangende haar van een vrouw.
'Toen de muur instortte zijn er een paar graven beschadigd,' zei Rushton. 'Vooral één, een kindergraf. Een meisje dat Lucy Pickup heette. Het probleem is dat het kind volgens onze gegevens alleen in het graf lag. Het is tien jaar geleden voor haar gegraven.'
'Dat weet ik,' zei Harry. 'Maar...' hij draaide zich weer om.
'Je begrijpt dus wel wat het probleem is,' zei Rushton. 'Als de kleine Lucy alleen begraven is, wie zijn dan die andere twee?'
'Kan ik even een momentje krijgen?' vroeg Harry.
Rushtons ogen versmalden zich. Hij keek van de kleine lichamen naar Harry en weer terug.
'Dit is gewijde grond,' zei Harry bijna tegen zichzelf.
Rushton deed een stap opzij. 'Dames en heren,' riep hij. 'Een minuut stilte, alstublieft, voor de dominee.' De politiemensen die op de plek aan het werk

waren keken op. Een van hen opende zijn mond om te protesteren maar deed hem weer dicht bij de blik op Brian Rushtons gezicht. Harry mompelde een bedankje en liep naar voren, dichter naar de afzetting, tot een hand op zijn arm aangaf dat hij moest blijven staan. De schedel van het lichaam dat het dichtst bij lag was heel zwaar beschadigd. Bijna een derde leek te zijn verdwenen. Hij herinnerde zich wat hij had gehoord over de manier waarop Lucy Pickup was gestorven. Hij haalde diep adem en besefte dat iedereen om hem heen doodstil stond. Sommige mensen keken naar hem, anderen hadden het hoofd gebogen. Hij hief zijn rechterhand en begon het kruisteken te maken. Naar boven, naar beneden, naar links. Hij stopte. Nu hij dichterbij stond en direct onder het licht, kon hij het derde lichaam beter zien. Het kleine figuurtje droeg iets met een geborduurde rand om de hals: een egeltje, een konijntje, een eend met een hoed. Dieren uit de verhalen van Beatrix Potter.

Hij begon te spreken, maar wist nauwelijks wat hij zei. Een kort gebed voor de ziel van de overledenen, het kon alles zijn geweest. Hij moest opgehouden zijn, want iedereen ging weer verder met zijn werk. Rushton klopte op zijn arm en leidde hem de tent uit. Harry ging zonder tegenstribbelen mee, in shock.

Drie kleine lichaampjes, uit een graf gevallen waar er maar een in had moeten liggen. Twee onbekende kinderen hadden Lucy Pickups laatste rustplaats gedeeld. Maar een ervan was niet onbekend, in elk geval niet voor hem. Het kind in de Beatrix Potter-pyjama. Hij wist wie ze was.

Deel een

Afnemende maan

I

5 september (negen weken eerder)

De familie Fletcher had haar grote, splinternieuwe huis aan de rand van de uitgestrekte hei gebouwd, in een dorp dat door de tijd met rust gelaten leek te zijn. Het stond op een bescheiden kavel waar het bisdom, dat wanhopig om geld verlegen zat, vanaf had gemoeten. Ze hadden het zo dicht bij de twee kerken gebouwd – de ene oud, de andere heel oud – dat ze de muur van de oude toren bijna konden aanraken als ze uit de slaapkamerramen hingen. En aan drie kanten van hun tuin hadden ze de rustigste buren die ze zich maar konden wensen, dat was de favoriete grap van de tien jaar oude Tom Fletcher. Het huis werd namelijk omringd door een begraafplaats. Ze hadden natuurlijk beter moeten weten.

Maar Tom en zijn jongere broer Joe waren in het begin ontzettend opgewonden. Ze hadden in hun nieuwe huis allebei een heel grote slaapkamer die nog sterk naar verf rook. Buiten hadden ze het met braamstruiken overgroeide terrein om de kerk met al die oude grafzerken, waar spannende avonturen op hen leken te wachten. Binnen hadden ze een vrolijke zitkamer in allerlei tinten geel, afhankelijk van de stand van de zon. Buiten hadden ze oude stenen bogen die zich uitstrekten naar de hemel, verstopplekken tussen klimop die zo oud en sterk was dat hij geen steun meer nodig had, en gras dat zo lang was dat de zes jaar oude Joe erin leek te verdrinken. Binnen begonnen de ouders hun stempel op het huis te drukken met frisse kleuren, muurschilderingen en uitgesneden dieren in elke kamer. Buiten namen Tom en Joe het terrein om de kerk in bezit.

Op de laatste dag van de zomervakantie lag Tom op het graf van Jackson Reynolds, (1875-1945), te genieten van de warmte die de oude steen afgaf. De lucht had de kleur van zijn moeders favoriete, korenbloemblauwe verf en de zon stond al vanaf de vroege ochtend haar best te doen. Het was een 'glimmende dag', zoals Joe graag zei.

Tom had niet kunnen zeggen wat er veranderde. Waarom zijn fijne, warme en gelukkige gedachten over hoe oud je moest zijn om te mogen voorspelen bij de Blackburn Rovers veranderden in... nou... niet zo prettige. Maar plotseling, binnen een seconde, leek voetbal niet meer zo belangrijk. Er was niet echt iets mis, maar hij wilde gewoon rechtop gaan zitten. Zodat hij

om zich heen kon kijken. Of er iemand...
Stom. Maar toch kwam hij overeind, keek om zich heen, en vroeg zich af hoe het mogelijk was dat Joe alweer was verdwenen. Verder heuvelafwaarts strekte de begraafplaats zich wel zo lang als een voetbalveld uit, waarbij het steeds steiler afliep. Daarna kwamen een paar rijen geschakelde huizen en daarachter nog meer open veld. Verderop, in het dal, lag het dorp Goodshaw Bridge waar hij en Joe maandagochtend weer naar school zouden gaan. Bijna helemaal rondom het dal waren heidevelden. Heel veel heidevelden.
Toms vader vertelde graag hoeveel hij van de hei hield, van de woestheid, de grootsheid en de onvoorspelbaarheid van het noorden van Engeland. Tom was het met zijn vader eens, natuurlijk, hij was pas tien, maar inwendig vroeg hij zich soms af of het zo erg zou zijn als platteland voorspelbaar was (hij had het woord opgezocht en hij wist wat het betekende). Het leek soms wel of de heidevelden om zijn nieuwe huis een beetje al te onvoorspelbaar waren.
Hij was een idioot natuurlijk, dat sprak vanzelf.
Maar hij leek elke keer weer een nieuwe rots te ontdekken, of een kleine vallei die er eerder nog niet was geweest, of een strook hei of een groepje bomen dat van de ene op de andere dag was opgedoken. Soms, als de wolken snel langs de hemel bewogen en hun schaduwen over de grond raceten, had Tom het idee dat de heidevelden golfden, zoals water doet als er iets onder de oppervlakte zit; of dat ze bewogen, als een slapend monster dat op het punt stond wakker te worden. En heel af en toe, als de zon onderging aan de andere kant van het dal en het duister inviel, bekroop Tom de gedachte dat de heidevelden om hen heen dichterbij waren gekomen.
'Tom!' schreeuwde Joe van de andere kant van de begraafplaats, en deze keer speet het Tom bepaald niet dat hij hem hoorde. De steen onder hem was koud geworden en er waren meer wolken verschenen.
'Tom!' riep Joe weer, recht in Toms oor. Jeetje, Joe, dat was snel. Tom sprong op en draaide zich om. Joe was er niet.
De bomen om de begraafplaats begonnen te schudden. De wind stak weer op, en als de wind het op de hei op zijn heupen kreeg dan wist hij overal door te dringen, zelfs op beschutte plekken. In de struiken vlak bij Tom bewoog iets.
'Joe,' zei hij, rustiger dan hij zich voelde, want hij vond de gedachte dat er iemand, al was het Joe maar, zich in die struiken verborg en hem begluurde, helemaal niet prettig. Hij bleef naar de grote, glanzende bladeren zitten kijken en wachtte tot ze weer zouden bewegen. Het waren laurierstruiken, hoog, oud en dik. De wind nam beslist toe, hij kon hem nu horen in de toppen van de bomen. De laurierstruiken voor hem bewogen niet.
Het was waarschijnlijk alleen maar een vreemde echo geweest die hem het idee had gegeven dat Joe vlakbij was. Maar Tom had dat gevoel, dat kriebe-

lige gevoel dat hij soms kreeg als iemand zag dat hij iets deed wat niet mocht. En hij had toch ook Joe's adem gevoeld in zijn nek?
'Joe?' probeerde hij weer.
'Joe?' echode zijn stem. Tom deed twee stappen achteruit en bonsde hard tegen een grafsteen. Hij keek om zich heen om nog eens te controleren of er niemand in de buurt was en ging op zijn hurken zitten.
Op deze hoogte was het gebladerte van de laurierstruiken minder dik. Tom zag verschillende kale takken tussen de brandnetels. Hij zag ook nog iets anders, een vorm die hij nauwelijks herkende, maar hij wist zeker dat het geen plant was. Het leek een beetje – als hij naar voren ging kon hij het misschien beter zien – op een grote en heel smerige menselijke voet.
'Tom, Tom, kom hier eens kijken!' riep Joe. Deze keer klonk het of hij kilometers ver weg was. Tom wachtte niet tot hij weer geroepen werd, maar sprong op en rende in de richting van de stem van zijn broertje.
Joe zat op zijn hurken bij de muur die de afscheiding vormde tussen de begraafplaats en hun tuin. Hij keek naar een graf dat nieuwer leek dan een heleboel andere eromheen. Aan de ene kant, tegenover de grafsteen, stond een stenen beeld.
'Kijk, Tom,' zei Joe nog voor zijn oudere broer tot stilstand was gekomen. 'Het is een meisje. Met een pop.'
Tom boog zich voorover. Het beeld was ongeveer dertig centimeter hoog en het stelde een klein, mollig meisje met krulhaar voor in een feestjurk. Tom stak zijn hand uit en krabbelde wat mos weg dat er overheen groeide. De beeldhouwer had haar perfect gevormde schoenen gegeven en in haar armen hield ze een pop.
'Kleine meisjes,' zei Joe. 'Het is een graf voor kleine meisjes.'
Tom keek op en zag dat Joe gelijk had – bijna. Er was een woord in de grafsteen gegrift. *Lucy*. Misschien stond er nog meer, maar het gedeelte eronder was overgroeid met klimop. 'Eén klein meisje maar,' zei hij. 'Lucy.'
Tom stak zijn hand uit en trok de klimop weg tot hij de data kon zien. Lucy was tien jaar eerder gestorven. Ze was nog maar twee geweest. *Geliefd kind van Jennifer en Michael Pickup*, zei de inscriptie. Dat was het enige.
'Alleen Lucy,' herhaalde Tom. 'Kom op, laten we gaan.'
Tom zocht voorzichtig zijn weg terug door het hoge gras, waarbij hij brandnetels ontweek en braamstruiken opzij duwde. Achter hem hoorde hij het gras ritselen en hij wist dat Joe hem volgde. Toen hij iets verder de heuvel op was gelopen, kwam de ruïne van de abdijkerk in zicht.
'Tom,' zei Joe met een stem die anders klonk dan normaal.
Tom bleef staan. Hij kon het gras pal achter zich horen bewegen maar hij draaide zich niet om. Hij bleef doodstil staan en staarde naar de vervallen kerktoren zonder hem echt te zien, terwijl hij zich afvroeg waarom hij plotse-

ling zo bang was zich om te draaien en zijn broertje aan te kijken.
Hij draaide zich om. Overal om hem heen stonden hoge grafstenen. Verder was er niets. Tom merkte dat hij zijn vuisten gebald hield. Dit was niet leuk meer. Toen begonnen de struiken een eindje verderop weer te bewegen en daar was Joe, hollend door het gras, met een rood hoofd en hijgend alsof hij moeite had gehad hem bij te houden. Hij kwam dichterbij en bleef naast zijn broer staan.
'Wat is er?' vroeg Joe.
'Ik geloof dat we worden gevolgd,' fluisterde Tom.
Joe vroeg niet wie, of waar, of hoe Tom dat wist, hij staarde hem alleen maar aan. Tom stak een hand uit en pakte de arm van zijn broertje. Ze gingen naar huis, nu meteen.
Maar, misschien toch niet. Op de muur die het oudere deel van het terrein om de kerk scheidde van de begraafplaats die zich heuvelafwaarts uitstrekte, stonden zes jongens, als kegels op een rij, te kijken. Tom voelde dat zijn hart sneller begon te kloppen. Zes jongens op de muur, en misschien nog wel een vlakbij.
De grootste jongen hield een dikke, gevorkte tak vast. Tom zag het projectiel dat met grote snelheid op hem af kwam niet, maar hij voelde de lucht langs zijn gezicht fluiten. Een andere jongen, in een opvallend rood met blauw voetbalshirt, legde aan. Joe, die snellere reflexen had dan zijn oudere broer, liet zich achter een grote grafsteen vallen. Tom volgde, net op het moment dat het tweede schot werd gelost.
'Wie zijn dat?' vroeg Joe toen er weer een steen over vloog.
'Jongens van school,' antwoordde Tom. 'Twee ervan zitten bij mij in de klas.'
'Wat willen ze?' Joe's gezicht was nog bleker geworden dan normaal.
'Ik weet het niet,' zei Tom, maar hij wist het wel. Een van hen wilde wraak nemen. De anderen hielpen hem alleen maar. Een steen raakte de rand van de grafsteen en Tom zag stof opvliegen. 'Die met dat Burnley-shirt is Jake Knowles,' gaf hij toe.
'Waar je mee gevochten hebt?' vroeg Joe. 'Toen je naar de directeur werd gestuurd? Die jongen waarvan de vader wilde dat je van school werd getrapt?'
Tom zakte op zijn hurken en leunde naar voren, in de hoop dat zijn hoofd niet zichtbaar was door het lange gras, en gluurde om de steen. Een andere jongen uit Toms klas, Billy Aspin, richtte op een paar braamstruiken bij het graf van het kleine meisje dat Joe net had gevonden. Tom keerde zich om naar Joe. 'Ze kijken niet,' zei hij. 'We moeten heel snel zijn. Kom.'
Joe kwam direct achter Tom aan, die naar voren schoot in de richting van een groot, hoog grafmonument, een van de grootste op de heuvel. Ze haalden het. Stenen vlogen fluitend door de lucht maar Tom en Joe zaten veilig achter het enorme stenen bouwwerk met het ijzeren hek erom. Er was een ijzeren

poort en daarachter een houten deur die naar binnen leidde. Een familiegraf had hun vader verteld, waarschijnlijk tamelijk groot vanbinnen, uitgehakt in de heuvel en met een heleboel richels waar hele generaties grafkisten op gezet konden worden.
'Ze zijn uit elkaar gegaan,' werd er geschreeuwd van de muur. 'Jullie twee, kom met mij mee!'
Tom en Joe keken elkaar aan. Als ze uit elkaar waren gegaan, hoe kon het dan dat ze nog zo dicht bij elkaar zaten dat Tom Joe's adem op zijn gezicht kon voelen?
'Wat een eikels,' zei Joe.
Tom keek om de hoek van het gebouw. Drie van de jongens liepen over de muur naar Lucy Pickups graf. De andere drie staarden nog hun kant uit.
'Wat is dat voor geluid?' vroeg Joe.
'De wind?' antwoordde Tom, zonder de moeite te nemen te luisteren. Het was een redelijke gok.
'Dat is geen wind. Ik hoor muziek.'
Joe had gelijk. Het was onmiskenbaar muziek, laag, met een gelijkmatig ritme, en een diepe, zingende mannenstem. De eikels hadden het ook gehoord. Een van hen sprong naar beneden en rende naar de straat. Daarna volgde de rest. De muziek werd harder en Tom kon de motor van een auto horen.
Het was John Lee Hooker. Zijn vader had een paar van zijn cd's die hij altijd – heel hard – draaide als hun moeder weg was. Er reed iemand de heuvel op, die John Lee Hooker op de stereo-installatie van zijn auto draaide, en dit was het moment om ervandoor te gaan. Tom stapte opzij, uit de beschutting van het grafmonument.
Alleen Jake Knowles was er nog. Hij keek om zich heen en zag Tom, die zich niet langer verborg. Beide jongens wisten dat het spel voorbij was. Behalve...
'Hij heeft jouw honkbalknuppel,' zei Joe, die achter Tom aan was gelopen. 'Wat gaat hij doen?'
Jake had Toms honkbalknuppel en zijn bal, een grote, heel zware, rode bal waar Tom onder het dreigement van een langzame en pijnlijke dood (dat was de manier waarop zijn moeder sprak als ze het meende) absoluut niet mee mocht spelen in de nabijheid van gebouwen, vooral geen gebouwen met ramen en of hij dat wel heel goed had begrepen? Tom en Joe hadden eerder samen vangbal geoefend bij de kerk. Ze hadden zowel de knuppel als de bal bij de muur laten liggen en nu had Knowles ze.
'Hij heeft ze gejat,' zei Joe. 'We kunnen de politie bellen.'
'Ik denk het niet,' zei Tom, toen Jake zich omdraaide naar de kerk. Tom zag dat Jake de bal een stukje opgooide en toen heel hard met de knuppel zwaaide. De bal zeilde door de lucht, door het enorme gebrandschilderde raam aan de zijkant van de kerk. Een blauw stuk glas vloog aan diggelen op het mo-

ment dat de motor van de auto werd afgezet, de muziek stopte en Jake achter zijn vrienden aan rende.
'Waarom deed hij dat?' zei Joe. 'Hij heeft een raam gebroken. Ze zullen hem vermoorden.'
'Nee, niet hem,' zei Tom. 'Maar ons.'
Joe staarde zijn broer een seconde aan en toen snapte hij het. Hij was misschien nog maar zes en zo irritant als de pest, maar hij was geen eikel.
'Dat is niet eerlijk.' Joe fronste van verontwaardiging. 'We gaan het vertellen.'
'Ze zullen ons niet geloven,' zei Tom. Zes weken op zijn nieuwe school: drie keer nablijven, twee bezoekjes aan de kamer van de directeur, een flink aantal stevige uitbranders van zijn klassenleraar en niemand die hem ooit geloofde. Waarom zouden ze ook, als Jake Knowles de helft van de klas op zijn hand had, die allemaal zaten te popelen omdat ze hem zo graag wilden steunen. Zelfs degenen die geen vriendjes van Jake leken te zijn, waren te bang voor hem en zijn bende om iets te durven zeggen. Zes weken waarin hij de schuld had gekregen van alles waar Jake Knowles mee was begonnen. Misschien was hij wel de eikel.
Hij pakte Joe's hand en de jongens renden zo snel als ze konden door het hoge gras. Tom klom op de muur, liet zijn blik over de begraafplaats glijden en boog zich toen voorover om Joe omhoog te trekken. Jake en de andere jongens waren nergens te zien, maar tussen de ruïnes van de oude kerk waren wel honderd plekken om je te verbergen.
Een oude, lichtblauwe sportwagen met een heleboel zilverkleurige details stond net buiten het hek geparkeerd. Het dak was helemaal open. Een man leunde over de passagiersstoel en graaide in het handschoenenkastje. Nadat hij had gevonden wat hij zocht ging hij weer rechtop zitten. Hij leek ongeveer van dezelfde leeftijd als Toms vader, vier- of vijfendertig, maar langer en dunner.
Tom gebaarde Joe hem te volgen, pakte de honkbalknuppel (geen reden om hem daar openlijk te laten liggen) en rende tot ze in een van hun favoriete verstopplekken konden kruipen. Ze hadden hem ontdekt kort nadat ze daar waren komen wonen: een enorme rechthoekige grafsteen op vier pilaren zodat hij op een tafel leek. Het gras er omheen was heel lang en zodra de jongens eronder gekropen waren, waren ze compleet uit het zicht verdwenen.
De chauffeur van de sportwagen deed het portier open en stapte uit. Toen hij in de richting van de kerk liep konden de jongens zien dat hij dezelfde kleur haar had als hun moeder (rossig, niet rood), en net zulke krullen, maar die van hem waren kort geknipt. Hij droeg een bermuda, een wit T-shirt en rode Crocs. Hij stak de straat over en liep het kerkhof op. Op het pad bleef hij staan, keek om zich heen, en draaide langzaam rond om de straten, de rijtjes-

huizen, de twee kerken en de heidevelden voor en achter in zich op te nemen.
'Ik heb hem nog nooit eerder gezien,' fluisterde Joe.
Tom knikte. De vreemdeling liep langs de jongens naar de hoofdingang van de kerk. Hij haalde een sleutel uit zijn zak. Een seconde later zwaaide de deur open en liep hij naar binnen. Net op het moment dat Jake Knowles bij de ingang van het kerkhof verscheen. Tom stond op en keek om zich heen. Billy Aspin was achter hen. Terwijl ze stonden te kijken kwamen de andere leden van de bende vanachter grafstenen tevoorschijn en klommen over de muur. De broers waren omsingeld.

2

'Het heeft drie uur geduurd voor ze de brand meester waren. En ze zeiden dat de temperatuur binnen, op het punt van de – ik weet niet meer wat ze zeiden...'

'Brandhaard?' suggereerde Evi.

De jonge vrouw tegenover haar knikte. 'Ja, dat is het,' zei ze. 'De brandhaard. Ze zeiden dat het net een oven moest zijn geweest. En haar slaapkamer lag er pal boven. Ze konden niet eens in de buurt van het huis komen, laat staan op de bovenverdieping, en toen stortte het dak in. Tegen de tijd dat het genoeg was afgekoeld, konden ze haar niet meer vinden.'

'Geen spoor?'

Gillian schudde haar hoofd. 'Nee, niets,' zei ze. 'Ze was zo klein, weet je. Zulke dunne, zachte botjes.'

Gillians ademhaling versnelde weer. 'Ik heb ergens gelezen dat het soms weleens gebeurt,' ging ze verder, 'dat mensen helemaal... helemaal verdwijnen. Dat ze totaal verbranden.' De vrouw begon naar adem te happen.

Evi drukte zichzelf overeind in haar stoel en de pijn in haar linkerbeen begon onmiddellijk weer op te spelen. 'Rustig maar, Gillian,' zei ze. 'Kom maar even op adem. Kalm aan.'

Gillian legde haar handen op haar knieën en boog haar hoofd terwijl Evi zich erop concentreerde haar eigen ademhaling onder controle te krijgen, om zich op iets anders te focussen dan op de pijn in haar been. De klok aan de muur vertelde haar dat het gesprek tot dat moment vijftien minuten had geduurd.

Haar nieuwe patiënt, Gillian Royle, was werkeloos, gescheiden en verslaafd aan alcohol. Ze was net zesentwintig. In de verwijsbrief van de huisarts werd gesproken over 'aanhoudend en abnormaal verdriet' na de dood, drie jaar geleden, van haar tweejarige dochtertje bij een brand in haar huis. Volgens de huisarts leed Gillian aan een zware depressie, had ze zelfmoordneigingen en een geschiedenis van zelfmutilatie. Hij had haar wel eerder willen verwijzen, zo schreef hij, maar hij was pas kortgeleden op de situatie attent gemaakt door een plaatselijk sociaal werkster. Dit was haar eerste afspraak met Evi.

Gillians haar raakte bijna de vloer. Ooit hadden er highlights in gezeten, maar nu had het, boven de oude blonde strepen, een grauwe, muisbruine kleur. Geleidelijk nam het rijzen en dalen van haar schouders af. Even later stak ze een hand op om haar haar naar achteren te duwen. Haar gezicht werd weer zicht-

baar. 'Het spijt me,' begon ze, als een kind dat zich had misdragen.
Evi schudde haar hoofd. 'Dat hoeft niet,' zei ze. 'Wat je voelt is heel normaal. Heb je vaak problemen met ademhalen?'
Gillian knikte.
'Het is volkomen normaal,' herhaalde Evi. 'Mensen die lijden onder een intens verdriet hebben vaak last van ademnood. Ze beginnen zich plotseling zorgen te maken, of om onduidelijke redenen bang te worden en krijgen het dan erg benauwd. Komt je dat bekend voor?'
Gillian knikte weer. Ze hijgde nog steeds, alsof ze meegedaan had aan een hardloopwedstrijd en op het nippertje had verloren.
'Heb je nog iets wat van je dochtertje is geweest?' vroeg Evi.
Gillian stak een hand uit naar het tafeltje naast zich en trok weer een tissue uit de doos. Ze had nog niet gehuild maar ze had continu tissues tegen haar gezicht gedrukt en ze in haar magere vingers rondgedraaid. Snippertjes van het dunne papier lagen verspreid over het kleed.
'De brandweerlieden hebben een knuffel gevonden. Een roze konijntje. Het hoorde eigenlijk bij haar in haar bedje te liggen maar het was achter de bank gevallen. Ik neem aan dat ik daar blij om zou moeten zijn, maar ik moet steeds maar denken dat ze dat allemaal moest meemaken en niet eens haar roze konijntje bij...'
Gillians hoofd viel weer naar voren en haar lichaam begon te trillen. Ze drukte haar beide handen, met daarin de dunne, perzikkleurige tissue geklemd, hard tegen haar mond.
'Werd het daardoor moeilijker voor je?' vroeg Evi. 'Dat ze Hayleys lichaampje niet hebben gevonden?'
Gillian hief haar hoofd en Evi zag dat haar ogen donkerder waren geworden, en haar gezicht een harde trek had gekregen. Er was ook heel veel woede op te lezen, die streed met het verdriet om de boventoon te krijgen. 'Pete zei dat het maar goed was ook,' zei ze, 'dat ze haar niet konden vinden.'
'Wat denk jij?' vroeg Evi.
'Ik denk dat het beter zou zijn geweest als ze haar hadden gevonden,' antwoordde Gillian. 'Want dan zou ik het zeker weten. Dan zou ik het wel moeten accepteren.'
'Accepteren dat het echt waar was?' vroeg Evi.
'Ja,' knikte Gillian. 'Want dat kon ik niet. Ik kon het gewoon niet begrijpen, ik kon niet geloven dat ze echt dood was. Weet je wat ik heb gedaan?'
Evi schudde zacht haar hoofd. 'Nee,' zei ze. 'Vertel me maar wat je hebt gedaan.'
'Ik ben haar gaan zoeken, op de hei,' antwoordde Gillian. 'Omdat ze haar niet hadden gevonden dacht ik dat het een vergissing was. Dat ze er op de een of andere manier uit gekomen was. Ik dacht dat het Barry, de babysitter,

misschien gelukt was om haar eruit te halen en dat hij haar in de tuin had gezet voor hij te veel rook binnenkreeg, en dat ze weggelopen was.'
Gillians ogen keken Evi doordringend aan, smeekten haar het met haar eens te zijn, om ja te zeggen, dat het heel waarschijnlijk was, dat ze misschien nog steeds ergens daar buiten was, rondzwierf, levend van bessen, dat Gillian moest blijven zoeken.
'Ze was vast doodsbang voor het vuur,' zei Gillian. 'En daarom moet ze hebben geprobeerd om weg te komen. Ze is misschien op de een of andere manier uit de tuin gekomen en de straat opgelopen. En daarom zijn we gaan zoeken, Pete en ik, en nog een paar mensen. We hebben de hele nacht over de hei gelopen en haar geroepen. Want ik was er zo zeker van dat ze niet echt dood kon zijn.'
'Dat is helemaal normaal,' zei Evi. 'Het wordt ontkenning genoemd. Als mensen een heel belangrijk persoon verliezen, dan kunnen ze het vaak in eerste instantie niet bevatten. Sommige dokters geloven dat het een manier van het lichaam is om zich te beschermen tegen te veel pijn. Ook al weten mensen in hun hoofd dat hun geliefde weg is, hun hart zegt iets anders. Het komt voor dat mensen degene die ze hebben verloren nog kunnen zien, of hun stem kunnen horen.'
Ze wachtte even. Gillian was weer rechtop gaan zitten. 'Is dat zo?' vroeg ze, terwijl ze zich naar Evi toe boog. 'Zien en horen ze degene die dood is?'
'Ja,' zei Evi. 'Dat komt vaak voor. Is jou dat overkomen? Heb je... zie je Hayley?'
Langzaam schudde Gillian haar hoofd. 'Ik zie haar nooit,' zei ze. Even staarde ze Evi aan. En toen verschrompelde haar gezicht, als een ballon die langzaam leegliep. 'Ik zie haar nooit,' herhaalde ze. Ze wilde weer een tissue pakken. De doos viel op de grond maar ze slaagde erin een handvol te grijpen. Ze drukte ze tegen haar gezicht. Nog steeds geen tranen. Misschien waren ze allemaal op.
'Neem de tijd,' zei Evi. 'Je moet huilen. Neem zoveel tijd als je nodig hebt.'
Gillian huilde niet, niet echt, maar ze hield de tissues tegen haar gezicht en stond haar uitgedroogde lichaam toe om te kreunen. Evi zag de secondewijzer drie keer de klok rond gaan.
'Gillian,' zei ze, toen ze van mening was dat ze het meisje genoeg tijd had gegeven. 'Dokter Warrington heeft me verteld dat je elke dag nog steeds een paar uur over de hei loopt. Zoek je nog altijd naar Hayley?'
Gillian schudde haar hoofd zonder op te kijken. 'Ik weet niet waarom ik dat doe,' mompelde ze in de tissues. 'Ik krijg soms zo'n gevoel in mijn hoofd en dan kan ik niet binnen blijven. Dan moet ik naar buiten. Dan moet ik gaan zoeken.' Ze hief haar hoofd en keek Evi met haar bleekgrijze ogen aan. 'Kun je me helpen?' vroeg ze, terwijl ze er plotseling veel jonger uit zag dan haar zesentwintig jaar.

'Ja, natuurlijk,' zei Evi snel. 'Ik zal je wat medicijnen voorschrijven. Een antidepressivum waardoor je je beter voelt, en ook iets om 's nachts te slapen. Ze zijn maar voor tijdelijk, zodat je je niet langer zo rot voelt. Begrijp je?'
Gillian staarde haar aan als een kind dat opgelucht is, omdat een volwassene eindelijk het heft in handen neemt.
'Want weet je, het verdriet dat je voelt heeft je lichaam ziek gemaakt,' ging Evi verder. 'Je hebt al drie jaar niet goed gegeten of geslapen. Je drinkt te veel en je put jezelf uit met deze lange wandelingen over de hei.'
Gillian knipperde een paar keer met haar ogen. Ze zagen er rood en gezwollen uit.
'Als je je overdag een beetje beter voelt en 's nachts goed slaapt, dan zul je in staat zijn iets aan het drinken te doen,' ging Evi verder. 'Ik kan je verwijzen naar een steungroep. Zij kunnen je door de eerste paar weken helpen. Lijkt je dat een goed idee?'
Gillian knikte.
'Je kunt elke week naar me toe komen zolang je dat nodig hebt,' zei Evi. 'Als je je vanbinnen beter voelt, als je voelt dat je de pijn onder controle hebt, dan kunnen we beginnen om je te helpen het leven te accepteren zoals het nu is.'
Gillians ogen waren dof geworden. Ze trok haar wenkbrauwen op.
'Voor dit gebeurde,' legde Evi uit, 'was je een echtgenote en een moeder. Nu is je situatie heel anders. Ik weet dat het hard klinkt, maar het is een realiteit die we samen onder ogen moeten zien. Hayley zal altijd een deel van je leven zijn. Maar op dit moment is zij – het verlies van haar – je hele leven. Je moet je leven weer opbouwen en, tegelijkertijd, haar daarin een plaats geven.'
Stilte. De tissues waren op de grond gevallen en Gillian hield haar armen strak over elkaar geslagen voor haar borst. Het was niet bepaald de reactie waar Evi op had gehoopt.
'Gillian?'
'Je zult me wel haten omdat ik dit zeg,' zei Gillian, en ze schudde haar hoofd. 'Maar soms wil ik...'
'Wat wil je?' vroeg Evi, en ze besefte dat ze voor de eerste keer sinds ze Gillian had ontmoet, echt niet wist wat het antwoord zou zijn.
'Dat ze me eens met rust zou laten.'

3

Het slapende kind had zacht, blond haar, met de kleur van gesponnen suiker. Ze lag in haar buggy, diep in slaap in de zon. Een fijnmazig net was van boven tot onder strak over de buggy gespannen om haar te beschermen tegen insecten en tegen alles wat verder nog in de tuin kon rondscharrelen. Een vochtige krul zat tegen haar bolle wangetje geplakt. Haar vuistje was tegen haar mondje gedrukt, de duim in een rechthoek uitgestoken alsof ze zuigend op haar duim in slaap was gevallen voor ze hem door een gedachte in een droom had uitgespuugd. Haar buikje ging op en neer, op en neer.
Ongeveer twee jaar oud. De mollige beentjes van een peuter en lipjes die net woorden begonnen te vormen. Als haar ogen open waren geweest, zouden ze de zoete onschuld hebben uitgestraald van een heel jong mensje. Ze had nog niet geleerd dat mensen pijn konden doen.
Een speekselbelletje vormde zich tussen haar kleine roze lipjes. Het verdween en ontstond opnieuw. Het kind zuchtte en het belletje brak door de lucht. En het geluid leek meegevoerd te worden door de stille septembermorgen.
'A, da da da,' mompelde het meisje in haar slaap.
Ze was prachtig. Net als de anderen.

4

Joe sprong op en begon te rennen. Tom volgde hem zonder na te denken en de twee jongens schoten de stoep op, door de openstaande kerkdeur naar binnen. Tom ving een glimp op van de blonde man voor hen die naar het altaar liep en dook toen naast Joe achter de laatste kerkbank.
De tegels op de vloer waren stoffig. Onder de banken zag Tom spinnenwebben, sommige helemaal heel en volmaakt, andere gescheurd en behangen met de resten van ingedroogde dode vliegen. De geborduurde knielkussens hingen keurig aan haakjes.
'Hij is aan het bidden,' fluisterde Joe, die over de rand van de bank gluurde.
Tom duwde zich omhoog. De man in de bermuda knielde op de altaartreden, met zijn ellebogen op de balustrade geleund, en keek omhoog naar het grote gebrandschilderde raam in de voorgevel van de kerk. Het leek inderdaad alsof hij aan het bidden was.
Een plotseling geluid maakte dat Tom omkeek. De kerkdeur stond open en Tom zag in een flits iemand buiten voorbij rennen. Jake en zijn bende waren er nog steeds. Plotseling werd hij omlaag getrokken tot onder de rand van de bank.
'Hij heeft iets gehoord,' fluisterde Joe.
Tom was zich er niet van bewust dat ze geluid hadden gemaakt, maar hij voelde een steek van angst. Als de man hen vond dan zou hij hen misschien wel naar buiten sturen, waar Jake en de anderen stonden te wachten. Joe waagde het om zijn hoofd weer uit te steken. Tom deed hetzelfde. De man had zich niet bewogen, maar hij bad niet meer, dat was wel duidelijk. Hij had zijn hoofd geheven en zijn lichaam was verstijfd. Hij luisterde. Toen stond hij op en draaide zich om. Joe en Tom doken zo snel naar beneden dat hun hoofden tegen elkaar sloegen. Nu waren ze erbij. Ze waren zonder toestemming in de kerk en het leek er sterk op dat ze een raam hadden gebroken.
'Wie is daar?' riep de man. Hij klonk verbaasd maar niet kwaad. 'Hallo,' riep hij. Zijn stem kwam gemakkelijk tot het einde van de kerk.
Tom probeerde op te staan. 'Nee!' siste zijn broer, terwijl hij hem stevig vastgreep. 'Hij heeft het niet tegen ons.'
'Natuurlijk heeft hij het wel tegen ons,' siste Tom terug. 'Er is hier verder niemand.'
Joe antwoordde niet maar stak alleen maar voorzichtig zijn hoofd omhoog,

als een soldaat die over een borstwering gluurde. Hij keek naar beneden en knikte tegen Tom dat hij hetzelfde moest doen. De bermuda liep langzaam naar een deur rechts van het altaar. Hij pakte de kruk en trok de deur open. Toen keek hij vanuit de deuropening de kamer in.
'Ik weet dat je hier binnen bent,' riep hij, als een ouder die verstoppertje speelde. Hij kwam uit het noorden, maar niet uit Lancaster of net over de grens uit Yorkshire. Verder naar het noorden, gokte Tom, Newcastle misschien.
Tom hief zijn handen en trok zijn 'Wat?'-gezicht tegen Joe. Er waren drie mensen in deze kerk en zij waren er twee van.
'Kom je nog tevoorschijn om me te begroeten?' zei de man, met een stem waarvan Tom wist dat hij moest klinken alsof het hem niks kon schelen maar wat niet helemaal lukte. Hij was zenuwachtig. 'Ik moet hier de boel zo afsluiten,' ging hij verder, 'en dat kan ik niet zolang jij je hier verstopt.' Toen draaide hij zich razendsnel om. 'Dit is niet leuk meer, mensen,' mompelde hij terwijl hij snel naar de andere kant van de kerk liep en achter het orgel verdween. Dit was hun kans. Tom trok aan Joe's arm. Ze stapten het middenpad op, net toen Billy Aspin grijnzend in de deuropening van de kerk verscheen. Tom greep Joe en sleurde hem weer achter de bank.
'Hallo,' zei een stem met een noordelijk accent boven hun hoofd. De bermuda stond in de kerkbank voor hen op hen neer te kijken.
'Hallo,' antwoordde Joe. 'Heb je haar gevonden?'
De bermuda kneep zijn ogen samen. 'Hoe zijn jullie van de consistoriekamer naar de achterkant van het orgel en vervolgens hier gekomen zonder dat ik jullie heb gezien?' vroeg hij.
'We hebben hier de hele tijd gezeten,' zei Tom.
'We zagen je bidden,' zei Joe op een toon alsof hij iemand had gezien die achter het altaar had staan plassen.
'Is dat zo?' vroeg de bermuda. 'Waar wonen jullie?'
Tom vroeg zich een seconde af of er enige kans was dat ze weg zouden kunnen komen zonder het hem te vertellen. De man stond tussen de jongens en de deur, maar als Tom naar de ene kant dook...
'Hiernaast,' zei Joe. 'In het nieuwe huis,' ging hij verder, alsof hij niet helemaal duidelijk was geweest.
De man knikte. 'Ik moet de boel hier afsluiten,' zei hij, terwijl hij het gangpad in liep. 'Kom.'
'Hoe komt het dat je een sleutel hebt?' vroeg Joe, die te ver van Tom af stond om hem een por te kunnen geven. 'Alleen de dominee mag een sleutel hebben. Heeft hij hem aan jou gegeven?'
'De aartsdiaken heeft hem aan me gegeven. Goed, voor ik afsluit, zijn er nog meer mensen hier binnen?'

'Dat kan niet,' zei Tom. 'We kwamen direct achter u aan. We waren buiten, eh, verstoppertje aan het spelen met een paar jongens. Niemand is achter ons aan naar binnen gekomen.'
De bermuda knikte. 'Oké,' zei hij. 'Dan gaan we.'
Hij gebaarde met zijn hand naar de deur, om aan te geven dat Tom en Joe voorop moesten gaan. Tom begon te lopen. Tot zover ging het goed. Jake en de anderen zouden niets durven doen als Joe en hij met een volwassene naar buiten kwamen. En de man had nog niks gezien van het gebroken...
'Tom, je bal!' riep Joe terwijl hij wegrende. Tom sloot zijn ogen en had even een privégesprekje met God over de vraag of kleine broertjes nou echt nodig waren.
Toen hij zijn ogen weer opendeed had Joe de bal opgeraapt tussen het gebroken glas en had de bermuda zijn wenkbrauwen opgetrokken. Hij stak zijn hand uit naar de bal. Tom opende zijn mond en sloot hem weer. Wat had het voor zin?
'Wie is die jongen met dat stekeltjeshaar?' vroeg de bermuda. 'Die op de muur stond toen ik aan kwam rijden?'
'Jake Knowles,' zei Joe. 'Hij zit bij Tom in de klas. Hij brengt hem steeds weer in de problemen. Ze schoten stenen op ons af met katapulten en toen jatte hij Toms honkbalknuppel.'
'Is dat zo?'
'Ze staan ons buiten op te wachten.'
'O ja?'
'Ze slaan ons in elkaar als we naar buiten komen. Het zijn eikels.'
'Hoe heet jij?' vroeg de bermuda, en Tom deed zelfs geen moeite meer om Joe een teken te geven dat het echt geen goed...
'Joe Fletcher,' zei Joe. 'En hij heet Tom. Ik ben zes en hij is tien en Millie is twee en mijn vader zesendertig en mijn moeder...'
'Rustig aan, jongen.' De bermuda keek of hij Joe geweldig grappig vond. Hij moest eens proberen om met hem in een huis te wonen. 'Kom op, laten we de boel maar eens afsluiten.'

5

Evi stond diep ademhalend voor het raam van haar kamer, terwijl ze wachtte tot de combinatie van paracetamol en nurofen begon te werken. Haar spreekkamer was op de derde verdieping en keek uit op de afdeling Spoedeisende Hulp van het ziekenhuis. Terwijl ze daar stond stopte er een ambulance op de parkeerplaats en een ambulancebroeder sprong eruit, gevolgd door de chauffeur. Ze openden de achterdeuren en begonnen de rolstoellift te installeren.

Ademen, in en uit. De medicatie zou over een tijdje wel helpen. Dat was altijd zo. Het leek op sommige dagen alleen langer te duren. Aan de overkant van de straat, tegenover het ziekenhuis, was een winkelcentrum. Het was al druk op de parkeerplaats van de supermarkt. Vrijdagochtend. De mensen deden hun weekendboodschappen. Evi sloot een moment haar ogen en hief toen haar hoofd om over de daken en kantoorgebouwen in de verte te kijken. De grote noordelijke stad waar ze het grootste deel van de week werkte lag in een groot dal. Aan weerszijden strekten de heidevelden zich uit. Een vogel die van haar vensterbank vertrok kon rechtstreeks doorvliegen naar de dichtstbijzijnde top, ongeveer vier of vijf kilometer verderop. Vandaar kon hij neerkijken op de hei waar Gillian Royle nog altijd het grootste deel van haar dagen doorbracht. Evi draaide zich weer om naar haar bureau. Ze had nog vijftien minuten voordat haar volgende patiënt zich aandiende.

Ze had al aantekeningen gemaakt van haar gesprek met Gillian voor ze de pijnstillers innam. Elke dag probeerde ze de tijd tussen het innemen te rekken met nog eens vijf minuten. Weer bij haar bureau gekomen googelde ze de website van de *Lancashire Telegraph*. Het duurde niet lang voor ze het artikel had gevonden waar ze naar zocht.

> *Het dorp Heptonclough is in shock na de brand drie dagen geleden in een cottage in Wite Lane. Inwoner Stanley Hargreaves zei dat hij nog nooit zo'n felle brand had gezien. 'We konden geen van allen in de buurt komen,' zei hij tegen journalisten van de* Telegraph. *'We zouden het meisje hebben gered als dat had gekund.'*

Verder was te lezen in het stuk dat het onderzoeksteam van de brandweer nog steeds bezig was, maar dat ze dachten dat de brand mogelijk was ontstaan doordat een brander van het gasfornuis niet was dichtgedraaid. Flessen olie om het fornuis hadden het vuur vermoedelijk nog aangewakkerd. De stenen cottage, een van de oudere huizen van Heptonclough, stond op enige afstand van het centrum van het dorp en niemand had de brand opgemerkt tot het veel te laat was. Het artikel van de *Telegraph* eindigde met:

> *Barry Robinson, veertien, die bij de familie aan het babysitten was, ligt op dit moment in het Burnley General Hospital nadat hij door brandweerlieden bewusteloos in de tuin was gevonden. Hoewel hij nog last heeft van de gevolgen van het inademen van rook, verwachten de artsen dat hij volledig zal herstellen. Zijn ouders vertelden dat hij zich absoluut niets kan herinneren van het ontdekken van het vuur of het verlaten van het huis.*

Evi's telefoon rinkelde. Haar volgende patiënt was gearriveerd.

6

'Waar zaten jullie? Millie en ik lopen al tien minuten te roepen.' De vrouw op de stoep was niet veel langer dan haar oudste zoon en ze leek, zelfs in een wijd shirt en spijkerbroek, ook niet veel meer te wegen. Ze had rossig, krullend haar tot op haar schouders en grote, turkooisblauwe ogen. Toen die ogen van haar zoons naar Harry gleden, gingen ze een beetje verder open van verrassing.

'Hallo,' zei ze.

'Lo,' zei het mollige meisje dat op haar moeders heup in haar ogen zat te wrijven alsof ze net wakker was geworden uit haar middagslaapje. Haar haar had dezelfde warmblonde kleur als dat van haar moeder, terwijl de oudste jongen, Tom, heel lichtblond haar had en zijn broer donker, glanzend rood. Maar alle vier hadden ze dezelfde bleke huid en sproeten.

'Hoi,' zei Harry, en hij knipoogde tegen de peuter voor hij zich tot de moeder richtte. 'Goedemorgen,' ging hij verder. 'Sorry dat ik u stoor, maar ik vond deze twee toen ze zich verstopten in de kerk. Kennelijk hadden ze wat problemen met een groepje oudere jongens. Ik dacht dat ik ze beter veilig thuis af kon leveren.'

De vrouw begon te fronsen en keek van de ene jongen naar de andere. 'Is alles oké met jullie?' vroeg ze.

'Ze gooiden stenen naar ons met katapulten en ze renden weg toen ze Harry hoorden. Dit is Harry,' zei Joe. 'Hij was aan het bidden in de kerk. We zagen hem.'

'Nou, daar is de kerk voor, neem ik aan,' zei de vrouw. 'Leuk je te ontmoeten, Harry, en dankjewel. Ik ben Alice Fletcher. Wil je... een kop koffie? Ik neem aan dat je geen psychopaat bent? Want in dat geval moet ik je waarschijnlijk je koffie op de stoep laten opdrinken.'

'Ik ben dominee,' zei Harry die voelde dat hij rood werd, zoals meestal wanneer hij tegenover een leuke vrouw stond. 'We zijn over het algemeen geen psychopaten,' ging hij verder. 'De aartsbisschop is daar niet echt een voorstander van.'

'Dominee?' zei Alice. 'Onze dominee, bedoel je? De nieuwe?'

'Dat ben ik.'

'Je kunt geen dominee zijn,' zei Joe.

'Waarom niet?'

'Dominees hebben geen korte broek aan,' zei Joe. 'En ze zijn heel oud. Net als opa's.'
Harry grijnsde. 'Nou, aan die korte broek kan ik waarschijnlijk wel iets doen,' zei hij. 'De rest is een kwestie van tijd. Moeten dominees hun koffie op de stoep drinken?'
Ook Alice had naar Harry staan staren alsof ze het bijna niet kon geloven, maar ze was iets beleefder dan haar jongste zoon. Toen stapte ze achteruit zodat Harry en de jongens binnen konden komen. Ze sloot de deur achter hen en Joe en Tom gingen hem voor door de hal en schopten ondertussen hun gympen uit.
'Wat is een psychopaat?' hoorde Harry Joe fluisteren toen de jongens de deur aan het eind van de hal open duwden.
'Jake Knowles als hij volwassen is,' antwoordde Tom, terwijl hij zijn broer optilde.
Alice en Harry volgden de jongens de keuken in en Millie begon zich los te wurmen. Zodra ze op de grond stond waggelde ze naar de jongens. Joe, in Toms armen, had een groot koekjesblik in zijn handen.
'Koek koek,' zei Millie, die verbazingwekkend slim uit haar ogen keek voor zo'n jong kind.
Alice gebaarde naar Harry dat hij aan tafel moest gaan zitten, liep toen naar de ketel, schudde er even mee om te zien of er water in zat en zette hem op. De restanten van het ontbijt stonden nog op tafel en naast de gootsteen stond een stapel borden en bestek.
'Je komt niet uit deze regio,' zei ze, terwijl ze koffie in de filter lepelde.
'Moet je horen wie het zegt,' antwoordde Harry. Haar accent deed hem denken aan *mint julep* en geurige lucht, aan een hitte die zo intens was dat hij massief leek te zijn. 'Laat me raden. Texas?'
Door een beweging achter hem keek hij om naar de kinderen. Millie kauwde op een gemberkoekje en had haar blik gevestigd op een chocoladevinger in Joe's hand.
'Je zit er een paar staten naast. Ik kom uit Memphis, Tennessee,' zei Alice, en ze wees Harry de suikerpot. Hij schudde zijn hoofd. Aan Harry's rechterkant had Joe het ene eind van de chocoladevinger tussen zijn lippen gestoken en hij boog zich voorover om Millie de rest voor te houden. Ze klemde haar tanden er omheen en begon te kauwen, net als Joe. Het eind was dat ze elkaar een kus gaven en begonnen te giechelen.
'Zo is het wel weer genoeg. We gaan bijna lunchen,' zei Alice, zonder zich om te draaien. Harry zag dat de twee jongens een blik wisselden, en daarna propte Joe drie chocoladevingers en een gemberkoekje in zijn zak en verliet haastig de kamer. Millie duwde een vanillekoekje dat haar was toegestopt in de halsopening van haar jurk en waggelde naar buiten, terwijl haar oudste broer met

een trotse glimlach op zijn gezicht toekeek. Tom propte een handvol koekjes in zijn eigen zakken en besefte toen dat Harry zat te kijken. Zijn gezicht werd nog een graadje roder toen hij van de bezoeker naar zijn moeder keek.
'We gaan naar de zitkamer,' kondigde hij aan.
'Oké, maar eerst wil ik die koekjes terug,' zei Alice en ze stak een hand uit.
Tom wierp nog een laatste blik op Harry – die meelevend zijn schouders ophaalde – overhandigde zijn buit en sloop weg.
Even bleef het stil. De ruimte leek te leeg zonder de kinderen. Alice zette bekers, de suikerpot, lepels en een melkfles op tafel.
'Woon je hier al lang?' vroeg Harry, hoewel hij wist dat dat niet het geval kon zijn. Het huis was onmiskenbaar nieuw.
'Drie maanden,' zei Alice. Ze draaide zich om en begon vuile borden en kommen in de afwasmachine te zetten.
'Al een beetje gesetteld?' vroeg Harry.
Nadat ze de afwasmachine had ingeladen, boog Alice zich voorover naar een kastje onder het aanrecht en haalde er een doek en een fles schoonmaakmiddel uit. Ze maakte de doek nat onder de kraan en begon het aanrecht af te nemen. Harry vroeg zich af of zijn aanwezigheid misschien onwelkom was, ondanks de aangeboden koffie.
'Ik neem aan dat zoiets tijd kost,' antwoordde Alice even later, terwijl ze de koffie op tafel zette en ging zitten. 'Ga je in het dorp wonen?'
Harry schudde zijn hoofd. 'Nee, de pastorie is een paar kilometer heuvelafwaarts. In Goodshaw Bridge,' zei hij. 'Ik heb drie parochies onder me. Dit is de kleinste. En waarschijnlijk de uitdagendste, gezien het feit dat de kerk hier al een paar jaar niet meer in gebruik is. Wat denk je, zullen de bewoners vriendelijk zijn?'
Weer een pauze. Beslist ongemakkelijk deze keer. Alice schonk de koffie in en duwde de melk zijn kant op.
'Dus de kerk wordt weer geopend,' zei ze, toen Harry zichzelf had voorzien. 'Dat is goed voor het dorp, neem ik aan. Wij zijn geen geweldige kerkgangers, maar ik denk dat we maar eens moeten gaan nu we er zo dichtbij wonen. Wanneer ga je open?'
'Dat duurt nog wel een paar weken,' antwoordde Harry. 'Ik word volgende week donderdag officieel geïnstalleerd in Saint Mary's in Goodshaw Bridge. Het zou fijn zijn om jou en de familie te zien.'
Alice knikte vaag en toen werd het weer stil. Harry begon zich beslist slecht op zijn gemak te voelen toen Alice een beslissing leek te nemen. 'Er was een heleboel protest vanuit de buurt toen wij hier gingen wonen,' zei ze, terwijl ze achterover leunde. 'Dit was het eerste nieuwe huis in het dorp in meer dan twintig jaar. Het meeste land en een groot deel van de huizen is eigendom van de familie Renshaw en zij schijnen te bepalen wie er wel of niet in komt.'

Ergens in huis klonk het geluid van schreeuwende stemmen en een hoge kreet van Millie.
'Mijn kerkvoogd hier heet Renshaw,' zei Harry. 'Hij was lid van de benoemingscommissie.'
Alice knikte. 'Dat was waarschijnlijk Sinclair,' zei ze. 'Hij woont met zijn oudste dochter en zijn vader in het grote huis aan de andere kant van de kerk. De oude meneer Tobias kwam laatst langs en bleef een kop koffie drinken. Hij leek tamelijk ingenomen met de kinderen. Jenny, de jongere dochter, heeft zich een paar weken geleden in het postkantoor aan me voorgesteld en zei dat ze weleens langs zou komen. Zoals ik al zei, deze dingen kosten tijd.'
Meer gegiechel uit de andere kamer.
'Is dat je man?' vroeg Harry, en hij wees naar een foto op de vensterbank achter haar. Er stond een aantrekkelijke man van in de dertig op, met een cowboyhoed achterover geschoven op zijn donkere haar. Hij droeg een blauwe polo in dezelfde kleur als zijn ogen.
Ze knikte. 'Dit was al jaren zijn droom,' zei ze. 'Ons eigen huis bouwen op een plek als deze, kippen houden, een moestuin. Natuurlijk is hij meestal niet hier...'
Ze werd onderbroken door een harde klop op de voordeur. Een verontschuldiging mompelend verliet ze de keuken. Harry keek op zijn horloge. Hij hoorde het getrippel van kleine voetstappen en een seconde later verscheen Millie in de keuken, die een glimmende rode eend achter zich aan trok. Terwijl ze om de tafel begon te lopen hoorde hij dat Alice de voordeur opendeed. Hij nam een laatste slok koffie en stond op. Hij moest echt gaan.
'Alice, hoi. Ik wilde al eeuwen langskomen. Stoor ik?' De stem van de vrouw was licht en helder, zonder een spoor van een accent. Al voor hij bij de deur van de keuken was en de hal in kon kijken wist hij dat ze jong zou zijn, op een privéschool had gezeten en waarschijnlijk heel aantrekkelijk was, misschien een heel klein beetje grof gebouwd. Ze stond net over de drempel. Hij had op alle fronten gelijk.
'Kunnen jij en Gareth misschien volgende week vrijdag?' vroeg ze Alice. 'We nodigen wat mensen uit voor een etentje.'
Haar blonde haar had te veel nuances en glans om iets anders dan natuurlijk te kunnen zijn. Het viel tot op haar schouders en werd achterover gehouden door een dure zonnebril. Ze had het gezicht van een albasten standbeeld en naast haar leek de kleine, leuke Alice een pop.
'Het zou fantastisch zijn als jullie konden komen,' zei ze met een smekende blik op haar gezicht, maar het was duidelijk dat ze geen negatief antwoord verwachtte.
Terwijl Harry de hal door liep, klaar om zich te excuseren en te vertrekken, kwamen de jongens uit een kamer de gang in.

De nieuwkomer droeg jeans en een crèmekleurig linnen shirt. Ze slaagde erin er zowel casual als heel duur uit te zien. Voor Alice antwoord kon geven ontdekte ze Harry en haar mond vertrok geamuseerd. 'Hoi,' zei ze, terwijl Harry voelde dat hij rood werd.
'Jenny, dit is Harry. Onze nieuwe dominee,' zei Alice. 'Joe heeft hem al onderhouden over de dresscode die in deze regio van de geestelijkheid wordt verwacht. Harry, dit is Jenny Pickup. Zij en haar echtgenoot hebben een boerderij een paar kilometer buiten het dorp.'
'Eerwaarde Laycock?' zei ze, terwijl ze haar hand uitstak. 'Fantastisch. We hadden je al bijna opgegeven. Pap wacht al een uur op je.'
Harry pakte haar hand. 'Pap?' herhaalde hij.
'Sinclair Renshaw,' antwoordde ze, terwijl ze zijn hand losliet en haar hand in haar zak stak. 'Je kerkvoogd. We wisten dat je vanmorgen zou komen. We dachten dat je naar ons huis zou komen.'
Harry wierp een blik op zijn horloge. Had hij een vaste afspraak gemaakt met zijn kerkvoogd? Hij dacht van niet. Hij had alleen een bericht achtergelaten dat hij laat die ochtend aan zou komen en een bezoek zou brengen aan de kerk.
'Hé, als je het over de duivel hebt,' ging ze verder toen ze door de voordeur naar buiten keek. 'Hier is hij, pap. Ik heb hem gevonden.'
Harry, een meter tachtig plus, moest opkijken om de man die over de drempel stapte aan te kunnen kijken. Sinclair Renshaw was eind zestig. Zijn dikke witte haar viel over zijn voorhoofd, zodat zijn donkere wenkbrauwen er bijna onder verdwenen. Hij had bruine ogen achter een elegante bril en was gekleed als een landjonker uit een tijdschrift, in verschillende tinten groen, bruin en beige. Hij knikte naar Harry en keerde zich toen naar Alice, die bijna een dwergje leek naast de lange vader en dochter.
'Ik ben bang dat er sprake is van ernstig vandalisme bij de kerk,' zei hij tegen Alice, maar met zijn blik op Harry. 'Een van de oudere ramen is gebroken. Ik begrijp dat uw zoons daar vanmorgen waren, mevrouw Fletcher. En dat ze aan het spelen waren met een cricketbat en een bal.'
'Honkbal,' zei Joe behulpzaam.
Alice gezicht verstrakte toen ze zich omdraaide naar Tom. 'Wat is er gebeurd?' vroeg ze.
'Ik heb gezien hoe het gebeurde,' zei Harry. 'En ook de jongen die het heeft gedaan. Het was iemand die Jack heette, of John...?' Hij keek naar Tom voor hulp.
'Jake,' zei Joe. 'Jake Knowles.'
'Hij stond op de muur toen ik aan kwam rijden,' ging Harry verder. 'Ik zag hem met de knuppel zwaaien en de bal door het raam slaan. Ik zal het er met zijn ouders over hebben.'

Renshaw keek een moment naar Harry. Hij had de jongens volledig genegeerd. 'Doet u alstublieft geen moeite,' zei hij uiteindelijk. 'Ik handel dit wel af. Het spijt me dat ik u heb gestoord, mevrouw Fletcher.' Hij knikte een keer naar Alice en draaide zich toen om naar Harry. 'Jammer dat ik u vanochtend heb gemist, dominee,' ging hij verder. 'Maar welkom, we zullen spoedig samen lunchen.' Toen liep hij de oprit af en de heuvel op.
Nadat ze van Alice de belofte had gekregen dat zij en haar echtgenoot de volgende week zouden komen eten, stapte Jenny in haar Range Rover en reed weg. De kinderen verdwenen weer.
'Ik moet echt gaan,' zei Harry. 'Ik heb over vijftien minuten een afspraak met iemand in de pastorie. Het was leuk jullie allemaal te ontmoeten.'
Alice glimlachte. 'Dat vond ik ook, Harry. Tot volgende week donderdag.'

7

Evi kreunde. Iemand had haar stoel geleend en de hoogte veranderd. Daarom moest ze zich in een vreemde hoek over haar bureau buigen zodat er extra druk kwam te staan op haar beschadigde zenuw. Ze keek op haar horloge. Ze moest over dertig minuten in de rechtbank zijn. Ze zou de stand van de de stoel wel veranderen als ze terugkwam.

Ze opende het verhaal op de website van de *Telegraph* dat ze de vorige week had opgeslagen, en vroeg zich af of ze iets had gemist. Gillian Royle was net vertrokken na haar tweede sessie. Oppervlakkig gezien leek er wel wat vooruitgang te zijn geboekt. Gillian nam haar medicijnen in, had aangegeven dat ze nu beter kon slapen en had haar eerste afspraak bij de AA. Ze had zelfs gezegd dat ze probeerde te eten. Een heleboel goeds dus. Maar toch zat haar iets niet helemaal lekker.

Sinds haar vestiging als psychiater had Evi met heel veel patiënten gewerkt die moeite hadden met het verwerken van verlies. Ze had verschillende patienten behandeld die een kind hadden verloren. Maar Gillian Royle was anders. Er ging meer in Gillians hoofd om dan verdriet om haar dochter. Na twee gesprekken was Evi daar zeker van. Haar pijn was te vers, te intens, als een vuur dat voortdurend werd opgestookt. Een vreselijke gedachte in deze omstandigheden, maar er was iets wat het herstel van Gillian belemmerde, dat voorkwam dat ze verder kon.

Evi was al heel vaak voorgelogen; ze wist wanneer een patiënt niet de waarheid vertelde; ze wist ook wanneer iemand haar niet alles vertelde.

Ze las het krantenartikel nog eens. *Het dorp Heptonclough is in shock* [...] Ze had die zin al een paar keer gelezen, daar zat niks nieuws in [...] *dat de brand mogelijk was ontstaan omdat een brander van het gasfornuis niet was dichtgedraaid* [...] Als Gillian het gas aan had laten staan dan zou de brand, theoretisch gezien, haar schuld zijn. Kwelde ze zichzelf uit schuldgevoel?

Tijdens het laatste uur met Gillian had Evi de gebruikelijke procedures gevolgd en de jonge vrouw laten praten over haar jeugd. Het was niet goed gegaan. Ze had spanning gevoeld in Gillians relatie met haar moeder en zich afgevraagd of gebrek aan ouderlijke steun had bijgedragen aan de inzinking na Hayleys dood. Gillian had kort gesproken over haar overleden vader die ze zich nauwelijks kon herinneren, en had het verder gehad over een stiefvader die een paar jaar later op het toneel was verschenen. Evi liet haar ogen

over het verhaal op haar scherm glijden. *Deze laatste tragedie, nauwelijks drie jaar na de dood in Heptonclough van de kleine Megan* [...] Het verhaal ging verder over een heel andere gebeurtenis en Evi sloot de pagina.
Hoe meer ze Gillian had gevraagd over haar jeugd, hoe geagiteerder de vrouw was geworden, tot ze ronduit had geweigerd er nog verder over te praten. Dat was op zichzelf al heel interessant. Serieuze aandoeningen zoals die van Gillian hadden zelden maar één oorzaak, wist Evi. Wat vaak werd gezien als de primaire oorzaak – in dit geval het verlies van een kind – was maar al te vaak slechts de trigger, de laatste schakel in een reeks gebeurtenissen en omstandigheden. Ze moest nog heel veel over Gillian te weten zien te komen.

8

'Joe!'
Het was vrijdagmiddag en de jongens waren nog niet lang uit school. Alles bij elkaar was het niet zo'n heel slechte week geweest. Dankzij Harry, de nieuwe dominee, had Jake Knowles flink op zijn donder gekregen vanwege het kerkraam en voor het moment in elk geval, liet hij Tom met rust.
Tom zwierf door de kamers op de benedenverdieping, en hij vroeg zich af waar Joe was en of hij hem zou kunnen overhalen om in het doel te gaan staan terwijl hij penalty's oefende. Toen hij stemmen hoorde door de openstaande achterdeur, duwde Tom zich omhoog op het aanrecht en zag zijn broer op de muur tussen hun tuin en de begraafplaats zitten. Hij leek met iemand aan de andere kant te praten. Tom pakte de bal en ging naar buiten.
'Daar komt ie, Joe!' riep hij vanuit de deuropening en trapte de bal zijn richting uit. Joe keek geschrokken op toen de bal over zijn hoofd zeilde en op de begraafplaats verdween.
Tom rende naar de muur en klom erop. De muur was weliswaar hoog, maar hij was ook oud en in het onderste deel zat een uitstulping die door de aarde die er aan de achterkant tegenaan drukte in de tuin van de Fletchers werd geduwd. Sommige stenen waren verdwenen waardoor er een heleboel steunpunten waren voor zijn handen en voeten. Maar Tom had nog nooit gezien dat Joe er in zijn eentje op geklommen was.
Toen hij boven was besefte hij dat hij en zijn broer recht boven Lucy Pickups graf stonden, het graf waar Joe de vorige week zoveel belangstelling voor had gehad.
'Tegen wie zat je te praten?' vroeg hij.
Joe sperde zijn ogen wijd open en keek naar beneden naar de begraafplaats. Hij keek naar links, naar rechts en toen weer naar Tom. 'Er is niemand,' zei hij, schokschouderend.
'Ik hoorde je,' hield Tom vol. Hij wees naar het keukenraam. 'Ik zag je vandaar. Het leek alsof je met iemand zat te praten.'
Joe draaide zich weer naar de begraafplaats. 'Ik zie niemand,' zei hij.
Tom gaf het op. Als zijn broer een verzonnen vriendje wilde, waar zou hij zich dan druk om maken. 'Wil je penalty's oefenen?' vroeg hij.
Joe knikte. 'Oké,' zei hij. Toen vertrokken zijn lippen in een sluw glimlachje.

'Waar is je bal?' vroeg hij.
Dat was een goede vraag. De bal was verdwenen.
'Verdorie,' mompelde Tom, aan de ene kant omdat hij wist dat ze geen andere bal hadden, maar ook omdat hij besefte dat dit de eerste keer zou zijn dat ze weer de begraafplaats op zouden gaan sinds ze door Jake Knowles en zijn bende achterna waren gezeten. 'Kom op,' zei hij met tegenzin. 'Dan gaan we hem zoeken.'
Tom sprong naar beneden. De bal kon niet ver weg zijn.
Nou, het was duidelijk dat hij zijn eigen trapkracht niet kende want de bal was nergens te zien. Tom liep voorop en Joe kwam zachtjes zingend achter hem aan.
'Tom, Joe! Eten!'
'Verdorie,' zei Tom weer, terwijl hij sneller ging lopen. Ze hadden nu minder dan vijf minuten voor hun moeder nijdig zou worden. 'Heb je niet gezien waar hij heen ging?' vroeg hij Joe.
'Tom, Joe!'
Tom bleef staan. Hij draaide zich om naar de muur waar ze net overheen waren geklommen. De afstand was ongeveer twintig meter. Hun moeder zou bij de achterdeur staan. Waarom kwam haar stem dan uit een groepje laurierstruiken in tegenovergestelde richting?
Tom staarde naar de struiken. Ze leken niet te bewegen.
'Tom! Waar ben je?'
Dat was absoluut mam, haar stem kwam uit de juiste richting, klonk honderd procent normaal en inmiddels behoorlijk kwaad.
'Tom.' Een zachtere stem, lager, maar toch net de stem van zijn moeder.
'Hoorde je dat?' Tom draaide zich naar zijn broer. Joe keek naar de laurierstruiken. 'Joe, zit er iemand tussen die struiken? Iemand die net doet of ze mam is?'
'Tom, Joe, kom onmiddellijk hier!'
'We komen!' riep Tom. Zonder nadenken greep hij Joe's hand en sleurde hem bijna mee naar de muur. Hij sprong erop en draaide zich om, een schreeuw op zijn lippen, omdat hij gewoon zeker wist dat er iets vreselijks achter hen aan was gekomen dat klaar stond om te springen.
De begraafplaats was leeg. Zonder naar beneden te kijken stak Tom zijn hand uit naar Joe en trok hem omhoog.
'Zo, zijn jullie daar eindelijk. Kom op, ga je handen wassen.'
Tom waagde een snelle blik naar het huis. Ja, daar was mam. Met Millie die zich aan haar knie vastklemde. Ze schudde geërgerd haar hoofd en liep het huis weer in. Tom merkte dat zijn ademhaling weer normaal werd. Het waren alleen maar echo's geweest. Door de oude grafstenen klonken de echo's soms heel vreemd.

Terwijl Tom Joe hielp om aan de kant van de tuin naar beneden te komen, zag hij dat zijn broer weer glimlachte. Hij draaide zich om. Daar was de bal. Midden in de tuin.
'Hoe?'
Joe keek niet naar hem maar naar het keukenraam. Tom keek ook, in de verwachting Millie te zien die vanaf het aanrecht naar hen zwaaide.
Jezus, dat was Millies gezicht niet. Wie was er verdomme in de keuken? Het leek een beetje op een kind met lang haar, maar er was iets heel raars aan het gezicht. Toen besefte Tom dat hij naar een weerspiegeling keek, dat het kind, het meisje dat hij zag, recht achter hen was en over de muur naar hem en Joe gluurde. Hij draaide zich pijlsnel om. Niets. Weer terug naar het keukenraam. De weerspiegeling was weg.
Tom liep de tuin door en raapte de bal op. Hij had absoluut geen zin meer om penalty's te oefenen. Hij wilde naar binnen en de achterdeur dicht doen. En dat was precies wat hij deed. Hij pakte zelfs de sleutel van de haak en draaide de deur op slot. Even bleef hij nog in de garderobe staan om weer op adem te komen, om na te denken over wat er net was gebeurd.
Dat was wel een heel bijzonder verzonnen vriendje dat zijn broer had, als je ervan uitging dat Tom haar ook kon zien.

9

19 september

'Mag ik je iets vragen?' zei Gillian.
'Natuurlijk,' antwoordde Evi.
'Ik heb laatst die vrouw ontmoet die pas in het dorp woont, en ik heb een hele tijd met haar gepraat. Ze was verbaasd dat ik nooit een begrafenis voor Hayley had geregeld. Ze zei dat begrafenissen – of, als er geen lichaam is, een herdenkingsdienst – mensen de kans geven om te rouwen, om echt afscheid te nemen.'
'Daar heeft ze gelijk in,' zei Evi enigszins op haar hoede. 'Normaal is een begrafenis een belangrijk onderdeel van het rouwproces.'
'Maar dat heb ik nooit gehad,' zei Gillian, voorover leunend in haar stoel. 'En dat is misschien wel de reden waarom ik niet in staat ben geweest verder te gaan, waarom ik nog steeds... En deze vrouw, Alice, zei dat ik moest nadenken over een herdenkingsdienst voor Hayley. Ze zei dat ik het moest bespreken met de nieuwe dominee. Wat denk jij?'
'Ik denk dat het een heel goed idee zou kunnen zijn,' zei Evi. 'Maar ik denk ook dat het belangrijk is om het juiste moment te kiezen. Het zou een heel emotionele gebeurtenis zijn voor jou. Je hebt nog maar net de eerste stappen gezet op weg naar herstel. We moeten voorzichtig zijn en niets doen waardoor je een terugslag zou krijgen.'
Gillian knikte langzaam, maar op haar gezicht was teleurstelling te zien, omdat Evi haar plan niet direct steunde.
'Het is nog vroeg,' ging Evi snel verder. 'Ik denk dat een herdenkingsdienst heel goed is om over na te denken, maar misschien niet iets om te overhaasten. We kunnen het er volgende week weer over hebben.'
Gillian zuchtte en haalde haar magere schouders op. 'Oké,' zei ze, maar ze keek verslagen.
'Heb je een nieuwe vriendin?' vroeg Evi. 'Alice, zei je?'
Gillian knikte, een beetje opgewekter. 'Zij en haar gezin hebben een huis naast de oude kerk gebouwd,' zei ze. 'Ik geloof niet dat de mensen in het dorp het daarmee eens waren, maar ze leek aardig. Ze wil me schilderen. Ze zegt dat ik een heel bijzonder gezicht heb.'
Evi knikte. 'Ja, dat is zo,' zei ze glimlachend. Sinds hun eerste afspraak was

Gillians huid al een beetje verbeterd en zonder de lelijke pukkels waren de hoge jukbeenderen, de strakke kaaklijn en de kleine neus beter te zien. Ze was waarschijnlijk een knap meisje geweest voor het verdriet haar had gebroken. 'Ga je voor haar poseren?' vroeg ze.
Gillians gezicht leek te versomberen. 'Ze heeft drie kinderen,' zei ze. 'Die twee jongens vind ik niet erg, maar er is een klein meisje. Ze is bijna net zo oud als Hayley was.'
'Dat moet heel moeilijk zijn.'
'Ze heeft blonde krullen,' zei Gillian, starend naar haar handen. 'Soms, als ik haar van achteren zie, of als ik haar hoor in een andere kamer, dan lijkt het net alsof Hayley teruggekomen is. Het is alsof een stemmetje in mijn hoofd zegt: "Ze is van jou, pak haar, pak haar nu." Ik moet mezelf inhouden om haar niet op te tillen en het huis uit te rennen.'
Evi merkte dat ze heel stil zat. Ze stak een hand uit en pakte een pen. 'Denk je dat je zoiets zou kunnen doen?' vroeg ze.
'Wat? Millie meenemen?'
'Je zei dat je jezelf moest inhouden,' zei Evi rustig. 'Kost je dat veel moeite?'
Gillian schudde haar hoofd. 'Dat zou ik nooit doen,' zei ze. 'Dat zou ik Alice niet aandoen. Ik weet wat het is om niet te weten waar je kind is. Ook al is het maar een paar minuten, dan ga je kapot vanbinnen. Het is alleen dat soms, als ik Millie zie...'
'Wat?' vroeg Evi.
'Dan lijkt het alsof Hayley weer teruggekomen is.'

10

20 september

Van de cottage was nauwelijks meer over dan een paar hopen zwartgeblakerde stenen. Hij lag aan het eind van een kort keienstraatje en het was het eerste huis dat Evi zag toen ze Heptonclough bereikte. Ze was afgeweken van haar gebruikelijke route en had een weinig gebruikt ruiterpad genomen in westelijke richting over Tonsworth Moor. Duchess, een zestienjarige schimmel en het oudste en rustigste paard van de manege, had haar veilig over paden gevoerd die bezaaid waren met gevallen stenen, door dicht kreupelhout en over beken. Ze waren er zelfs in geslaagd door een hek te komen van vijf balken hoog en met een draaihendel.

Om de cottage stond een lage, stenen muur met een simpel ijzeren hekje. Het was niet moeilijk om je voor te stellen dat een doodsbange peuter het hekje open had geduwd en weg was gelopen in het donker. Toen ze naar het huis keek en zag hoe ver het van de bebouwde kom lag, leek het nog niet zo gek wat Gillian in de weken na de brand had gedaan. Evi trok licht aan de teugels om Duchess tot staan te brengen.

Hemel, wat was het heet. Duchess was vochtig van het zweet en Evi ook. Ze liet de teugels los, trok haar trui uit en knoopte die om haar middel. De cottage waar Gillian Royle en haar echtgenoot tijdens hun huwelijk hadden gewoond, was gehuurd van een van de oudere families in het dorp. Na de brand had het stel een tweekamerflat boven het warenhuis aangeboden gekregen. Peter Royle was alweer verhuisd. Hij woonde nu een paar kilometer verderop met een nieuwe, inmiddels zwangere vriendin. Gillian woonde nog wel in de flat.

Duchess, de eeuwige opportuniste, liep naar een pol gras die onder het hek aan de andere kant groeide. Evi pakte de teugels weer. Er was niks te zien hier, geen aanwijzingen te vinden die haar een beter inzicht in haar nieuwe patiënt konden geven. Alleen maar zwarte stenen, een paar stukken verkoold hout en een wirwar aan braamstruiken. Ze trok Duchess' hoofd omhoog en tikte licht met haar zweep op de linkerflank van het paard.

Ze passeerden nog twee oude cottages, allebei met een klein tuintje vol groenten, vruchtstruiken en opgebonden pronkbonen; de huizen daarna waren bijna allemaal hetzelfde, van baksteen en met een leien dak.

Dichter bij het centrum werden de keien gladder. Aan weerszijden van de straat stonden huizen van drie verdiepingen hoog. Evi liet Duchess keren en reed de heuvel op, in de richting van Heptoncloughs beroemdste bezienswaardigheden: de twee kerken.
De resten van het middeleeuwse gebouw stonden naast zijn victoriaanse opvolger als een echo, of als een herinnering die weigerde te verdwijnen. Zelfs op de rug van Duchess gezeten, torenden de grote stenen bogen van de ruïne boven haar uit. Sommige van de oude muren rezen nog omhoog naar de hemel, andere lagen verbrokkeld op de grond. Bewerkte stenen pilaren stonden kaarsrecht, alsof ze een lange neus trokken tegen de zwaartekracht en het verstrijken van de tijd. Tegels, glad en glanzend van ouderdom, bedekten de grond, en overal waar ze keek zag ze plukjes hei opkomen, hoeken omhoog duwend en gaten vullend, alsof de heide, na honderden jaren, het land terug probeerde te veroveren.
Het nieuwe gebouw was minder groots dan zijn voorganger was geweest. Het was kleiner en had geen grote, centrale klokkentoren. In plaats daarvan stonden er op de hoeken vier kleinere torentjes met een puntdak en vier stenen pilaren van ongeveer een meter hoog. Aan de andere kant van de smalle straat waren hoge huizen van donkere steen.
Er was niemand te zien. Het leek wel of Evi en Duchess alleen waren in dit vreemde dorp hoog op de hei.
Het grote huis dat het dichtst bij de kerken stond was nieuw, te oordelen naar de lichte stenen en het braakliggende tuintje aan de voorkant. Op de stoep, als enig teken van leven in een spookstad, stonden een paar piepkleine roze rubberlaarsjes.
Een hoog gekrijs verbrak de stilte en iets felgekleurds schoot langs Evi's linkerschouder. De normaal zo onverstoorbare Duchess maakte een sprongetje en gleed weg op de keien.
'Rustig, rustig maar.' Evi trok de teugels strak, rechtop en gelukkig nog in het zadel. Wat was dat verdomme geweest?
Daar was het weer. Op ongeveer twintig meter afstand vloog het voorbij met flapperende strips. Evi dwong Duchess de heuvel op, weg van het kerkhof. Met een beetje geluk zou ze wat hoger kunnen keren en de hei weer op kunnen rijden.
Het kwam weer terug, recht op hen af. Duchess krabbelde schichtig achteruit tegen de muur van een huis. Evi was uit balans geraakt maar ze greep een pluk van de manen en trok zich weer overeind. 'Kom niet dichterbij,' schreeuwde ze. 'Je maakt het paard bang.'
Een fractie van een seconde maakte ze oogcontact en ze wist dat ze een serieus probleem had. De jongen op de fiets wist maar al te goed dat hij het paard bang maakte.

Evi rukte aan de teugels en keerde Duchess in de richting van de heuvel. Als het paard op hol zou slaan dan moesten ze omhoog.
Daar was er nog een, in tegenovergestelde richting. Twee tienerjongens op mountainbikes, die over de hoge muur om de twee kerken reden. Het was gewoon zelfmoord, ze zouden tegen elkaar botsen en twee meter naar beneden vallen op de harde keien. De jongens reden door tot ze op ongeveer een halve meter van elkaar waren en toen verdween de ene. Zijn fiets had een of andere richel gevonden die naar beneden naar het kerkhof leidde. De overgebleven fietser schoot langs Evi terwijl ze vocht om Duchess onder controle te krijgen.
Er waren er nog meer. Vier jonge stuntrijders die met een onmogelijke snelheid over de oude muren scheurden, met gekleurde plastic strips flapperend aan hun stuur, en gillende remmen als ze de hoek om vlogen.
'Donder op, stomme idioten!' slaagde ze erin te schreeuwen. Paarden hadden sowieso al een hekel aan fietsen. De combinatie van stilte en snelheid maakte hen bloednerveus. En deze vier zoemden om haar heen als wespen. Ze bleven maar terugkomen, verdwenen achter de muur en doken dan ergens anders weer op. Toen was er nog een vijfde die stilletjes achter haar was verschenen en vlak voor haar langs schoot. Duchess gooide haar hoofd omhoog, draaide om haar as en rende in een snelle galop de heuvel af.
Een dringende schreeuw. Slippende hoeven. Een korte smak en iets wat pijn had kunnen zijn maar op dat moment meer voelde als woede.
En toen stilte.
Evi lag op de grond te staren naar een stuk afval dat vastgeklemd zat tussen twee keien en ze vroeg zich af of ze nog leefde. Een moment later had ze haar antwoord. Een druppel bloed landde op de stenen en ze zag hem in de adem uit haar mond bewegen.
Ze wist dat ze pijn kon verwachten, maar dat deel van haar hersens dat normaal gesproken de leiding nam verdween pijlsnel en liet haar achter. Ze was verloren in koude, witte zachtheid, maar voelde zich warm – zo warm – en zag hoe een klein stroompje van haar weg kronkelde, terwijl ze zich afvroeg waarom een bergstroompje rood was. En zelfs op dat allereerste moment besefte ze dat haar oude leven voorbij was.
'Hou vol, ik kom eraan!'
Iemand had haar geroepen, die laatste keer, in een taal die ze niet kon verstaan. Iemand had instructies naar haar geschreeuwd in een Germaanse taal en ze had naar boven gestaard, naar de blauwste lucht die ze ooit had gezien, en geweten dat ze zich niet meer kon bewegen. Misschien niet meer voor de rest van...
'Niet bewegen. Ik ben er bijna. Alice! Tom! Horen jullie me?'
En toen was ze omringd door lange, blonde mannen die naar bier en zon-

nebrandcrème roken en ze hadden woorden haar richting uit gestuurd, die bedoeld waren om te troosten, haar kalm te houden, terwijl ze haar vastbonden en haar been spalkten en haar razendsnel de berg af vervoerden...
'Het is oké, probeer niet op te staan. Ik heb je paard gevangen, hij is helemaal in orde.' Een man knielde naast haar, een hand voorzichtig op haar schouder, terwijl hij tegen haar praatte met een vreemd accent. 'Ik zal een ambulance bellen maar ik heb mijn telefoon in de kerk laten liggen. Ik kan je niet op straat laten liggen... Alice! Tom!'
Evi tilde haar hoofd op en bewoog het langzaam van rechts naar links, naar boven en beneden. Haar voorhoofd bonsde maar haar nek voelde goed. Ze spande haar rechtervoet in haar laars en toen haar linker. Beide deden wat ze verondersteld werden te doen. Ze zette beide handpalmen op de keien en duwde. Er was een scherpe pijn in haar ribben, maar ze wist instinctief dat het niet ernstig was.
'Nee, niet bewegen.' De stem was weer dicht bij haar oor. 'De Fletchers waren hier net nog. Ze zijn vast niet ver weg. Nee, ik denk dat je echt niet...'
Evi ging rechtop zitten. De man die naast haar knielde was weliswaar lang, maar zag er te mager uit om Duits of Oostenrijks te zijn. En deze heuvels om haar heen waren geen bergen. Het waren heidevelden die net de zachte, dieppaarse kleur van een verse blauwe plek begonnen te krijgen.
'Gaat het goed met je?' vroeg de blonde man, die een korte broek en een hardloophesje droeg. Jongens op fietsen. Duchess die in paniek raakte. Ze was gered door een passerende jogger. 'Waar doet het pijn?' vroeg hij.
'Overal,' gromde Evi, waardoor ze tot de ontdekking kwam dat ze kon praten. 'Niets ernstigs. Waar is Duchess?'
De jogger draaide zich om om de heuvel af te kijken en Evi deed hetzelfde. Duchess was aan een oude ijzeren ring op de hoek van de kerkmuur vastgebonden. Haar hoofd was gebogen en haar enorme gele tanden waren bezig een bosje brandnetels te vermalen.
'Godzijdank dat je haar gevangen hebt,' zei Evi. 'Die stomme idioten. Ze had een lelijke kneuzing aan haar voet een paar dagen geleden. Gaat het goed met haar?'
'Nou, kennelijk sterft ze van de honger, maar verder is ze oké. Maar ik ben bang dat ik niet veel verstand van paarden heb.'
Duchess stond stevig op haar vier benen. Zou ze eten als ze pijn had? Dat was goed mogelijk, Duchess kennende.
'Weet je zeker dat je niet gewond bent?' vroeg de man die, merkte ze nu op, bootschoenen droeg. En de korte broek was geen hardloopbroek. Hij was van blauw met wit gestreepte katoen, bijna tot op zijn knieën, en het haar op zijn schenen was blond en dik.
'Heel zeker,' zei ze, terwijl ze haar ogen van zijn benen afwendde. 'Ik ben arts,

ik zou het moeten weten,' voegde ze eraan toe toen hij twijfelend keek. 'Denk je dat je me kunt helpen overeind te komen?'
'Natuurlijk, sorry.' De blonde man sprong op en boog zich voorover. Hij stak zijn rechterhand naar Evi uit alsof hij aanbood haar te helpen bij het opstaan van een picknickkleed.
Ze schudde haar hoofd. 'Dat zal niet lukken ben ik bang. Ik kan niet op mijn benen staan. Wil je me alsjeblieft onder mijn armen beetpakken en optillen? Ik ben niet zo zwaar.'
Hij schudde zijn hoofd en keek bezorgd. 'Je zei dat je niet gewond was,' zei hij. 'Als je niet zelf op kunt staan dan geloof ik niet dat ik je moet optillen. Ik denk dat we hulp moeten halen.'
Oké, hij begreep het niet.
Evi haalde diep adem. 'Ik ben nu niet gewond, maar drie jaar geleden heb ik een ernstig ongeluk gehad en is de *nervus ischiadicus* in mijn linkerbeen zwaar beschadigd,' zei ze. 'Ik kan niet zonder steun lopen en mijn been is zeker niet sterk genoeg om mijn gewicht te dragen terwijl ik opsta van deze keien. Die eerlijk gezegd niet erg comfortabel zijn.'
De man staarde haar een moment aan, toen zag ze zijn ogen naar haar linkerbeen gaan, onnatuurlijk dun en lelijk in de rode rijbroek.
'Komt er veel verkeer over deze weg?' vroeg Evi, de heuvel op kijkend.
'Nee. Maar je hebt volkomen gelijk. Sorry.' Hij knielde weer en legde zijn rechterarm onder haar schouders. Zijn linkerhand gleed onder haar dijen en hoewel ze het had verwacht en er helemaal op voorbereid was geweest om aangeraakt te worden, voelde ze een schok door zich heen gaan die niets te maken had met pijn. Toen stond ze rechtop tegen hem aangeleund, en hij rook naar huid en stof en vers mannelijk zweet.
'Oké, tien meter heuvelopwaarts staat een bank voor vermoeide schaapherders om uit te rusten en te schuilen. Ik neem aan dat ze het niet erg zullen vinden als we hem lenen. Haal je dat?
'Natuurlijk,' snauwde ze, hoewel het gemakkelijker gezegd dan gedaan was. Ze had geen andere keus dan haar arm om zijn middel te slaan. Hij was warm. Natuurlijk was hij warm, het was een warme dag en zij had het ook warm en ze rook waarschijnlijk naar paarden. Evi bewoog haar rechterbeen, en haar linker schreeuwde haar toe onmiddellijk te stoppen met die stomme bewegingen.
'O, verdomme,' mompelde ze, toen ze zonder succes probeerde haar zwakke linkerbeen naar voren te bewegen. *Kom op, jij nutteloos, stom...*
Ze struikelde en viel bijna weer, maar haar begeleider verstevigde zijn greep om haar middel, boog zich voorover en tilde beide benen compleet van de grond. Instinctief hief ze haar rechterarm om hem om zijn nek te slaan. Zijn gezicht was een beetje rood geworden.

'Sorry, ik wilde niet dat je weer zou vallen,' zei hij. 'Mag ik je naar de bank dragen?'
Ze knikte en een moment later zette hij haar voorzichtig op een houten bank bij de kerkmuur. Ze leunde dankbaar achterover en sloot haar ogen. Hoe had ze zo stom kunnen zijn? Om met Duchess hier helemaal naartoe te gaan. Ze hadden allebei wel ernstig gewond kunnen raken. Waarom moest het leven zo verdomd moeilijk zijn? Ze wachtte met gesloten ogen tot de tranen weer teruggedrongen waren naar waar ze vandaan kwamen.
Toen ze haar ogen weer open deed was ze alleen. Had hij haar daar gewoon laten zitten? Christus, ze was niet bepaald Miss Congeniality geweest maar toch...
Terwijl ze rechtop ging zitten keek Evi om zich heen. Aan de overkant van de straat waren de ramen donker en leeg. Een zware stilte leek over de heidevelden gevallen te zijn. De fietsers waren verdwenen, niet echt een verrassing gezien de problemen die ze hadden veroorzaakt, maar waar was iedereen? Zoveel huizen, zoveel ramen en niemand te bekennen. Het was zaterdagmiddag, in godsnaam. Waarom keek niemand naar buiten om te kijken wat er aan de hand was?
Maar misschien deden ze dat wel. Achter een van die donkere ramen stond iemand naar haar te kijken. Dat wist ze zeker. Zonder de indruk te willen wekken dat ze keek liet ze haar ogen van links naar rechts glijden. Nog geen glimp van een beweging voor zover ze kon zien, maar er was iemand, absoluut. Langzaam draaide ze zich om.
Daar was het. Beweging. Verder naar boven. Evi schermde met een hand haar ogen af tegen de zon. Nee, het was onmogelijk. Ze had gedacht dat er zich iets heel snel over de nok van de kerk bewoog. Maar daarboven kon niemand zijn. Ze had een vogel gezien. Een eekhoorn, of misschien een kat.
Ze maakte de gesp los en zette haar cap af. De druk op haar hoofd werd direct minder. Ze tilde haar haar op met haar vingers zodat de lucht bij haar schedel kon komen en die kon afkoelen.
Ze hoorde voetstappen. Haar rossige ridder in glanzende streepbroek kwam, half rennend over het kerkpad, naar haar toe met een glas water in zijn hand.
'Hallo,' zei hij toen hij dichterbij was. 'Ik kan ook voor thee zorgen maar dat duurt een beetje langer. Hoe gaat het?'
Hoe het ging? Ze was aangevallen door woeste tieners die zich pijlsnel konden bewegen, ze was van een paard gevallen met een schofthoogte van anderhalve meter, had op straat moeten liggen als een aangespoelde walvis, en toen, voor het geval ze nog een spoortje waardigheid overgehouden had, was ze opgehesen door een rossige sufferd die rook als... als een man.
'Beter, geloof ik,' zei ze. 'Het is altijd een schok om van een paard te vallen. Vooral als je niet op een zachte ondergrond landt.'

Hij ging naast haar zitten op de bank. 'Ik neem het direct van je aan,' zei hij. 'Ik wil niet brutaal klinken, maar is het wel een goed idee dat je er in je eentje op uit gaat, met een zwak been en zo?'
Evi opende haar mond en klemde toen haar lippen meteen weer op elkaar. Hij bedoelde het goed. Ze keek op haar horloge om tijd te winnen. 'Nou, dat zal waarschijnlijk de eerste tijd ook niet meer gebeuren,' zei ze. 'De manege waar ik rij is heel strikt. De komende zes maanden zal ik alleen nog maar onder toezicht rondjes in de bak mogen rijden.'
'Ja misschien...' Hij zag de uitdrukking op haar gezicht en zweeg. 'Hoe ver heb je gereden?' vroeg hij.
'Vanaf de Bracken Farm-manege,' zei ze. 'Dat is ongeveer vier kilometer over de hei.'
'Zal ik ze voor je bellen? Ik weet niet of ze een paardentrailer hier naar boven kunnen krijgen, maar ik kan lopen...'
'Nee.' Het kwam er luider en vastbeslotener uit dan ze het bedoelde omdat ze het gevoel had dat er een strijd leek aan te komen, en ook al was ze bont en blauw en zat ze te trillen, dat was een strijd die ze moest winnen. 'Dank je,' ging ze verder, met een geforceerde glimlach. 'Ik rij straks weer terug.'
Hoewel ze zich nog lang niet in staat voelde om weer op te stijgen dronk ze het glas leeg en zette toen haar cap weer op, vastbesloten om ik-ga-nu-signalen uit te zenden, omdat ze precies wist wat er ging komen.
Hij schudde zijn hoofd. Ja, natuurlijk schudde hij zijn hoofd. Hij was lang en sterk, en kon al zijn ledematen zonder problemen gebruiken, en daardoor was hij de baas. 'Ik zet je niet weer op dat paard,' zei hij.
'Pardon?'
'Sorry, pop, maar je bent gehandicapt, je hebt een lelijke val gemaakt en je hebt waarschijnlijk een hersenschudding. Je kunt niet kilometers over de hei rijden.'
Sorry, pop! Ze keek in de richting van de straat zodat ze haar woedende blik niet op hem kon richten, want gehandicapten mochten niet kwaad zijn. Als ze iets geleerd had in de laatste drie jaar dan was het dat wel. Normale mensen die boos worden zijn gewoon pissig en dat overkomt iedereen weleens; als je gehandicapt bent is elk teken van woede een bewijs dat je gestoord bent. Je hebt hulp nodig, je bent niet in staat te...
'Dank je voor je bezorgdheid,' zei Evi, 'maar, gehandicapt of niet, ik ben nog altijd verantwoordelijk voor mijn eigen daden en ik heb absoluut geen hulp nodig om op te stijgen. Laat me je alsjeblieft niet verder ophouden.'
Ze gaf hem het glas terug en schoof naar opzij op de bank. Het zou het allerbeste zijn als hij haar nu verder alleen liet.
'Hoe?' Hij had zich niet bewogen.
'Pardon?' herhaalde ze.

'Hoe ben je dan wel van plan om vijftien meter heuvelafwaarts te lopen en op een groot paard te klimmen, in aanmerking genomen dat je niet zelf op kon staan en naar deze bank gedragen moest worden?'
'Kijk maar.'
Ze duwde zich omhoog. De afstand tot de muur was maar vijftig centimeter. Hij zou haar gewicht steunen terwijl ze de heuvel afliep.
'Wacht even. Ik weet het goed gemaakt.'
Hij stond recht voor haar. Het was mogelijk om zelf de muur te bereiken; als ze eerst om hem heen moest zien te komen lukte dat waarschijnlijk niet.
'Wat?'
'Als je belooft hier nog tien minuten te zullen blijven zitten en me zult bellen zodra je weer terug bent bij de manege, dan zal ik je helpen op te stijgen en zal ik met je meelopen tot het ruiterpad.'
Dus nu moest ze onderhandelen over de meest basale vrijheid met een man die ze net had ontmoet. 'En als ik dat niet beloof?'
Hij haalde een mobiele telefoon uit zijn zak. 'Dan bel ik Bracken Farm en vertel ze precies wat er is gebeurd. Ik denk dat ze onderweg zullen zijn voor jij bij het eind van de muur bent.'
'Rotzak.' Het vloog eruit voor ze haar tong kon afbijten.
Hij hield de telefoon omhoog.
'Ga aan de kant.'
Hij drukte op een paar toetsen. 'Hallo,' zei hij na een seconde. 'Ik wil graag het nummer van een manege...'
Evi hief haar handen in overgave en ging weer zitten. De man verontschuldigde zich tegen de telefoniste en stopte de telefoon weer in zijn zak. Toen hij weer naast haar ging zitten keek Evi demonstratief op haar horloge hoewel ze wist dat ze zich kinderachtig gedroeg, maar dat interesseerde haar geen bal.
'Een kop thee?' bood hij aan.
'Nee, dank je.'
'Nog een glas water?'
'Alleen als het heel lang duurt om het te halen.'
De man grijnsde gegeneerd. 'Lieve help,' zei hij, 'ik heb niet zoveel succes gehad bij een vrouw sinds ik dronken was op de bruiloft van mijn neef en het bruidsmeisje heb ondergekotst.'
'Ja, nou ik voel me waarschijnlijk net zo gelukkig in jouw gezelschap als zij moet zijn geweest.'
'We hebben anderhalf jaar een relatie gehad.'
Stilte. Evi keek weer op haar horloge.
'En wat vind je van Heptonclough?' vroeg hij.
Evi bleef recht voor zich uit staren, vastbesloten naar niets anders te kijken

dan het kleine trapje en de smalle straat aan de overkant. Ze voelde plotseling de behoefte om haar cap weer af te zetten.
'Heel leuk,' zei ze.
'Eerste bezoek?'
'Eerste en laatste.'
Een ijzeren leuning was aan de muur bevestigd om oudere mensen die minder goed ter been waren te helpen de trap op te komen. Zelfs met behulp daarvan zou Evi grote moeite hebben om treden die zo steil waren op te klimmen. Vier treden. Het konden er net zo goed honderd zijn.
'Weet je zeker dat je geen hersenschudding hebt? Mensen zijn meestal niet zo chagrijnig als ze me de eerste keer ontmoeten. Later vaak wel, maar niet direct. Hoeveel vingers hou ik omhoog?'
Evi draaide haar hoofd met een ruk om en deed haar mond al open om hem te vertellen... hij hield twee vuisten omhoog, geen vinger te zien. Hij schoot quasi verschrikt achteruit. Ze hief haar rechterarm om hem recht in zijn gezicht te stompen wat de gevolgen ook mochten zijn en...
'Je bent veel leuker als je glimlacht.'
... besefte toen dat dat wel het allerlaatste was wat ze wilde doen.
'Je bent ook heel leuk als je niet glimlacht, begrijp me niet verkeerd, maar ik geef nou eenmaal de voorkeur aan vrouwen die glimlachen. Dat is een rare tic van me.'
Ze wilde hem helemaal niet slaan. Ze wilde iets heel anders doen. Zelfs hier, op straat, waar de hele wereld het kon zien...
'Hou je mond,' wist ze uit te brengen.
Hij haalde twee vingers langs zijn mond alsof hij een rits dichttrok, een mal, kinderachtig gebaar. Zijn mond vertoonde nog steeds een brede glimlach. Ze draaide zich om voor haar eigen glimlach te veel... te veel op die van hem ging lijken.
Het was weer stil. Aan de overkant verscheen een kat. Hij ging op de bovenste tree zitten en begon zichzelf te wassen.
'Ik heb altijd gewild dat ik dat kon,' zei hij.
'Hé!' Ze hief een vinger.
'Sorry.'
Stilte. De kat tilde een poot op en begon aan zijn genitaliën te likken. De bank waarop ze zaten begon te schudden. Het was hopeloos. Binnen een paar seconden zou ze beginnen te giechelen als een puber. Ze keerde zich naar hem toe zodat ze dan tenminste niet meer naar de kat hoefde te kijken.
'Woon je hier?' vroeg ze.
Hij schudde zijn hoofd. 'Nee, ik werk hier alleen maar. Ik woon een paar kilometer heuvelafwaarts.'
Hij had lichtbruine ogen en donkere wimpers, wat heel opvallend was met

dat blonde haar. Was het rood? Nu ze erover nadacht leek rood niet helemaal de juiste term voor een kleur die in dit zachte septemberlicht meer leek op... op... honing?
Toen ze haar ogen neersloeg viel Evi's blik op haar horloge. De tien minuten waren om. Ze draaide haar arm zodat de wijzerplaat naar beneden wees en ze hem niet meer kon zien. 'Hoe zit dat met die twee kerken?' vroeg ze.
'Ze zijn fantastisch, hè? Oud en nieuw. Oké, hier komt een lesje geschiedenis. In het verre verleden, toen Engeland werd bestuurd vanuit de grote abdijen, had Heptonclough er zelf een. De bouw begon in 1193. De kerk achter ons werd als eerste gebouwd en daarna de woonvertrekken en de boerderijen.'
Hij draaide zich om op de bank, zodat hij naar de ruïne achter hen kon kijken. Evi deed hetzelfde hoewel haar linkerbeen inmiddels ongelooflijk pijn deed. 'De woning van de abt staat er nog,' zei hij. 'Het is een prachtig, middeleeuws gebouw. Je kunt het van hier niet goed zien want het staat aan de andere kant van de nieuwe kerk. Een familie die Renshaw heet woont er nu.'
Evi dacht terug aan de geschiedenisles op school. 'Was Hendrik VIII er dan verantwoordelijk voor dat de abdij veranderde in een ruïne?' vroeg ze.
De man knikte. 'Ja, hij heeft er beslist mee te maken gehad,' stemde hij in. 'De laatste abt van Heptonclough, Richard Paston, was betrokken bij de rebellie tegen Hendrik vanwege diens houding ten opzichte van de kerk en werd veroordeeld voor verraad.'
'Geëxecuteerd?' vroeg Evi.
'Niet ver hier vandaan. En de meeste van zijn monniken ook. Maar het dorp bleef floreren. In de zestiende eeuw was het het centrum van de wolhandel in het zuidelijk deel van het Penninisch Gebergte. Er waren een Lakenhal, een paar banken, herbergen, winkels, een school en uiteindelijk een nieuwe kerk, gebouwd naast de oude, omdat de mensen van het dorp hadden besloten dat de ruïnes tamelijk pittoresk waren.'
'Nog steeds,' beaamde Evi.
'Maar ergens in de achttiende eeuw werd Halifax de nieuwe supermacht in de wolhandel en verloor Heptonclough zijn toppositie. Alle oude gebouwen zijn er nog, maar het zijn nu voornamelijk privéhuizen. De meeste in het bezit van dezelfde familie.'
'De nieuwe kerk heeft geen toren,' wees Evi. 'Verder is het net een kleinere kopie van het oude gebouw, maar dan met vier kleine torentjes.'
'Het geld van de gemeente was op voor de nieuwe kerk klaar was,' antwoordde haar metgezel. 'Daarom bouwden ze een kleine toren voor een enkele klok, maar omdat het er een beetje raar uitzag hebben ze de andere drie erbij gebouwd om de balans te herstellen. Die zijn alleen maar decoratief, je kunt er zelfs niet in. Ik denk dat het steeds het plan is geweest om ze af te breken

en een grote toren te bouwen zodra er geld voor was, maar...' Hij haalde zijn schouders op. Het geld om een toren te bouwen was kennelijk nooit gekomen.
Het had geen zin. Elke minuut die ze langer bleef vergrootte het probleem dat haar bij de manege wachtte. 'Ik ben nu wel weer in orde,' zei ze. 'En ik moet terug. Denk je dat je...'
'Natuurlijk.' Hij stond op, tamelijk snel, alsof hij uiteindelijk alleen maar beleefd was geweest. Evi duwde zich omhoog. Zodra ze op haar voeten stond waren haar ogen op dezelfde hoogte als het blonde haar dat boven de hals van zijn hesje uit kwam.
'Hoe wil je dit doen?' vroeg hij.
Ze boog haar hoofd achterover om hem echt aan te kijken en bedacht dat ze het helemaal niet erg zou vinden om weer van de heuvel gedragen te worden. Een steek van pijn schoot door de achterkant van haar dij. 'Mag ik je een arm geven?' vroeg ze.
Hij bood haar zijn arm en als een verliefd stel uit vervlogen dagen wandelden ze de heuvel af. Zelfs met de felle pijnscheuten die door haar linkerbeen schoten bereikten ze Duchess veel te snel.
'Hoi, Harry,' zei een zacht stemmetje. 'Van wie is dit paard?'
'Deze nobele hengst behoort toe aan de mooie prinses Berengaria die nu terugrijdt naar haar kasteel op de heuvel,' zei de man die kennelijk de naam Harry droeg, en die leek te kijken naar iemand aan de andere kant van de muur. 'Zal ik u een zetje geven, prinses?' vroeg hij, terwijl hij zich weer naar Evi omdraaide.
'Kun je haar hoofd stilhouden, alsjeblieft?'
'Alweer afgewezen,' mompelde Harry, en hij maakte de teugels los en trok ze over Duchess' hoofd. Toen hield hij het hoofdstel vast terwijl Evi haar linkervoet optilde en hem in de stijgbeugel plaatste. Drie kleine hupjes en ze zat in het zadel. Nu kon ze de kleine jongen zien van ongeveer vijf of zes jaar oud, met donkerrood haar. In zijn rechterhand hield hij een plastic lichtzwaard, in zijn linker iets wat ze herkende.
'Hallo,' zei ze. Hij staarde naar haar, en bedacht zonder enige twijfel dat ze er absoluut niet uitzag als een prinses, en zeker geen mooie. Omdat het een kleine jongen was, deed hij waarschijnlijk nu zijn mond open om dat luid en duidelijk kenbaar te maken.
'Is deze van jou?' vroeg hij in plaats daarvan, en hij hield de rijzweep omhoog die Evi had laten vallen en vervolgens was vergeten. 'Ik vond hem op straat.'
Evi glimlachte en bedankte hem, toen hij op de muur klauterde en hem haar toestak. Harry hield nog steeds het hoofdstel van Duchess vast. Hij leidde haar het korte, steile stukje van de heuvel af tot ze bij Wite Lane waren. Toen ze de straat insloegen zag ze dat de kat hen volgde, lichtvoetig over een oude

houten schutting. En de kleine jongen keek hen na, zag Evi toen ze zich nog eens omdraaide.
Harry leek niet meer te weten waar hij het over moest hebben toen de keien onregelmatiger werden en de huizen minder op elkaar leken. Ze kwamen bij het hek aan het eind van de straat, Harry deed het voor haar open en liet eindelijk het hoofdstel los.
'Hoe lang duurt het voor je terug bent?' vroeg hij. Achter zijn hoofd glinsterden bessen als robijnen in de heg.
'Twintig minuten als ik het grootste deel van de weg in draf ga en de laatste honderd meter in galop.'
Hij trok een streng gezicht, als een schoolhoofd tegenover een lastige klas. 'Hoe lang als je stapvoets rijdt?' vroeg hij. De hei bij zijn voeten had de kleur van moerbeien. Ze was vergeten hoe mooi september kon zijn.
Ze stond zichzelf niet toe te glimlachen. 'Vijfendertig, veertig minuten.'
Hij keek op zijn horloge, en viste toen een kaartje uit zijn zak. 'Bel me rond vier uur,' zei hij toen hij het haar overhandigde. 'Als ik niks van je hoor bel ik de reddingsdienst, het leger, de kustwacht, elke manege binnen een straal van tien kilometer en de nationale boerenbond. Dat zal een beschamende toestand worden, voor ons allebei.'
'En heel duur voor jou,' zei Evi, en ze stak het kaartje in het zakje van haar shirt.
'Dus bel me.'
'Dat zal ik doen.'
'Het was leuk je te ontmoeten, prinses.'
Ze spande haar rechterbeen aan, tikte even met de zweep en Duchess, die instinctief wist dat ze naar huis ging, begon enthousiast te lopen. Evi keek niet meer om. Pas toen ze ver genoeg weg was om zeker te weten dat hij haar niet meer kon zien haalde ze heimelijk het kaartje tevoorschijn.
Een man die ze net had ontmoet stond erop dat ze hem belde. Hoe lang was het geleden dat dat was gebeurd? Hij had haar in zijn armen gehouden. Hij had haar mooi genoemd. Ze had hem op de openbare weg willen zoenen. Ze keek op het kaartje. *Eerwaarde Harry Laycock, B.A. Dip.Th.*, stond erop. *Dominee van de gezamenlijke parochies van Goodshaw Bridge, Loveclough en Heptonclough*. Onderaan stonden contactgegevens. Duchess liep verder en Evi stopte het kaartje weer in haar zak.
Hij was dominee.
Ze was sprakeloos.

11

Harry leunde nog tien minuten tegen de muur en keek de wegrijdende vrouw na. Pas toen zij en het grijze paard verdwenen tussen een groepje bomen draaide hij zich om en liep langzaam terug naar de kerk. Toen hij het nieuwe huis passeerde zag hij Alice Fletcher op een vensterbank van de zitkamer zitten, terwijl ze aan de telefoon zat te praten en een oogje op Joe in de tuin hield. Ze zag Harry en zwaaide.
Hij liep door de oude poort en zag dat er iemand op hem wachtte.
Het was een jonge vrouw met het grauwe, voortijdig getekende gezicht van een zware roker of drinker. Ze droeg een spijkerbroek en een verschoten T-shirt met lange mouwen en haar haar was strak naar achteren gebonden in een paardenstaart. Boven het elastiekje was het vettig vaalbruin, eronder stak het alle kanten uit als stro dat te lang in de zon had gelegen.
'Dat was dokter Oliver, toch?' zei ze. 'Had ze het over mij?'
Harry keek weer naar het meisje. Geen make-up. Kleren die niet al te schoon waren. Had hij soms de eerste paar seconden van het gesprek gemist? Het deel waarin ze zei wie ze was en dat het leuk was om de nieuwe dominee te ontmoeten?
'Nou, ze heeft haar naam niet gezegd,' zei hij na een ogenblik. 'Maar nu je het zegt, ze vertelde wel dat ze dokter was. Hoi, ik ben Harry Laycock.' Hij stak zijn hand uit, maar het meisje maakte geen aanstalten die aan te pakken.
'Wat zei ze over mij?' vroeg ze dringend.
Er was hier iets gaande wat hij niet helemaal kon volgen. De vrouw op het paard had gezegd dat het haar eerste bezoek aan het dorp was, toch? Haar eerste en laatste.
'Waarom lach je? Wat heeft ze verteld?'
Hij moest zich even concentreren. Dit meisje had een probleem. Het was zo duidelijk als de neus op haar zeer ongezond uitziende gezicht.
'Ze heeft het over niemand gehad,' zei hij. 'Ze was van haar paard gevallen en ze was in shock. Maar als ze dokter is...'
'Ze is psychiater.'
'Wat?' Het lukte hem niet zijn verrassing te verbergen. Die norse, prikkelbare vrouw was... jemig.
'O, dat zei ze niet,' zei hij. 'Maar als ze psychiater is dan mag ze met niemand over haar patiënten praten, dat zou...'

'Ik ben geen patiënt. Ik ga alleen af en toe naar haar toe.'
'Oké.' Harry merkte dat hij knikte, alsof hij het volledig begreep. Wat niet het geval was.
'Bent u de nieuwe dominee?'
Eindelijk, bekend terrein. 'Ja,' zei hij. 'Ik ben Harry. Dominee Laycock als je formeel wilt zijn, maar dat geldt eigenlijk maar voor weinig mensen. Ik denk dat het door de korte broek komt. En jij bent...?'
'Heeft Alice je over me verteld?'
'Alice?' Lag het aan hem? Hadden zijn hersenen besloten een dag vrij te nemen?
'Alice Fletcher. Van het nieuwe huis.'
Het begon hem te dagen. 'Ben jij Gillian?' vroeg hij.
Het meisje knikte.
'Ze heeft iets over je gezegd. Gecondoleerd met je verlies.'
Het gezicht van het meisje betrok, werd kleiner, haar dunne lippen verdwenen bijna. 'Dank je,' zei ze, terwijl haar ogen zijn gezicht loslieten en ergens over zijn linkerschouder gleden.
'Gaat het een beetje?' vroeg Harry.
Gillian haalde diep adem, haar ogen sperden zich open en kregen een vage blik. Stomme vraag. Het ging helemaal niet. En ze zou hem vragen waarom God haar kind had genomen. Van alle kinderen op de wereld, waarom het hare? Elk moment nu.
'Ik stond op het punt om thee te zetten,' zei hij snel. 'Ik heb een waterkoker in de consistoriekamer. Wil je ook een kopje?' Gillian staarde hem een seconde aan, alsof thee iets was wat buiten haar normale belevingswereld lag, en toen knikte ze. Hij leidde haar door de ruïne van de abdijkerk, de treden op naar de Sint Barnabas, terwijl hij zich ondertussen probeerde te herinneren wat Alice hem had verteld.
Gillian – Rogers, Roberts, hij kon het zich niet helemaal herinneren – had haar dochter drie jaar eerder verloren bij een brand. Ze zwierf hele dagen over de hei en door de straten van de oude stad, als een levende geest. Alice had haar in de ruïne van de abdijkerk ontmoet en haar uitgenodigd voor een kop koffie bij haar thuis. Het was echt iets voor Alice om zo vriendelijk, impulsief en niet zo verstandig te zijn. Gillian had de uitnodiging aangenomen en was het grootste deel van de ochtend gebleven, waarbij ze halfslachtig Alice's pogingen tot een gesprek had beantwoord, en vooral naar de spelende kinderen had gekeken.
Het was kil en vochtig in de kerk na de herfstzon buiten. 'Maak je deze kerk helemaal alleen schoon?' vroeg Gillian terwijl zij en Harry door de zijbeuk liepen.
'Gelukkig niet,' antwoordde Harry. 'Het bisdom heeft een team professio-

nele schoonmakers ingehuurd. Ze zijn net klaar. Ik ruim alleen maar de kasten op om uit te vinden waar alles ligt, zodat de kerk weer op orde is. Alice en de kinderen hebben me geholpen.'
Harry duwde de deur naar de consistoriekamer open en liet Gillian voorgaan naar binnen. Hij zou hier wat stoelen moeten zien te krijgen, misschien een tafeltje. De waterkoker was nog warm, hij had hem net aangezet toen hij de dokter had horen schreeuwen tegen haar paard. Tegen de tijd dat hij theezakjes en bekers had gevonden kookte het water. Hij schonk het in, zich ervan bewust dat Gillian pal achter hem stond, en deed er melk en suiker in zonder haar te vragen of ze dat wilde. Ze had beide duidelijk nodig. Alice had eerder die dag een gigantisch pak chocoladekoekjes gebracht. De schat. Hij stak Gillian een kop toe. Ze wilde hem aanpakken maar haar kleine, witte hand trilde heftig. Op de huid boven haar polsen waren kriskras littekens te zien. Ze zag dat hij ze zag en haar gezicht werd rood. Hij trok zijn hand terug en schoof haar de koekjes toe.
'Laten we gaan zitten,' stelde hij voor, en hij ging haar weer voor naar het schip van de kerk. Hij ging op de eerste rij van de koorbanken zitten. Ze ging naast hem zitten en eindelijk durfde hij haar de hete drank te geven. Hij nam dankbaar een slokje uit zijn eigen beker. Het was dorstig werk: kerken schoonmaken, slechtgehumeurde psychiaters redden en door verdriet overmande parochianen troosten. Als de dag zo verder ging zou hij nog voor de zon onder was de fles communiewijn openmaken.
'Ik heb al acht dagen niet gedronken,' zei Gillian, en even was hij niet helemaal... maar natuurlijk, Alice had verteld dat Gillian naar haar huisarts was geweest en dat ze doorverwezen was naar een steungroep voor alcoholisten en een psychiater die gespecialiseerd was in familiezaken. Wat, natuurlijk, de dame was die hij net had ontmoet. Dokter Oliver.
'Goed van je,' zei Harry.
'Ik voel me beter,' zei Gillian. 'Echt waar. Dokter Oliver heeft me pillen gegeven om te slapen. Het is al heel lang geleden dat ik kon slapen.'
'Ik ben blij dat te horen,' zei Harry. Hij zat met zijn geduldigste en meest geïnteresseerde gezicht te wachten op wat ze verder zou zeggen.
'Geloof je, Gillian?' vroeg hij, toen hij besefte dat ze niets meer zou zeggen. Soms was het maar het beste om recht op het doel af te gaan.
Ze staarde hem aan alsof hij niet helemaal... 'Je bedoelt, of ik in God geloof?' vroeg ze.
Hij knikte. 'Ja, dat bedoel ik,' zei hij. 'Het is heel moeilijk om iemand te verliezen van wie we houden. Zelfs het sterkste geloof wordt dan op de proef gesteld.'
Haar hand trilde weer. Ze zou zich branden aan de thee. Hij nam de beker uit haar handen en zette hem op de grond.

'Er is iemand bij me geweest, nadat het was gebeurd,' zei ze. 'Een priester. Hij zei dat Hayley bij haar vader in de hemel was en dat ze gelukkig was en dat dat me zou moeten troosten, maar hoe kan ze gelukkig zijn zonder mij? Ze is helemaal alleen. Ze is twee jaar en helemaal alleen. Dat kan ik maar niet vergeten. Ze zal zo eenzaam zijn.'
'Heb je al eerder familieleden verloren, Gillian?' vroeg hij. 'Leven je ouders nog?'
Ze keek verward. 'Mijn pa is gestorven toen ik nog klein was,' zei ze. 'Bij een auto-ongeluk. En ik had een jonger zusje dat heel lang geleden gestorven is.'
'Het spijt me. En je grootouders? Heb je die nog?'
'Nee, ze zijn allemaal dood. Wat...'
Hij boog zich naar voren en pakte haar beide handen. 'Gillian, er is een lezing die vaak bij begrafenisdiensten wordt voorgelezen, misschien heb je hem weleens gehoord. Hij is ongeveer honderd jaar geleden geschreven door een bisschop en daarin wordt het overlijden van een geliefde vergeleken met het staan aan de kust, terwijl je een prachtig schip achter de horizon uit het zicht ziet verdwijnen. Kun je je dat voorstellen, een blauwe zee, een prachtig houten schip, witte zeilen?'
Gillian sloot haar ogen. Ze knikte.
'Het schip wordt steeds kleiner en verdwijnt dan achter de horizon en iemand die naast je staat, zegt: "Het is weg."'
In de hoeken van Gillians gesloten ogen welden tranen op.
'Maar zelfs nu ik het niet meer kan zien is het schip er nog altijd, sterk en mooi. En terwijl het uit jouw zicht verdwijnt, verschijnt het aan andere kusten. Andere mensen kunnen het zien.'
Gillian opende haar ogen.
'Hayley is net als dat schip,' zei Harry. 'Jij ziet haar weliswaar niet meer, maar ze bestaat nog steeds. En op de plaats waar ze nu is zijn mensen die het heerlijk vinden haar te zien: je vader, je zus, je grootouders. Ze zullen voor haar zorgen en ze zullen van haar houden, onvoorwaardelijk, tot jij je weer bij haar kunt voegen.'
De kreet van het meisje raakte hem diep. Hij bleef stil zitten en zag hoe haar magere lijf schokte en de tranen op zijn handen vielen. Vijf, misschien tien minuten lang huilde ze, en hij hield haar handen vast tot hij voelde dat ze ze begon terug te trekken. Hij had geen tissues maar ergens in de consistoriekamer was een rol keukenpapier. Hij liep snel naar de consistoriekamer, vond de rol naast de gootsteen, liep weer terug en gaf hem haar. Ze veegde haar gezicht af en probeerde naar hem te glimlachen. Haar ogen, wazig door de tranen, waren bijna zilverkleurig. De ogen van dokter Oliver waren blauw geweest. Diep, paarsblauw.
In de zak van zijn korte broek begon zijn mobiele telefoon te rinkelen. Hij

zou hem moeten negeren en laten doorschakelen naar de antwoordservice, zodat hij wie het ook was later kon terugbellen. Maar hij wist wie het was.
'Neem me niet kwalijk,' zei hij terwijl hij opstond. 'Ik ben zo terug.'
Hij liep een paar passen door het gangpad en drukte de antwoordknop in.
'Harry Laycock.'
'Met Berengaria.'
'Bent u weer veilig teruggekomen, dokter Oliver?'
'Jee, dat is... een beetje griezelig. Hoe weet je dat nou?'
Harry keek het gangpad door naar de plek waar Gillian naar de vloer zat te staren. Ze was te dichtbij, ze kon alles horen wat hij zei. 'Mijn wegen zijn, net als die van mijn baas, ondoorgrondelijk,' antwoordde hij.
Even bleef het stil.
'Juist, nou, bedankt voor de hulp,' kwam de stem van dokter Oliver. 'Maar Duchess en ik zijn allebei terug waar we horen en het gaat ondanks ons avontuur prima met ons.'
'Ik ben heel bij dat te horen.' Gillian keek nu naar hem. Ze zou de onderbreking niet prettig vinden. Diepbedroefde mensen konden zelfzuchtig zijn. Niet zo'n goede timing, prinses. 'Pas goed op jezelf,' zei hij. 'En groet Duchess van me.'
'Dat zal ik doen.' De stem aan de telefoon was vlak geworden. 'Dag.'
Ze was weg. En hij moest terug naar Gillian. Die niet langer rustig op de eerste rij van de koorbanken zat maar vol ontzetting om zich heen stond te kijken. Het was alsof de huid over haar gezicht strakker was getrokken, zodat het op een masker leek. Ze liep met grote passen op hem af. 'Hoorde je dat?' vroeg ze dringend. 'Hoorde je dat?'
'Ik? Wat?' Hij was aan de telefoon geweest. Wat had hij moeten horen?
'Die stem, die "mammie" riep, hoorde je dat?'
Harry keek om zich heen, verbaasd en een beetje geschrokken door de verandering in Gillian. 'Ik hoorde wel iets, geloof ik, maar ik was afscheid aan het nemen.' Hij hield de telefoon omhoog.
'Wat?' eiste ze. 'Wat hoorde je?'
'Nou, een kind, dacht ik. Een kind buiten.'
Ze greep zijn arm, haar vingers knepen in zijn blote vel. 'Nee, het was binnen. Het kwam van binnen de kerk.'
'Er is niemand hier,' zei hij rustig. 'Deze oude gebouwen kunnen bedrieglijk zijn. Sommige echo's klinken heel vreemd.'
Gillian had zich weer omgedraaid en rende bijna weer terug. Ze begon te zoeken tussen de koorbanken, de ene na de andere.
Wat gebeurde hier in hemelsnaam?
Ze liep dwars door de kerk, sleepte de orgelkruk opzij, rende achter het altaar, waar ze het kleed omhoog trok. Hij was bijna bij haar toen ze het leek

op te geven. Ze snikte een keer en viel bijna op de tegelvloer. Toen ging ze rechtop staan en deed haar mond open.
'Hayley?' schreeuwde ze.
Harry bleef staan. Hij had ook stemmen gehoord in deze kerk. En het geluid van mensen die hij niet kon zien. Waarom voelde hij die dringende behoefte om achter zich te kijken?
Hij draaide zich om. Afgezien van Gillian en hijzelf was er geen mens in de kerk.
'Je moet naar huis,' zei hij. 'Ik denk dat je moet gaan rusten.' Als ze hem de naam van haar huisarts gaf, kon hij hem bellen en uitleggen wat er aan de hand was. Misschien kon hij snel hulp voor haar vinden. Hij kon proberen haar zelf te bellen morgen na de ochtenddienst. Toen hij weer bij haar was klemde ze zich aan hem vast.
'Je hebt haar gehoord, je hebt Hayley gehoord.' Ze smeekte bijna, smeekte hem haar te vertellen dat ze niet bezig was de greep op de realiteit te verliezen.
'Ik heb inderdaad een kind gehoord,' zei hij, hoewel hij daar in alle eerlijkheid niet zo zeker van was. Hij had geluisterd naar de verandering in de toon van een vrouwenstem aan de telefoon en zich afgevraagd wat dat kon betekenen.
'Het is mogelijk dat ik een kind "mammie" hoorde zeggen, maar weet je, de kinderen van Fletcher spelen al het grootste deel van de middag om de kerk. Het zou heel goed Millie kunnen zijn geweest die we hoorden.'
Gillian staarde hem aan.
'Kom,' zei hij. 'Laten we de frisse lucht opzoeken. Ik breng je naar huis.'
Terwijl hij een schietgebedje mompelde in zichzelf dat de kinderen Fletcher, inclusief de jongste, er nog zouden zijn, leidde Harry Gillian naar buiten, de zon in. Ze waren halverwege het pad toen een speelgoedpijl langs hen heen schoot waardoor Gillian schrok. Harry draaide zich om naar de tuin rechts van hem en staarde in de blauwe ogen van Joe Fletcher. Een paar meter verder stond Tom een voetbal tegen de muur van het huis te trappen. Hun zusje zat op de kale grond, in de aarde te wroeten.
'Mis,' zei Harry, en hij grijnsde naar Joe.
Joe draaide met een ruk zijn hoofd om om te zien of zijn moeder het had opgemerkt. Ze stond was op te hangen en draaide zich niet om.
'Sorry,' zei hij geluidloos. Harry knipoogde.
'Muis,' zei Millie, haar blik gefixeerd op iets vlak bij haar. Haar ogen glansden en ze stak een mollig armpje uit.
'Millie, nee, dat is een rat!' riep Harry. Uit zijn ooghoek zag hij dat Alice zich razendsnel omdraaide en liet vallen wat ze in haar handen had.
Tom hield op met schoppen toen Harry over de muur sprong en in de zachte aarde van de tuin landde.

‘Weg,’ zei Joe. De rat rende in de richting van de muur. De dikke, grijze staart was nog even zichtbaar in het gat tussen twee stenen en verdween toen. Harry keek weer naar het kerkhof. Gillian was ook verdwenen.

12

21 september

Eerst was het gefluister in een droom. En toen niet meer. Tom had geen idee wanneer het veranderde, wanneer de droom werkelijkheid werd, maar het ene moment was hij vast in slaap en het volgende was hij wakker en vervloog de droom. Hij dacht dat er misschien bomen waren geweest, en dat iets in de bomen naar hem had gekeken. Misschien ook de kerk, maar er was zeker gefluister. Daar was hij absoluut zeker van. Want hij kon het nog steeds horen.

Hij ging rechtop zitten. De verlichte cijfers op de wekker gaven aan dat het 02:53 was. Zijn ouders waren op dat tijdstip nooit op. Ze waren vast in slaap en het huis was 's nachts op slot.

Wie fluisterde er dan?

Ondersteboven hangend stak hij zijn hoofd in de ruimte boven Joe's bed. Zijn broer had zijn eigen kamer, een deur verder. Al zijn speelgoed lag er en hij speelde er heel vaak, maar hij sliep er nooit. Elke nacht klom hij in het stapelbed onder Tom.

'Joe, ben je wakker?'

Maar toen hij sprak zag hij al dat het onderste bed leeg was. Het dekbed was opzijgeschoven en er zat een deuk in het kussen waar Joe's hoofd had gelegen. Tom zwaaide zijn benen over de rand en sprong op het kleed. Alles leek stil op de donkere overloop. Drie deuren stonden op een kier – de deuren naar de badkamer, naar Millies kamer en naar die van zijn ouders – maar achter elke deur was het stikdonker. Toen hij dichter naar de trap liep waaide er een licht briesje door het huis; de voordeur stond wijd open.

Was er iemand binnengekomen? Of naar buiten gegaan?

De bovenste tree kraakte heel luid. Half hopend dat zijn ouders wakker zouden worden en hem zouden horen, liep Tom nog een tree af en nog een.

Wie had er gefluisterd? Waar was Joe?

Toen hij op de onderste tree was joeg er een windvlaag langs hem heen het huis in. De haartjes op zijn arm gingen rechtop staan en hij kreeg kippenvel. Toen was de windvlaag weg en de lucht was weer zacht en bijna warm. Geen enkele reden om te rillen dus, maar hij kon niet meer ophouden.

Hij wist dat hij mam en pap wakker moest maken. Dat Joe midden in de nacht

het huis uitging was te ernstig om door hem alleen opgelost te worden. Maar als Joe en hij ruzie hadden, kregen ze nooit evenveel schuld. Ongeveer negentig procent werd onvermijdelijk bij Tom neergelegd en de achterliggende feiten speelden maar zelden een rol. Als hij zijn ouders nu wakker maakte wist hij precies wie in de penarie zou zitten zodra Joe was gevonden en weer thuis was gebracht.
Tom zou hem deze keer vermoorden, zeker weten.
Hij liep naar buiten en even vergat hij dat hij kwaad was, dat hij eigenlijk een beetje bang was. Zo was het dus, 's nachts, zacht en geurig en vreemd warm, een plek waar alle kleuren verdwenen waren, zodat er alleen zwart en zilver en maanlicht over waren. Hij zette nog een stap verder buiten het huis.
Toen begon dat gevoel hem weer te bekruipen, het gevoel dat hij elke keer als hij het huis verliet tegenwoordig leek te krijgen. Zelfs in huis soms, vooral als het buiten donker werd, kwam het langzaam opzetten. Soms konden wat Tom betrof de gordijnen 's avonds niet snel genoeg dicht geschoven worden.
Er stond nu iemand naar hem te kijken, hij wist het, iemand die heel dichtbij was. Hij kon bijna de ademhaling horen en hij kon alleen maar hopen dat het zijn broer was. Tom draaide zijn hoofd langzaam naar de hoek van het huis.
Twee grote ogen in een bleek, kwabbig gezicht keken hem aan. Toen waren ze weg.
Tom zette het op een lopen naar het huis. In de relatieve bescherming van de deuropening bleef hij staan en keek om.
Een meisje, afgaande op haar lengte ongeveer van zijn leeftijd, klauterde tegen de muur die de tuin van de Fletchers scheidde van het terrein om de kerk. Ze klom snel, alsof ze het al heel vaak had gedaan, lang haar zweefde achter haar aan en losse kleren fladderden in de wind. Net als Tom liep ze op blote voeten, maar haar voeten leken helemaal niet op de zijne. Zelfs op deze afstand leken ze enorm vergeleken met de rest van haar. En haar handen ook.
Toen ving Tom een glimp op van iets anders bij de hoek van het huis, op precies dezelfde plek waar het meisje had gestaan. Hij stond op het punt om naar binnen te duiken toen hij besefte dat het Joe was, in zijn rood met blauwe Spiderman-ochtendjas.
'Wat doe je?' siste hij toen Joe naar hem toe kwam hollen. 'Kom naar binnen, nu, anders haal ik pap.' Toen hij weer naar de muur keek zag hij dat het meisje weg was. Echt weg? Of had ze zich alleen maar verstopt? Want dat deed ze. Ze verstopte zich en bleef dan zitten kijken.
'We zouden hier niet moeten zijn, Tom,' mompelde Joe.
'Dat weet ik,' antwoordde Tom. 'Laten we dus maar snel naar binnen gaan voor mam en pap wakker worden.'
Joe hief zijn hoofd. Zijn ogen leken enorm in zijn bleke gezicht. 'Nee,' zei hij, terwijl hij zijn blik van Tom naar de muur liet glijden. 'We zouden hier niet moeten zijn,' herhaalde hij. 'Het is niet veilig.'

13

22 september

Millie, het kleine meisje met het haar in de kleur van gesponnen suiker, was in de tuin. Ze droeg afdankertjes van een van haar broers, een donkerblauwe joggingbroek en een blauw met wit voetbalshirt. Ze zat onder de modder, op de kale grond. Door de luier, die over de band van haar broek puilde, leek haar achterste enorm.

'Millie.' Haar moeders stem vanuit het huis. Ze verscheen in de deuropening met een plastic kom in een hand en de andere geërgerd op haar heup.

'Kijk nou hoe je eruitziet!' riep ze. Millie straalde terug. Ze probeerde te gaan staan, maar viel toen weer op haar achterste.

'Blijf daar nog even zitten, popje,' riep Millies moeder. 'Ik zal wat kleren voor je pakken. Dan gaan we de jongens ophalen. Doei!' Ze verdween weer in huis en het kind deed haar mond open om te gaan huilen. Toen draaide ze haar gezicht de andere kant op. Ze had iets gehoord.

Millie stond op en liep over de onregelmatige grond, bijna tot aan de muur die de grens van de tuin vormde. Een taxus van misschien wel een paar honderd jaar oud groeide zo dicht bij de muur om de begraafplaats dat hij er bijna deel van uit leek te maken. Millie keek omhoog.

'Lo,' zei ze. 'Lo Ebba.'

14

25 september

Ze was langer dan hij zich herinnerde, maar zeker zo slank. Ze had een hoofdstel en teugels over haar schouders geslagen toen ze uit de paardenbox kwam. Ze schoof haar rechterarm onder het zadel dat op een grote haak lag te wachten en stak de binnenplaats over. In haar linkerhand hield ze een stevige wandelstok van staal en plastic terwijl ze langzaam en onhandig over het beton liep.

Harry bleef staan, half verborgen achter de lage takken van een enorme walnotenboom, en zag hoe ze naar de tuigkamer hinkte. Ze duwde de deur open met haar schouder en verdween tamelijk moeizaam naar binnen.

Was dit eigenlijk wel een goed idee? Het was al maanden geleden dat hij een vrouw mee uit gevraagd had. En waarom had hij er in hemelsnaam een uitgekozen over wie hij helemaal niks wist?

Maar hij wist toch wel een paar dingen? Bijvoorbeeld dat de nervus ischiadicus de langste en dikste perifere zenuw in het lichaam was, die vanaf de onderrug via de bil en het been naar beneden liep. Hij wist dat hij de huid van het been en ook de spieren aan de achterkant van de dij, onderbeen en voet aanstuurde. Op de dag dat hij dokter Oliver had ontmoet – hij wist nu dat ze Evi heette – was hij na het avondeten achter zijn computer gaan zitten om het op te zoeken. Tien minuten later had hij het gevoel dat hij aan het gluren was.

De deur naar de tuigkamer ging weer open en ze kwam naar buiten. Zonder het gewicht van het tuig liep ze gemakkelijker, maar het was duidelijk dat ze heel slecht ter been was.

Ze zag hem voor hij de kans had te bewegen en bleef staan. Was dat goed of slecht? Toen stak ze een hand op om haar cap los te maken en af te zetten. Goed? Ze liep verder naar hem toe en die trek op haar gezicht kon een glimlach zijn of een beschaamde grimas. Moeilijk om zeker te zijn en geen tijd om te beslissen want ze was al heel dichtbij en hij moest echt zeggen...

'Hallo.' Zij was eerst. *Hallo* was oké, toch? Beter dan: *Wat doe jij verdomme hier?*

'Hoi. Een prettige rit gehad?' *Een prettige rit!* Kon hij nou niks beters verzinnen?

'Heerlijk, dank je. Wat doe jij hier?'
Hij haalde zijn rechterhand uit zijn zak. Tien seconden in gesprek en hij was al begonnen aan plan B.
'Is dit van jou?' vroeg hij, terwijl het dunne, zilveren armbandje met de blauwe stenen schitterde in het licht. Ze maakte geen aanstalten het aan te nemen.
'Nee,' zei ze, en ze schudde haar hoofd. Het haar aan haar slapen was vochtig van het zweet en lag door de cap platgedrukt tegen haar hoofd. Ze bracht haar hand ernaartoe en liet hem toen weer zakken. Haar gezicht was roze; vijf dagen geleden was het wit geweest van de schrik.
'Heb je het op straat gevonden?' vroeg ze.
'Nee. Ik heb het een paar dagen geleden gekocht op de markt in Rawtenstall,' bekende hij. Het was een behoorlijk groot risico maar misschien was het dat waard geweest. Het trekje bij haar mond was duidelijker geworden, misschien op de rand van een glimlach.
'Dat was een beetje ondoordacht,' zei ze. 'Ik geloof niet dat het helemaal jouw kleur is.'
'Je hebt gelijk, ik ben meer een man voor zachtgeel, maar ik moest een excuus hebben.'
Ja, beslist een glimlach. 'Waarvoor?' zei ze.
'Ik maakte me zorgen om Duchess.'
'Duchess?' De lippen waren weer strak. De wenkbrauwen opgetrokken. Maar de ogen glimlachten nog.
'Ja, hoe is het met haar?' Hij draaide zich om naar de box waar de schimmel naar hen stond te kijken en deed een paar stappen in haar richting. 'Dit is ze toch?'
Ze volgde hem. Hij hoorde het getik van de stok op het beton. 'Dit is Duchess,' gaf ze toe. 'Zonder een schrammetje na het avontuur van dit weekend. Wat ik trouwens aan niemand heb verteld.'
'Mijn lippen zijn verzegeld. Wat vindt ze van pepermuntjes?'
Ze stond nu naast hem, heel dichtbij. 'Ze zal je vingers afbijten,' zei ze.
Harry voelde weer in zijn zak en haalde een dun, groen rolletje tevoorschijn dat hij ook op de markt had gekocht. In haar box hinnikte Duchess naar hem. Twee boxen verderop begon een paard tegen de deur te schoppen.
'Je hebt het voor elkaar,' zei Evi. 'Paarden kunnen pepermuntjes al ruiken voor je ze uitgepakt hebt. En ze herkennen het papier.'
'Dan is er tenminste iemand blij om me te zien,' zei Harry, terwijl hij het rolletje losmaakte en Duchess zijn vlakke hand voorhield. In een flits was het pepermuntje vervangen door een flinke dot paardenspeeksel. Wat moest ie daar nou mee? Het zou waarschijnlijk niet zo'n goede indruk maken als hij het aan zijn spijkerbroek afveegde.

'Ik moet gaan zitten,' zei Evi. 'Is dat goed?'
'Natuurlijk,' zei Harry, wriemelend met zijn vingers om ze te laten drogen. 'Heb je hulp nodig?'
'Nee,' zei ze. 'Ik kan alleen niet zo lang staan.' Ze bewoog de stok en liep de binnenplaats over, terug naar de walnotenboom waar een paar plastic stoelen stonden. Harry liep vlak achter haar en hield een stoel bij de rugleuning vast terwijl zij zich liet zakken. Hij trok een tweede stoel bij en ging naast haar zitten. Duchess' speeksel begon langzaam op zijn hand op te drogen.
In de bak voor hen was een ruiter bezig een jong paard af te richten. Het had dezelfde kleur als Duchess maar was over het geheel fijner gebouwd. Het oefenterrein was omringd door een beukenhaag en de bladeren begonnen al de zachte, goudbruine kleur van pasgeslagen munten te krijgen.
'Een prachtige avond,' zei Harry toen hij de ondergaande zon zag weerkaatsen op de beukenhaag waardoor er gouden vlekjes op de vacht van het paard vielen. Het leek net alsof het een maliënkolder droeg.
'Hoe wist je dat ik hier was?' vroeg Evi.
'Ik ben hier elke avond geweest voor het geval dat,' antwoordde Harry. Het paard leek bijna op zijn plaats te draven, met het hoofd naar beneden zodat zijn neus naar de grond was gericht. Om zijn mond stond schuim. 'Is dat paard een volbloed?' vroeg hij.
'Hij komt uit Ierland,' zei Evi. 'Prachtig maar veel te jong en te nerveus voor mij om in de buurt te komen. Even serieus?'
Ze keek naar hem, niet naar het mooie jonge paard. Haar ogen waren net zo blauw als hij zich herinnerde. 'Serieus,' zei hij. 'Ik heb maandag naar de manege gebeld en naar dokter Oliver gevraagd. Ik zei dat ik absoluut zeker wist dat je op maandag kwam. Ik noemde Duchess en vroeg of ze goed herstelde van haar gekneusde voet en zei dat het heel belangrijk was dat ik met je sprak en of ze zeker wisten dat je er niet was want ik was ervan overtuigd dat je had gezegd maandag. Na een paar minuten van dit gedoe zochten ze het op in het boek en vertelden me dat dokter Oliver, ook wel bekend als Evi, op donderdag, zaterdag en soms op zondag rijdt.'
Evi draaide zich weer om naar de buitenbak. Ze had een prachtig profiel. Het voorhoofd met precies de juiste hoogte, een kleine, rechte neus, volle lippen, een ronde kin. 'Dat is heel sluw voor een man van God,' zei ze uiteindelijk.
Harry lachte. 'Je hebt kennelijk nog nooit gehoord van de jezuïeten. Zou het heel ongepast zijn als ik je mee uit vroeg om iets te gaan drinken?'
Kennelijk was dat zo, want ze glimlachte niet meer. 'Sorry,' zei hij. 'Als je een echtgenoot hebt of een vaste vriend of als je mannen met rood haar niet kunt uitstaan dan ga ik mijn boekje duidelijk te buiten en dan zal ik – nou, misschien heeft Duchess vrijdagavond niks te doen. Ik zal het haar eens vragen.'

Hij stond half op. Hij had de hele situatie verkeerd ingeschat en nu moest hij zich zo waardig mogelijk terugtrekken.
Ze legde een hand op zijn arm. 'Ik slik heel sterke pijnstillers,' zei ze. 'Elke dag. Ik mag geen alcohol drinken.'
Dat leek niet echt op een ronduit nee. 'Nou, dat is prima want ik ben een geestelijke,' zei hij terwijl hij weer ging zitten. 'Het is ons niet toegestaan elke avond dronken te worden, dus je zou een goede invloed op me hebben. Ze draaien een serie Christopher Lee-films in Rawtenstall. Hou je van horrorfilms?'
'Niet echt.' De hand viel van zijn arm, maar die glimlach was in elk geval terug.
Hij schudde zijn hoofd. 'Ik ook niet. Ik ben te gauw bang. Wat vind je van romantische komedies?'
'Ik begin te denken dat ik er middenin zit. Worden dominees niet verondersteld celibatair te zijn?'
'Dat zijn katholieke priesters,' zei hij, met moeite zijn gezicht in de plooi houdend. 'Seks is absoluut toegestaan binnen de anglicaanse kerk,' vervolgde hij terwijl ze zich van hem afdraaide, en hij zag dat de huid van haar nek begon te gloeien. 'De richtlijnen zeggen dat we normaal gesproken een vrouw eerst een paar keer mee uit moeten nemen. Je weet wel, naar een film of voor een pizza, maar ik denk dat ik wel flexibel kan zijn.'
Ze was nu knalrood en staarde recht voor zich uit alsof het grijze paard in de bak op het punt stond iets spectaculairs te doen.
'Hou je kop,' snauwde ze.
'Nou, dat wil ik wel doen maar je hebt nog geen ja gezegd en het is moeilijk om dit in gebarentaal te doen.'
Ze wierp weer een blik in zijn richting terwijl ze serieus probeerde te kijken maar daar niet helemaal in slaagde. 'Ik heb je laatst een rotzak genoemd,' zei ze.
'Heel scherpzinnig. Daar hou ik van bij een vrouw.'
Ze boog haar hoofd naar voren en keek hem zijdelings aan. Het was een verrassend kinderlijk gebaar voor een vrouw die begin dertig moest zijn. 'Het spijt me dat ik zo'n kreng was,' zei ze. 'Maar ik lag plat op mijn rug midden op straat en...'
'Het zag er goed uit – sorry, ik bedoelde het niet zoals het klonk – ik zou mijn kop moeten houden. Misschien moet ik Duchess maar meevragen.'
'Ik denk dat ze je daarvoor zullen excommuniceren.'
'Nee, dat is ook toegestaan. Het komt meer voor dan je misschien wel denkt.'
Ze begon te lachen, een zacht, bijna geluidloos lachje waardoor haar schouders schokten en haar borsten op en neer bewogen onder haar shirt. Hij staarde weer. Hij leunde achterover in zijn stoel en keek omhoog. Een kleine

zwerm spreeuwen vloog door de lucht. Toen veranderden de vogels allemaal tegelijk van richting en vormden een fractie van een seconde iets wat bijna op een hartvorm leek, toen ze weer omkeerden en wegvlogen.
'Ik ben geen kerkganger,' zei ze na een moment.
Harry haalde zijn schouders op. 'Niemand is perfect.'
'Ik meen het.' Inderdaad. Ze glimlachte niet meer. 'Ik geloof echt niet in God,' ging ze verder. 'Zal dat geen probleem worden? Terwijl we naar die romantische komedie kijken en pizza of iets dergelijks eten?'
'Ik weet het goed gemaakt, Evi,' zei hij, hoewel hij wist dat de afspraak al bijna rond was en hij hem alleen nog maar hoefde te bezegelen.
'Alweer?' vroeg ze.
'De eerste keer is het goed afgelopen. Ik heb je weer op je paard gekregen en je praat nog steeds tegen me. De nieuwe afspraak zal zijn dat ik niet zal proberen je te bekeren. En jij probeert mij niet te analyseren.'
'Hoe wist je dat?' vroeg ze. 'Hoe wist je hoe ik heette en wat ik doe?'
Harry wees naar de lucht. De spreeuwen waren er nog steeds. Ze bleven boven hen hangen alsof ze wisten wat er op de grond gebeurde en wilden zien hoe het af zou lopen. 'Ik heb inlichtingen gebeld,' zei hij. 'Wat vind je van vrijdag?'
Ze deed zelfs niet of ze er over moest nadenken. 'Oké, dat zou – o, shit, ik bedoel, sorry – ik moet werken. Ik ga naar een familie, bij hen thuis in Oldham. Ik ben pas laat terug.'
'Zaterdag dan – o, nee, sorry, ik bedoel, shit – er is iets in de kerk. In Heptonclough – waar we elkaar hebben ontmoet, weet je nog wel – vieren ze hun jaarlijkse oogstfeest. Je weet wel, ceremonieel oogsten van de laatste tarwe, ronddansen in je nakie terwijl de zon ondergaat en dan het oogstmaal in een van de grote huizen.'
'Klinkt dol.'
'Ja, zeg dat wel. Ze hebben me gevraagd om een traditioneel gebed over de tarwe uit te spreken en te danken bij het diner. Ik mag een gast meebrengen, maar misschien...' Harry zweeg. Iemand meevragen naar zijn eerste officiële taak? Was dat wel een goed idee?
'Ik denk dat het wel leuk zou kunnen zijn,' zei Evi. 'Dan kan ik je in actie zien.'
Harry besefte dat hij niet wilde dat zijn eerste afspraakje met Evi fout zou gaan. Hij wees op zijn kleren. 'Ik zal dan mijn, je weet wel, mijn ambtskleding dragen – witte boord, ceremoniële gewaden. Tenminste tot na het formele gedeelte.'
'Ik kan niet wachten.' De spreeuwen begonnen weg te trekken, hoewel ze om de paar seconden weer draaiden, alsof ze wilden controleren of alles wel goed ging. En het ging goed. Behalve dan dat hij het misschien nu wel verpest had.
'Dat klinkt bijna pervers,' zei hij.

'Zegt de man die een afspraakje wil met mijn paard.'
'Zaterdag dan. Zal ik je naar je auto brengen?'
Ze duwde zich omhoog. 'Dank je,' zei ze. 'Die staat naast dat flitsende blauwe ding met de opvouwbare kap en al dat chroom.'

15

26 september

'Je ziet er veel beter uit, Gillian,' zei Evi. 'Ik zou je nauwelijks herkend hebben.'
'Dank je. Ik voel me ook beter.'
Gillians haar was pas gewassen, haar kleren zagen er schoner uit. Er was zelfs iets van make-up te zien om die vreemde, zilvergrijze ogen. Die ochtend was goed te zien dat ze een aantrekkelijk meisje was geweest voordat haar leven in duigen was gevallen.
'En het gaat nog steeds goed met de medicijnen?' vroeg Evi.
Gillian knikte. 'Het is ongelooflijk wat voor verschil dat maakt,' zei ze. Toen versomberde haar gezicht. 'Ik had het er met mijn moeder over wat je me had gegeven en ze zei dat ik verslaafd zou raken. Dat ik de rest van mijn leven pillen zou moeten slikken.'
Goed bedoelende familieleden met vaste overtuigingen waren niet altijd behulpzaam.
'Maak je daar maar geen zorgen over,' zei Evi, haar hoofd schuddend. 'Verslaving is altijd een risico, maar we zullen dat heel goed in de gaten houden. De medicijnen die ik je heb gegeven zijn tijdelijk. Ik hoop je er geleidelijk weer vanaf te helpen, zodra we allebei denken dat je het zonder kunt redden. Wat vind je van de AA-bijeenkomsten?'
Weer een knik. 'Ze zijn heel prettig. Aardige mensen. Ik heb al twee weken niets meer gedronken.'
'Dat is geweldig, Gillian. Goed zo.'
Wat een verbluffend verschil. Vier weken geleden was Gillian nauwelijks in staat geweest een complete zin uit te spreken.
'Zullen we het hebben over wat je deze week hebt gedaan,' stelde Evi voor. 'Heb je gegeten?'
'Ik probeer het, maar... Het is gek. Pete plaagde me altijd dat ik dikker werd. Nu heb ik maat 34 en zijn nieuwe vriendin wordt met de week dikker.'
Ze werd zich weer bewust van haar lichaam. Gebruikte een kledingterm – maat 34 – en was er stiekem trots op.
'Heb je nog contact met Pete?' vroeg Evi. Gillians ex was tijdens de twee voorgaande afspraken kort ter sprake gekomen. Beide keren was Gillian te-

rughoudend over hem geweest en Evi had het vermoeden gekregen dat haar herstel werd belemmerd door een heleboel onderdrukte woede. Alleen al bij het noemen van zijn naam had Gillian haar lippen stijf op elkaar geklemd en was er een klein spiertje onder haar oog gaan trillen.

'Ben je kwaad op hem?' vroeg Evi, toen Gillian geen aanstalten maakte om te antwoorden. 'Omdat hij weggegaan is terwijl jij het zo moeilijk had?'

Gillian kneep haar ogen samen. 'Hij had een vriendin,' zei ze terwijl ze over Evi's schouder naar het raam keek. 'Vóór de brand. Hij had toen al iets met haar, de vrouw met wie hij nu samen is.'

Ze had al gedacht dat er iets was. 'Het spijt me, dat wist ik niet,' zei Evi. 'Hoe ben je erachter gekomen?'

Gillian keek naar het kleed. 'Iemand heeft het me verteld,' zei ze. 'Een vriendin. Ze had ze samen gezien in de pub. Maar ik wist het al. Zoiets weet je altijd, hè?'

'Maar jullie waren samen uit, de nacht van de brand. Misschien was het niet echt serieus, die verhouding met...'

'We waren niet samen uit,' onderbrak Gillian haar. 'Hij was bij haar. Hij had me alleen gelaten met Hayley. Al weer. En daarom heb ik Barry Robinson gebeld en hem gevraagd om op te passen. Toen heb ik de bus naar de stad genomen. Ik was mijn achterbakse echtgenoot aan het bespioneren toen mijn baby omkwam bij de brand.'

Dat verklaarde een hoop. Geen wonder dat het meisje zich schuldig voelde. En heel begrijpelijk dat de echtgenoot was vertrokken. De twee waren waarschijnlijk nauwelijks in staat geweest elkaar aan te kijken zonder te worden overweldigd door schuldgevoel.

'Voel je nog iets voor Pete?' vroeg Evi.

'Het is een leugenachtige zak,' zei Gillian. 'Mijn stiefvader was net zo. De meeste mannen zijn zo. Altijd erop uit om te pakken wat ze pakken kunnen en het kan ze niet schelen met wie.'

Alarmbellen begonnen te rinkelen in Evi's hoofd. 'Kon je niet overweg met je stiefvader?' vroeg ze. Was Gillians stiefvader vreemdgegaan? Met wie?

Gillian keek nog steeds naar de vloer. Haar lippen waren strakgetrokken. Ze zag eruit als een tiener die in de problemen zat omdat ze te laat thuis was gekomen.

'Geef je Pete de schuld van Hayleys dood?' probeerde Evi weer, toen ze besefte dat Gillian niets zou gaan zeggen over haar stiefvader. Geen antwoord.

'Ben je boos op hem omdat hij misschien niet zoveel verdriet heeft als jij?'

Eindelijk keek Gillian op. 'Hayleys dood heeft Pete gebroken,' zei ze. 'Hij was gek op haar. Naderhand kon hij niet meer naar me kijken omdat ik hem aan haar deed denken.'

'Huwelijken gaan vaak kapot door verdriet,' zei Evi. 'Soms is de pijn zo in-

tens dat voor sommige mensen een radicale breuk de enige manier is om weer vooruit te kunnen.'
'Denk je dat ik ooit weer iemand anders tegen zal komen?' vroeg Gillian na een moment.
'Bedoel je een man?' vroeg Evi verrast. 'Een vriendje?'
'Ja. Is het mogelijk, denk je, om iemand te vinden waar ik om kan geven? Die misschien voor me wil zorgen?'
Had ze al iemand ontmoet? Dat zou de schone haren en kleren kunnen verklaren, en de belangstelling voor de toekomst. Iemand bij de AA-bijeenkomsten?
'Ik denk dat het heel waarschijnlijk is dat dat gebeurt,' zei Evi. 'Je bent nog jong en je bent heel leuk om te zien. Maar relaties kosten heel veel emotionele energie. We moeten ons erop concentreren om je weer sterk te maken.'
'Ik zou de volgende keer iemand kiezen die heel anders is dan Pete,' zei Gillian. 'Misschien iemand die ouder is. Ik zou me er niet zo druk om maken over hoe hij eruit zou zien. Als hij maar aardig is.'
Dit meisje zocht niet; ze dacht dat ze hem al had gevonden.
'Aardig zijn is een goede eigenschap in een man,' zei Evi. 'Hoe vind je de andere mensen bij de AA-bijeenkomsten?'
'Ze zijn wel oké. Is het te snel voor me, denk je, om iemand te vinden?'
'Heb je iemand ontmoet?' vroeg Evi.
Het meisje bloosde zelfs. 'Nee,' zei ze. 'Misschien. Je denkt vast dat ik gek ben als ik het vertel.'
'Waarom zou ik denken dat je gek bent?'
'Nou, eigenlijk is het helemaal mijn type niet. Hij was gewoon heel aardig. En toen, de volgende dag, kwam hij langs. Hij bleef bijna twee uur, gewoon om te kletsen. Er was een soort klik, begrijp je wat ik bedoel?'
Evi begon ook te glimlachen, ondanks haar bedenkingen. 'Ja,' zei ze. 'Ik weet wat een klik is.'
Alle handboeken zouden zeggen dat het meisje niet klaar was voor een nieuwe relatie maar, hé, soms moest je de dingen gewoon nemen zoals ze kwamen. En ze wist zelf ook mee te praten over het verschil dat een toevallige ontmoeting kon maken in een leven. Hoe plotseling een zonnestraal kon doordringen in de donkere toekomst van een vrouw.
'Maar Christus, ik bedoel, een dominee. Dat is gewoon niks voor mij.'
'Een wat?'
'Hij is dominee. Kun je dat geloven? Ik moet in elk geval ophouden met vloeken. En elke week naar de kerk. Ik weet niet of me dat wel lukt.'
Evi's glimlach begon pijn te doen. Ze dwong zich haar mondspieren te ontspannen en haar gezichtsuitdrukking geïnteresseerd en vriendelijk te houden. 'Je hebt een dominee ontmoet?' vroeg ze.

'Ik weet het, ik weet het. Maar hij had gewoon iets. En hij is jong en hij draagt gewone kleren en ik denk dat je hem eigenlijk wel kent, ik zag je...'
Gillian ratelde maar door en Evi luisterde niet meer. O ja, hij had zeer zeker iets.
'We moeten nu stoppen, Gillian,' zei ze, hoewel ze nog vier minuten hadden. 'Ik ben heel blij om te zien hoe goed het met je gaat.'
Gillian vertrok glimlachend. Een paar weken geleden lag haar leven in duigen. Nu glimlachte ze. Evi pakte de telefoon. Was er een andere mogelijkheid? Niet dat ze wist. Ze toetste een nummer in en dankte de God waar ze niet in geloofde toen ze Harry's antwoordapparaat kreeg.

16

27 september

Aaah-lay-oh!

De kreet echode door de straat. Een mannenstem, luid en krachtig. Een seconde later reageerden een heleboel stemmen. Aah-lay-oh, aah-lay-oh, aah-lay-oh!

Stilte. Joe keek met ogen als theeschoteltjes naar zijn broer. Tom haalde licht zijn schouders op en probeerde te kijken alsof hij het allemaal al eerder had gehoord.

Aaah-lay-oh! Weer een stem, van ergens onder aan de heuvel. Twee tellen stilte en toen weerklonk de kreet opnieuw. Aaah-lay-oh, aah-lay-oh, steeds harder en sneller dan trommelslagen. Het klonk alsof er honderd man heel dichtbij waren.

En toen, net toen Tom dacht dat ze niet harder konden schreeuwen, stopte het. Het was een moment vredig stil en toen klonk een keiharde klap van metaal tegen steen. En nog een, en nog een. Beng! Beng! Voetstappen kwamen de heuvel op. Tom ging een beetje dichter bij zijn vader staan, een klein stapje maar, te klein om opgemerkt te worden.

De Fletchers stonden op de oprit en het was zeven uur 's avonds. Het was bedtijd voor Joe en Millie, en ook voor Tom bijna, maar vanavond was het 'Kappen van de nek'. Een heel oud ritueel, had meneer Renshaw uitgelegd toen hij langs was gekomen om de Fletchers uit te nodigen, van honderden jaren geleden. Het Kappen van de nek. Op dat moment had het wel cool geklonken, en Tom merkte dat zijn moeder blij was dat ze werden uitgenodigd. Maar terwijl hij stond te luisteren naar die voetstappen en dat afgrijselijke geschraap van scherp metaal tegen steen, alsof messen werden geslepen, kon hij alleen nog maar denken: wie z'n nek?

Hij rilde en ging nog een beetje dichter bij zijn vader staan. Naast hem deed Joe hetzelfde. De zon was nu verdwenen, net als het prachtige gouden licht dat een uur eerder over het land had geschenen. De lucht was koel, zilvergrijsroze en de schaduwen op de grond werden steeds langer.

Verder op de heuvel, halverwege de straat, zag Tom meneer Renshaw met een tweedjasje aan en een platte pet op. Naast hem stond de oude meneer Tobias, die een paar keer op bezoek was geweest en die het heerlijk vond om met

mam over schilderen te praten. Meneer Tobias zag er precies hetzelfde uit als zijn zoon, alleen veel ouder. Eigenlijk leken ze een beetje op de twee kerken: de ene lang, sterk en trots, en de andere hetzelfde maar heel oud. En er stond een vrouw die ook lang, en mooi gekleed was en op de twee mannen leek. Zij was niet zo oud, maar er was iets in haar gezicht wat het naar Toms idee bijna uitdrukkingloos maakte.
Naast haar stond Harry, die er echt als een dominee uitzag, in een wit gewaad met gouden borduursel en een groot, rood gebedenboek in de hand. Achter hen stond een hele menigte, allemaal keurig gekleed, vooral vrouwen en meisjes. Hij had niet geweten dat er zoveel mensen in Heptonclough woonden. Ze stonden in deuropeningen, bij de ingangen naar zijstraatjes, leunden tegen de kerkmuur of uit open ramen. Tom merkte dat hij zijn blik langs de gezichten liet gaan, op zoek naar dat ene, bleke, met die grote donkere ogen, omlijst door lang, vuil haar.
Inmiddels was het geluid van tientallen laarzen te horen die op de keien stampten. En dat afgrijselijke, schrapende geluid. Steeds weer, als vingernagels over een schoolbord, als violen in een slecht schoolorkest, als...
Zeisen!
Daar kwamen de mannen de hoek om, heuvelopwaarts hun kant uit en allemaal met een zeis in de hand: een vreselijk scherp, gebogen blad als het kromzwaard van een piraat aan het eind van een lange steel. Onder het lopen schraapten ze de bladen over de keien en langs de stenen muren.
'O, lieve help,' zei Alice. 'Achteruit, allemaal.'
Tom wist dat ze een grapje maakte, maar hij ging toch achteruit zodat hij op zijn vaders voet ging staan. Gareth Fletcher kreunde en gaf zijn zoon een duwtje naar voren. De eerste mannen hadden meneer Renshaw en de anderen bij het hek van de kerk bereikt en de stoet bleef staan. Een man op de voorste rij, Tom dacht dat het Dick Grimes, de slager was, slaakte een luide kreet en alle mannen tilden hun zeis hoog op de schouders. Toen werd het muisstil. Meneer Renshaw gaf Harry een knikje.
'Laten we bidden,' begon Harry en iedereen boog zijn hoofd. Joe leunde naar zijn broer. 'Denk je dat hij een korte broek aan heeft onder die jurk?' fluisterde hij.
'O, God, die ons uw overvloedige genade schenkt,' las Harry, 'en die zowel de warmte van de zon als het vocht van de regen neer laat dalen op het zaad in de grond...'
'Wat zegt hij?' fluisterde Joe in Toms oor.
'Hij bedankt God dat hij de oogst laat groeien,' siste Tom terug.
Terwijl Harry sprak zag Tom Gillian, de vrouw met wie zijn moeder zo'n medelijden had. Ze stond een beetje lager in de straat bij de ingang naar Wite Lane. Tom kon het niet helpen maar Gillian gaf hem altijd een ongemakke-

lijk gevoel. Ze was te droevig. En ze kon op een manier naar hem en Joe en Millie kijken waar hij heel onrustig van werd. Vooral naar Millie. Om de een of andere reden leek Gillian gefascineerd door Millie. Maar ze keek nu niet naar haar, ze keek naar Harry.
'Wij danken U voor deze zegeningen,' zei hij. 'In Onze Heer Jezus Christus. Amen.'
'Amen,' schreeuwden de mannen met de zeisen en hun families zeiden het hen na.
'Amen,' zei Joe, een seconde later dan iedereen.
'Men,' zei Millie, hoog op haar vaders schouders.
Sinclair Renshaw knikte een bedankje naar de dominee en liep toen de heuvel af. De mannen volgden hem en iedereen liep Wite Lane in, op weg naar de velden helemaal onder aan de heuvel. Harry voegde zich bij hen, net als, bijna helemaal achteraan, de Fletchers.
Ze liepen de straat in en Tom zag dat de bramen bijna rijp waren, dat de rozenbottels en hagendoornbessen glinsterden en dat de lucht voor hen de kleur van rijpe gerst had.
'Hallo, Gareth,' zei een man die naast zijn vader was komen lopen. Het was Mike Pickup, die met zijn vrouw Jenny op Morrell Farm woonde, helemaal aan de rand van de hei. 'Een mooie avond hiervoor.'
'Goedenavond Mike,' antwoordde Gareth.
Mike Pickup zag er een beetje ouder uit dan Toms vader en heel wat dikker. Het haar op zijn hoofd was al tamelijk dun en zijn wangen waren knalrood. Hij droeg een tweedjasje, net als de twee meneren Renshaw.
Bij het hek van Gillians oude huis moesten Tom en zijn familie opzij stappen om paardenpoep te ontwijken en toen liepen ze verder, door een draaihek het land op. Ze bewogen zich als een dikke krokodil voort, heuvelopwaarts, en bleven pas staan toen ze midden op het veld waren. Tom zag hoe de mannen in een grote kring gingen staan, op een halve meter afstand van elkaar. De andere mensen vormden een nog grotere kring daar omheen. Nog steeds geen spoor van het vreemde kleine meisje. Als het hele dorp hier was, waar was zij dan?
'Ik denk dat we gaan dansen,' fluisterde Toms moeder. Zijn vader fronste dat ze stil moest zijn.
De Fletchers konden nog net Sinclair Renshaw zien, die alleen midden in de kring stond, naast een klein beetje gewas dat nog niet was geoogst. Dick Grimes liep naar voren en gaf Sinclair een zeis.
'Is dat haver?' vroeg Gareth zacht.
'Ja,' antwoordde Mike Pickup. 'Diervoer. Het enige wat wil groeien op deze hoogte. De rest van het veld is twee weken geleden gemaaid. We oogsten bij afnemende maan. Altijd al zo geweest.'

Tom keek op en zag de bleke maan net achter de horizon verdwijnen. 'Het is volle maan,' zei hij.
Mike Pickup schudde zijn hoofd. 'Dat was tien uur geleden het geval,' zei hij. 'Nu is hij afnemend. Stil.'
Ze waren stil. In het midden van de cirkel pakte meneer Renshaw de laatste paar handenvol haver beet, draaide ze rond en trok ze strak. Hij hief de zeis hoog boven zijn hoofd.
'Ik heb er een!' schreeuwde hij, zo hard dat Tom dacht dat ze het waarschijnlijk op de afnemende maan wel konden horen. 'Ik heb er een,' herhaalde hij. 'Ik heb er een,' riep hij voor de derde keer.
'Wat heb je?' schreeuwden de mannen als antwoord.
'Een nek,' riep Sinclair. Toen schoot zijn zeis zo snel naar beneden dat Tom hem niet zag bewegen. De laatste halmen werden afgesneden en iedereen, mannen, vrouwen en kinderen, op het veld begon te juichen. Mam, pap en zelfs Millie klapten beleefd. Tom en Joe keken elkaar aan.
Toen begonnen de vrouwen als veldmuizen rond te rennen om elk sprietje haver te verzamelen dat eerder bij het maaien was gemist. De mannen dromden samen om meneer Renshaw. Ze schudden hem de hand alsof hij iets geweldigs had gedaan en daarna keerden ze zich om om het veld te verlaten. Tom zag hoe Harry Gillian hielp om door het draaihek te komen waarna ze met zijn tweeën wegliepen door Wite Lane. Bij het hek van haar voormalige huis bleven ze staan praten.
'Wanneer kapt hij de nek?'
'Ik denk dat dat de nek was,' zei Tom. 'Ik denk dat de nek het laatste beetje van de oogst is.'
Even keek Joe teleurgesteld. Toen schudde hij zijn hoofd en zei met een stem die ouder klonk: 'Ik denk dat er meer achter zit.'

17

Harry volgde de mannen voor hem onder een hoge stenen boog door en een smal, geplaveid gangetje in dat achter de begraafplaats langs liep. Links van hem waren de middeleeuwse residentie van de abt en de verblijven van de monniken, en rechts de hoge ijzeren reling die over dit deel van de kerkmuur liep. Het was de eerste keer dat hij in de buurt kwam van het huis van Sinclair; de voorgaande ontmoetingen met zijn kerkvoogd waren in de consistoriekamer van de Sint Barnabas of in de White Lion geweest.

In tegenstelling tot het grootste deel van het dorp waren de stenen van Abbot's House schoon zodat ze de kleur van gemalen gember hadden. Enorme urnen, gevuld met tarwe, gerst en wilde bloemen stonden aan weerszijden van de voordeur. De deur was uitgesneden met bladeren en rozen en leek net zo oud als de rest van het huis. Hij was dicht en de mannen liepen eraan voorbij. Ze gingen verder, langs lantaarns die hen zouden helpen de weg naar huis te vinden als het donker was geworden.

Hoog op de muur zat een zwarte kat te kijken en Harry vroeg zich een moment af of het dezelfde kat was die Evi en hij een week geleden hadden gezien. Abbot's House was enorm, de buitenmuur in het steegje was wel bijna dertig meter lang. Iets verderop stond een andere deur open en de mannen gingen er naar binnen. Harry volgde hen en kwam in een grote zaal met smalle, hoge ramen. Schraagtafels, volgeladen met etenswaren, stonden in het midden en tegen de achtermuur stond iets wat leek op een kansel van bijna zwart hout.

'Ik moet de onderkant van uw voeten zien, dominee,' zei een welluidende oudere stem naast hem. Harry draaide zich om en zag Sinclairs vader, Tobias, de oudste man van het dorp en, als de geruchten klopten, de slimste.

'Meneer Renshaw,' zei Harry, terwijl hij zijn hand uitstak. 'Ik ben Harry Laycock. Prettig u te ontmoeten.'

'Dat vind ik ook.' Ze schudden elkaar de hand. De mannen die als eersten de zaal binnen waren gekomen, hingen hun zeisen aan de muur. Overal waar Harry keek waren haken in de stenen aangebracht. Na hem drongen zich nog meer mannen naar binnen. En inmiddels ook vrouwen en meisjes met de verzamelde halmen.

'En wat zei u over mijn voeten?' vroeg Harry.

'Een traditie.' Tobias glimlachte.
'Nog een?' Er was niet echt ruimte in de deuropening om een gesprek te voeren. Harry moest heel dicht bij Tobias staan. Hij was waarschijnlijk net zo lang geweest als zijn zoon toen hij jonger was. Zelfs nu was hij nog bijna net zo groot als Harry.
'O, we hebben een heleboel tradities,' antwoordde de oudere man. 'Dit is een van de onschuldigste. Ik zou het maar accepteren en uw verzet bewaren voor als u het werkelijk nodig hebt. U bent een nieuwkomer in het dorp, dus geef me uw voet maar – deze charmante jongedame zal u wel helpen overeind te blijven – en dan zal ik met de welkomststeen over de zool van uw schoen schrapen. Het is een religieuze traditie, ingesteld door de monniken in de twaalfde eeuw. Het is niet aan u om de geschiedenis af te wijzen.'
'Zeker niet,' zei Harry. 'En wat zei u over een charmante jonge – o, ben je daar weer, Gillian. Ik denk dat het me wel zal lukken – hoe moet ik het doen, met het gezicht naar u toe als een cancandanseres of met mijn rug als een paard dat wordt beslagen?'
'Wat zijn dit voor malle grappen?' vroeg Alice die met Millie op haar heup in de deuropening verscheen. De twee jongens kwamen vlak achter haar aan. 'Loop eens door, dominee,' zei ze. 'Er staat een rij.'
'De rij zal moeten wachten, Alice,' zei Tobias. 'Jij bent de volgende. En dan je mooie dochter. Goedenavond liefje.' Hij stak een hand uit en liet zijn lange, bruine vingers over Millies haar glijden.
'Accepteer het maar, dominee,' zei een andere vrouwenstem en toen Harry zich omdraaide zag hij Jenny Renshaw die zich langs hen heen naar binnen duwde. 'De eerste keer dat je naar het oogstfeest komt moet er met een oude steen over je schoenzool worden geschraapt. Mijn grootvader doet dat al zestig jaar en dat zal vandaag niet anders zijn.'
'Ik vind het prima,' zei Alice. Met Millie nog steeds op een heup gehesen, tilde ze haar rechterbeen op tot het een perfecte rechte hoek vormde met haar linker. Haar voet hing pal voor Tobias. Hij pakte met een hand haar enkel en wreef met de andere een gladde steen zo groot als een mango over de zool van haar schoen.
'Indrukwekkend,' zei Harry, toen Alice haar voet weer neerzette zonder zelfs maar even te wankelen.
'Vijftien jaar ballet,' zei Alice. 'Jouw beurt.'
Harry haalde zijn schouders op naar Tom en Joe, greep Toms schouder voor houvast en hield Tobias zijn voet voor. Een paar seconden later waren de voeten van zowel Tom, als die van Joe, Millie en Gareth Fletcher geschraapt en liepen de Fletchers en Harry de zaal binnen.
'Het lijkt wel een wapenzaal,' zei Gareth terwijl hij om zich heen keek. Met iedere nieuwkomer nam het aantal wapens op de muren toe. Hoog boven de

zeisen hingen allerlei geweren. Sommige leken antieke verzamelstukken. Andere niet.
'Cool,' zei Joe. 'Papa, mag ik...'
'Nee,' zei Alice.
'Dit was de refter waar de monniken vroeger altijd aten,' zei Jenny, die bij hen was gebleven. Ze droeg een strakke, zwarte jurk met lange mouwen. Op de een of andere manier stond hij haar niet zo goed als de vlotte kleren die ze had gedragen op de dag dat Harry en zij elkaar voor het eerst ontmoetten. 'Toen mijn vader jong was, was dit de basisschool.' Ze wees naar de kansel met het houtsnijwerk. 'Daar zat vroeger de schoolmeester,' zei ze, en toen draaide ze zich naar Harry om. 'Tegenwoordig gebruiken we deze ruimte alleen nog maar voor feesten. Goed om u met uw kleren aan te zien, dominee.'
Harry opende zijn mond hoewel hij geen idee had wat hij moest zeggen.
'Wat doet die mevrouw?' vroeg Tom.
Aan het einde van de zaal had de vrouw die eerder bij Sinclair en Tobias had gestaan de treden naar de zitplaats van de oude schoolmeester beklommen en was druk bezig met iets op haar schoot. Om haar heen legden vrouwen de halmen die ze op het veld hadden opgeraapt in grote, met water gevulde bakken.
'Dat is mijn zus, Christiana,' antwoordde Jenny. 'Zij is elk jaar de oogstkoningin. Het is haar taak om de strofiguur te maken.'
'Wat is een strofiguur?' vroeg Joe.
'Het is een oude boerentraditie,' legde Jenny uit. 'Vroeger, voor we allemaal christenen werden, geloofden de mensen dat de geest van het land in het gewas woonde en dat hij na de oogst dakloos was. Daarom maakten ze met de laatste aren van dat gewas een strofiguur, een soort tijdelijk huis voor de geest tijdens de winter. In de lente werd hij weer ondergeploegd in het land. Ik was altijd jaloers op Christiana toen ik een kind was en smeekte mijn vader of ik niet voor een keer koningin mocht zijn. Hij zei altijd dat het mocht als ik een strofiguur kon maken als Christiana.'
'En is dat gelukt?'
'Nee het is godsonmogelijk, sorry, dominee. Ik weet niet hoe ze het doet. Aan het eind van de avond heeft ze hem af. Kom, laten we iets gaan drinken.'
Harry werd samen met de volwassen Fletchers naar de drankentafel geleid. Om hen heen werd het steeds voller in de zaal en sommige mensen liepen via een dubbele houten deur verder naar de grote ommuurde tuin erachter. Harry kon het diepe turkoois van de avondhemel zien en vruchtbomen waar lantaarns in hingen. Een vierkoppig bandje maakte zich klaar om te gaan spelen.
Langs een muur stonden museumachtige glazen vitrines en de inhoud ervan had de aandacht van Tom en Joe en hun vader getrokken. Harry ging bij hen

staan. In de kasten lagen archeologische voorwerpen die waren gevonden op de hei en door de familie Renshaw werden bewaard in hun privémuseum. Er lagen vuurstenen gebruiksvoorwerpen uit de neolithische tijd, wapens uit de bronstijd, Romeinse sieraden en zelfs een of twee menselijke beenderen.
Hij stond er nog maar net naar te kijken toen zijn aandacht werd opgeëist. Steeds meer mensen wilden met hem kennismaken, tot het hem duizelde van alle namen die hij onmogelijk kon onthouden.

Na een uur leek het wel of hij iedereen had ontmoet. Het werd warm in de zaal en hij liep in de richting van de deuren naar de tuin. Maar hij bleef staan toen hij zag dat de jongens van Fletcher en een paar dorpskinderen zich om de oogstkoningin op haar schoolmeesterstroon hadden verzameld. Over hun hoofden keek hij naar de snelle, ervaren vingers van Sinclairs oudste dochter. Ze was een grote vrouw, bijna een meter tachtig lang en vrij grof gebouwd. Ze was waarschijnlijk eind dertig, nam hij aan, misschien begin veertig. Haar haar was dik en donkerbruin en ze had vrijwel geen rimpels. Ze zou een aantrekkelijke vrouw geweest kunnen zijn als er een greintje intelligentie in die grote bruine ogen te zien was geweest, als haar mond niet open had gehangen, alsof ze was vergeten dat het nu eenmaal gebruik was om hem dicht te houden.
Misschien was dat ook zo. Misschien was elke gedachte in haar hoofd gericht op haar handen. Ze bewogen zich met een ongelooflijke snelheid. Ze bonden, draaiden, vlochten, en bleven maar doorgaan om de laatste halmen van de haver, geweekt en soepel nu, in vorm te buigen. Haar ogen staarden recht vooruit, niet één keer keek ze naar beneden naar haar werk, maar in de korte tijd dat ze nu op de stoel zat was er een lus van ongeveer vijftien centimeter ontstaan waar ze nu al draaiend en wevend lange strohalmen aan bevestigde.
'Dat is een spiraalvorm uit het Penninisch gebergte,' zei een stem. Harry en de jongens draaiden zich tegelijk om en zagen dat Tobias Renshaw zich bij hen gevoegd had. 'Strofiguren zijn in heel Groot-Brittannië traditie,' ging de oude man verder, 'maar elke regio heeft zijn eigen unieke vorm. De spiraal wordt als een van de moeilijkste beschouwd om te maken. De hersens van mijn kleindochter zitten allemaal in haar vingers.'
Harry keek snel naar Christiana; haar gezicht vertrok een moment maar haar blik veranderde niet. Haar handen bleven doorgaan.
'Ze ziet eruit of ze zich heel sterk concentreert,' zei Harry. 'Vindt ze het erg dat er naar haar gekeken wordt?'
'Christiana leeft in haar eigen wereld,' zei de oude man. 'Ik betwijfel of ze weet dat we hier zijn.'
Harry zag dat Christiana een snelle blik in de richting van haar grootvader wierp. Hij legde zijn handen op de schouders van de jongens. 'Kom op, jullie

twee,' zei hij. 'Laten we juffrouw Renshaw maar met rust laten. We kunnen haar werk later bewonderen.'
Hij draaide zich om met de bedoeling de jongens naar de tuin te brengen om hun ouders te zoeken. Tobias hield hem tegen met een hand op zijn borst.
'U zult onze tradities waarschijnlijk wel belachelijk vinden, dominee,' zei hij.
De druk van zijn hand was verrassend sterk voor zo'n oude man en Harry vocht tegen de verleiding hem weg te duwen.
'Helemaal niet,' antwoordde hij. 'Rituelen zijn heel belangrijk voor mensen. De kerk zit er vol mee.'
'Inderdaad,' zei Tobias, met zijn lage, beschaafde stem, en hij liet zijn hand zakken. 'Gemeenschappen worden bijeen gehouden door dit soort gebeurtenissen. Maar heel weinig van de mannen die hier vanavond zijn werken nog op het land. Ze hebben een baan in de steden om ons heen, misschien zijn ze eigen baas en werken ze vanuit hun huis, sommigen hebben geen baan. Maar het Kappen van de nek is iets waar ze allemaal aan deelnemen omdat hun vaders en hun grootvaders dat ook al deden. Daardoor, en door andere, vergelijkbare tradities voelen ze een band met het land. Begrijpt u dat?'
'Ik ben opgegroeid in een achterstandswijk van Newcastle,' zei Harry. 'Wij zagen niet veel van het platteland.'
'Alles wat u vanavond zult eten is binnen vijf kilometer van deze plek verbouwd of gefokt,' zei Tobias. 'Ik heb al het wild zelf geschoten, hoewel mijn ogen niet meer zo goed zijn als vroeger. Negentig procent van wat ik in mijn hele leven heb gegeten, komt van deze heidevelden. Heel wat mensen in het dorp kunnen hetzelfde zeggen. De Renshaws zijn al honderden jaren zelfvoorzienend.'
'U bent dus niet dol op vis?' vroeg Harry.
Tobias trok zijn wenkbrauwen op. 'Integendeel, we hebben een riviertje met forellen onder in het dal.' Hij gebaarde naar de tafel met het eten. 'Ik kan u de forelpaté aanbevelen.'
'Dat lijkt me heerlijk. Hoi Gillian, heb je me nodig?'
'Ik wil nog even met u spreken, dominee. Neem me niet kwalijk, liefje,' zei Tobias. 'Vooruit jongens, ik moet even een woordje spreken met dominee Laycock.' Zonder dat het hun een tweede keer gezegd hoefde te worden, renden Tom en Joe door de zaal naar de vitrine met de wapens. Gillian liep naar de andere kant van de zaal, maar Harry kon voelen dat ze nog steeds naar hen stond te kijken.
'Er is nog een traditie waar u van moet weten, dominee,' zei Tobias. 'Ook hiervan zijn er allerlei variaties door heel Engeland. Een paar weken na de oogst van het graan, over het algemeen in de eerste helft van oktober, slachten we het vee dat de volgende lente niet nodig zal zijn. Voornamelijk overtallige schapen en varkens, een paar kippen, af en toe een koe. In vroeger

dagen zou het vlees worden verwerkt zodat we er de winter mee door konden komen. Tegenwoordig stoppen we het gewoon in onze vriezers.'
'Dat klinkt heel verstandig. Wilt u een gebed voor de dieren op weg naar het abattoir?'
'U begrijpt me verkeerd, dominee,' zei Tobias. 'Uw diensten zullen niet nodig zijn en de dieren gaan nergens naartoe. We slachten ze hier.'
'Hier in het dorp?'
'Ja. Dick Grimes en mijn zoon hebben samen alle nodige vergunningen. Dick heeft de faciliteiten achter zijn winkel. Ik zeg het alleen maar omdat de familie Fletcher precies aan de overkant woont en er wel het een en ander van te horen zal zijn. De straat buiten wordt een beetje – hoe zal ik het zeggen? – een beetje een rommeltje. We noemen het het slachtfeest.'
'Het wat?'
'U hebt me goed gehoord. Ik wil het er natuurlijk ook wel zelf met de Fletchers over hebben, maar ik dacht, omdat u kennelijk vrij goed contact met ze hebt, dat u het beter even tegen ze kunt zeggen. Het zou misschien geen gek idee zijn als ze dat weekend bij familie op bezoek zouden gaan.'

Een stukje van de deur naar de feestzaal zat Millie op de grond. Zich niets aantrekkend van de voeten en de benen om haar heen zat ze een kat te aaien. Haar mollige handje gleed over de vacht, van de kop naar de punt van de staart. De staart bewoog. Millie pakte hem beet en kneep. De kat sprong op en trippelde bevallig weg.
Millie keek om zich heen. Een van haar broers, degene die ze Doe noemde, stond heel dichtbij naar een paar wapens in een glazen kast te kijken. Hij keek niet om toen Millie zich overeind trok en achter de kat aan hobbelde. Eerst liep de kat, en toen Millie, de feestzaal uit naar buiten, het steegje in. Niemand zag hen vertrekken.

'Daar zit je, Harry. Wat ben je stil vanavond. Is alles goed?'
Alice had hem achter in de ommuurde tuin gevonden, op een rieten bank omgeven door oude rozen, met een leeg glas in zijn hand.
'Het gaat prima,' zei hij, terwijl hij opzij schoof op de bank zodat er ruimte was voor haar om te gaan zitten. 'Ik ben alleen maar de batterijen aan het opladen. De mensen praten maar zelden zomaar met de dominee. Ze verwachten altijd net iets meer. Een beetje geestelijke hulp bij de sherry. Misschien een discussie over waar het met de anglicaanse kerk naartoe gaat. Het wordt soms na een tijdje een beetje vermoeiend.'
Ze ging naast hem zitten. Hij kon het parfum ruiken dat ze altijd gebruikte. Iets lichts en zoets, een beetje ouderwets. 'Ik zag je hier nauwelijks zitten,' zei ze. 'Wat is er met de gewaden gebeurd?'

Harry had zijn gewaden en de boord uitgetrokken zodra het kon. 'Te warm,' zei hij. 'En veel te opvallend. Ik wilde een tijdje opgaan in de menigte.'
Alice liet haar hoofd opzij zakken. Het leek een heel bekend gebaar, hoewel hij niet dacht dat hij het haar eerder had zien doen. 'Heeft iemand je van streek gemaakt?' vroeg ze.
Hij keek haar eens goed aan en overwoog of hij haar zou vertellen over zijn gesprek met Tobias, maar toen besloot hij het niet te doen. Waarom zou hij haar avond ook bederven? Ze zag er vanavond gelukkiger uit dan hij ooit eerder had gezien. Hij zou later in de week wel met Gareth praten.
'Ik had vanavond een afspraak,' zei hij tot zijn eigen verrassing. 'Ze heeft me laten zitten.'
Alice' gezichtje begon te stralen. 'Een afspraakje? Wat opwindend.'
Harry stak beide handen omhoog. 'Maar niet dus, blijkt nu.'
'Het spijt me.' Alice raakte zijn arm licht aan. 'Heeft ze je een reden gegeven?'
'Ze heeft alleen maar een bericht achtergelaten op mijn antwoordapparaat. Ze zei dat het werk zich opstapelde. Dat ze hoopte dat we over een paar weken of zo misschien weer iets zouden kunnen afspreken als het wat rustiger was. Het klonk niet hoopgevend.'
'Jammer,' zei Alice na een moment. 'Wil je nog iets drinken?'
'Als ik nog iets drink moet ik de nacht in de consistoriekamer doorbrengen,' zei Harry. 'Maar we moeten terug naar het feest. Kom op.'
Ze stonden op en liepen tussen de appelbomen door terug naar het huis. Toen ze de feestgangers naderden werd Harry zich bewust van enig gedrang, van iemand die door de menigte hun kant op kwam. Een moment later verscheen Gareth Fletcher, die Tom stevig bij de hand hield.
'We kunnen Joe en Millie niet vinden,' zei hij. 'We hebben overal gezocht. Ze zijn verdwenen.'

Deel twee

Het slachtfeest

18

Toen Harry en Tom door de zaal liepen verscheen Sinclair Renshaw.
'Wat is er gebeurd, dominee?' vroeg hij.
'De jongste twee kinderen van Fletcher worden vermist,' antwoordde Harry gehaast.
'Het kleine meisje?' onderbrak Sinclair hem met gedempte stem, ondanks de muziek en het lawaai in de hal.
'Ja, en haar broer. De ouders zijn naar huis gegaan om te zien of ze daar naartoe zijn gegaan. Tom en ik zijn...'
'Wacht even.' Sinclair keek om zich heen. 'Tobias!' riep hij. Toen pakte hij Toms arm en leidde hem naar de oudere man. Tom hoorde dat Harry achter hen aan kwam, maar toen hij omkeek kon hij zien dat de dominee niet blij was. Harry had de opdracht gekregen op Tom te passen en buiten te kijken, en dat wilde hij doen. Dat was ook wat Tom wilde: Joe en Millie zoeken en heel dicht in de buurt blijven van een volwassene die hij kon vertrouwen.
'Tobias.' Ze hadden de deur naar het steegje bereikt. Buiten was het te donker voor Joe en Millie om in hun eentje rond te zwerven. 'Het jongste kind van Fletcher wordt vermist,' legde Sinclair uit, nog steeds op zachte toon. 'Het kleine meisje.'
'En haar broer,' hield Harry vol.
'Ja, ja,' zei Sinclair. 'Tobias, haal Jenny en Christiana en doorzoek het huis.' Toen werd zijn stem nog zachter. 'Doe de deur op slot,' voegde hij eraan toe. Tobias knikte een keer en liep toen, tamelijk snel voor zo'n oude man, de hal door waar Christiana nog steeds stro zat te vlechten. Sinclair keerde zich weer om naar Harry.
'Hoe lang wordt ze, worden ze al vermist? Wanneer en waar werden ze voor het laatst gezien?'
Dat wist Harry natuurlijk niet en daarom keek hij naar Tom. Tom wist ook niet veel en het was heel moeilijk om na te denken als de grootste man die hij ooit had gezien op je neerkeek.
'Hier,' zei hij. 'Ik was...' Hij zweeg. Hij had de opdracht gekregen een oogje te houden op zijn broer en zus terwijl zijn vader iets te drinken ging halen. Het was allemaal zijn schuld.
'Wat?' zei Harry. 'Het is belangrijk, Tom. Wat was je aan het doen?'
'Ik zat onder de tafel met het eten,' zei Tom. 'Om me te verstoppen voor Jake

Knowles.' Hij keek op naar Harry, in de hoop dat hij zou begrijpen dat Jake en twee van zijn vrienden naar hem op zoek waren, terwijl zijn moeder nergens te zien was en zijn vader aan de andere kant van de zaal had gestaan, bijna in de tuin. Tom was onder het grote witte tafelkleed geschoten en naar de andere kant gekropen. Toen hij bij zijn vader was aangekomen, waren ze samen weer teruggelopen naar Joe en Millie.

'We hebben de hele zaal rondgekeken,' zei hij. 'En in het steegje buiten en in de tuin. Ze zijn gewoon weg.'

Terwijl hij sprak zag Tom Tobias Renshaw en zijn kleindochter Christiana de zaal door lopen en verdwijnen door een grote houten deur.

Sinclair Renshaw staarde nog even naar Tom en richtte zich toen weer tot Harry. 'Hou de jongen bij je,' zei hij. 'Ik zal een zoektocht organiseren. We willen niet dat iedereen zich ermee bemoeit, dat zou een chaos worden. Laat het aan mij over.'

Hij beende met grote passen weg. Harry en Tom keken elkaar aan en liepen in de richting van de open deur, langs een vrouw in een felgele trui. Buiten leken de hoge muren het steegje nog donkerder te maken dan ze hadden verwacht en Tom was blij met de kleine lantaarns op de muur.

'Je vader en moeder zijn die kant op gegaan,' zei Harry, en hij wees naar Toms huis. 'Laten wij deze kant op gaan.'

Harry en Tom gingen linksaf en het geluid van het feest stierf weg tot ze niets anders hoorden dan hun eigen voetstappen. De afstand tussen de lantaarns werd steeds groter en het steegje donkerder. Ze gingen een hoek om en konden toen niet verder.

'Joe en Millie zouden daar nooit overheen kunnen,' zei Tom terwijl hij naar de hoge stenen muur voor hen keek.

'Nee,' beaamde Harry. 'Maar ze zouden hier door gegaan kunnen zijn.'

Tom draaide zich om en voelde zich alsof zijn ingewanden eruit waren gevallen. Hij kon zich bijna voorstellen dat hij ze zag als hij naar beneden keek, flats op de grond. Er was een hoog ijzeren hek in de muur om de begraafplaats. Een hangslot lag open op de grond. Achter het hek kon hij grafstenen zien, glanzend als parels in het maanlicht.

Harry keek naar de begraafplaats en toen omlaag naar Tom. 'Tom, ren terug naar de zaal,' zei hij. 'Ik blijf hier staan tot ik zie dat je veilig terug bent.'

'Nee, ik wil bij jou blijven,' zei Tom zonder na te denken, want de waarheid was dat hij net zo lief die begraafplaats op wilde als dat hij wilde dat iemand met een stok in zijn oog zou prikken.

'Tom, het is niet zo prettig daar. Ga terug.'

Het was een begraafplaats, verdorie! En niet zomaar een oude begraafplaats, maar de begraafplaats achter hun huis waar soms iets heel raars rondzwierf. Natuurlijk zou het niet prettig zijn. Maar Joe en Millie waren daar. Op de

een of andere manier wist Tom dat. Ze waren door dit hek gegaan.
'Ik ga met je mee,' zei Tom. 'We moeten ze vinden.'
Harry mompelde iets, wat, als hij geen dominee was geweest, heel erg klonk als een vloek en pakte toen twee van de lantaarns. Hij stak er Tom een toe. 'Hou dit van je af,' zei hij. 'En hou hem hoog.'
Tom deed wat hem werd gezegd en toen duwden ze het hek open en stapten de begraafplaats op.
Het was heel stil, alsof het volume van de wereld was teruggedraaid. Toen zei Harry iets en Tom sprong op van schrik.
'Dit was vroeger waarschijnlijk een van de privé-ingangen van de monniken naar de kerk,' zei hij. 'Nou, we zullen heel langzaam lopen en zo veel mogelijk op het pad blijven terwijl we heel goed luisteren. Ik ben de enige die mag schreeuwen. Begrepen?'
'Ja,' fluisterde Tom en ze gingen op weg.
Ze hadden al een paar minuten gelopen toen Tom besefte dat ze elkaar bij de hand hielden. De stilte voelde onnatuurlijk. Ze zouden toch iets moeten kunnen horen? Wind in de bomen? Iets? Als hun voetstappen op het pad en het geluid van Harry's ademhaling er niet waren geweest, had Tom zich bijna kunnen voorstellen dat hij doof was geworden. Toen bleef Harry staan en hij deed hetzelfde.
'Joe!' riep Harry. 'Millie!'
Van ergens vlakbij kwam een ritselend geluid en Harry's hoofd schoot opzij. 'Joe?' riep hij. Ze wachtten allebei. Niemand antwoordde en even later liepen Harry en Tom verder.
'Tom!' riep een stemmetje een stukje verder op de heuvel.
Harry bleef abrupt staan. 'Dat was Joe,' zei hij. 'Waar kwam het vandaan?' Hij liet Toms hand los en begon rond te draaien, met zijn lantaarn hoog boven zijn hoofd. 'Joe!' schreeuwde hij, luider deze keer.
'Tom,' riep de stem weer.
'Dat was beslist Joe,' zei Harry. 'Hoorde je waar het vandaan kwam?' Harry keek nog steeds rond en zag er meer uit als een jachthond dan als een man, alsof hij elk moment zijn neus naar de grond zou kunnen brengen en zou beginnen te snuffelen. Maar Tom had zich niet bewogen.
'Nee, dat was hij niet,' zei hij.
'Wat?' mompelde Harry.
'Het was Joe niet,' herhaalde Tom, terwijl hij omkeek naar het hek en probeerde te bedenken hoe ver het was en of Harry, als ze eenmaal begonnen te rennen, hem achter zou laten. 'Harry,' zei hij. 'Laten we snel teruggaan.'
Harry hoorde hem niet of besloot Tom te negeren. Hij pakte zijn hand weer en begon hem de heuvel op te trekken naar de grafkelder van de Renshaws. 'Hij is niet ver weg,' zei hij. 'Blijf bij me Tom. Kijk uit waar je loopt.'

Tom en Harry strompelden over de oneffen grond en al snel waren hun voeten doorweekt. De dauw lag al op het lange gras en glinsterde als zilver waar het maanlicht erop scheen. De zachte halmen streken langs Toms benen en de grafstenen grijnsden hen toe. Ze leken niet meer op parels; ze leken op tanden.

Tom richtte zijn ogen op de grond en concentreerde zich om niet te struikelen. Harry ging te snel en Tom wilde hem wel toeschreeuwen dat hij moest blijven staan, dat hij een vreselijke fout maakte en dat...

'Tom,' riep de enge stem, vlak achter hen. Tom trok zijn hand los uit die van Harry en draaide zich snel om, klaar om zo hard als hij kon te vechten, want hij had er genoeg van, helemaal genoeg deze keer en...

Het was Joe. Echt Joe. Half lopend, half rennend over het gras hun kant op. Harry liep naar voren, tilde Joe op en drukte hem stevig tegen zich aan, 'godzijdank, godzijdank' mompelend. Tom zei het ook, in zijn hoofd, godzijdank, godzijdank. En toen plotseling niet meer. Want Joe was alleen.

19

'Je lijkt wel geobsedeerd, stomme trut,' mompelde Evi tegen zichzelf. 'Zet je computer uit en ga naar bed.' Ze keek naar de klok links onder op haar computerscherm: 21.25 uur. Ze kon toch niet naar bed gaan om halftien?

Zou er iets op televisie zijn? Ze draaide zich om en keek naar de tv aan de andere kant van de kamer. Wie hield ze voor de gek? Het was zaterdagavond. En er stond niets op de boekenplank wat ze al niet minstens vier keer had gelezen.

Ze keek weer naar het scherm, naar de foto van Harry die ze had gevonden op de website van de *Lancashire Telegraph.* Hij droeg een zwart shirt, een witte boord en een zwart jasje. De foto was misschien een of twee jaar oud. Zijn haar was een beetje langer en in zijn linkeroorlel droeg hij een piepklein metalen kruisje. In het bijbehorende verhaal stond dat dominee Harry Laycock beroepen was in de recentelijk samengevoegde parochies Goodshaw Bridge, Loveclough en Heptonclough, en dat hij op zijn vorige post speciaal assistent van de aartsdiaken van het bisdom van Durham was geweest. Eerder in zijn carrière had hij een paar jaar gewerkt bij een anglicaanse kerk in Namibië. Hij was ongetrouwd en zijn hobby's waren voetbal (spelen en kijken), bergbeklimmen en marathonlopen.

Ze kon de foto printen.

Behalve dat ze absoluut, zeker weten, niet van plan was zoiets pathetisch te doen. Ze scrolde naar beneden, tikte 'Heptonclough' in de zoekmachine en drukte op de returnknop voor ze kon nadenken over wat ze aan het doen was. Er waren verschillende hits. Dit was geen obsessie, dit was gericht onderzoek. Ze had een patiënt in het dorp.

Heptonclough kwam niet vaak in het nieuws. Het meest recente verhaal ging over de benoeming van Harry. Ze klikte er snel langs voor ze in de verleiding kwam het weer te openen. *Man uit Heptonclough beboet voor stropen; Nieuwe busdienst tussen Heptonclough en Goodshaw Bridge.* Hij woonde in Goodshaw Bridge – o, doe normaal, mens. Ze vond het verhaal over de brand in Gillians huis, en toen een volgend stuk waarin stond dat Barry Robinson was ontslagen uit het ziekenhuis maar dat hij zich niets kon herinneren van de brand. *Zoektocht naar vermiste Megan duurt voort; Pubs in Heptonclough gewaarschuwd voor drinken door minderjarigen...*

Evi scrolde weer naar boven. *Zoektocht naar vermiste Megan duurt voort.* Waarom begon er een belletje te rinkelen? Het verhaal was zes jaar oud. En – ze scrolde weer omlaag – er waren diverse artikelen die ermee samenhingen en een dat eerder was gedateerd: *Kind vermist op de hei.*
Ze opende het stuk en las de eerste paar regels. Ze werkte in Shropshire toen het verhaal voor het eerst in het nieuws was gekomen, bij een nieuw kinderziekenhuis, maar ze herinnerde zich dat er een meisje vermist werd op de hei in het Penninisch Gebergte. De zoektocht had dagen geduurd. Het kind, of het lichaam van het kind, was nooit gevonden. Evi had er zelfs aan gerefereerd tijdens een lezing die ze op de universiteit had gegeven – de verschillende stadia van rouw bij mensen als hun verlies niet te meten en onbevestigd is, en de problemen om iets af te sluiten als hoop, hoe onrealistisch ook, voortleeft.

> *Tientallen plaatsgenoten hebben de politie geholpen bij het zoeken naar de vermiste, vier jaar oude Megan Connor. Megan, die tijdens een picknick uit het zicht van haar familie raakte, heeft blond, schouderlang haar en blauwe ogen. Ze droeg een rode regenjas en rode laarsjes. In de hele noordwestelijke regio zijn foto's verspreid en Megans familie heeft het publiek gevraagd waakzaam te blijven en te bidden voor een veilige terugkeer van hun dochter.*

Op de foto bij het verhaal stond een meisje in een Sneeuwwitjes-kostuum, geen peuter meer maar nog wel met de ronde, zachte gelaatstrekken van een heel jong kind. Als Gillian meegezocht had naar Megan, dan kon daaruit misschien verklaard worden waarom ze, drie jaar later, geobsedeerd was door het idee dat haar eigen dochter op een vergelijkbare manier was verdwenen.
Het had geen zin, ze kon niet langer stil blijven zitten. Om de een of andere reden leek de pijn in haar been vanavond erger. Ze had tramadol in haar medicijnkastje. Ze had er geen genomen omdat het al bijna zes maanden niet nodig was geweest. Wilde ze er echt opnieuw mee beginnen?

20

'Waar is Millie?' vroeg Harry, toen hij Joe weer neerzette. 'Joe, waar is je zusje?'

'Ik geloof dat ze daar omhoog gingen,' zei Joe, terwijl hij een zenuwachtige blik op zijn broer wierp en heuvelopwaarts naar de kerk wees.

'Wie?' vroeg Harry. 'Wie ging daar omhoog?'

'Ik heb het niet gezien,' zei Joe, waarbij hij opnieuw zijdelings naar Tom keek. 'Ik zag Tom onder de tafel duiken en toen was Millie weg.'

'Ging ze naar buiten? Is ze weggelopen van het feest?'

'Ik keek naar buiten,' zei Joe. 'Ik dacht dat ik hier iemand naar binnen zag gaan, maar ze gingen te snel.'

Harry keek even naar de oudste jongen. Hij was absoluut niet blij met de blik op Toms gezicht.

'Weet jij hier iets van?' vroeg hij. 'Weet jij wie Millie meegenomen heeft?'

Tom weigerde Harry recht aan te kijken, weigerde zijn blik af te wenden van zijn broer. Langzaam schudde hij zijn hoofd.

Harry richtte zich weer op. 'Hallo!' schreeuwde hij de nacht in. 'Hoort iemand mij?' Ze wachtten. 'Waar is iedereen verdorie?' mompelde hij toen niemand antwoordde. 'Oké, zijn jullie twee in staat om met me mee te gaan?'

Joe knikte onmiddellijk, gevolgd – even later – door Tom. Harry boog zich weer voorover en tilde Joe op. Hij liet de lantaarn staan, greep Toms hand stevig vast en begon te lopen.

'Millie!' riep Harry, waarbij hij om de paar seconden stil bleef staan. Ze kwamen boven aan de heuvel en bleven staan bij de abdijruïne, ongeveer tien meter van de kerkdeur. Joe was weliswaar nog maar klein, maar hij werd tamelijk zwaar. Harry liet hem op de grond zakken.

'Millie!' schreeuwde hij en hij hoorde zijn stem uit allerlei richtingen terugkaatsen. 'Millie, Millie, Millie,' riep de echo.

'Millie,' riep een stem luid en duidelijk en beslist geen echo.

'Wie zei dat?' vroeg Harry, terwijl hij zich razendsnel omdraaide.

Joe en Tom keken elkaar alleen maar aan. 'Heeft zij haar meegenomen, Joe?' vroeg Tom zachtjes. 'Dit is ernstig. Waar zijn ze?'

'En wie zijn zij?' vroeg Harry, die achteruit in de richting van de kerk liep. 'Wat is hier aan de hand? Millie!'

'Tommy,' riep een hoge, ijle stem en Tom sprong naar voren tot hij naast Harry stond.
'Oké, nu is het wel genoeg, jongens.' Harry deed zijn best om niet te schreeuwen maar het was moeilijk om de woede uit zijn stem te houden. 'Er wordt een kind vermist en de politie zal worden gebeld, als dat al niet gebeurd is. Kom nu maar tevoorschijn.'
Ze wachtten. In de verte blafte een hond. Ze konden horen hoe een motor werd gestart. Toen klonk plotseling een hoge kreet door de nacht.
'Dat is Millie,' zei Tom terwijl hij om zich heen keek. 'Dat is ze echt. Ze is vlakbij. Millie! Waar ben je?'
'Ze is in de kerk,' zei Joe. 'De deur is open.'
Toen hij zich omdraaide zag Harry dat Joe gelijk had. De deur van de kerk stond een paar centimeter open. Wat niet het geval had moeten zijn op dat tijdstip van de avond. Hij rende naar binnen en draaide ondertussen de verlichting aan. Hij rende het schip in en bleef stokstijf staan. Boven zijn hoofd zat iemand te jammeren.
'O, mijn God, sta ons bij,' zei Harry terwijl hij omhoog keek.
Tom en Joe hieven hun hoofd om te kijken wat Harry had gezien. Ver boven hen, op de houten balustrade om de galerij, haar gezicht vertrokken van angst, zat Millie.

21

Beste Steve (typte Evi)

Ik zou heel graag jouw advies willen over iets. Ik voeg twee krantenartikelen bij om je wat achtergrondinformatie te geven, hoewel je je de zaak van Megan Connor misschien nog wel kunt herinneren. Voor zover ik weet is ze nooit gevonden.
Ik heb een 26-jarige patiënte uit het dorp waar Megan werd vermist, wiens dochtertje drie jaar na de verdwijning van Megan is verongelukt. Ik heb het vermoeden dat het aanhoudende verdriet van mijn patiënte misschien beïnvloed wordt door haar herinneringen aan de eerdere gebeurtenis.
Ik meen me te herinneren dat het hele land er tamelijk door was getraumatiseerd, en het moet in de regio zelf nog veel erger geweest zijn. Mijn patiënte heeft mogelijk zelfs deelgenomen aan de zoektochten.
Mijn vraag is de volgende: kan ik erover beginnen tijdens onze gesprekken of moet ik wachten tot ze dat zelf doet? Oppervlakkig gezien lijkt ze vooruitgang te maken, maar er is een heleboel dat ik nog niet begrijp. Ik kan me niet aan de indruk onttrekken dat ze iets voor me verbergt. Enig idee?

Liefs aan Helen en de kinderen,
Evi

Evi controleerde de spelling, voegde een komma toe en drukte op verzenden. Steve Channing was een soort informele supervisor, een ervaren psychiater die ze wel vaker om advies vroeg bij moeilijke zaken. Natuurlijk zou hij aan de datum en de tijd op de e-mail kunnen zien dat ze op een zaterdagavond zat te werken, maar... nou, ze kon zich niet voor iedereen verbergen.

22

'Hoe is ze daarboven gekomen?' jammerde Tom, niet in staat zijn ogen van zijn kleine zusje af te houden dat doodgriezelig zes meter boven de harde stenen vloer van de kerk balanceerde. Niemand antwoordde – waarom zouden ze ook? – het was een stomme vraag. Het enige wat telde, was hoe ze haar naar beneden konden krijgen.
'Blijf waar je bent, Millie. Verroer je niet.' Harry rende terug naar de kerkdeur. Ze hoorden zijn voetstappen op de trap naar de galerij. Hij zou op tijd komen, hij moest op tijd komen. Harry's voetstappen stopten en ze hoorden dat hij begon te rammelen aan de deur tussen de galerij en de trap.
'Dat kan niet waar zijn,' hoorden ze Harry's stem achter de deur. Toen weerkaatste het geluid van heftig gebonk door de kerk. Harry schopte aan de andere kant tegen de deur.
'Ze hebben de deur op slot gedaan,' zei Joe. 'Hij kan niet bij haar komen.'
Bang geworden door het lawaai, keek Millie naar beneden naar haar broers. Toen stak ze beide armpjes uit en Toms maag draaide zich om. Ze ging springen, net zoals ze van de leuning van de bank sprong. Ze ging springen, erop vertrouwend dat hij haar zou vangen, zoals hij altijd deed. Maar dat kon hij onmogelijk, niet van die hoogte, ze zou te snel vallen. Er was niets, absoluut niets, dat ze konden doen, ze zou vallen en haar hoofdje zou op de stenen uit elkaar spatten als glas.
'Nee, Millie, nee, blijf stil zitten.' Beide jongens riepen naar haar omhoog en keken vol afschuw toe hoe de peuter haar evenwicht verloor op de smalle rand en naar voren viel. Terwijl Joe begon te schreeuwen stak Millie haar arm uit en greep de balustrade vast met een hand. Tegelijkertijd vonden haar voeten, nog steeds in de roze feestschoentjes, een heel klein beetje houvast op een smalle rand die om de galerij liep.
'Hou je kop, jullie twee, hou je kop,' siste Harry die weer teruggekomen was. Tom greep Joe vast en trok hem tegen zich aan. Hij had niet beseft dat ze allebei zo stonden te schreeuwen. Joe klemde zich aan hem vast en op de een of andere manier slaagden de jongens erin hun mond dicht te houden.
'Millie,' riep Harry, met een stem die Tom hoorde trillen. 'Blijf stil staan, liefje, hou je goed vast, ik kom je halen.'
Harry keek om zich heen en leek een besluit te nemen. Toen keek hij weer naar de jongens. 'Pak de kussens, de knielkussens,' zei hij. 'Pak er zoveel als je

kunt en leg ze op de grond, recht onder haar. Nu.'
Tom kon zich niet bewegen. Hij kon zijn blik niet van Millie halen. Als hij even de andere kant opkeek zou ze vallen. Toen merkte hij dat Joe druk bezig was naast hem. Zijn broer had al drie kussens van hun haakjes tussen de banken gehaald en ze onder Millie op de grond gelegd.
Tom draaide zich snel om en begon nog meer kussens te verzamelen van de rij aan de andere kant. Nadat hij ze van hun haakjes had getrokken gooide hij ze naar de plek waar Millie neer zou komen. Hij gooide er zes en rende toen terug naar het middenpad. Omhoog kijkend legde hij ze recht onder de mollige beentjes en roze schoentjes van zijn zusje, zodanig dat ze een zacht tapijt vormden. Als ze er maar genoeg konden pakken, zouden de kussens haar val breken.
Uit zijn ooghoek zag Tom dat Harry zich ophees naar het raamkozijn en toen zijwaarts liep tot hij bij de balustrade van de galerij was. Hoe hij omhoog moest komen was Tom een raadsel, maar Harry beklom bergen in zijn vrije tijd, dus als iemand het kon dan was hij het. Hij moest zich concentreren op de kussens. Joe volgde zijn voorbeeld en gooide ze over de houten banken. Zodra ze landden legde Tom ze naast de andere. Millies valkussen werd steeds groter.
'Nee, liefje, nee.' Harry's stem klonk moeizaam door de inspanning van het klimmen. En de moeite die het hem kostte om niet in paniek te raken. 'Blijf waar je bent,' riep hij. 'Hou je vast, ik kom er aan.' Tom stopte even en waagde een blik omhoog. Harry klemde zich als een enorme spin vast aan de houten lambrisering op de achtermuur van de kerk. Als hij niet uitgleed zou hij de balustrade over een paar seconden bereiken zodat hij erover kon klimmen. Nog een seconde en hij was bij Millie en dan zou ze veilig zijn.
Het waren seconden die hij misschien niet had. Omdat Millie had gezien dat Harry haar kant op kwam, probeerde ze naar hem toe te komen. Ze schoof over de rand en was niet meer recht boven de kussens. En haar mollige vingertjes hadden niet veel kracht. Ze snikte het uit. Ze kon het niet veel langer volhouden. Ze stond op het punt te vallen. En ze wist het.

23

Evi keek naar Gillian Royles medische dossier. Toen ze Gillian aangenomen had als patiënt waren ze volgens de normale procedure aan haar doorgestuurd. Gelukkig was de huisartsenpraktijk waar Gillian ingeschreven stond een van de eerste geweest die volledig gecomputeriseerd was. Zelfs de oude, op papier bijgehouden gegevens van haar jeugd waren op zeker moment in het systeem ingevoerd.

Ze had ze al gelezen, natuurlijk, voor haar eerste afspraak met de jonge vrouw. Was er iets wat ze over het hoofd had gezien?

Het is een leugenachtige zak, had Gillian gezegd. *Mijn stiefvader was net zo.* Meer dan eens was Gillian prikkelbaar geworden als het ging over de mannen in haar leven. Verschillende aspecten van haar karakter – haar cynisme over mannen en seks, haar gevoel slachtoffer te zijn, een soort onuitgesproken idee dat de wereld haar iets verschuldigd was – deden Evi allemaal vermoeden dat er in Gillians verleden sprake was geweest van misbruik.

Evi scrolde terug naar de eerste informatie, toen Gillian nog een kind was. Ze had de gebruikelijke vaccinaties gehad, waterpokken toen ze drie was. Ze was kort na het verongelukken van haar vader bij de huisarts geweest, maar er waren geen medicijnen voorgeschreven en geen vervolgbehandeling afgesproken.

Toen ze negen was was Gillian naar een andere huisartsenpraktijk gegaan in Blackburn. De verandering viel vermoedelijk samen met het hertrouwen van haar moeder en de verhuizing van de familie uit Heptonclough. Gillians bezoeken aan de huisarts waren in die tijd toegenomen. Ze had vaak geklaagd over vage buikpijn, waardoor ze regelmatig verzuimde op school, maar onderzoeken hadden niets verkeerds gevonden. Er waren ook een paar lichte verwondingen geweest: een gebroken pols, blauwe plekken, enzovoort. Het kon betekenen dat ze een levendig, ietwat onhandig kind was. Of het kon wijzen op misbruik.

Toen Gillian dertien was waren zij en haar moeder weer naar Heptonclough verhuisd. Gillian had al op heel jonge leeftijd de anticonceptiepil voorgeschreven gekregen – een paar maanden voor haar vijftiende verjaardag – en toen ze zeventien was was er een zwangerschap afgebroken. Geen ideaal scenario maar het was niet ongewoon voor een moderne tiener.

O, in hemelsnaam, ze had nog een heleboel andere patiënten. Evi stond weer

op. Ze keek naar de badkamer. De deur stond open en ze zag het medicijnkastje.
Het was volledig donker buiten. Zouden ze nu aan het dansen zijn in Heptonclough? Evi had al drie jaar niet meer gedanst. En zou dat waarschijnlijk ook nooit meer doen.

24

'We moeten de kussens verplaatsen,' zei Tom dringend tegen zijn broer. 'Help me duwen.' Hij en Joe begonnen op handen en knieën de kussens over de vloer te duwen. Maar dat was niet gemakkelijk over de oneffen tegels; door de hobbels en kieren in de stenen begonnen ze uit elkaar te glijden.

'Hou ze bij elkaar,' gilde Tom. Hij durfde niet omhoog te kijken terwijl Joe en hij vertwijfeld probeerden de kussens weer op de goede plaats te duwen. Hij had geen idee of ze wel of niet onder Millie lagen, hij durfde gewoon niet omhoog te kijken want hij wist dat hij dan het lijfje van zijn zus op zich af zou zien komen.

'Hoe is ze verdomme daar nou gekomen?' zei een stem van de andere kant van de kerk. Tom keek op en zag dat Jake Knowles en Billy Aspin stilletjes het gebouw binnengekomen waren. Ze stonden allebei gefascineerd omhoog te kijken naar de dominee en de peuter.

Harry kwam steeds dichter bij Millie, die zich nog altijd vastklemde aan de balustrade. Tom werd door iets geraakt in zijn gezicht en toen hij zich omdraaide zag hij Jake en Billy drie banken verderop, waar ze kussens verzamelden en die in zijn richting gooiden.

'Je zit er mijlenver naast, kluns,' riep Jake, zijn ogen gericht op Tom maar met zijn vinger wijzend van de galerij naar de vloer. 'Je moet verder die kant op.' Hij had gelijk. Tom begon de kussens naar links te duwen, en Joe deed zijn best om ze bij elkaar te houden. Billy kwam erbij en begon ze op elkaar te stapelen, terwijl Jake ze als projectielen door de lucht bleef gooien.

Toen hoorde hij een dreun boven zich en hij wist nog maar net een schreeuw binnen te houden. Billy, Jake en Joe keken allemaal omhoog. Harry was op de galerij en praatte zacht tegen Millie terwijl hij langzaam haar kant op liep. Hij was nog vijf passen bij haar vandaan... vier... drie... Tom hield zijn adem in. Harry stak zijn hand uit. Tom sloot zijn ogen.

'Hij heeft haar,' zei Jake. Tom blies zijn adem uit en deed zijn ogen open. Er lag geen dood zusje, bloedend op de stenen voor hem. Het was voorbij. Jake keek naar de kussens, verspreid over de tegels.

'Ik neem aan dat we die nou weer allemaal terug moeten hangen,' zei hij.

'Jongens.' Dat was Harry's stem boven hen, die klonk of hij net een wedstrijd had gelopen. 'Millie en ik kunnen niet naar beneden tot we de sleutel voor

de deur hebben gevonden. Kan iemand even gaan kijken in de consistoriekamer?'
Een moment kon Tom zich niet herinneren waar de consistoriekamer was. Voor in de kerk dacht hij. Hij draaide zich om en bleef toen verstijfd staan. Hij knipperde en keek nog eens. Niets. Maar een moment was hij er zeker van geweest. Opzij van het orgel, haar dunne lichaam tegen de pijpen gedrukt, had iemand naar hen staan kijken. Een klein meisje.

25

Ze verlieten het kerkhof: de man die nu de baas leek te zijn over de kerk en Millies twee broers. En de moeder ook, niet Millies moeder, die liep nog steeds door hun tuin te rennen, schreeuwend met een hoop kabaal. Nee, dit was de andere moeder, die vanuit het niets was verschenen op het moment dat de kinderen en de man uit de kerk waren gekomen. Zij droeg Millie in haar armen terwijl ze de heuvel afliepen.
Millies ouders hadden hen gezien. Ze renden op het groepje af. Iedereen praatte door elkaar, keek naar Millie, klopte haar op het hoofd, knuffelde haar. Ze waren heel erg bang geweest, bang dat ze haar kwijt waren. Ze zouden vanaf nu beter op haar passen. Een tijdje.

26

3 oktober

'In eerste instantie leek het even of ik weer in die oude nachtmerrie was beland. Begrijp je wat ik bedoel? Mijn kleine meisje was weg en ik moest haar vinden. Ik moest naar buiten om haar te gaan zoeken op de hei, en net zo lang roepen tot ik haar gevonden had.'
'Rustig maar, Gillian, kalm aan. Gun jezelf een minuutje.'
'Ik kon niet goed meer denken. Ik wilde alleen maar schreeuwen.'
'Ik begrijp het,' zei Evi. 'Het moet vreselijk zijn geweest voor iedereen, maar vooral voor jou.' Weer een zoektocht over de hei voor Gillian; eerst Megan, toen Hayley en nu deze laatste, Millie heette ze toch?
'Ja,' zei Gillian.
'Neem de tijd,' zei Evi. Moest ze de zoektocht naar Megan noemen? Ze had nog niets gehoord van haar supervisor.
'Maar toen leek het net of iemand een knop omzette zodat ik weer duidelijk kon zien. Het ergste was me al overkomen. Er was niets waar ik bang voor hoefde te zijn, dus ik was in de beste positie om te helpen. Ik ken alle verstopplekjes in het dorp. Ik heb ze al bijna drie jaar vrijwel elke dag gecontroleerd en ik wist dat ik de beste kans had om haar te vinden.'
Gillian had gewinkeld nadat Evi haar de laatste keer had gezien. Ze droeg een zwarte broek die er nieuw uitzag en een strakke zwarte trui. Haar huid werd steeds beter.
'We hebben ruim de tijd, Gillian,' zei ze. 'Nog veertig minuten. Wil je me vertellen wat je hebt gedaan?'
'Ik ben gaan zoeken,' antwoordde Gillian. 'In mijn eentje, in het donker, want daar ben ik aan gewend. Ik ben door Wite Lane gelopen, langs ons oude huis, omhoog door de velden naar de Tor. Toen ben ik weer teruggelopen omdat ik licht zag in de kerk.'
'Dat was heel sterk van je,' zei Evi. 'Dat je mee kon doen aan de zoektocht, na alles wat je hebt meegemaakt.'
Gillian knikte, nog steeds opgewonden. 'En het voelde heel goed, weet je, toen ik Alice en Gareth zag en ik Millie in mijn armen had. Ze waren zo dankbaar en...'
'Je hebt het kleine meisje gevonden?'

'Ja, eh nee, niet echt. Ik heb ze alle vier gevonden, toen ze uit de kerk kwamen. Ze waren allemaal nogal overstuur. Tom maakte ruzie met zijn broertje over iets wat te maken had met kleine meisjes. Ik nam Millie over van Tom want ik was bang dat hij haar zou laten vallen. Ik zag Harry in eerste instantie helemaal niet. Hij leunde tegen een muur en door zijn zwarte kleren was hij bijna onzichtbaar.'
Evi pakte het waterglas op haar bureau en besefte dat ze geen dorst had. Ze hield het in haar hand en draaide het water rond. 'En het kleine meisje was gewoon aan het zwerven geslagen?' vroeg ze.
'Om eerlijk te zijn, niemand weet precies wat er is gebeurd. Millie is te jong om het ons te vertellen. De officiële gedachte is dat ze achter wat grotere kinderen aan is gelopen en toen tot de ontdekking kwam dat ze ze niet bij kon houden.'
Gillian werd afgeleid door het glas. Evi dwong zichzelf het neer te zetten. Er lag een paperclip op het bureau. Als ze die pakte dan zou ze er mee gaan spelen. Dat zou weer een afleiding betekenen.
'En de onofficiële?' vroeg Evi, nieuwsgierig geworden.
'Het gezin heeft een paar keer problemen gehad met een groepje jongens uit het dorp,' antwoordde Gillian. 'Die kennelijk ook in de buurt waren toen het gebeurde. De Fletchers denken dat zij Millie misschien hebben meegenomen, misschien als grap, en dat het helemaal verkeerd liep. De politie is er achteraan geweest maar geen van de jongens heeft iets toegegeven. Iedereen is alleen maar blij dat het zo is afgelopen.'
'En dit was na negen uur?' vroeg Evi. 'Tamelijk laat voor zo'n kleintje om nog op te zijn, hè?'
'O, alle kinderen blijven laat op voor het Kappen. Dat is traditie.'
'Het Kappen?'
'Zo noemen ze het. Het is iets van de boeren. En daarna is er feest. Iedereen wordt uitgenodigd. Ik was er nooit zo dol op, om eerlijk te zijn, vooral niet nadat Pete was vertrokken. Maar toen Harry me vroeg of ik er zou zijn dacht ik: waarom niet? Maar toen raakte ik helemaal in paniek over wat ik aan moest trekken. Het was geen afspraakje of zo, maar hij vroeg me heel gericht of ik er zou zijn en... Wat is er? Wat heb ik gezegd?'
De paperclip was toch tussen haar vingers beland. Ze schudde haar hoofd en dwong zich te glimlachen. 'Niets, het spijt me,' zei ze, terwijl ze het verbogen stukje metaal weer op het bureau legde. 'Je bent vandaag in een heel uitgelaten stemming. Ik kan het niet helemaal bijhouden. Ga verder.'
'En daarom besloot ik uiteindelijk de legging aan te doen. Met de gele trui die ik bij Tesco heb gekocht, hoewel hij er niet uitziet alsof hij van Tesco komt, hij lijkt tamelijk chic, eigenlijk. Ik kan me niet herinneren wanneer ik voor het laatst kleren heb gekocht. Het is een goed teken, toch, om nieuwe

kleren te willen kopen zodat je er weer leuk uitziet?'
Stilte.
'Of niet?'
Evi knikte. Glimlachte ze nog? Amper. 'Het is een heel goed teken,' stemde ze in.
Het was een buitengewoon goed teken dat je er weer leuk uit wilde zien. Een lange, wijde rok, bijna tot haar enkels, een strakke rode top die haar schouders vrij liet, en een lavendelblauwe pashmina voor het geval de avond kil werd, dat was ze van plan geweest te dragen.
'En hoe ging het met je tijdens het feest erna?' vroeg ze. 'Er was waarschijnlijk alcohol, neem ik aan. Ben je in de verleiding gekomen?'
Gillian dacht even na en schudde toen haar hoofd. 'Niet echt,' zei ze. 'Er gebeurde zoveel. Een heleboel mensen wilden met me praten, en vroegen hoe het met me ging. Jenny was heel lief. Jenny Pickup, ik bedoel, vroeger heette ze Jenny Renshaw. Ik was jaren geleden kindermeisje bij haar en ze was Hayleys peettante. En Harry was vaak in de buurt. Natuurlijk heb ik niet te veel aandacht aan hem geschonken op het feest. Je weet hoe de mensen kunnen kletsen.'
'Is het laat geworden?' Evi had zich voorgesteld dat het laat zou worden en dat ze in die auto met open dak naar huis gereden zou worden. Het was een warme avond geweest toen ze rond elf uur de tuin in was gelopen. Er waren sterren te zien geweest.
'Kort nadat we Millie hadden gevonden was het afgelopen,' zei Gillian. 'De Fletchers gingen naar huis en de rest van ons ging terug naar de feestzaal, maar de band was gestopt en er waren al mensen aan het opruimen. Raar eigenlijk, want vroeger ging het feest vaak nog tot ver in de nacht door.'
'Ben je naar huis gegaan?'
Gillian schudde haar hoofd. 'Nee, ik ben met Harry meegegaan.'
Evi stak een hand uit en pakte haar glas. 'Harry de dominee?'
'Ik weet het, ik weet het.' Gillian grinnikte bijna. 'Ik ben zelf ook nog niet aan dat domineegedoe gewend. Maar toen hij die stomme jurk uittrok leek hij helemaal niet meer op een dominee. Hij stond buiten toen ik wegging en ik had het gevoel dat hij op mij stond te wachten.'
'Zei hij dat?'
'Nou, dat zou hij toch niet doen? Ik denk dat hij misschien een beetje verlegen is. Dus ik vroeg hem of hij met me mee wilde komen naar de flat voor een kop koffie.'
Evi's hand ging weer naar het glas. 'Wat zei hij?'
'Nou, ik wist zeker dat hij ja zou zeggen maar toen kwamen er een paar mensen de hoek om, en daarom zei hij dat hij moest gaan controleren of de kerk wel op slot was en toen liep hij weg, de heuvel op. Natuurlijk begreep ik dat

hij wilde dat ik achter hem aan kwam en daarom ben ik na een paar minuten ook naar boven gelopen...'
'Gillian...'
'Wat?'
'Nou, ik bedoel... dominees hebben een bepaalde gedragscode.'
Gillian keek haar niet-begrijpend aan.
'Een bepaalde manier waarop ze zich horen te gedragen,' probeerde Evi weer, 'en een jonge vrouw die hij nauwelijks kent 's avonds uitnodigen naar een kerk... nou, dat klinkt me niet verantwoordelijk in de oren. Weet je zeker dat hij dat wilde?'
Gillian haalde haar schouders op. 'Mannen zijn mannen,' zei ze. 'Hij draagt dan misschien wel een witte boord maar hij heeft ook een pik in zijn broek.'
Evi pakte het glas weer. Het was leeg.
'Het spijt me,' zei Evi, toen ze haar stem weer vertrouwde. 'Je denkt waarschijnlijk dat ik te nieuwsgierig ben. Als je er niet klaar voor bent om erover te praten, dan is dat prima. Slaap je nog steeds goed?'
'Denk je dat een dominee niet geïnteresseerd zou zijn in iemand als ik?' vroeg Gillian. De lijnen op haar gezicht leken zich verhard te hebben. De lippenstift die ze had gekozen was eigenlijk te donker voor haar.
'Nee, dat bedoel ik helemaal niet.'
'Waarom heeft hij me dan gekust?'
Evi haalde diep adem. 'Gillian, mijn enige zorg is of je er wel klaar voor bent om je weer te binden. Emotioneel ben je heel erg beschadigd.'
Hij heeft haar gekust?
De vrouw was weer in elkaar gedoken in haar stoel. Ze leek Evi niet meer recht aan te kunnen kijken.
'Vind je hem echt heel leuk?' vroeg Evi zacht.
Gillian knikte zonder op te kijken. 'Het klinkt stom,' zei ze, met haar blik op het vloerkleed onder haar voeten gericht, 'want ik ken hem nauwelijks, maar het lijkt of ik om hem geef. Toen ik de kerk in kwam zat hij alleen maar in de voorste bank. Ik ging naast hem zitten en legde mijn hand op de zijne. Hij trok zijn hand niet weg. Hij zei dat het hem speet wat er was gebeurd, maar dat het vreselijk moest zijn geweest voor mij, na alles wat ik had meegemaakt.'
'Het klinkt alsof het voor iedereen afschuwelijk moet zijn geweest,' zei Evi. Nog tien minuten voor de tijd om was. Een ogenblikje maar in het grote geheel. Maar te lang voor het beeld in haar hoofd van Harry en dit meisje, in een vaag verlichte kerk, hand in hand.
'Het voelde of we een band hadden,' zei Gillian. 'Het voelde of ik alles kon zeggen. En daarom vroeg ik hem wat ik de eerste keer dat ik hem zag al had willen vragen. Hoe God toe kon laten dat er slechte dingen gebeuren met

onschuldige mensen, zoals Hayley. En bijna met Millie. Als hij almachtig is, zoals mensen zeggen, waarom gebeuren deze dingen dan?'
En met mij, dacht Evi. Welk deel van het grote geheel maakte mij kreupel? Welk deel van het geheel bracht Harry buiten mijn bereik net toen... Minder dan tien minuten nog.
'Wat zei hij?' vroeg ze.
'Hij begon een gebed op te zeggen. Dat doet hij vaak heb ik gemerkt. Een ongelooflijk geheugen. Iets over Jezus die geen handen of voeten heeft...'
'Geen handen dan de onze,' zei Evi, na een moment.
'Dat is het. Ken je het?'
'Ik ben katholiek opgevoed,' zei Evi. 'Het gebed is geschreven door de heilige Theresa in de zestiende eeuw: "Christus heeft geen lichaam meer op aarde dan het onze, geen handen dan de onze, geen voeten dan de onze." Het betekent dat alles wat hier op aarde gebeurt – alle goede dingen, maar ook alle slechte dingen – aan ons ligt.'
'Ja, dat zei Harry,' antwoordde Gillian. 'Hij zei dat het nu aan ons is. Hij zei dat God een plan had, daar was hij van overtuigd, maar dat het nog niet uitgewerkt was en dat het aan ons was om de details in te vullen.'
'Hij klinkt tamelijk wijs, die Harry van jou,' zei Evi. Belachelijk. Ze had hem maar twee keer ontmoet. Er was echt geen reden voor dat loodzware gevoel in haar maag.
'Ik denk het,' zei Gillian. 'Ik ga zondag naar de kerk. Voor het eerst in jaren.' Ze draaide zich plotseling om en keek naar de klok aan de muur. 'Ik moet gaan,' kondigde ze aan. 'Ik heb beloofd dat ik om twaalf uur zou komen. Ik ga helpen met het versieren van de kerk. Dank je, Evi. Tot volgende week.'
Gillian stond op en liep de kamer uit. Er waren nog acht minuten van haar afspraak over maar het leek of ze Evi niet meer nodig had. En waarom zou ze ook? Ze had Harry.

27

'De assistent-scheidsrechter tilde het bord omhoog waarop stond dat er maar drie minuten blessuretijd werd toegevoegd aan deze alles beslissende, fantastische wedstrijd. De bal gaat naar Brown... hij draait, speelt de bal naar de jonge Ewood-debutant Fletcher... Fletcher, nog steeds Fletcher... even rondkijken... Green staat vrij... ik geloof dat Fletcher het af gaat maken... GOAL!'

Bescheiden zwaaiend naar de supporters rende Tom terug naar het midden van het veld voor de laatste aftrap. Minder dan een minuut extra speeltijd en de overwinning was, zoals ze zeiden, binnen. Toen draaide een van de andere spelers zich naar hem om.

'Tommy,' fluisterde hij.

Tom was ogenblikkelijk wakker. Niet langer de nieuwe sterspeler die zijn favoriete voetbalteam naar de overwinning leidde. Alleen maar de tien jaar oude Tom Fletcher, midden in de nacht in bed. Met een groot probleem.

Buiten raasde de wind over de hei. Tom kon hem door de straatjes horen fluiten, zodat de ramen trilden in de sponningen. Hij lag met het dekbed opgetrokken tot aan zijn oren en durfde zich bijna niet te verroeren; hij was inmiddels gewend aan de wind. In de buizen van de radiator hoorde hij het af en toe borrelen terwijl het huis zich installeerde voor de nacht. Daar was hij ook aan gewend. Een halve meter onder hem klonk het zachte gepruttel van Joe's ademhaling. Alles was normaal.

Behalve dan dat er iemand anders in de slaapkamer was bij hem en Joe. Iemand aan het voeteneind van zijn bed, die net aan zijn dekbed had getrokken. Helemaal klaarwakker nu, durfde Tom zich niet te bewegen. Het rukje kon een deel van zijn droom geweest zijn, hij moest gewoon stil blijven liggen om zeker te weten dat het niet weer zou gebeuren. Hij wachtte tien, twintig seconden en besefte dat hij zijn adem inhield. Zo zacht als hij kon liet hij hem ontsnappen. Een fractie later ademde iemand anders in.

Nog steeds durfde hij zich niet te verroeren. Het zou zijn eigen ademhaling kunnen zijn geweest die hij had gehoord, of die van Joe. Het zou kunnen.

Het dekbed bewoog weer en werd van zijn gezicht getrokken. Hij voelde de nachtlucht op zijn wang, en op zijn linkeroor. In het bed onder hem riep Joe iets in zijn slaap, een gemompeld woord dat een beetje klonk als mammie en toen een laag gekreun.

'Tommy.' Joe's stem. Maar Joe sliep.
'Tommy.' Zijn moeders stem. Maar zijn moeder zou hem nooit zo bang maken op deze manier.
Toms ogen waren open. Hoe kwam het dat het zo donker was? Het licht op de overloop dat 's nachts altijd brandde voor het geval een van de kinderen naar de wc moest, was uit en het was in zijn kamer donkerder dan normaal. De meubels, het rondslingerende speelgoed, waren niet meer dan donkere schaduwen. Maar het waren vertrouwde donkere schaduwen, het soort waar hij aan gewend was en die hij verwachtte te zien. De schaduw die hij echt niet had verwacht te zien, stond aan het voeteneind van zijn bed.
Wat het ook was, het stond heel stil, maar ademde wel, hij kon de lichte beweging van de schouders zien. Hij zag de omtrek van het hoofd en de twee kleine lichtpunten die ogen geweest zouden kunnen zijn, en bijna zeker waren. De schaduw keek naar hem.
Een halve tel kon Tom zich niet verroeren. Toen kwam hij razendsnel in actie. Hij kroop naar achteren, schoppend met zijn hielen tegen het laken, duwend met zijn ellebogen. Zijn hoofd bonsde hard tegen het metalen frame van het hoofdeinde en hij wist dat hij niet verder kon.
De schaduw bewoog, leunde naar hem toe.
'Millie,' zei hij, met een stem waarvan Tom dacht dat hij misschien van hem zou moeten zijn. 'Millie val.'

28

4 oktober

'Gaat het goed met ze?' vroeg Harry, die gefascineerd naar het verhaal had zitten luisteren.

Gareth haalde zijn schouders op. 'Tja, ze zijn allemaal nogal stilletjes,' zei hij. 'Tom en Joe zeggen niks maar ze verliezen Millie geen moment uit het oog. Tom heeft een soort fascinatie ontwikkeld voor sloten op ramen. Hij controleert ze voortdurend en wil weten waar de sleutels zijn.'

'En hij zegt dat het een klein meisje was? Dat jullie allemaal in de gaten houdt?'

Gareth knikte. 'Hij heeft het al eerder over haar gehad, maar we hebben er gewoon geen aandacht aan geschonken. Er zijn heel veel kinderen in het dorp en Toms verbeeldingskracht is altijd nogal levendig geweest.'

'En waar was Alice toen...' Hij zweeg. Klonk dat als een veroordeling?

'In haar studio,' zei Gareth, die het of niet opmerkte of besloot het te negeren. 'Ze werkt aan een portret van de oude meneer Tobias. Hij poseert een paar keer per week voor haar en ze wil het voor het eind van de maand af hebben. Ze hoorde Tom boven schreeuwen maar tegen de tijd dat ze bij hem was had hij de andere twee al wakker gemaakt die ook luidkeels zaten te schreeuwen.'

'Zijn er sporen van braak?' vroeg Harry. 'Is het mogelijk dat Tom iemand gezien heeft?'

Gareth schudde zijn hoofd. 'Het kleine raampje van de wc beneden was open maar iemand met een normaal postuur zou er niet door kunnen. En een kind, zelfs als het 's avonds in zijn eentje buiten zou zijn, zou er niet bij kunnen.'

De twee mannen waren aan de achterkant van de kerk gekomen. Ze bleven voor een smalle, hoge deur staan die van taxushout gemaakt leek te zijn.

'Weet je zeker dat je hiertoe in staat bent?' vroeg Harry. 'Er is geen haast bij. Je moet waarschijnlijk...'

Gareth tilde de gereedschapskist op die hij mee had gebracht. 'Het gaat wel,' zei hij. 'Ze zijn gaan wandelen. Joe wilde bij de Tor gaan kijken. Ik heb gezegd dat ik naar ze toe zal komen als we klaar zijn.'

'Oké, als je het zeker weet.'

'Ik weet het zeker. Laten we deze crypte maar eens openmaken.'

Harry vond de juiste sleutel en duwde hem in het slot. 'Technisch gezien is het geen crypte,' zei hij. 'Meer een kelder. Misschien handig als opslagruimte. Ik wil alleen graag advies of ik er een deskundige bij moet halen om te controleren of het veilig is.' De sleutel draaide zonder problemen in het slot. Harry pakte de hendel en tilde de klink op.
'En je wilt niet alleen rondkijken op deze spookachtige plek,' zei Gareth.
'Daar heb je volkomen gelijk in. Verdraaid, deze deur klemt. Hij is volgens mij in jaren niet open geweest.'
'O, opzij, dominee, dit is iets voor een man.'
'Hou je rustig, vriend, het lukt me prima,' zei Harry. 'Daar gaat ie al.'
De deur zwaaide naar binnen open en op hetzelfde moment kwam er een wolk van zuur ruikend stof op hen af. Harry knipperde met zijn ogen. Gareth schraapte zijn keel. 'Verdorie, dat is goor,' zei hij. 'Weet je zeker dat er daar beneden niks doods ligt?'
'Ik ben nergens zeker van,' antwoordde Harry, die zijn zaklantaarn opraapte en een voet op de wenteltrap zette die naar beneden onder de kerk liep. De kou leek zich als een klamme hand in zijn nek te leggen. 'Hou kruisen en knoflook maar in de aanslag.'
De vochtige lucht van de kelder onder de kerk werd steeds sterker naarmate de twee mannen verder naar beneden liepen. Toen ze halverwege waren was Harry blij dat Gareth en hij fleece truien droegen. Na tweeëntwintig treden waren ze beneden. Ze lieten hun zaklantaarns rond schijnen. In het licht waren massieve stenen pilaren en een gewelfd, bakstenen plafond te zien. De ruimte was veel groter dan ze hadden verwacht.
'Ik had ongelijk,' zei Harry, na een paar seconden. 'Dit is wel een crypte.'

Als je het Tom een paar weken geleden had gevraagd, dan had hij misschien wel gezegd dat oktober een van zijn favoriete maanden was. Omdat in oktober de bomen op toffeeappels begonnen te lijken en het geploegde land de kleur kreeg van donkere chocolade. Hij hield van de smaak van de lucht op zijn tong, fris en scherp als een pepermuntje, en hij hield van het gevoel van verwachting, omdat eerst Halloween, dan Guy Fawkes Day, en dan Kerstmis steeds dichterbij kwamen. Maar dit jaar had hij grote moeite met alles wat eraan zat te komen. Dit jaar wilde hij liever niet te ver vooruit kijken.
'Rustig aan, jullie twee,' riep zijn moeder naar boven. 'Wacht op ons, meisjes.'
Tom keek om. Joe liep een paar meter achter hem, gekleed als een middeleeuwse boogschutter met een plastic boog over zijn schouder en een koker met pijlen op zijn rug. Hij kon zijn broer goed bijhouden en zong zachtjes in zichzelf. Bijna dertig meter verder de heuvel af doken Alice en Millie net op uit de mist.
'Tom, blijf op het pad!' riep zijn moeder.

Oké, oké!
Hij liep verder naar boven.

Harry liep naar voren tot hij midden in de grote, donkere ruimte stond. Drie rijen rijk versierde stenen pilaren ondersteunden het gewelfde plafond. De vloer was niet van aangestampte aarde zoals hij had verwacht, maar bedekt met oude grafstenen, zoals de paden in de kerk op de begane grond.
'Ongelooflijk,' mompelde Gareth naast hem.
De twee mannen liepen verder. Een paar meter voor hen leek de muur aan de rechterkant opeens op te houden en in het licht van Harry's zaklantaarn was alleen een diepe duisternis te zien. Toen de mannen dichterbij kwamen zagen ze dat er een doorgang was door de muur. Ze konden niet zien wat erachter was.
'Jij eerst,' zei Gareth.
'Schijtlaars.'
Harry liep door de zwarte boog en liet zijn zaklantaarn rond schijnen. 'Jee, wel heb ik...' begon hij. De ondergrondse ruimte aan de andere kant van de muur was nog groter dan de crypte onder de kerk.
'We zitten onder de oude kerk,' zei Gareth, die vlak achter Harry liep. 'Twee kerken, één enorme kelder.'
'Ik denk niet dat opslagruimte een probleem zal worden,' zei Harry, terwijl hij het licht van zijn zaklantaarn over met hekken afgesloten nissen langs de muur liet glijden. 'Ik geloof niet dat dit ooit gewoon maar een kelder was. Er zijn te veel versieringen. Ik denk dat hij werd gebruikt voor erediensten. Hoor jij ook water stromen?'
'Ja. Het klinkt of het meer is dan alleen maar een gebarsten leiding,' zei Gareth. 'Ik geloof dat het hier vandaan komt.'
Gareth liep voorop; Harry volgde, ondertussen de met rozen, bladeren en insecten versierde muren bewonderend. Hij zag een processie van in de stenen uitgehakte pelgrims op weg naar een schrijn. De tegels onder zijn voeten waren glad afgesleten. Honderden jaren hadden monniken zwijgend over deze stenen gelopen. Vlak voor hem had Gareth ontdekt waar de watergeluiden vandaan kwamen.
'Ik heb nog nooit zoiets gezien,' zei hij.
In de achterste muur van de kelder was een enorme stenen schelp aangebracht. Uit een dunne buis stroomde er water in dat vervolgens, bijna als bij een decoratieve waterpartij in een tuin, over de rand van de schelp stroomde en via een rooster verdween. Harry stak een hand uit en schepte een beetje water op. Het was ijskoud. Hij hield het bij zijn mond, snoof, en stak er toen zijn tong in.
'Waarschijnlijk drinkbaar,' zei hij. 'Denk je dat dit een plek was voor de

monniken om zich te verbergen? Waar ze naartoe konden vluchten als de vijand kwam? Met hun eigen watertoevoer konden ze het waarschijnlijk weken uithouden.'
'Er zijn verschillende ondergrondse beken hier in de buurt,' zei Gareth. 'We moesten er heel erg rekening mee houden toen we de fundering voor het huis aanlegden. Misschien kun je het bottelen.'
'Heptonclough bronwater,' knikte Harry. 'Dat klinkt goed.'
'Zullen we het dan nu eens hebben over dit hele crypte- dan wel keldergedoe?' zei Gareth, die met zijn zaklantaarn in de dichtstbijzijnde nis scheen. 'Want ik heb echt het gevoel dat er daarginds iets ligt te vergaan.'

Uit de mist rezen grillige vormen op en even hield Tom in. Toen besefte hij dat hier ooit gebouwen hadden gestaan. Dit waren de ruïnes ervan.
'Tom, blijf staan!'
Deze keer meende ze het. Die speciale toon en dat volume waren onmiskenbaar. Hij wachtte tot zijn moeder en Millie hem hadden ingehaald. Ze zagen er allebei moe uit.
De vorige nacht, toen zijn moeder uit haar studio was komen rennen met de geur van verf en sterke koffie om zich heen, en haar oudste zoon doodsbang weggekropen achter zijn slaapkamerdeur had gevonden, was Tom er heilig van overtuigd geweest dat het meisje nog ergens in huis moest zijn. Hij had geweigerd weer naar bed te gaan tot er overal, in absoluut elke mogelijke schuilplaats, was gezocht.
Joe, het liegbeest, had geweigerd om hem te steunen, om toe te geven dat hij het meisje ook had gezien en zelfs met haar had gesproken. Joe had alleen maar zijn ogen wagenwijd opengesperd en zijn hoofd geschud.
'Dank je,' zei zijn moeder. 'Kunnen we nu alsjeblieft bij elkaar blijven? Ik wil niemand uit het oog verliezen in deze mist. Oké, ik geloof dat we deze kant op moeten.'
Met Millie op een heup liep Alice verder, de jongens achter haar aan. Tom hield zijn ogen naar de grond gericht. Als Joe iets zei om hem op de kast te jagen dan zou hij hem er een verkopen.
Ze kwamen net bij een groepje bomen toen de mist iets minder dicht leek te worden. Een tapijt van beukenbladeren lag voor hen. De bomen waren oud en gigantisch. Ietsje verder tussen de bomen dook het kleine huisje voor hen op dat zo uit een sprookje leek te komen.

Harry en Gareth stonden bij een kleine nis. De toegang werd versperd door een ingewikkeld, ijzeren hek dat op slot zat.
'Daar heb ik geen sleutel van,' zei Harry.
'Dat is geen probleem, man,' antwoordde Gareth hoofdschuddend.

Achter het traliewerk konden de twee mannen op richels aan weerszijden van de nis vier gebeeldhouwde, stenen grafkisten zien. Op elke kist lag een beeld van een man in priesterkledij. Op de eerste stond de naam Thomas Barwick. Hij was abt geweest in 1346. De letters op de andere kisten waren zo verweerd dat Harry ze niet kon lezen. De mannen liepen weer terug door de kelder en lieten hun zaklantaarns schijnen in elke afgesloten nis die ze passeerden. Bij de laatste bleven ze staan. Achter de stenen grafkisten, in de achtermuur, was een houten deur.
'Waar denk je dat die naartoe gaat?' vroeg Gareth. 'Ik ben helemaal mijn gevoel voor richting kwijt.'
Harry haalde zijn schouders op. Voor hem gold hetzelfde. 'Er liggen een paar oude sleutels in het bureau in de consistoriekamer,' zei Harry. 'Achter in een van de laden.'
'Een andere keer, misschien,' zei Gareth.
'Ik kan gewoon niet geloven dat niemand me heeft verteld dat dit hier was,' zei Harry. 'Het historische belang zou geweldig kunnen zijn. Er zullen busladingen bezoekers op af komen.'
'Misschien is het daarom stil gehouden,' suggereerde Gareth. 'Vind jij je kerkvoogd iemand die het prettig zou vinden als zijn dorp in een toeristische attractie veranderde?'
'Niet het hele dorp is van hem,' zei Harry geïrriteerd. Abten van honderden jaren geleden waren misschien wel bijgezet in deze ruimte. Het was een ongelooflijke vondst.
'Het grootste deel wel.'
'Ja, maar de kerk niet. En dit al helemaal niet.'

'Het huisje van Roodkapje,' zei Tom, die helemaal vergat dat hij de pest in had.
'Van de grootmoeder van Roodkapje,' verbeterde zijn moeder hem terwijl Millie in de richting van de voordeur waggelde.
In tegenstelling tot de vervallen gebouwen die ze net waren gepasseerd, zag het huisje er stevig en goed onderhouden uit. De muren waren intact, het dak leek heel en de voordeur had een paar stevige scharnieren. Er waren zelfs twee ramen, met de luiken stevig gesloten. En een schoorsteen.
Alice stak een hand uit en probeerde de deurkruk. Op slot. Ze draaide zich weer om naar de kinderen en haalde haar schouders op. 'Ik denk dat grootmoeder niet thuis is,' zei ze. 'Ik denk dat dit het huisje is waar Jenny ons over heeft verteld. Waar zij en haar zus altijd gingen spelen.'
Tom rilde. Zijn blik gleed naar Joe, die naar de grond keek alsof hij geen belangstelling had voor het huisje. Plotseling bedacht Tom iets. Stel dat dit het huisje was waar het meisje woonde?

'Laten we gaan,' zei hij. Alice knikte en ze liepen verder tot ze bij de Tor waren.
'Mogen we erop klimmen, mam?' vroeg Joe.
'Absoluut niet,' antwoordde Alice. 'In deze mist en zonder je vader gaan we geen stap verder.'
Tom keek omhoog naar de massieve rotsen die verdwenen in een wolk. De manier waarop die boven hem uit torenden maakte hem zenuwachtig. En hij vond het helemaal niet prettig omhoog te kijken, zoals zijn moeder en Joe en zelfs Millie deden. Toen hij zich omdraaide kon hij een kreet niet onderdrukken.
'Wat is er?' riep Alice, die zich snel omdraaide.
'Daar is iemand,' zei Tom. 'Tussen de bomen. Iemand staat naar ons te kijken.'
Alice fronste en tuurde in de richting die hij aanwees. Toen keek ze snel van rechts naar links. 'Ik zie niks,' zei ze. 'Alleen maar bomen.'
Tom ging dichter bij zijn moeder staan. Een lange, dunne figuur had tussen de bomen staan kijken. Zodra hij hem gezien had was hij achteruit gelopen en verdwenen in de mist. Tom keek woedend naar Joe, maar hield zich in. Hij had eigenlijk niet de vorm of de lengte gehad om het meisje te kunnen zijn.
'Kom op,' zei Alice. 'We moeten terug. Ik geloof niet dat deze mist verdwijnt. Zo snel als we kunnen, allemaal.' Nadat ze Millie weer op haar heup gehesen had liep ze in de richting van de bomen. Toen bleef ze staan. 'Daar is echt iemand,' zei ze zachtjes. 'Wacht even, Joe.'
Tom voelde hoe zijn keel zich samenkneep. Hij zag niks, tenminste... Zijn moeder stak een hand in haar zak. Ze haalde haar mobiele telefoon tevoorschijn en keek op het scherm. Toen drukte ze een paar toetsen in en hield hem tegen haar oor.
'Wie bel je?' vroeg Tom.
'Papa,' antwoordde Alice, en ze schudde haar hoofd. 'Hij zit vast nog onder de grond.'
Ze keek nog een keer om en liep toen weer verder, de heuvel af. Daarna volgde Joe en als laatste Tom. Niemand zei iets. Om de paar stappen hield Alice in en keek om. Na een tijdje merkte Tom dat hij hetzelfde deed. Alleen maar grijze wolken achter hen. De Tor was al niet meer te zien.
Na een paar minuten waren ze weer bij het bosje. Het leek Tom alsof de bomen nog hoger waren geworden sinds ze er de laatste keer langs waren gelopen. Hij schoof dichter naar zijn moeder toe en zag dat Joe hetzelfde had gedaan. Niemand leek iets te willen zeggen. Zelfs Millie was ongewoon stil. Alice had haar telefoon nog niet weggestopt. Ze keek er weer naar en Tom zag dat haar duim boven een van de toetsen zweefde. Het leek of zijn moeder op het punt stond een 9 in te toetsen.

'Mammie, ik ben bang,' zei Joe met een klein stemmetje.
'Er is niks om bang voor te zijn, liefje,' antwoordde zijn moeder snel, met een stem die een beetje schriller leek dan normaal. 'We zijn over tien minuten thuis.'
Ze liep weer verder, langzamer deze keer, voetje voor voetje. Toen Tom omhoog keek zag hij dat haar ogen van links naar rechts schoten. Ze waren nu midden tussen de bomen. Overal waar ze keken waren ze omringd door donkere schaduwen.
'Tom, lieverd,' zei Alice, zonder hem aan te kijken. 'Als ik het zeg kun je dan Joe's hand pakken en zo hard als je kunt de heuvel af rennen om papa te zoeken?'
'Waarom?' zei Tom.
'Hij is waarschijnlijk nog in de kerk,' zei Alice. 'Misschien thuis. Kun je hem zoeken en vertellen waar we zijn?'
'Maar jij en Millie dan?'
'Ik hou Millie bij me. Ik weet hoe hard jullie kunnen lopen. Ik weet dat Joe en jij heel snel thuis kunnen zijn. Zul je dat voor me doen, lieverd?'
Tom wist het niet zeker. Door de mist rennen en zijn moeder achterlaten? Ze waren bijna het bosje weer uit. De mist was lager op de hei niet meer zo dicht. De contouren van de huizen van Heptonclough begonnen al zichtbaar te worden. Ze konden verder naar beneden kijken.
'O, jeetje, Tom,' zei Alice, die bleef staan en haar ogen sloot. 'O, jeetje, Tom, je hebt me de doodschrik op het lijf gejaagd.'
Tom keek naar zijn moeder. Ze keek niet kwaad, ze keek ontzettend opgelucht. Hij draaide zijn hoofd naar het dal en zag op ongeveer honderd meter bij hen vandaan iemand staan.
'Het is Gillian,' zei ze. 'Die weer aan de wandel is. Je hoeft toch niet bang te zijn voor Gillian.'

29

8 oktober

'Evi, met Steve. Is dit een goed moment?'
Evi keek op haar horloge. Ze ging op weg naar een kindertehuis, voor de eerste ontmoeting met een kind dat al tien dagen niets gezegd had sinds de politie gebruik had gemaakt van een speciale kinderwet om hem uit huis te plaatsen. Het was een rit van tien minuten. En daar kwamen dan nog tien minuten bij om in en tien minuten om uit haar auto te komen. Maar haar supervisor had haar op haar mobiele telefoon gebeld. Ze kon onderweg praten.
'Ja, prima,' zei ze, terwijl ze haar notitieblok en een paar potloden van het bureau pakte. 'Ik heb wel even. Bedankt voor het terugbellen.'
'Sorry dat het zo lang duurde, maar ik ben weg geweest. Ik ben pas vanochtend weer op kantoor gekomen.'
'Naar iets leuks?' Waarom moesten potloden altijd geslepen worden? Ze leunde tegen het bureau en rommelde in de la.
'Antigua. En ja, het was heel leuk. Nou, over die e-mail van jou.'
'Wat denk je ervan?' Ze had de puntenslijper gevonden. Maar haar rug zou gaan opspelen als ze de telefoon met haar schouder tegen haar oor zou proberen te houden.
'Je zegt dat de patiënt vooruitgang boekt?' Ze kon horen dat Steve een slok van zijn gebruikelijke sterke koffie nam.
'Oppervlakkig gezien, ja,' zei Evi. Twee geslepen potloden, dat moest genoeg zijn. 'Ze is erin geslaagd het drinken te beperken, de medicatie die ik heb voorgeschreven werkt goed, en ze begint te praten over de toekomst.' Oké, schrijfspullen, telefoon – ja, die had ze – wat had ze in godsnaam met de autosleutels gedaan?
'Wat is het probleem dan?'
'Ik kan het gevoel niet van me afzetten dat ze me niet alles vertelt,' zei Evi. Haar sleutels zaten in haar jaszak. Ze zaten altijd in haar jaszak. 'Ze is heel erg terughoudend als het gaat om vroeger, de dood van haar vader, de komst van een stiefvader. Er zijn momenten waarop het lijkt alsof ze een gordijn laat zakken. Bij een onderwerp dat niet bespreekbaar is.'
'Ze is nog niet zo lang bij jou in therapie, of wel?'

'Nee, nog maar een paar weken,' zei Evi, die zich afvroeg of ze haar jas aan kon krijgen zonder om te vallen. 'En ik weet dat deze dingen soms tijd kosten. Het is alleen dat die zaak met Megan Connor me wel erg toevallig leek. Ik denk dat dat een enorme impact moet hebben gehad.'

'Je hebt waarschijnlijk gelijk. Maar ik zou wachten tot ze er zelf over begint. Laat haar praten over dingen waar ze geen moeite mee heeft. Je staat nog maar aan het begin van de behandeling. Er is nog genoeg tijd.'

'Ik weet het. Dat dacht ik zelf ook. Ik moest alleen even een bevestiging van je hebben.' Het was gelukt met de jas, net. Evi hing haar tas aan de daarvoor bestemde haak aan haar rolstoel en controleerde of haar stok op zijn plaats zat aan de achterkant. Ze ging zitten, nog steeds met de telefoon tussen haar schouder en haar oor.

'Goed zo, meisje,' zei Steve. 'Weet je, ik herinner me die zaak-Megan inderdaad nog heel goed.'

'O?' De deur van Evi's kanoor was zo gemaakt dat hij openzwaaide als ze er met haar voet tegenaan duwde.

'Ja, een collega van mij was er zeer in geïnteresseerd. Hij deed onderzoek naar de gevolgen van rampen op kleine gemeenschappen.'

'Hoe bedoel je?' vroeg Evi, terwijl ze de gang opreed.

'Als een gemeenschap te maken krijgt met een buitengewoon verlies, zal de impact nog een hele tijd voelbaar zijn,' zei Steve. 'De plaats krijgt een ietwat grimmige reputatie in de ogen van de buitenwereld en dat kan effect hebben op de manier waarop mensen daar denken, zich gedragen en handelen. Hij heeft een stuk geschreven over het onderwerp, met name over plaatsen als Hungerford, Dunblane, Lockerbie, Aberfen. Ik zal proberen het voor je op te duiken.'

Evi reed de hoek om en botste bijna tegen een groepje collega's die in de gang stonden te kletsen. Ze stapten opzij en ze knikte als dank. 'De *British Medical Journal* heeft er ook een stuk over gepubliceerd, nog niet zo lang geleden,' zei Steve. 'Na een ramp kan wel vijf procent van de bevolking last hebben van mentale stress. Het aantal lichte tot middelmatige aandoeningen kan verdubbelen. En zelfs ernstige aandoeningen als psychoses komen vaker voor.'

'Maar dan heb je het toch over enorme rampen? Aardbevingen, neerstortende vliegtuigen, ontploffende chemische fabrieken. Veel doden.' Evi passeerde een vrouw met een kind in de gang, en toen een portier.

'Dat klopt, en ik wil niet zeggen dat een paar dode kinderen van dezelfde orde zijn. Maar de zaak-Megan was heel heftig. Je kunt nog altijd een impact verwachten op de geestelijke gezondheid van de gemeenschap daar. De mensen zullen zich tot op zekere hoogte verantwoordelijk voelen. Ze zullen zich gecorrumpeerd voelen.'

'Dus wat er eerder gebeurd is zou, weliswaar onbewust, van invloed kunnen zijn op het herstel van mijn patiënte?'
'Het zou me niks verbazen. Misschien moet je meer te weten zien te komen over wat er werkelijk gebeurd is toen de dochter van je patiënte stierf. Kijk eens in wat oude kranten, praat met de betrokken huisarts. Het zal je een aanknopingspunt geven. Je kunt dat wat ze je vertelt vergelijken met wat je weet over de feiten. Kijk of er verschillen zijn. Je moet haar er natuurlijk niet mee confronteren, maar soms leren we meer van wat patiënten ons niet vertellen dan wat ze wel vertellen. Heb je hier iets aan?'
Evi had de hoofdingang van het ziekenhuis bereikt. De een of andere idioot had een stapel kratten boven aan de rolstoelafrit neergezet. 'Jazeker,' zei ze, terwijl ze woedend naar de kratten staarde. 'Dank je, Steve. Ik moet gaan nu. Ik moet iemand eens flink op zijn lazer geven.'

30

11 oktober

'Voor alles wat gebeurt is er een uur, een tijd voor alles wat er is onder de hemel,' las Harry. Zijn tamelijk diepe stem echode door de lege kerk. 'Er is een tijd om te baren, en een tijd om te sterven, een tijd om te planten en een tijd om te rooien...'

Een schuifelend geluid achter hem. Hij zweeg. Een snelle blik over zijn schouder leerde hem dat hij nog steeds alleen was in de kerk. Hij had tien minuten geleden afscheid genomen van Alice, en drie of vier minuten later van Gillian. Beiden hadden hem geholpen om de laatste hand te leggen aan de versieringen voor de oogstdienst. Hij had niemand binnen zien komen. Er ontging je niet veel als je op de kansel stond.

'... een tijd om te rooien,' ging hij verder, terwijl hij zijn ogen over de rijen banken liet glijden hoewel hij er zeker van was dat het geluid van achter hem was gekomen. 'Er is een tijd om te doden en een tijd...' Hij zweeg weer, omdat hij het gevoel dat tussen zijn schouderbladen ontstond niet prettig vond. Het gevoel dat elk moment iemand achter hem zijn hand kon uitsteken en...

Hij keek weer naar zijn aantekeningen. Prediker, hoofdstuk drie. Dat deed het altijd goed tijdens de oogsttijd. Mensen hielden van de simpele schoonheid van het stuk, het gevoel van balans, van compleetheid.

'Tijd om te sterven,' zei een stemmetje vlak achter hem.

Harry hield zijn blik strak op de galerij gericht en wachtte. In het schip van de kerk kraakte iets, maar dat doet oud hout nu eenmaal. Heel even vroeg hij zich af of de jongens van Fletcher weer de kerk in geslopen waren, maar het had niet geklonken alsof het een van hen was. Hij liet zijn blik naar zijn handen gaan. Ze omklemden de houten rand van de preekstoel een beetje strakker dan mannelijk was. Zonder een geluid te maken draaide hij zich pijlsnel om.

Het koor leek leeg te zijn, maar hij had eigenlijk ook niet anders verwacht. Iemand haalde een geintje uit met de dominee. Hij draaide zich weer om in de richting van de kerk.

'... en een tijd om te helen... een tijd om te huilen en een tijd om te lachen,' las hij hardop, met een stem die te luid zou zijn, zelfs morgen, als de kerk vol mensen zat. In een lege kerk klonk het een beetje krankjorum.

'Tijd om te doden,' fluisterde de stem.
O, verdorie...
Harry liet de treden voor wat ze waren, zwaaide zijn benen over de rand van de preekstoel en sprong op de grond. De stem was vlakbij, daar was hij zeker van. Geen mens kon zo snel verdwijnen. Maar toch was het gelukt. Er was niemand in de koorbanken, niemand in de kleine ruimte achter het orgel, niemand onder het altaar, niemand in de... Hij stopte. Zou er iemand in de oude crypte kunnen zijn? Kon geluid op de een of andere manier naar boven doorklinken?
'Alles goed, dominee?'
Harry bleef staan en draaide zich om naar de nieuwe stem. Jenny Pickup, Sinclairs dochter, stond halverwege het gangpad naar hem te kijken met een blik van verbaasde belangstelling op haar gezicht. Harry voelde zijn gezicht gloeien. Om de een of andere reden leek Jenny hem altijd een beetje komisch te vinden.
'Heb je ooit gehoord of er hier een geheime ingang is, Jenny?' vroeg hij. 'Misschien in de kelder onder ons? Die de kinderen uit het dorp ook kennen?'
Ze schudde haar hoofd. 'Niet dat ik weet,' zei ze. 'Waarom? Is er iets weg?'
'Nee, dat niet,' zei Harry snel. 'Maar toen ik net de preek voor morgen aan het doornemen was, had ik toch kunnen zweren dat er iemand herhaalde wat ik zei.'
Jenny droeg een bleekroze trui die haar goed stond en een rijbroek in zwarte laarzen. 'Dit gebouw kan op een heel vreemde manier echoën,' zei ze na een moment. 'Daar staat het om bekend.'
'Het klonk echt niet als een echo,' antwoordde Harry. 'Het klonk als een kind. En in dat geval moet ik het vinden voor ik afsluit.'
Jenny was naar voren gelopen. Haar ogen gleden langzaam rond. 'Laat mij vanavond maar voor je afsluiten, dominee,' zei ze.
'Jij?'
'Ja,' knikte ze, met een licht, ietwat droevig glimlachje op haar gezicht. 'Ik kwam om even kort met je te praten. En daarna wilde ik hier in mijn eentje een tijdje blijven zitten. Is dat goed wat jou betreft? Ik beloof dat ik heel goed zal opletten dat er niemand binnen is als ik wegga.'
'Als je dat wilt,' zei hij.
'Ja, echt. Ik zal met je mee naar buiten lopen. Het is een prachtige avond.'
Harry pakte zijn jasje en samen liepen ze de consistoriekamer in. Hij kon het niet laten om zijn blik nog een keer door het schip te laten glijden. Niets.
'Wil je mijn sleutels lenen?' bood hij aan toen ze buiten liepen.
'Nee, dat hoeft niet, dank je,' antwoordde Jenny. 'Pap heeft me de zijne geleend. Hij zal waarschijnlijk later zelf nog even langskomen om er zeker van te zijn dat ik alles echt afgesloten heb en de lichten uit zijn.'

Een landrover met een lange, lage trailer stond voor Dick Grimes' winkel, vlak bij de ingang naar de kerk. De chauffeur sprong eruit, gevolgd door een zwart-witte collie. Hij liep naar de achterkant van de trailer en opende de deur. De hond sprong op de laadplank en een tiental schapen strompelde naar buiten. Harry en Jenny zagen hoe de hond ze om de auto, in de richting van de schuur achter de slagerswinkel leidde.
'Je bent geen plattelandsmens, dominee, toch?' vroeg ze hem.
Ze keken hoe de schapen in de schuur verdwenen, waarna de chauffeur en de collie terugkwamen en weer in de auto sprongen. Toen de auto de hoek om reed moest een vrouw dicht tegen de muur gaan staan om te voorkomen dat ze werd geraakt. Het was Gillian.
'Nee,' zei Harry, terwijl hij zich weer omdraaide naar Jenny. 'Maar ik leer snel.'
'Het gaat allemaal heel zorgvuldig,' zei ze. 'En de dieren hoeven niet de stress van een lange rit te doorstaan.'
'Daar twijfel ik geen moment aan.' Harry keek heuvelopwaarts. Gillian stond er nog steeds. 'Denk niet dat ik het afkeur,' ging hij verder. 'Ik moet er alleen aan wennen.'
'De mannen komen na afloop allemaal naar ons huis,' zei Jenny. 'We eten samen, en de pub zorgt meestal voor een paar vaatjes. Het zou fantastisch zijn als je er ook bij was.' Jenny draaide haar autosleutels in haar handen. Haar vingers waren lang en slank maar rood en een beetje ruw, misschien van het paardrijden in slecht weer.
'Dank je,' zei Harry, die zich er sterk bewust van was dat Gillian op een paar meter afstand stond, maar hij was vastbesloten niet weer naar haar te kijken. 'Dat is heel aardig,' ging hij verder. 'Volgend jaar zal ik dat graag doen. Maar morgen is een belangrijke dag voor mij. Ik moest het vanavond maar niet te laat maken.'
'Volgend jaar dan.' Jenny had gewerkt. Haar korte vingernagels waren vuil en er zat stro op haar sweater.
'Ik wilde maar dat Gillian naar huis ging,' zei Harry. 'Het wordt koud en ze lijkt nooit een goede jas aan te hebben.' Evi's vingernagels waren ook kort geweest, maar heel schoon en glanzend. Grappig dat je zulke dingen opmerkte.
Jenny keek over Harry's schouder. 'Gillian ziet er de laatste tijd veel beter uit,' zei ze. 'We hebben ons een hele tijd veel zorgen om haar gemaakt. Het leek absoluut niet goed met haar te gaan.'
'Ze heeft een vreselijk verlies te dragen,' zei Harry.
Jenny haalde diep adem. 'Ik heb ook een dochter verloren, dominee. Wist je dat?'
'Nee,' antwoordde hij, en hij keek in Jenny's bruine ogen. 'Het spijt me. Wilde je daar met me over praten?'

'Tot op zekere hoogte. Het is tien jaar geleden, dus ik heb meer tijd gehad, neem ik aan. Maar er gaat geen dag voorbij dat ik de pijn niet voel. Dat ik niet denk: wat zou ze vandaag hebben gedaan? Hoe zou ze eruit hebben gezien nu ze acht, of negen, of tien is?'
'Ik begrijp het,' zei Harry, hoewel dat niet zo was, niet echt. Niemand kon een dergelijke pijn bevatten tenzij je het had meegemaakt.
'Ben je zenuwachtig voor morgen?' vroeg Jenny hem.
'Natuurlijk,' antwoordde hij naar waarheid. 'Ik heb een dienst geleid in mijn andere twee parochies en dat ging prima, maar hier is het toch anders. Misschien omdat de kerk zo lang gesloten is geweest. Ik ben er nog niet achter gekomen waarom dat was.'
'Daar wilde ik het met je over hebben. Kunnen we even gaan zitten?'
Harry volgde Jenny naar de oude schaapherdersbank waar hij had gezeten met Evi. Ze had hem nog steeds niet teruggebeld.
Jenny frunnikte aan haar autosleutels. 'Het gaat vast heel goed morgen,' zei ze. 'Ik denk dat er een goede opkomst zal zijn. De mensen zijn er klaar voor om de kerk weer te gebruiken.'
'Waarom zijn ze ermee gestopt?' vroeg hij, toen hij merkte dat ze op een rechtstreekse vraag zat te wachten.
Ze keek hem niet aan. 'Uit respect,' zei ze. 'En ook vanwege verdriet. Lucy, mijn dochter, is gestorven in de kerk.'
En niemand was op het idee gekomen om hem te waarschuwen? 'Dat spijt me vreselijk,' zei hij.
'Ze is van de galerij gevallen. Het was mijn schuld. We waren zelfs niet in de kerk, we waren in paps huis en ik stond met iemand te praten, met Gillian en haar moeder, eigenlijk. Ze hebben in het verleden voor ons gewerkt. Ik heb niet gezien dat Lucy wegliep.'
'Van de galerij?' vroeg Harry. 'Je bedoelt zoals Millie Fletcher vorige week bijna is overkomen?'
Jenny knikte. 'Nu begrijp je ook waarom we toen allemaal zo van streek waren. Het leek allemaal een afschuwelijke, stomme grap. Die jongens, ik weet niet wat hen soms bezielt...'
'Het spijt me,' zei Harry. 'Alsjeblieft, vertel me over Lucy. Ze is gewoon weggelopen toen je even niet oplette?'
'We gingen zoeken natuurlijk, maar eerst in huis – het is een groot huis – en toen in de tuin, op straat. Het is nooit bij ons opgekomen dat ze de kerk in gegaan zou kunnen zijn. En die hoge trap op. Toen we haar vonden was ze al koud. En haar hoofd, haar kleine hoofd was helemaal...'
Het bloed trok weg uit Jenny's gezicht. Haar hele lichaam trilde.
'Het spijt me zo vreselijk,' herhaalde Harry. 'Ik had geen idee. Het... het weer openstellen van de kerk moet heel erg voor je zijn.'

'Nee, het is goed, ik ben er klaar voor.' Jenny was nog steeds bleek, maar het trillen leek minder te worden. 'Ik heb pap gevraagd je niet te vertellen wat er was gebeurd,' zei ze. 'Ik wilde het zelf doen.'
'Dat was heel dapper van je. Dank je.' Het verklaarde in elk geval veel. Er was hem verteld dat de parochianen tien jaar geleden de kerk opeens niet meer wilden gebruiken. Toen de dominee met pensioen was gegaan, had het bisdom het gebouw formeel gesloten. Pas toen de parochie met twee andere werd samengevoegd, was besloten hem weer te openen. Hij had er geen idee van gehad wat er allemaal achter had gezeten.
Aan het eind van de straat stond Gillian nog steeds te dralen. Jenny zag zijn ogen wegdwalen en ze draaide haar hoofd om heuvelopwaarts te kijken.
'Ik was peettante van Gillians dochtertje,' zei ze. 'Een paar maanden voor de brand heb ik haar al Lucy's oude kleren gegeven, waaronder een paar heel bijzondere die Christiana had gemaakt. Het voelde als een grote stap vooruit, alsof ik klaar was om verder te gaan. En toen was Hayley ook dood en alle kleertjes waren verbrand. Het leek bijna of ik Lucy opnieuw was kwijtgeraakt.'
Harry wist niet wat hij moest zeggen.
'Er was een kleine pyjama. Christiana had hem zelf geborduurd met alle figuurtjes van Beatrix Potter. Hij was zo mooi. Ik vond het zo dapper van mezelf om hem weg te geven.'
Weer kon hij niks bedenken om te zeggen. Hij was hopeloos als het ging om zoveel verdriet, totaal hopeloos.
'Je kunt goed luisteren,' zei Jenny, en ze stond op. 'Ik ga nu weer naar binnen. Veel succes morgen.'
'Zal ik met je meegaan?' Hij stond op.
'Nee, dank je,' zei ze. 'Het gaat wel goed met me. Ik ben nooit bang geweest voor geesten.' Ze glimlachte naar hem en draaide zich om om terug te lopen naar de kerk.

31

'O god, moet je horen, Gareth, het is nog steeds aan de gang.'
De licht schommelende beweging die Tom in slaap had gewiegd en gehouden, was gestopt. Zijn vader had de auto stil gezet en zijn moeder sprak op de zachte toon die ze gebruikte als ze niet wilde dat hij of Joe kon horen wat ze zei. Normaal was het een teken om zijn oren te spitsen, maar Tom wilde absoluut niet meer wakker worden dan hij al was. Hij wilde alleen maar slapen.
Hij hoorde beweging en dacht dat zijn vader zich misschien had omgedraaid om naar de kinderen te kijken. 'Ze zijn allemaal diep in slaap,' zei hij fluisterend, net als zijn moeder. 'We dragen ze gewoon naar binnen. Ze zullen er niks van merken.'
'Maar luister toch eens. Ik word er ziek van.'
Tom wilde niets horen. Er was ergens een droom, een goede, als hij hem weer terug kon vinden. Maar hij luisterde toch. Hij kon het niet helpen. Wat was dat voor lawaai? Alsof iemand kreunde. Nee, niet één iemand, een heleboel mensen die huilden met een dof, laag geluid. Maar waren het wel mensen? Ze klonken niet als mensen. *Rooarrk*, zeiden ze, steeds weer. *Rooaark*. Tom kon niet uitleggen waarom, maar hij kreeg er een schuldgevoel van.
'We stoppen ze in bed en zetten muziek aan,' zei zijn vader. 'Kom op, we kunnen er binnen vast niet zoveel van horen.'
Het portier ging open en Tom voelde koude lucht op zijn gezicht. En het geluid klonk harder. Niet alleen *Rooarrk* maar ook andere geluiden. *Naaaa! Naaaa!* Ergens dichtbij waren mannen aan het roepen en aan het lachen, en instructies naar elkaar aan het schreeuwen. Tom wilde echt, echt niets horen maar de herrie sijpelde zijn hoofd binnen, als water in een spons. Toen boog zich iemand over hem heen en hij kon zijn moeders parfum van lelietjes-van-dalen ruiken. De zachte wol van haar trui streek langs zijn gezicht en hij dacht dat hij misschien een hand naar haar opstak om haar naar zich toe te trekken. Toen verdween ze.
'We kunnen Tom niet hier buiten laten,' zei ze. 'Hoe gaan we dit doen?'
Tom buiten laten?
'Ik doe de auto op slot,' zei zijn vader. 'We zijn binnen dertig seconden terug. Kom op, laten we snel zijn.'
De geur van zijn moeder verdween. Hij hoorde dat het portier zachtjes werd

gesloten, het piepje van de afstandsbediening en de sloten die dicht klikten. Tom deed zijn ogen open. Hij zat in de auto, naast het raampje op de achterbank. Alleen.

De auto stond op de oprit voor hun huis. Hij zag licht in de kamers beneden. De voordeur stond open. Zijn ouders zouden Joe en Millie naar bed dragen en dan zou zijn vader terugkomen voor hem. Dat deden ze vaker als ze heel laat op pad waren geweest, zoals vanavond, toen ze naar oma en opa Fletcher waren geweest om te eten. Tom deed zijn ogen weer dicht en maakte zich klaar om weer weg te zakken.

Maar hoe kon hij slapen als iets heel dicht bij hem ellendig en bang was? Steeds weer opnieuw hoorde hij iets kreunen. Zijn moeder was er ziek van geworden. Tom moest er bijna van huilen. Toen klonk er een schreeuw. Een luide, doordringende schreeuw en hij was weer klaarwakker.

Tom draaide zijn hoofd om de heuvel op te kijken. Aan de overkant van de straat waren de gebouwen om de slagerswinkel fel verlicht. Hij zag beweging, mannen die rondliepen met grote bundels op hun schouders.

De gordel zat nog steeds strak om hem heen en hij maakte hem los. De auto was op slot en er zaten kindersloten op de portieren achterin maar hij wist dat hij snel over de stoelen kon klimmen en het voorportier open kon doen. Hij kon in vijf seconden in huis zijn. Vijf seconden tussen het verlaten van de auto en het huis binnen lopen.

Het schreeuwen en gillen leek dichterbij te komen. Misschien was het alleen maar harder. Hoe dan ook, vijf seconden leek te lang. Zijn vader zou snel terug zijn. Hij kroop in elkaar op de bank en wilde zijn ogen weer dicht doen, maar hij durfde niet goed. Hij wilde heel graag dat zijn vader kwam. Hij drukte zijn handen tegen zijn oren.

Was er iets buiten bij de auto? Iets wat zacht langs de lak schraapte? Tom hield zijn adem in. Het was inderdaad zo. Buiten bewoog iets. Hij kon het horen. Hij kon de auto bijna voelen schudden. Zonder zijn hoofd te durven bewegen keek hij naar de deur. Die was nog op slot. Niemand kon hem openmaken zonder de sleutel. Toch?

Hij moest om zijn vader schreeuwen. Keihard. Maar de nacht was vol met geschreeuw. Niemand zou hem horen. De claxon! Die zou zijn vader horen. Hij hoefde alleen maar naar voren te leunen, hij kon er vanaf de achterbank bij. Zijn vader zou het horen en snel komen. Tom ging rechtop zitten, klaar voor actie.

Een kleine hand verscheen bij het raam, nog geen vijftien centimeter van zijn gezicht.

Tom wist dat hij had geschreeuwd. Hij wist ook dat niemand hem had gehoord. Hij probeerde het nog eens maar er kwam geen geluid uit zijn keel. Hij kon zich ook niet meer verroeren. Hij kon alleen nog maar kijken.

De hand had de verkeerde kleur. Handen hadden niet zo'n kleur. Ze waren niet rood.
De hand begon naar beneden te bewegen en liet een spoor achter dat leek op rood slijm. Tom kon de vlek zien die werd achtergelaten door de muis van de hand en toen vijf slingerende strepen waar de duim en de vingers piepend langs het glas gleden. Hij zag hoe de arm en toen de pols verdwenen onder de rand van het raam. De palm was bijna uit het zicht verdwenen toen de vingers wiebelden alsof ze naar hem zwaaiden.
Hij schoot omhoog, over de rugleuning van de stoel, en stak een hand uit naar de claxon. Door de voorruit staarde een gezicht naar hem. Tom deed zijn mond open om te gillen, maar het was alsof alle zuurstof uit de auto was getrokken. Hij kreeg geen adem, en dus kon hij ook niet schreeuwen.
Wat was dat? Wat was dat verdomme? Een meisje, dacht hij, ze had lang haar. Maar haar hoofd was veel te groot. En haar gezicht leek op de poppetjes die Joe soms maakte van klei. Haar ogen waren enorm en haar lippen waren dik, rood en vochtig. Maar het ergste was misschien wel haar huid. Die was zo bleek. Het vel hing los om haar botten alsof het te groot was voor haar en het leek zelfs bijna niet op huid. Het was net dat spul dat je krijgt als was van een kaars druipt en dan hard en helemaal wit en rimpelig wordt. Ze zag eruit alsof iemand haar in gesmolten kaarsvet had gedoopt. Maar haar huid was niet het allerergste. Het ergste was de bult in haar hals die omhoog tegen haar gezicht drukte en de halsopening van haar jurk opzij schoof. Terwijl ze door de voorruit naar Tom staarde leek het wel of de bult uit zichzelf bewoog, en plotseling kreeg hij een visioen van de rest van haar lichaam onder de jurk: vol gezwellen, zo zacht als stopverf en met aders die afstaken tegen de wasachtige huid.
Hij had de claxon gevonden en drukte er uit alle macht op. Hij schrok zich rot van het lawaai maar hij kon zijn hand er niet meer af halen. Toen was hij de auto uit. Hij wist niet hoe hij dat had gedaan. Hij wist alleen dat hij buiten was. Hij voelde de oprit onder zijn slippers, de nacht was vol kermende geluiden en het nachtmerrieachtige schepsel stond tussen hem en de voordeur.
Hij merkte dat hij schreeuwde. En rende. Toen schreeuwde hij met zijn moeders stem. En met zijn vaders stem. Hij schreeuwde 'Tom, Tom, waar ben je?' en ze kwam achter hem aan, en hij kon alleen maar rennen, rennen, rennen. En zich verstoppen.
Alles was stil. Koud. Nat. Hij had geen idee waar hij was, maar hij wist dat het er donker en vochtig was. Hij lag op de grond, maar hij had geen idee of hij was gevallen of dat hij alleen maar buiten adem was. Hij hijgde alsof hij nooit meer genoeg lucht in zijn longen kon krijgen. Iets hards duwde tegen zijn ribben maar hij durfde zich niet te bewegen.
'Tom!'

Zijn vaders stem. Hij was dichtbij. Maar... was dat zo? Was hij dat wel?
'Papa.' Een zachte stem, laag en plagend, als een kind dat verstoppertje speelt. Een stem die klonk – o god – precies als...
'Tom waar ben je?' riep zijn vader.
Nee, nee, pap, nee. Dat ben ik niet!
'Papa...'
'Dit is niet leuk meer, Tom. Kom tevoorschijn nu.'
'Gareth, heb je hem gevonden?' Zijn moeders stem, verder weg. Ze klonk of ze huilde. Was zij dat echt? Het klonk wel als haar stem, maar...
Voetstappen. Zware voetstappen dichtbij. Te zwaar om...
Tom stond op. Hij was op de begraafplaats en zijn vader was vlakbij. Hij had hem gezien en kwam naar hem toe. Toen werd Tom over de begraafplaats gedragen en plotseling was daar zijn moeder en toen waren ze binnen en was dat vreselijke kreunende geluid niet meer zo luid in zijn hoofd. Hij zag aan zijn moeders gezicht dat ze tegen hem probeerde te praten maar het lawaai was te hard. Ze waren in de zitkamer en zijn vader had hem op de bank gezet en zijn moeder leunde over hem heen, hield hem vast en probeerde iets te zeggen, maar hij kon haar niet horen omdat de geluiden in zijn hoofd gewoon te hard waren. Toen begon ze te huilen en Tom kon de tranen over haar gezicht zien lopen, maar hij kon haar niet horen huilen, want het enige wat hij kon horen, alles wat hij vanaf nu nog maar zou kunnen horen, was dat vreselijke, vreselijke gegil.
En toen besefte hij dat hij degene was die gilde.
'Tom, engel, alsjeblieft hou op met huilen, alsjeblieft, hou op.'
Hij was gestopt. Maar zijn moeder leek het nog niet gemerkt te hebben. Ze zat nu ook op de bank en had Tom op haar schoot getrokken. Hij was niet heel veel kleiner dan zij en hij zat nooit meer op haar schoot, maar hij was zo blij om daar te zijn met haar armen stevig om hem heen. Toen waren er voetstappen onder aan de trap en zijn vader verscheen in de deuropening.
'Het gaat prima met ze,' zei hij zacht tegen Alice. 'Ze slapen allebei nog.'
Gareth liep de kamer door en knielde op het kleed voor Tom. Toen streek hij zijn zoon over het voorhoofd.
'Wat is er gebeurd, maatje?' vroeg zijn vader, terwijl hij met een hand over Toms hoofd aaide. Zijn moeders armen lagen stevig om hem heen.
Hij vertelde het ze, natuurlijk. Waarom niet? Het waren zijn ouders, de mensen die hij meer vertrouwde dan wie dan ook in de hele wereld. Het was niet bij hem opgekomen dat er dingen zijn die ouders gewoon niet kunnen geloven.

32

12 oktober

'Alle schepselen van God onze Koning
verhef uw stem en zing met ons.'

De kerk was bijna helemaal vol en de inwoners van Heptonclough waren niet bang om hun stem te gebruiken. Harry liet zijn blik over de congregatie glijden. Jenny Pickup stond naast haar man, op de derde rij. Haar gezicht zag er kalm uit.

Een paar mannen in de congregatie, daarentegen, keken of ze last hadden van een kater, en hij vroeg zich af hoeveel van hen betrokken waren geweest bij de festiviteiten van de voorgaande avond. Een rituele slachting op zaterdagavond en de volgende dag naar de kerk. Nou ja. Hij woonde nu tussen boeren.

Hij had de Fletchers nog niet ontdekt. Alice had hem verzekerd dat ze de vorige avond ver uit de buurt van Heptonclough zouden zijn, maar hun huis was, hoe dan ook, gewoon te dicht bij de schuur die Dick Grimes gebruikte als dorpsabattoir. Toen hij een uur eerder was gearriveerd, was Harry een minuut of vijf de straat op en neer gelopen. *De straat buiten wordt... hoe zal ik het zeggen?... een beetje een rommeltje*, had Tobias gezegd. Of het had die nacht geregend of er was heel goed schoongemaakt. Er was geen spoor te zien van wat er gisteravond had plaatsgevonden.

De psalm was ten einde. Daar zag hij Gareth, halverwege aan de linkerkant van het gangpad. Alice stond naast hem. In haar ene hand had ze een liederenboek, de andere lag op Toms schouder. Haar oudste zoon leek naar zijn voeten te staren. Geen van hen zong.

'De afgelopen drie weken zijn er met enige regelmaat twee vragen aan mij gesteld,' zei Harry. Hij stond op de kansel en de meeste gezichten keken zijn kant uit; dat was altijd een goed teken. 'De eerste is: "Bent u al een beetje gewend, dominee?" De tweede: "Je bent geen plattelandsmens, of wel, jongen?"'

Hier er daar werd gegiecheld.

'Het antwoord op de eerste is: heel goed, dank u, iedereen is heel vriendelijk geweest. En op de tweede: nee, dat ben ik niet. Ik ben geen plattelandsmens. Maar ik begin het wel te worden.'

Ondanks de volle kerk zaten er maar drie mensen in de eerste bank aan de linkerkant: Sinclair, zijn vader Tobias en zijn oudste dochter, Christiana. In vroeger dagen was dit waarschijnlijk de familiebank van de Renshaws geweest. Zo te zien was het dat nog steeds.

'We kunnen allemaal veel steun halen uit het gevoel in een geordend universum te leven,' ging Harry verder. 'Hierboven, tussen de heuvels, waar het land zo'n belangrijke rol speelt in ons leven en waar de seizoenen zo bepalend zijn voor veel dingen die we doen, hebben we misschien eerder het gevoel in harmonie met de wereld te leven dan wanneer we in de stad zouden wonen.'

In het zachte licht van de kerk leken de grote, regelmatige gelaatstrekken van Christiana Renshaw bijna mooi en heel vergelijkbaar met die van haar jongere zus. Ze keek niet naar Harry, maar naar een appel in een van de bloemstukken voor een raam. Ze zat bijna een meter van haar grootvader af.

'Er is een reden,' zei Harry, 'waarom de passage die ik net heb voorgelezen zo populair is in de oogsttijd, bij doopceremonies en huwelijkssluitingen, zelfs bij begrafenissen. Op belangrijke momenten in ons leven willen we er graag aan herinnerd worden dat we deel uitmaken van een groter geheel, dat er een doel is. En dat alles zijn plaats en zijn tijd heeft. Onze lezing van vandaag, uit Prediker hoofdstuk drie, vers een tot acht, verwoordt dat beter dan welk ander stuk uit de Bijbel dat ik maar kan bedenken.'

Gillian zat op de achtste rij, achter de familie Fletcher. Zelfs van een afstand kon Harry zien dat haar haar was gewassen en dat ze zich had opgemaakt.

'Het is dus een beetje vreemd,' ging hij verder, 'dat de rest van Prediker het minst begrepen boek van de hele Bijbel is.'

De dienst was bijna voorbij. De congregatie zong het offerandelied, Dick en Selby Grimes, de twee onderkerkmeesters, gaven de collecteschalen door en Harry trof de voorbereidingen voor de Heilige Communie. Hij had alles de vorige middag klaargezet, de wijn geopend en hem gedecanteerd. Het enige wat hij nu nog moest doen, was de wijn in de avondmaalsbeker gieten. Hij haalde de stop van de karaf, goot een beetje wijn in de kelk en voegde water toe. Hij pakte de stukjes brood en legde ze op de zilveren schaal. Die zou hij later uitdelen. Sinclair zou hem volgen met de wijn.

Harry hield de schaal omhoog. De priester is altijd de eerste die de Heilige Communie in ontvangst neemt. Daarna zouden Sinclair en de organist en dan de rest van de congregatie aan de beurt zijn. Achter hem kon hij horen hoe de onderkerkmeesters de mensen naar hun plek in de rij dirigeerden.

'Het lichaam van onze Heer Jezus Christus, dat voor u werd gegeven, behoede uw lichaam en ziel tot in het eeuwige leven.' Hij nam een stukje brood

van de schaal. 'Neem en eet dit in herinnering aan Christus die voor u is gestorven, en draag het mee in uw hart.'
Harry stak het brood in zijn mond. De organist was opgehouden met spelen en liep voorbij om zijn plaats naast Sinclair in te nemen. Het was stil geworden in de kerk. Harry hoorde hoe de eerste communiegangers voor de balustrade om het koor knielden. Hij moest Jenny en Mike later bellen, om te horen of hun eerste dienst niet te zwaar was geweest. Hij zou zo nodig even langs gaan. Hij tilde de avondmaalsbeker op. Rook hij iets vreemds?
'Het bloed van onze Heer Jezus Christus,' zei hij, 'behoede uw lichaam en ziel tot in het eeuwige leven. Drink dit in herinnering dat Christus' bloed voor u werd vergoten en wees dankbaar.' Harry bracht de kelk naar zijn lippen. De zon stroomde naar binnen door het raam boven het altaar. Even leek de massief zilveren avondmaalsbeker net zo bloedrood als de inhoud.
'Het bloed van Christus,' fluisterde hij in zichzelf. Het koude zilver raakte zijn lippen.
Buiten vlogen kraaien om het dak. Hij kon ze tegen elkaar horen krassen. Binnen in de kerk was alles stil. De congregatie zweeg en wachtte tot hij op zou staan en zou beginnen met het uitdelen van het sacrament.
Langzaam, heel langzaam zette Harry de kelk weer op het altaar.
Er lag een wit linnen servet binnen handbereik. Hij greep het en drukte het hard tegen zijn mond. Hij kon elk moment gaan kokhalzen. Hij pakte de kelk weer en liep zo snel als hij kon zonder te morsen naar de consistoriekamer. Hij duwde de deur open met zijn schouder en schopte hem achter zich dicht. Hij was net op tijd bij de gootsteen.
Rode vloeistof spetterde tegen wit porselein toen Harry besefte dat hij stond te kokhalzen. En dat de hele congregatie hem kon horen. Hij zette de koude kraan aan en liet water over zijn handen lopen. Toen bracht hij ze naar zijn gezicht.
'Dominee, wat is er aan de hand?'
Sinclair Renshaw was hem in de consistoriekamer gevolgd. Harry maakte een kommetje van zijn handen en liet ze vol water lopen. Hij bracht ze naar zijn gezicht en dronk.
'Dominee, bent u ziek? Kan ik iets voor u doen?'
Harry draaide zich om, pakte de avondmaalsbeker en stak hem zijn kerkvoogd toe. 'Is dit ook een traditie?' vroeg hij. Zijn hand trilde. Hij zette de kelk weer neer.
Sinclair wierp een blik op de kelk, draaide zich toen om en liep snel weg. Hij deed de deur van de consistoriekamer dicht en liep terug tot hij vlak bij Harry stond.
'Is dit de manier waarop het afloopt?' vroeg Harry. 'Je laat het bloed vrijelijk stromen op zaterdagavond en de volgende dag drink je het?'

'Wat is er in hemelsnaam aan de hand?' vroeg Sinclair.
Harry wees naar de kelk. 'Dat is geen wijn,' zei hij, terwijl zijn hand nog trilde. 'Dat is bloed. Niet de symbolische soort... maar het echte spul.'
'Dat meen je niet.'
'Proef zelf maar. Ik heb het gedaan.'
Sinclair pakte de kelk en bracht hem naar het licht. Hij hield hem voor zijn gezicht en haalde diep adem door zijn neus. Toen doopte hij zijn wijsvinger in de vloeistof en bekeek hem nauwkeurig. Harry keek toe, niet in staat de uitdrukking op het gezicht van de oudere man te lezen. Na een paar seconden spoelde Sinclair zijn hand af onder de kraan en draaide zich naar hem om.
'Drink een beetje water,' zei hij. 'Neem even een moment om weer tot uzelf te komen.'
Toen draaide hij zich weer om en liep de kamer door. Op een plank vond hij een tweede kelk, een oud en een beetje dof exemplaar, en spoelde hem af onder de kraan. Daarna trok hij een kast open – het was duidelijk dat Sinclair de weg wist in de consistoriekamer – en pakte een nieuwe fles wijn. Harry vond een stoel en zag hoe Sinclair een kurkentrekker pakte en de fles opende. Hij schonk wijn in de kelk en nipte ervan.
'Deze is prima,' zei hij. 'Bent u in staat om verder te gaan?'
Harry kon geen antwoord geven. *Het bloed van Christus, dat voor u werd vergoten.* Het slachtfeest.
'Dominee!' Sinclairs toon was nog zacht, maar hij tolereerde geen onzin. 'Ik kan zeggen dat u ziek bent geworden. Wilt u dat ik dat doe?'
Harry stond weer op en schudde zijn hoofd. 'Nee. Het gaat wel,' zei hij. 'Dank u.'
'Goed zo. Spreek de zegen hier uit, alleen met mij. Dat zal u helpen te kalmeren.'
Hij had gelijk. Harry haalde diep adem en zei de bekende woorden. Hij hief de kelk naar zijn lippen voor hij tijd had om erover na te denken wat hij deed en dronk. Het was echt wijn.
'Voelt u zich al beter?' vroeg Sinclair.
'Ja, dank u. We moeten...' Hij gebaarde naar de deur van de consistoriekamer. Hij had geen idee wat iedereen daarbuiten wel moest denken.
'Een moment.' Sinclairs hand lag op zijn arm. 'Na de dienst zal ik daarvoor zorgen.' Hij gebaarde naar de eerste kelk, nog steeds gevuld met... 'Een stomme grap,' ging hij verder. 'De mensen hebben te veel gedronken gisteravond. Alstublieft, aanvaardt u mijn excuses.'
Harry knikte en de twee mannen verlieten de consistoriekamer. Harry pakte het schaaltje met het brood en stak het koor over naar de eerste communieganger die nog steeds geduldig op zijn knieën zat.

'Het lichaam van Christus,' zei hij, terwijl hij een stukje brood op de uitgestrekte hand voor hem legde. 'Het lichaam van Christus... Het lichaam van Christus.' Hij liep verder langs de rij en achter hem kon hij horen hoe Sinclair de wijn uitdeelde. 'Het bloed van Christus,' zei hij, 'het bloed van Christus.'

Harry vroeg zich af of hij ooit nog in staat zou zijn vreugde te beleven aan die woorden.

33

'Wijn, Harry?'
'Graag. Heb je ook witte?' Harry trok zijn jas uit en zocht een plek waar hij hem op kon hangen. De kapstok van de Fletchers leek altijd vol te zijn.
'Het komt eraan.' Gareth ging op zijn hurken zitten en opende de koelkast.
'Er ruikt hier iets heel lekker, Alice,' zei Harry, terwijl hij een groot glas aanpakte van Gareth. De keukentafel was gedekt voor de zondagse lunch. Millie knabbelde in haar kinderstoel aan een soepstengel. Er was geen spoor van de jongens.
Het glas voelde heel koud aan. De vloeistof erin was geruststellend bleek van kleur. Hij nipte. Wijn, zeker weten. Millie bood hem haar soepstengel aan. Toen hij zijn hoofd schudde liet ze hem op de grond vallen.
'We gaan gebraden kip eten,' antwoordde Alice. 'Hij wordt al lekker bruin.'
'Wat was er aan de hand tijdens de communie?' vroeg Gareth terwijl hij een glas witte wijn voor Alice en een glas rode wijn voor zichzelf inschonk. 'We vroegen ons af waar je naartoe was gegaan.'
'O, de wijn smaakte naar kurk,' zei Harry, zoals hij en Sinclair hadden afgesproken. Wat er was gebeurd kon het beste tussen hen twee blijven. Hij boog voorover om Millies soepstengel op te rapen. 'Heel smerig, net azijn,' ging hij verder.
'Het ging allemaal best goed,' zei Alice. 'Je had een volle bak en niemand is in slaap gevallen.'
'En ik weet zeker dat ze het allemaal een zeer bevredigende, spirituele ervaring hebben gevonden,' zei Gareth. 'Let niet op mijn vrouw. Zij is Amerikaanse.'
'Alsof jij ooit een voet in een kerk zette voor je met mij trouwde,' gaf Alice terug. 'Ben jij eigenlijk wel gedoopt? Waar is je soepstengel, popje? O, heeft de dominee hem gestolen? Stoute dominee.'
'Ik ben in het reservoir van Rawtenstall gedompeld aan mijn linkerenkel,' zei Gareth. 'Daardoor ben ik onoverwinnelijk geworden.'
Er was hier iets niet in orde. Alice en Gareth deden te veel hun best. De glimlachjes en grappen leken geforceerd. Nu hij erover nadacht, ze zagen er allebei uit alsof ze een slechte nacht hadden gehad.
'Kan ik iets doen, Alice?' bood Harry aan.

'Je kunt de jongens gaan zoeken. Het duurt meestal tien minuten om ze aan tafel te krijgen, dus doe je best.'
Met het glas in zijn hand begon Harry het huis te doorzoeken. In de kamers beneden waren geen kinderen te zien en daarom liep hij naar boven. 'Jongens,' riep hij toen hij op de bovenste tree was. 'De lunch is klaar.'
Er kwam geen antwoord en daarom liep hij naar de twee deuren aan het eind van de overloop. Hij klopte zacht op de eerste en duwde hem open. Joe zat midden op het vloerkleed met allemaal kleine speelgoedsoldaatjes om zich heen.
'Hé, maatje,' zei Harry. 'Je moeder zegt dat de lunch klaar is.'
Joe keek weer naar beneden en verplaatste een paar soldaatjes naar een andere plek.
'Ik hoorde dat je moest overgeven,' zei hij. 'In de kerk. Iedereen kon het horen.'
Geweldig, dacht Harry. 'Nou, ik hoop niet dat iemand daardoor geen trek meer heeft,' zei hij. 'Kom je beneden?' Hij liep weer terug naar de deur. De kamer ernaast moest die van Tom zijn.
'Ze zijn dood, hè?'
Harry liep de kamer weer in en ging op zijn hurken zitten, zodat zijn gezicht bijna op dezelfde hoogte was met dat van Joe. Het kind hield zijn ogen strak op zijn soldaatjes gericht. *Een tijd om te sterven.*
'Wat bedoel je, Joe?' vroeg hij. 'Wie is er dood?'
Joe hief zijn hoofd en keek Harry aan. Er lagen donkere schaduwen onder zijn ogen.
'Wie is er dood, Joe?' vroeg hij, zo zacht mogelijk.
'De kleine meisjes in de kerk,' antwoordde Joe.
'Joe, was jij gistermiddag in de kerk?' vroeg Harry. 'Heb je me horen praten met mevrouw Pickup?'
Joe schudde zijn hoofd. Hij zag er niet uit alsof hij loog. En Jenny had hem over haar dochter verteld toen hij buiten was met haar.
'Harry, jongens, lunch,' riep Alice onder aan de trap.
Harry begon weer overeind te komen.
'Die niet,' mompelde Joe, deze keer tegen zijn soldaatjes pratend. 'Iedereen weet over die. Ik bedoel die anderen.'
Harry zakte weer op zijn knieën. 'Welke anderen?' vroeg hij. 'Joe?'
Joe keek hem weer aan. Harry had nog nooit zo'n lief jongetje gezien, met zijn bleke gezichtje vol sproeten, blauwe ogen en blonde haar. Maar er was iets in die ogen wat niet helemaal in orde leek.
'Is er dan niemand hier in huis die honger heeft?' riep Alice.
Harry stond op. 'We moeten gaan, maatje,' zei hij terwijl hij Joe overeind trok en hem naar de deur duwde. Op de overloop keek hij om toen hij een

geluid hoorde. De deur naar Toms kamer werd opengedaan. De kamer erachter was donker en de gordijnen zaten dicht. Tom verscheen in de deuropening, liep vlak voor hen langs en met slepende voeten de trap af. Het was de eerste keer dat hij Harry volledig negeerde.

'Mammie, gaan we na de lunch de lantaarns maken?' vroeg Joe.
Alice leunde over de tafel om Millies kip in kleinere stukjes te snijden. Ze wierp een blik op Tom en toen op Harry. Er was een frons tussen haar wenkbrauwen verschenen. 'Ik weet het niet, liefje,' antwoordde ze. 'Niet iedereen houdt van Halloween. We mogen de dominee niet van streek maken.'
'Ik heb geen probleem met pompoenen,' zei Harry, die zag dat Alice nerveus naar Tom keek. 'Ik wil je wel helpen, Joe,' ging hij verder. 'Maar gezien het talent van je moeder en vader zal ik waarschijnlijk een grote teleurstelling zijn.'
'We gaan met Halloween de deuren langs om snoep,' zei Joe. 'Je kunt met ons meegaan als je wilt.'
'Ik heb nog niks beloofd, Joe.' Alice keek weer naar Tom. Het bord van haar oudste zoon was onaangeroerd. 'Wat denk jij, Harry?' zei ze, terwijl ze zich weer tot hem richtte. 'Is het waarschijnlijk dat in Heptonclough Halloween wordt gevierd?'
'O, daar ben ik van overtuigd,' antwoordde Harry. 'Gaat het wel goed met je, Tom?'
'Tom moet naar een speciale dokter,' kondigde Joe aan. 'Omdat hij verhalen verzint over monsters en gisteravond was hij historisch.'
'Wat?' zei Harry. 'Joe, zo is het wel genoeg,' zei Gareth op hetzelfde moment.
'Tom had een nare droom,' legde Alice snel uit. 'We zijn laat thuisgekomen en het was heel lawaaiig op straat. Het was stom van ons om hem in de auto te laten zitten.' Ze wendde zich tot haar oudste zoon en streek met een vinger over de rug van zijn hand. 'Het spijt me, engel,' zei ze. Tom negeerde haar.
'Kom op, Tom,' zei Gareth. 'Eet eens wat.'
Toms stoel kletterde luid op de houten vloer toen hij hem achteruit duwde en opsprong. 'Het was geen nare droom!' schreeuwde hij. 'Ze is echt en Joe weet wie ze is. Hij laat haar het huis binnen en als ze ons allemaal vermoordt, dan is het zijn schuld en ik haat hem, verdomme!'
Hij was verdwenen voor een van zijn ouders gelegenheid had om te reageren. Alice stond zwijgend op en ging achter hem aan. Gareth dronk zijn glas leeg en schonk het nog eens vol. Joe keek met grote blauwe ogen naar Harry.

Een halfuur later verliet Harry het huis van de Fletchers. Nadat hij Joe en Millie weggestuurd had om te gaan spelen, had Gareth hem over de avond ervoor verteld. Hij, noch Alice had ooit iets gezien van het meisje waar Tom

het steeds weer over had. Alice zou de volgende ochtend met hem naar de dokter gaan.
De lucht zag er weer dreigend uit toen Harry de oprit afliep. Hij bleef staan naast de auto van het gezin. Iemand had een deel ervan gewassen. Het portier aan de kant van de chauffeur en de motorkap waren stoffig en zaten onder de modderspatten, maar het raam achterin en de carrosserie eronder waren brandschoon. Er waren zelfs sporen te zien in het stof waar iemand een lap langs gehaald zou kunnen hebben. En er was ook, in een bovenhoek van het raam, een vage vlek die heel misschien wel een vingerafdruk zou kunnen zijn geweest. Een rode.

34

16 oktober

Hij schrok van het geklop op de deur, ook al had hij het verwacht. Harry stond op en zette de muziek zachter. Toen hij in de hal kwam kon hij twee lange figuren achter het glas in de voordeur zien.

Mike Pickup, Jenny's man en Sinclair Renshaws schoonzoon, droeg een tweedjasje en een pet in gedekte kleuren, een bruine corduroy broek en een gebreide groene das. De man naast hem droeg een donkergrijs krijtstreepkostuum dat eruitzag alsof het handgemaakt was. Geen van tweeën glimlachte.

'Goedenavond, dominee,' zei Mike Pickup. 'Dit is hoofdinspecteur Rushton.'

De hoofdinspecteur knikte kort. 'Brian Rushton,' zei hij, 'politiekorps Lancashire.'

'Aangenaam,' zei Harry. 'Komt u binnen, alstublieft.'

Zijn bezoekers volgden hem naar de studeerkamer. Harry boog voorover om de slapende bal roodharig bont uit een van de leunstoelen te tillen en wachtte toen tot beide mannen waren gaan zitten. De studeerkamer was de grootste kamer in zijn huis. Hij werkte daar, ontving er bezoekers en hield er soms kleine gebedsbijeenkomsten. Dankzij twee grote edwardiaanse radiatoren was het ook de warmste kamer in het huis, en zonder uitzondering vond hij daar de kat.

Hij zette het dier op de grond en duwde hem onder het bureau. 'Kan ik u iets te drinken aanbieden?' vroeg hij. 'Ik heb Ierse whisky,' ging hij verder, gebarend naar de al geopende fles op zijn bureau. 'Er staat ook bier in de koelkast. Of ik kan water opzetten.'

'Nee, dank u,' antwoordde Pickup, mede namens de hoofdinspecteur. 'Maar laat u zich niet tegenhouden. We zullen niet te veel van uw tijd in beslag nemen.' Hij zweeg, en wachtte duidelijk tot Harry ging zitten. De hoofdinspecteur, die eind vijftig was en wiens meest opvallende gelaatstrekken zijn smalle, grijze ogen en zware donkere wenkbrauwen waren, keek langzaam om zich heen.

Harry nam de stoel bij het bureau. Het verbaasde hem niet dat de kat weer verscheen en op de armleuning van de stoel sprong waarin de politieman zat.

Hij maakte aanstalten weer op te staan. 'Het spijt me,' zei hij. 'Ik zal hem even buiten zetten.'
'Nee, het is prima zo, jongen. Ik ben gewend aan katten.' Rushton stak een hand op om Harry tegen te houden. 'Mijn vrouw heeft er thuis twee,' zei hij, met zijn aandacht weer bij de kat. 'Siamezen. Lawaaiige kleine opdonders.' Hij begon de kat achter de oren te krabben. Die reageerde met een gesnor dat klonk als een machine die werd opgestart.
'Maar ik ben niet gewend aan katten,' zei Harry. 'Die daar lijkt me geadopteerd te hebben.'
Rushton trok zijn enorme wenkbrauwen op.
Harry haalde zijn schouders op. 'Misschien hoort hij bij het meubilair van de pastorie,' zei hij. 'Of het is een opportunistische zwerfkat. Hoe dan ook, hij was er al toen ik hier kwam en hij weigert gewoon te vertrekken. Ik heb hem niets te eten gegeven, niet één keer, maar hij gaat gewoon niet weg.'
'Heeft hij een naam?' vroeg Rushton.
'Die stomme kat,' antwoordde Harry naar waarheid.
Rushtons mond verstrakte. Mike Pickup schraapte zijn keel. 'Dominee, dank dat u ons zo snel kon ontvangen,' zei hij.
Harry knikte naar zijn kerkvoogd.
'Het is zo dat ik het nog geen uur geleden zelf pas heb gehoord van Brian,' ging Pickup verder. Er werd een blik gewisseld tussen de twee mannen, en toen richtte Pickup zich weer tot Harry. 'Brian en ik zijn oude vrienden,' zei hij, terwijl Harry een glimlach probeerde te verbergen. De kater lag opgerold op de knieën van de politieman te pruttelen als een tractormotor en Rushtons grote hand aaide over zijn rug.
'Mike kwam me afgelopen zondagavond opzoeken,' zei Rushton. 'Na het gebeuren tijdens de oogstdienst.'
'Jenny en ik hebben na de dienst geluncht in haar vaders huis,' legde Mike uit. 'Ik moet bekennen dat we nieuwsgierig waren naar wat er was gebeurd tijdens de communie. Het was duidelijk dat Sinclair geen zin had om erover te praten maar Jenny drong aan en ten slotte ging hij overstag en vertelde het ons. Hij leek te denken dat het gewoon een stomme grap was die we snel konden vergeten, maar na wat er bijna met het kind van Fletcher is gebeurd een paar weken geleden, was ik er niet blij mee. Na de lunch ben ik naar de consistoriekamer gegaan. Sinclair had de avondmaalskelk leeggegoten en hem afgewassen, maar hij was de karaf vergeten. Ik heb hem naar Brian gebracht. Hij beloofde me dat hij er het lab naar zou laten kijken. Discreet.'
'Ik begrijp het,' zei Harry.
'Brian belde me vanavond om me de uitslag te vertellen,' ging Mike verder. 'Het was varkensbloed, wat we eigenlijk ook al verwacht hadden. We hebben diverse dieren geslacht die zaterdag en, zoals u misschien weet, wordt het

bloed van een varken opgevangen en bewaard. Het wordt gebruikt om bloedworst van te maken. Iemand moet er iets van te pakken hebben gekregen – dat was waarschijnlijk niet moeilijk – en is er toen in geslaagd de kerk binnen te komen.'

Rushton leunde naar voren in zijn stoel. 'Dominee Laycock,' zei hij. 'Ik begrijp dat u aan het eind van de zaterdagmiddag alles hebt klaargezet voor de oogstdienst. Wie kan er in de kerk zijn geweest tussen het moment dat u vertrok en de dienst op zondagochtend?'

Harry keek naar Mike, en vond het lastig om Jenny te noemen in het bijzijn van haar echtgenoot.

Mike zei: 'Mijn vrouw was nadat dominee Laycock vertrok nog ongeveer een kwartier in de kerk. Sinclair heeft haar zijn sleutels geleend. Ik ben naar haar toe gegaan om ongeveer halfvijf en we hebben allebei goed rondgekeken. Ze vertelde me dat u dacht dat er kinderen of in elk geval iemand zich verborg in de kerk, dominee. Klopt dat?'

'Ja,' gaf Harry toe. 'Iemand was daar aan het rondspoken. Ik had Jenny misschien niet alleen achter moeten laten, maar ze stond erop.'

'Met Jenny was niks aan de hand,' zei Mike. 'Het was fijn dat u haar daar wat tijd gunde. En de kerk was leeg toen we vertrokken. Daar hebben we goed op gelet.'

'Wie heeft er nog meer een sleutel van de kerk?' vroeg Rushton.

'Normaal alleen de dominee en de kerkvoogden, soms de schoonmaker,' antwoordde Mike. 'Maar op dit moment hebben we geen schoonmaker. Voor zover ik weet hebben alleen de dominee, Sinclair en ik een sleutel.'

'Dominee, ik ben zelf geen kerkganger,' begon Rushton.

'Niemand is perfect,' zei Harry automatisch.

'Wat u zegt,' zei Rushton. 'Maar Mike heeft me verteld dat het gebruikelijk is dat de priester als eerste de communie neemt, klopt dat?'

Harry knikte. 'Ja, altijd. Het idee is dat ik zelf eerst een staat van genade bereik voor ik het brood en de wijn aan de andere communiegangers aanbiedt.'

'Weten de meeste mensen dat, denkt u?'

'Dat neem ik aan. Mensen die regelmatig ter communie gaan in elk geval wel.'

'Waar denk je aan, Brian?' vroeg Mike.

'Nou, volgens mij zijn er twee mogelijkheden. Of iemand koestert een persoonlijke wrok tegen de dominee, en dan was het de bedoeling dat hij van streek zou raken door de gebeurtenis. Of de boosdoener besefte niet dat de communiewijn eerst door de dominee geproefd zou worden. Want als u die kelk rechtstreeks aangeboden had aan de kerkgangers, dan wed ik dat u er al een stuk of vijf zou hebben gehad voor de eerste twee of drie beseften wat er aan de hand was. En dan zou u een groot probleem hebben gehad. Is er ie-

mand die een reden zou kunnen hebben om zo'n geintje uit te halen?'
Harry dacht even na, omdat hij wist dat het van hem werd verwacht. 'Nee,' zei hij. 'Ik heb me ook al afgevraagd of het misschien iemand kon zijn die niet wilde dat de kerk weer werd geopend. Of misschien heb ik sinds ik hier ben iemand van streek gemaakt zonder het te beseffen.'
'Dat is niet zo,' zei Mike. 'De mensen zijn zeer ingenomen met u.'
'We willen het volgende doen, dominee,' zei Rushton. 'We gaan uw vingerafdrukken afnemen zodat we de karaf kunnen onderzoeken op afdrukken die niet van u zijn.'
'Ik vind het ook prima om mijn vingerafdrukken te geven als dat zou helpen,' zei Mike, en toen richtte hij zich tot Harry. 'Dominee, we moeten nadenken over de veiligheid van de kerk. Ik zal regelen dat de sloten direct morgenochtend vervangen worden. En ik zal ervoor zorgen dat er maar drie sets sleutels beschikbaar zijn.'
'Een goed idee,' zei Harry.
'Goed. De nieuwe sleutels zullen overmorgen voor u beschikbaar zijn. Kom met me lunchen in de White Lion. Zullen we zeggen om één uur?'
Het afnemen van de vingerafdrukken was een paar minuten werk en toen namen de twee mannen afscheid en vertrokken. Harry ging weer terug naar zijn studeerkamer. Hij keek naar de drankenkast. Hij had genoeg gehad. Hij voelde iets warms bewegen tussen zijn enkels en keek naar beneden. De kat wreef zich langs zijn spijkerbroek.
'Ik haat katten,' mompelde Harry. Hij pakte de kat op. Hij lag te spinnen op zijn arm, lekker warm.
Een halfuur later was de kat vast in slaap. Harry had zich niet bewogen.

35

18 oktober

Evi zette haar auto op de enige vrije parkeerplaats. Het enorme, hangarachtige gebouw van de Goodshaw Bridge brandweer was twintig meter verderop. Ze stapte uit de auto en pakte haar stok.

'Ik heb een probleem met trappen, ben ik bang,' legde ze uit aan de man achter de receptiebalie. 'Is er een lift die ik kan gebruiken? Sorry dat ik zo lastig ben.'

'Geen probleem, liefje. Een moment.'

De brandweerman ging haar voor door de gang. Ze probeerde hem bij te houden maar ze had al dagen last van haar rug. Het voortdurend leunen op haar stok zorgde voor te veel druk op de spieren aan de ene kant van haar lichaam en ze drukten tegen zenuwen. Ze moest haar rolstoel meer gebruiken. Het was alleen...

Ze kwamen bij de lift en gingen een verdieping omhoog. Daarna moesten ze weer teruglopen door de gang. Misschien kon ze als ze vertrok wel langs de paal naar beneden glijden.

Haar begeleider stopte bij een blauwe deur en klopte aan. Zonder op antwoord te wachten duwde hij hem open. 'Hier is een dame die je wil spreken, baas,' kondigde hij aan voor hij omkeek naar Evi. 'Dokter... eh?'

'Evi Oliver,' zei ze met opeengeklemde kaken. 'Dank u zeer.'

In de kamer stonden twee brandweerlieden op haar te wachten.

'Dokter Oliver, goedemorgen,' zei de langste en oudste van de twee terwijl hij zijn hand uitstak. 'Ik ben commandant Arnold Earnshaw. Dit is mijn plaatsvervanger, Nigel Blake.'

'Hartelijk dank dat u me kunt ontvangen,' zei Evi.

'Geen probleem. Als het alarm gaat zijn we in no time verdwenen, maar tot dat moment hebben we alle tijd. Nou, wilt u misschien een kop koffie?' Hij verhief zijn stem. 'Wil jij daarvoor zorgen, Jack?'

Evi's begeleider kwam terug, informeerde of zijn twee superieuren nog altijd hun thee met melk en drie klontjes suiker dronken en vond het geen enkel probleem om voor Evi een koffie verkeerd te maken.

Ze gingen alle drie zitten. Evi had graag een moment gehad om weer op adem te komen, maar de beide mannen keken haar afwachtend aan.

'Ik heb aan de telefoon al uitgelegd dat ik graag meer wilde weten over een brand, een paar jaar geleden in Heptonclough,' begon ze. 'Het is in verband met een patiënt van mij, dus u zult begrijpen dat ik geen details kan geven. Het is vertrouwelijk.'
Commandant Earnshaw knikte. Ook zijn collega keek geïnteresseerd en was graag bereid te helpen. Ze vroeg zich af of brandweerlieden zich vaak liepen te vervelen en eigenlijk blij waren met afleidingen.
'De brand was laat in de herfst, drie jaar geleden,' zei Evi. 'In een cottage in Wite Lane, in Heptonclough. Had ik dat al verteld?'
Earnshaw knikte en tikte op een bruine map op zijn bureau. 'Hier zit het allemaal in,' zei hij. 'We hoefden er niet lang naar te zoeken. Het was een heel akelige zaak. Een klein meisje is omgekomen.'
'Was u daar ook?'
'Allebei,' zei Earnshaw. 'Al onze vaste krachten en ook een paar vrijwilligers. Wat wilt u weten?'
'Ik begrijp dat er, zodra een brand is bedwongen, twee belangrijke dingen zijn die u moet gaan uitzoeken,' zei Evi. 'Waar is de brand begonnen en wat was de oorzaak van de brand?' Gillian had haar nog steeds niet verteld hoe de brand was begonnen. Als het het gevolg was geweest van onachtzaamheid van haar kant, of die van haar echtgenoot, dan zou het ten dele een verklaring kunnen zijn voor haar woede of haar schuldgevoel. De beide mannen knikten.
'Is dat een goed punt om mee te beginnen?' vroeg ze.
Blake leunde naar voren. 'Je hebt drie dingen nodig om een brand te veroorzaken, dokter Oliver,' zei hij. 'Je hebt hitte nodig, brandstof zoals papier of benzine en je hebt zuurstof nodig. Als een van die drie er niet is, is er geen vuur. Begrijpt u?'
Evi knikte.
'In de meeste gevallen kunnen we zuurstof als vanzelfsprekend beschouwen. Waar we dus naar zoeken is een combinatie van hitte en brandstof. Daarna verspreidt het vuur zich zijwaarts en omhoog van zijn beginpunt. Een brand die onder aan een muur is begonnen breidt zich in een V-vorm naar boven uit. Kunt u me volgen?'
Evi knikte weer.
'Sommige dingen in een huis, zoals synthetische materialen of trappen, kunnen hier verandering in brengen, maar in de regel kun je de brandschade terug volgen naar het punt waar hij het grootst was en daarna moet je zoeken naar de combinatie van hitte en brandstof. Bij de brand in de Wite cottage, was het beginpunt vrij duidelijk, ook al was de bovenverdieping ingestort. Het was de keuken, het gebied om het fornuis.'
'En weet u hoe het begonnen is?' vroeg Evi.

'Dat is voornamelijk giswerk,' antwoordde Blake. 'Omdat de schade in dat gedeelte zo groot was. Maar we hebben begrepen dat er flessen olie om mee te bakken naast het fornuis stonden, niet verstandig. We vermoeden dat een pan op het vuur is blijven staan. Dat gebeurt veel met bakpannen. Mensen maken een omelet, concentreren zich erop om hem zonder hem te breken op een bord te laten glijden, zetten de pan weer terug en vergeten dan dat ze het gas niet hebben uitgedraaid. De pan wordt steeds heter tot de olie die er nog in zit vlam vat. Als er een plastic fles olijfolie in de buurt staat, smelt het plastic en loopt de olie eruit. U zult begrijpen hoe...'
'Ja, natuurlijk,' zei Evi, terwijl ze zich in gedachten voornam om de flessen olie die ze naast haar fornuis had staan weg te halen.
'In dit geval, echter, was het butagas het probleem,' zei Earnshaw. 'De cottage was niet aangesloten op het gasnet, dus de familie gebruikte een fornuis op butagas. Dat is niet ongebruikelijk op het platteland, maar in dit geval had de familie drie reservetanks opgeslagen in een kleine kamer vlak naast het fornuis. Zodra die vlam vatten...'
'Ik begrijp het,' zei Evi, en ze vroeg zich af of ze werkelijk de moed had de volgende vraag te stellen. 'Ik weet dat dit een moeilijke vraag is, en neem me niet kwalijk dat ik het vraag, maar hebt u ooit gedacht aan de mogelijkheid van brandstichting?'
Earnshaw leunde achterover in zijn stoel. Blake fronste naar haar.
'We moeten altijd rekening houden met brandstichting,' zei Earnshaw na een tijdje. 'Maar in dit geval was er niets wat ons zorgen baarde. Het begin van de brand was heel gemakkelijk te traceren.'
'En ook zeer goed te verklaren,' voegde Blake eraan toe.
'Zou het vuur zijn begonnen in een prullenbak in een slaapkamer,' zei Earnshaw, 'of als we een spoor van benzine om het huis hadden gevonden, dan zou het een ander verhaal zijn geweest.'
'Het huis werd gehuurd, dus er was ook geen sprake van verzekeringsfraude,' zei Blake.
'En het stel verloor hun kind,' zei Earnshaw, alsof Evi dat zelf had moeten bedenken. De theorie brandstichting om dood-door-ongeluk te verbergen sloeg nergens op. Evi begon te denken dat ze hun tijd al genoeg verspild had.
'Dat begrijp ik,' zei ze. 'Ik weet dat ik lastige vragen stel. Het spijt me dat ik niet kan vertellen waarom.'
'Het maskeren van brandstichting is niet zo gemakkelijk,' zei Blake. 'Brandstichters gebruiken vaak lucifers die ze daarna weggooien, omdat ze denken dat het vuur ze wel zal vernietigen.'
'En dat is niet zo?'
Blake schudde zijn hoofd. 'In luciferkoppen zitten diatomen,' zei hij. 'Eencellige organismen met een heel sterke component: silicium. Silicium kan

heel hoge temperaturen doorstaan. Soms kunnen we zelfs het merk lucifer dat gebruikt is vaststellen.'
'Ik begrijp het,' zei Evi. 'Ik heb nog een laatste vraag, als het mag, en dan zal ik u met rust laten. Hoe snel nadat het vuur was geblust constateerde u dat het lichaam van het kind volledig moest zijn verbrand?'
De twee mannen keken elkaar aan. Earnshaws frons was dieper geworden.
'De brand heeft een paar uur geduurd, begrijp ik,' ging Evi verder. 'Zelfs nadat het was geblust, moet u eerst hebben vastgesteld of het bouwwerk veilig was.'
'De bovenverdieping was ingestort,' zei Blake.
'Ja, precies,' zei Evi. 'Dus u moest tussen het puin zoeken. Het moet heel veel tijd hebben gekost, voor u er zeker van was.' En al die tijd had Gillian over de hei gezworven, zichzelf dwingend om hoop te blijven koesteren. 'Voor u er zeker van was dat het lichaam van het kind totaal was verdwenen.'
'Dokter Oliver, het komt maar heel zelden voor dat lichamen volledig verbranden. Heel zelden,' zei Earnshaw.
'Het spijt me, ik begrijp niet...'
'Mensen die iets anders denken hebben er geen verstand van,' zei Blake. 'Als lichamen worden gecremeerd, worden ze minstens een paar uur blootgesteld aan temperaturen van rond de duizend graden Celsius. Zelfs dan kun je nog steeds menselijke resten tussen de as vinden. De meeste branden, vooral die in een woonhuis, zijn niet heet genoeg of duren niet lang genoeg om een lichaam te vernietigen. Het huis zelf biedt niet genoeg brandstof.'
'In dit geval werd de brand natuurlijk heel heet door het butagas dat extra brandstof leverde,' zei Earnshaw.
'En is dat de reden waarom de stoffelijke resten van het meisje...'
'We hebben haar de volgende dag gevonden,' zei Blake. 'Er was natuurlijk heel weinig van over, maar toch... Waarom dacht u dat haar stoffelijke resten niet waren gevonden?'
Evi's handen waren naar haar mond gevlogen. 'Het spijt me zo,' wist ze uit te brengen. 'Ik ben volkomen fout geïnformeerd.'
'Wat we vonden was heel vergelijkbaar met wat we kunnen verwachten na een crematie,' zei Blake. 'As en botfragmenten. Ze zijn geïdentificeerd als menselijk. We konden dus met zekerheid vaststellen dat we het kind hadden gevonden.'
'En wat is er met de resten gebeurd?'
'Die zijn aan de familie overhandigd,' zei Earnshaw. 'Aan de moeder voor zover ik me kan herinneren.'

36

21 oktober

'Waarom denk je dat je ouders willen dat je met mij praat, Tom?' vroeg de dokter met het steile donkere haar en de dikke, zwarte wimpers. Evi, had ze gezegd dat hij haar moest noemen. Ze leek op een van de Russische poppen van zijn zusje, met haar bleke, hartvormige gezicht en grote blauwe ogen. Ze droeg zelfs dezelfde kleuren als Millies poppen: een rode blouse met een paarse sjaal.

Tom haalde zijn schouders op. Evi leek aardig, dat was nog het ergste, zo aardig dat hij haar wel *wílde* vertrouwen. Maar dat kon hij echt niet doen.

'Is er iets waar je je zorgen om maakt?' vroeg ze hem nu. 'Is er iets waar je bang voor bent?'

Tom schudde zijn hoofd.

Evi glimlachte naar hem. Hij wachtte tot ze hem weer een vraag zou stellen. Dat deed ze niet. Ze bleef alleen maar naar hem kijken en glimlachen. Achter haar hoofd was een raam waardoor hij de lucht kon zien, die zo donker was dat hij op sommige plekken bijna zwart leek. Het kon elk moment gaan regenen.

'Hoe gaat het op je nieuwe school?' vroeg ze.

'Goed.'

'Kun je me de namen van een paar nieuwe vrienden vertellen?'

Ze had hem beet. Ze had hem een vraag gesteld die hij niet met ja, nee, goed of een schouderophalen kon beantwoorden. Maar vrienden waren oké, hij kon over vrienden praten. Hij kon praten over Josh Cooper, hij was oké.

'Zijn er jongens op school die niet je vrienden zijn?' vroeg ze, toen ze een paar minuten over jongens in Toms klas hadden gepraat.

'Jake Knowles,' zei Tom, zonder aarzelen. Jake Knowles, zijn aartsvijand, die er op de een of andere manier achter was gekomen dat Tom naar een speciale dokter moest en daarmee zijn leven de laatste paar dagen nog extra ellendig had gemaakt. Volgens Jake zou Tom eindigen in het gekkenhuis, waar ze je vastbonden en je in een geluiddichte cel stopten en elektrische schokken door je hersens joegen. De speciale dokter zou zien dat hij gek was en hem wegsturen en dan zou hij zijn moeder en vader nooit meer zien. Het ergste van alles was nog dat hij dan niet meer op Millie kon passen. Dat hij geen oogje meer op Joe kon houden.

‘Wil je met me praten over wat er vorige week zaterdag is gebeurd?’ vroeg Evi hem nu. ‘Toen je wakker bent geworden van iets en je de begraafplaats op bent gerend?’
‘Dat was een droom,’ zei Tom. ‘Alleen maar een nare droom.’

37

Millie was het trapje aan de achterkant van het huis af geklauterd naar de tuin. Ze ging rechtop staan en keek om zich heen. Toen haar ogen op de taxusboom vielen begon haar gezichtje te stralen. Ze ging erop af.

'Millie!' Tom was verschenen bij de achterdeur. 'Millie, waar ga je naartoe?' Hij sprong naar beneden en was met drie grote passen bij zijn zusje. Hij tilde haar op.

'Millie mag niet alleen naar buiten,' zei hij toen ze begon te worstelen en hij droeg haar terug naar de deur.

Millie keek achterom naar de taxusboom toen ze naar binnen werd gedragen, en de deur ging stevig achter de twee kinderen dicht. Ze mocht niet meer alleen zijn, nog niet eens een minuut.

38

23 oktober

'Schizofrenie is tamelijk zeldzaam,' zei Evi. 'Ongeveer één procent van de mensen krijgt het, en slechts in enkele van die gevallen zien we de eerste symptomen vóór het tiende jaar. Maar het belangrijkste is dat de ziekte niet in jouw familie of in die van je echtgenoot voorkomt.'

Het was Evi's eerste ontmoeting alleen met Alice Fletcher, in de grote, kleurrijke zitkamer van de familie. De twee jongens, die ze allebei individueel had ontmoet, waren op school, en Millie lag boven te slapen. Tot dusverre was het een ongewoon gesprek geweest. Vanaf het begin leek het wel alsof Alice vastbesloten was de psychiater van haar zoon te charmeren. Ze had belangstelling voor Evi persoonlijk getoond, iets wat patiënten, over het algemeen tamelijk op zichzelf gericht, zelden deden. Ze had geprobeerd haar aan het lachen te maken, en was daar zelfs een paar keer in geslaagd. En toch was het duidelijk een façade, en daarbij ook nog een heel kwetsbare. Alice's handen hadden te veel getrild, haar lach had geforceerd geklonken en voor er twintig minuten voorbij waren, was ze ingestort en had ze haar angst opgebiecht dat Tom leed aan COS, een cerebrale ontwikkelingsstoornis.

'Maar deze stemmen...' zei ze.

'Stemmen horen is maar één symptoom van schizofrenie,' zei Evi met overtuiging. 'Er zijn er nog veel meer, waar Tom er niet een van lijkt te hebben.'

'Zoals wat?' vroeg Alice.

'Nou, om te beginnen, lijken zijn emotionele reacties heel normaal. Ik heb geen bewijs gezien van wat we een geestelijke stoornis noemen. En behalve dan zijn volharding over dit kleine meisje – dat hij trouwens tegen mij nog niet heeft genoemd – is er geen teken van waangedrag.'

Alice Fletcher boeide haar, besloot Evi. Omdat ze zo ver van haar eigen huis was, had zij het waarschijnlijk moeilijker om in Heptonclough haar draai te vinden dan de rest van haar gezin. De vraag was hoeveel van de problemen van de kinderen het gevolg waren van wat zij oppikten van hun moeders onzekerheid.

'Zelfs als op jonge leeftijd de diagnose schizofrenie wordt gesteld,' ging Evi snel verder, 'dan wordt het bijna altijd voorafgegaan door andere diagnoses.' Ze telde ze af op haar vingers. 'ADHD, bipolaire stemmingsstoornissen, ob-

sessieve-compulsieve stoornissen. Weet je wat deze...'
'Ja,' onderbrak Alice haar. 'En dat obsessieve-compulsieve klopt ook. Tom loopt elke avond het hele huis door en controleert steeds maar weer alle sloten op de deuren en de ramen. Hij heeft een lijst. Hij vinkt ze een voor een af en hij wil niet naar bed voor hij de hele lijst afgewerkt heeft. Soms staat hij midden in de nacht op en loopt de hele lijst nog een keer door. Wat betekent dat allemaal?'
'Dat weet ik nog niet,' zei Evi. 'Maar ik heb Toms bezorgheid om zijn kleine zusje wel opgemerkt. Joe heeft dat ook, af en toe, hoewel hij dat misschien overneemt van Tom. Weet je misschien of ze iets op het nieuws hebben gezien, iets waardoor ze extra bezorgd om haar geworden zijn?'
Alice dacht even na en schudde toen haar hoofd. 'Ik betwijfel het,' zei ze. 'Ze kijken alleen maar naar kinderprogramma's. Een paar keer heb ik hem slapend op de vloer in Millies slaapkamer gevonden.'
Evi keek weer naar haar aantekeningen. 'Laten we eens teruggaan naar dat kleine meisje,' zei ze. 'Want uit wat je me vertelt lijkt het meeste van waar Tom bang voor is zich te concentreren om haar. Is het mogelijk dat er iemand in het dorp is die er een beetje vreemd uitziet, zich misschien op een rare manier gedraagt? Heb je daar over nagedacht?'
Alice knikte. 'Natuurlijk,' zei ze. 'En ik heb het een paar mensen gevraagd. Niet veel. Ik wil niet dat iedereen weet wat we moeten doorstaan, maar ik heb gesproken met Jenny Pickup. En met haar grootvader, Tobias. Ze wonen hier al hun hele leven. Ze hebben nog nooit van iemand gehoord die ook maar in de verste verte aan de omschrijving die Tom geeft voldoet.'
Alice zweeg even.
'Daarbij,' ging ze verder, 'praat Tom over dit kleine meisje alsof ze nauwelijks menselijk is, iets uit een nachtmerrie. Dit is een vreemd dorp, Evi, maar of er monsters wonen? Hoe waarschijnlijk denk je dat dat is?'

39

Harry naderde het dorp. De silhouetten van de grote stenen gebouwen werden groter na elke bocht in de weg die hij nam. Over zijn linkerschouder ontplofte vuurwerk in de lucht. Hij nam nog meer snelheid terug. Hij had altijd van vuurwerk gehouden. Misschien zou hij op 5 november weer de hei op rijden, de auto parkeren en naar het vuurwerk kijken dat uit honderd verschillende richtingen werd afgestoken, helemaal tot aan de bergen.

Het asfalt van de weg ging over in keien en hij nam de laatste bocht voor het dorp. Hij keek niet naar de kerk, maar naar de gouden sterren die links van hem uit elkaar spatten in de lucht, toen hij afremde en de auto parkeerde. Hij zette de motor af en stapte uit.

Hij was bij een van zijn oudste parochianen geweest. Mevrouw Cairns was in de negentig en vrijwel aan haar bed gekluisterd. Nadien hadden haar dochter en man erop gestaan dat hij mee zou blijven eten. Tegen de tijd dat hij vertrok was het bijna negen uur en hij moest nog de boekhouding van de Sint Barnabas ophalen.

Zijn voeten hadden net contact gemaakt met de gladde stenen van het kerkpad toen hij wist dat er iets niet klopte. Hij had zichzelf nooit als een bijzonder sensitief man beschouwd, maar dit gevoel kon hij niet negeren. Hij wist dat hij zich moest omdraaien en naar de ruïne van de oude kerk moest kijken. En hij wist echt niet zeker of hij dat wel kon opbrengen.

Hij had zich omgedraaid. Hij keek. Hij kon niet geloven wat hij zag.

De oude ruïnes van de abdijkerk waren er nog steeds. De grote bogen reikten nog steeds omhoog naar de purperen hemel. De toren, hoog en ongenaakbaar, wierp zijn schaduw over de grond. Alles was net zoals het was geweest sinds de dag dat hij was gearriveerd. Ongeveer zoals het al een paar honderd jaar was. Alleen de figuren waren nieuw. Ze zaten in raamkozijnen, leunden tegen pilaren, lagen languit over de bogen en waren in elk denkbaar gat tussen de stenen gepropt. Overal om hem heen zaten, stonden, leunden en lagen ze, onbeweeglijk als beelden, met grijnzende monden en starende ogen. Te kijken.

40

29 oktober

De teraardebestelling van de twee jaar oude Lucy Eloise Pickup, enig kind van Michael Pickup en Jennifer Pickup geboren Renshaw, was de laatste vermelding in het overlijdensregister. Harry bladerde terug naar het begin. De eerste vermelding was de begrafenis van Joshua Aspin in 1897. Een kerkregister moest worden gesloten en naar het archief van het bisdom worden gebracht als de oudste bijschrijving 150 jaar geleden was. Zover was het hier nog niet. Hij stond op het punt het boek dicht te slaan toen hij de naam Renshaw weer zag. Sophie Renshaw was gestorven in 1908, toen ze achttien was. De woorden 'een onschuldige christelijke ziel' waren na de gebruikelijke details toegevoegd. Harry keek op zijn horloge. Het was elf uur.

Hij sloeg de bladzijde om en zag namen die hij herkende: verschillende keren Renshaw, Knowles, en een paar keer Grimes. Daar was het weer, halverwege de derde bladzijde. Charles Perkins, vijftien jaar, begraven op 7 september 1932. *Een onschuldige christelijke ziel.* Hij keek weer op zijn horloge. Drie minuten over elf. Harry leunde achterover met zijn stoel en keek om zich heen. Geen vochtige sportsokken die te drogen hingen op de radiator; geen gebruikte theezakjes op het aanrecht.

Hij schrok op door een plotseling geluid uit de kerk en viel bijna om. Hij liet de stoel zakken tot alle vier de poten weer stevig op de grond stonden. Niemand kon in het hoofdgedeelte van de kerk zijn. Het gebouw was op slot geweest toen hij aankwam en hij had maar één deur geopend, die naar de consistoriekamer en die was op nog geen drie meter afstand. Niemand kon binnengekomen zijn zonder dat hij het had gezien. En toch was dat wat hij net had gehoord te hard geweest om afgedaan te kunnen worden als het gekraak van oud hout. Het klonk als... als schrapend metaal. Hij stond op, liep de kamer door en deed de deur naar het schip van de kerk open.

De kerk was leeg, natuurlijk, hij had niet anders verwacht. Maar hij voelde niet leeg. Hij deed een stap achteruit naar de consistoriekamer en liet zijn ogen door het koor glijden, op zoek naar beweging. Hij luisterde scherp. Het was bijna een opluchting om de deur van de consistoriekamer weer dicht te doen. Hij moest eigenlijk toegeven dat hij niet zo dol was op deze

kerk. Er was iets mee wat hem een heel ongemakkelijk gevoel gaf.
Je bent bang, bedoel je. Deze kerk maakt je bang.
Hij keek weer op zijn horloge. Het was tien over elf en zijn bezoeker was ontegenzeggelijk te laat. Kon hij buiten wachten? Nee, dan zou hij echt voor aap staan. Hij pakte zijn mobiele telefoon. Geen berichten.
Hij schrok weer toen er op de deur van de consistoriekamer werd geklopt.

Evi zette haar auto achter die van Harry. Met behulp van haar stok die ze als hefboom gebruikte duwde ze zich uit de auto. Het was een flink stuk naar de deur van de consistoriekamer en de enige verstandige optie was dat ze haar rolstoel zou gebruiken. Ze kon haar stok opklappen en hem aan de achterkant vasthaken, de aktetas kon ze op haar schoot houden en ze kon zichzelf in een paar seconden over de gladde oude tegels voortbewegen. Sneller dan veel mensen konden rennen. En Harry zou haar in een rolstoel zien.
Ze deed de auto op slot en begon langzaam het pad op te lopen. Ze liep twee minuten met haar ogen strak op de grond gericht uit angst voor ongelijke stenen. Toen ze even stopte om op adem te komen zag ze vanuit haar ooghoek een schaduw. De zon wierp de omtrek van de abdijruïne op het gras voor haar. Ze kon de toren en de drie bogen ontdekken die aan een kant van het schip oprezen. Ze kon de gebogen opening zien waar ooit een gebrandschilderd raam had geschitterd. Het restant van de vensterbank was vijf meter boven de grond. Was het wel verstandig dat iemand daar zat?
Terwijl ze de stok gebruikte om in balans te blijven draaide ze zich om en keek naar de ruïne. Wat in hemelsnaam...
Levensgrote figuren, met echte kleren aan, maar met hoofden gemaakt van knollen, pompoenen en zelfs stro, waren overal om de oude kerk te zien. Evi telde snel. Het moesten er minstens twintig zijn. Ze zaten in lege raamkozijnen, lagen over bogen, leunden tegen pilaren, een was er zelfs om zijn middel aan de toren gebonden. Hij bungelde hoog boven de grond. Evi kon zich niet inhouden en deed een stap naar voren, en nog een, tot ze bijna in de oude kerk stond. Het waren Guy Fawkes-poppen. Bijzonder goed gemaakt, voor zover ze kon zien. Ze hingen geen van alle slap in elkaar gezakt, zoals meestal het geval was, maar ze hadden stevige lijven en de ledematen waren helemaal in proportie. Ze leken opvallend menselijk, tot je naar de gezichten keek die allemaal een brede, onregelmatige grimas vertoonden.
Hoewel ze het niet prettig vond ze de rug toe te keren, keek Evi naar het huis van de Fletchers. Ten minste twee van de ramen op de bovenverdieping boden een heel goed uitzicht op de versierde abdij. Tom Fletcher en zijn broer zouden hierop uitkijken als ze naar bed gingen.
Haar linkerbeen gaf te kennen dat ze lang genoeg stil had gestaan. Ze zette

haar stok naar voren en liep verder over het pad, waarbij ze om de paar seconden omkeek.

Ze was bezweet. Er liep een verticale frons over haar voorhoofd die hij niet eerder had opgemerkt. Haar haar was ook anders, sluik en donker, tot net op haar schouders en het glansde zo dat het wel nat leek.
'Je had me vanuit de auto moeten bellen,' zei hij. 'Dan zou ik naar je toegekomen zijn om je te helpen.'
Evi's lippen vormden zich in een glimlach maar de frons was er nog. 'En toch heb ik het gered,' zei ze.
'Inderdaad. Kom binnen.'
Hij stapte achteruit zodat ze de consistoriekamer binnen kon komen. Ze liep naar de twee stoelen die hij dicht bij de radiator had gezet en greep de leuning van de eerste. Ze liet zich er langzaam in zakken, vouwde haar stok op en legde hem naast zich neer. Ze droeg een rood wollen jasje met een simpele zwarte trui en broek, en ze bracht een zachte, kruidige lucht met zich mee in de consistoriekamer. En ook iets van de herfstochtend, een geur van bladeren, van houtvuur, frisheid. Hij staarde.
'Ik kan koffie zetten,' bood hij aan, terwijl hij zich omdraaide en naar het aanrecht liep. 'Of thee. Er zijn zelfs nog wat koekjes ergens. Alice komt nooit langs zonder een pakje mee te brengen.'
'Koffie zou heerlijk zijn, dank je. Geen suiker. Als je hebt een beetje melk.'
Hij was vergeten hoe zacht en laag haar stem klonk als ze niet kwaad was op hem. Hij keek om. Hoe konden ogen zo blauw zijn? Ze waren zo blauw dat ze bijna paars leken, als viooltjes in de schemering. Hij staarde weer.
Hij zette koffie en kon aan het geritsel achter zich horen dat ze haar tas openmaakte en er papieren uithaalde. Ze liet een pen vallen, maar toen hij zich snel omdraaide om hem op te rapen had ze hem al gevonden. De rode kleur van haar wangen werd minder. Zijn eigen gezicht voelde veel te warm.
Hij gaf haar een beker, ging zitten en wachtte.

Harry zag er vanochtend op en top uit als een priester: keurige zwarte kleren, witte boord, glimmende zwarte brogues. Er lag zelfs een leesbril op het bureau.
'Bedankt dat ik even kon komen,' begon ze. Hij zei niets, maar knikte alleen maar licht met zijn hoofd.
Ze stak hem een stuk papier toe. 'Ik moet je dit geven,' zei ze. 'Alice en Gareth Fletcher hebben me gemachtigd met je te praten. Om net zoveel over hun situatie met jou te bespreken als ik nodig acht.' Harry pakte het stuk papier aan en keek ernaar. De bril bleef op het bureau liggen. Hij was ook veel te jong om een leesbril nodig te hebben. Die was waarschijnlijk alleen

voor het effect. Na een seconde of twee legde hij het neer en pakte zijn beker.
'Ik praat ook met verschillende leraren op de school van Tom en Joe,' ging ze verder. 'En met de hoofdonderwijzer van Toms oude school. En met hun huisarts. Dat is heel gebruikelijk bij de behandeling van een kind.'
Ze wachtte of Harry zou reageren. Dat deed hij niet. 'Kinderen worden zo beïnvloed door hun omgeving dat we daar zo veel mogelijk over te weten moeten komen,' ging ze verder. 'En over zaken die een impact hebben op hun levens.'
'Ik ben heel erg gesteld geraakt op de Fletchers,' zei Harry. 'Ik hoop dat je ze kunt helpen.'
Zo anders, vanmorgen. Zo totaal anders dan de man die ze eerder had ontmoet.
'Ik zal zeker mijn best doen,' zei ze. 'Maar het is nog vroeg. Ik ben eigenlijk alleen nog maar feiten aan het verzamelen.'
Harry zette zijn beker weer op het bureau achter hem. 'Zeg maar wat ik kan doen,' zei hij, terwijl hij zich weer omdraaide.
Zo koud. Een andere man. Maar met hetzelfde gezicht. Hoe dan ook, ze had een taak uit te voeren.
'Tom is twee weken geleden door zijn huisarts naar mij verwezen,' zei ze. 'Hij had last van angstaanvallen, problemen op school, moeite met slapen, agressief gedrag – zowel op school als thuis – en er bestond zelfs het risico op psychotische aanvallen. Alles bij elkaar zijn dat heel verontrustende symptomen voor een jongen van tien jaar.'
'Ik weet dat zijn ouders heel bezorgd zijn,' zei Harry. 'Net als ik.'
'Ik weet niet hoeveel je weet van psychiatrie, maar...'
'Vrijwel niks.'
Jezus, kon er dan zelfs geen lachje af? Dacht hij soms dat dit gemakkelijk was voor haar?
'De normale procedure is om eerst het kind te ontmoeten, om een zekere band op te bouwen, vertrouwen, als het kan. Als het kind oud genoeg is, en dat is Tom, dan probeer ik ze aan het praten te krijgen over wat hun problemen zijn. Om me te vertellen waarom ze denken dat ze naar mij verwezen zijn, waar ze zich zorgen over maken, hoe ze denken dat het opgelost kan worden.'
Ze zweeg. Harry's ogen waren op haar gezicht gericht gebleven, maar ze kon niets van zijn gezicht aflezen.
'Het lukt me nog niet zo goed met Tom,' zei ze. 'Hij is er heel erg goed in om zich tot het minimum te beperken. Als ik hem ertoe probeer te brengen om over de verschillende gebeurtenissen te praten, bijvoorbeeld met dit vreemde meisje, dan slaat hij dicht. En dan beweert hij dat het alleen maar een nare droom was.'

Ze zweeg. Harry knikte dat ze door moest gaan.
'Dan probeer ik er de rest van het gezin bij te halen,' ging ze verder. 'Ik kijk hoe ze met elkaar omgaan, probeer te ontdekken of er spanningen zijn, tekenen van onenigheid. Ik neem ook de volledige achtergrond van het gezin door, medisch en sociaal. Het doel is om een zo compleet mogelijk beeld te krijgen van het leven van het gezin.'
Ze zweeg. Dit bleek zelfs nog moeilijker te zijn dan ze had verwacht. 'Ik begrijp het,' zei Harry. 'Ga alsjeblieft verder.'
'En dan is er natuurlijk nog het lichamelijk onderzoek,' zei Evi. 'Van het betreffende kind en eventuele broertjes en zusjes. Dat doe ik niet zelf, ik vind dat dat de vertrouwensrelatie die ik met hen probeer op te bouwen belemmert, maar Tom, Joe en Millie zijn allemaal onderzocht door de huisarts.'
Harry fronste. 'Mag je me vertellen wat hij heeft gevonden?' vroeg hij.
Evi haalde haar schouders op. 'Ze zijn in orde,' zei ze. 'Lichamelijk zijn het gezonde kinderen zonder aantoonbare medische problemen, die zich allemaal normaal ontwikkelen. Ik heb zelf een paar evaluatietests met ze gedaan. Wat betreft spraak, cognitief functioneren en algemene kennis lijken Tom en Joe voor hun leeftijd bijzonder goed ontwikkeld. Beiden lijken over een bovengemiddelde intelligentie te beschikken. Komt dat overeen met wat jij hebt opgemerkt?'
'Volledig,' zei Harry zonder nadenken. 'Toen ik ze voor het eerst ontmoette waren het vrolijke, grappige, normale kinderen. Ik was dol op ze. Nog steeds.'
De Fletchers waren zijn vrienden. Hij kon niet helemaal objectief zijn. Ze zou zijn vertrouwen ook moeten winnen.
'Misschien is het ook goed om te melden dat de huisarts geen bewijs voor misbruik bij een van de kinderen heeft gevonden. Fysiek, noch seksueel. Natuurlijk kunnen we het nog niet helemaal uitsluiten maar...'
Hij keek haar woedend aan. Misschien moest hij even met de neus op de realiteit worden gedrukt.
'Als een kind zo verward is als Tom lijkt te zijn, zou het onverantwoord zijn om de mogelijkheid uit te sluiten,' zei ze, en ze merkte dat haar stem harder was geworden. Er schitterde iets in Harry's ogen.
'Het meest opvallende aspect aan hun geval,' ging Evi verder, waarbij ze bewust probeerde zachter en rustiger te praten hoewel hij haar behoorlijk nijdig begon te maken, 'is dat de problemen van het gezin schijnen te dateren vanaf het moment dat ze hier naartoe verhuisden.'
Duidelijk iets in zijn ogen.
'Toms gedrag op zijn oude school was voorbeeldig,' zei ze. 'Ik heb gesproken met hun vroegere huisarts, zijn oude voetbalcoach, zelfs met zijn voormalige hopman. Ze hebben het allemaal over een normaal, goed aangepast, gelukkig kind. En dan verhuist de familie hier naartoe en alles gaat verkeerd.'

Harry had zijn blik afgewend. Hij staarde nu naar de vloer. Hij zag er nors uit. Dacht hij dat ze hem de schuld gaf?
'Geestesziekte bij kinderen heeft maar zelden een enkele, aanwijsbare oorzaak,' zei ze. 'Alles wat te maken heeft met de nieuwe omgeving van de Fletchers kan de trigger zijn geweest, waardoor een latente afwijking bij Tom aan het licht is gekomen. Het zou heel veel helpen als we wisten wat die trigger was.'
'Ligt hier een taak voor mij?' vroeg hij, opkijkend.
'Ja,' zei ze. 'Jij bent hier ook nieuw. Jij bent waarschijnlijk in een betere positie dan wie dan ook om een mogelijke katalysator op te merken. Kun je iets bedenken?'

Harry nam de tijd. Kon hij iets bedenken? De familie Fletcher was verhuisd naar een dorp waar al meer dan tien jaar geen nieuwkomers waren binnengehaald en waar een rituele slachtpartij een leuk avondje uit was. Waar gefluister zomaar uit het niets kwam. En waar iemand varkensbloed in een avondmaalskelk goot. Kon hij iets bedenken? Waar zou hij ophouden?
'Dit is een ongewoon dorp,' zei hij uiteindelijk. 'De mensen hier doen alles op een heel eigen, specifieke manier.'
'Kun je me een paar voorbeelden geven?' Evi had een klein notitieblok opengeslagen en hield een potlood tussen de vingers van haar linkerhand. Het haar aan de rechterkant van haar gezicht was achter een oor gestopt. Een heel klein oor. Met een rood knopje.
'De eerste dag dat ik hier kwam zag ik dat de twee broers werden belaagd door een groepje jongens uit het dorp,' zei hij. 'Jongens die een beetje ouder waren. Sommigen tieners.'
'Op fietsen?' vroeg ze snel.
Verbaasd schudde Harry zijn hoofd. 'Toen niet. Hoewel ik daarna een of twee van hen rond heb zien rijden op fietsen. Ze zijn soms supersnel. En ze zijn lenig. Ik weet zeker dat ik mensen heb gezien die door de abdijruïne kruipen, zelfs over het dak van de kerk. Het is ons niet gelukt om het te bewijzen maar we zijn er vrij zeker van dat zij verantwoordelijk zijn voor wat er een paar weken geleden met Millie Fletcher is gebeurd.'
'En zij bedreigden Tom en Joe, die eerste dag?'
Harry knikte. 'Ze hadden een kerkraam gebroken en probeerden de jongens daar de schuld van te geven.'
'Het zou niet de eerste keer zijn dat een gesloten gemeenschap zich tegen buitenstaanders keerde,' zei Evi. 'Hoe gedragen de mensen hier zich tegenover jou?'
Harry dacht hier even over na. 'Och, oppervlakkig gezien heel vriendelijk. Er zijn een paar heel aardige mensen hier. Maar er zijn wel vreemde dingen gebeurd.' Hij zweeg. Wilde hij Evi vertellen over het gefluister dat hij in de kerk

had gehoord? Over wat iemand hem bijna had laten drinken? Dat een huis van God hem angst aanjoeg? 'Niets waar ik nu op in zou willen gaan,' ging hij verder, 'maar het zou me niet verbazen om te horen dat iemand met een kwalijk gevoel voor humor heeft geprobeerd de jongens bang te maken.'

'Dat is het.' Evi leunde naar voren in haar stoel. 'Dat is wat ik voel bij Tom. Hij is bang.'

Een zilveren kettinkje om haar hals glinsterde in het zachte licht van de consistoriekamer.

'Waar is hij bang voor?' vroeg Harry.

'Als een kind bang is kijken we gewoonlijk eerst dicht bij huis naar de mogelijke oorzaak,' antwoordde Evi. 'Maar er zijn geen aanwijzingen dat Tom bang is voor zijn familie.'

Ze had zich opgemaakt, wat niet het geval was geweest toen hij haar eerder ontmoette. Hij had niet beseft hoe mooi ze eigenlijk was.

'Er is een test,' zei ze. 'We noemen het de test van het onbewoonde eiland. We vragen een kind om zich voor te stellen dat hij op een onbewoond eiland zit, helemaal midden op zee, kilometers van alles vandaan en volkomen veilig. En we vragen hem een persoon te kiezen om met hem daar op het eiland te zijn. Wie zou hij kiezen, van alle mensen op de wereld?'

Jou, dacht Harry. Ik denk dat ik jou zou kiezen. 'Wat zei Tom?' vroeg hij.

'Hij zei Millie. Zijn kleine zusje. Toen ik hem vroeg een tweede persoon te kiezen koos hij zijn moeder. En toen zijn vader.'

'Niet Joe?'

'Joe was zijn vierde keus. Ik heb dezelfde test gedaan met Joe. Hij zei hetzelfde. Millie eerst, daarna zijn moeder en zijn vader, en dan Tom.'

'Interessant dat ze allebei Millie kozen.'

Evi keek naar beneden en sloeg een bladzijde van haar notitieblok om. Haar donkere haar zwaaide naar beneden en bedekte haar gezicht. Ze sloeg nog een bladzijde om en vond wat ze zocht. 'Toen zei Joe iets waar ik me heel erg over verbaasde,' ging ze verder, terwijl ze Harry weer aankeek. 'Hij vroeg of er ook een kerk op het eiland was, want in dat geval dacht hij dat Millie maar beter niet kon gaan.'

De radiator leek niet meer zo goed te werken als eerst. Harry voelde dat zijn vingers koud werden. *Ze zijn dood, hè? De kleine meisjes in de kerk.*

'Het gaat wel, echt. Ik red me wel,' zei Evi.

Harry hield de deur van de consistoriekamer open. Ze liep naar buiten en hij liet de deur achter haar dicht vallen. 'Daar twijfel ik geen moment aan,' zei hij. 'Maar ik breng al mijn bezoekers naar het hek. Mag ik...'

Hij stak zijn rechterelleboog uit. Ze schudde haar hoofd. 'Het gaat best, dankjewel,' zei ze weer.

Ze begonnen te lopen en Evi was zich sterk bewust van het getik van haar stok op het pad tussen hen in. Het duurde bijna een minuut voor ze langs de kerk waren. Ze gingen de hoek om en ze hoorde hoe ze scherp haar adem inhield. Ze was vergeten dat de ruïne een nieuwe congregatie had gekregen. Ze bleef staan, blij met het excuus om even te kunnen rusten.
'Wat zijn dat in vredesnaam, Harry?' vroeg ze, en ze besefte dat ze voor het eerst die ochtend zijn naam uitsprak. 'Ik ben me helemaal rot geschrokken toen ik hier aankwam.'
'Wees maar blij dat je ze niet midden in de nacht voor het eerst zag,' zei Harry. 'Dat is mij overkomen. Ik kwam de boekhouding halen en kreeg bijna een hartverlamming.'
Evi keek van de ene bizarre figuur naar de andere. Sommige waren mannelijk, sommige vrouwelijk, en een – o, jakkes, dat was de ergste, in het formaat van een klein kind. Toen ze merkte dat Harry geduldig naast haar stond te wachten, begon ze weer te lopen.
'Ik weet dat het bijna Guy Fawkes Day is,' zei ze. 'Maar waarom zoveel poppen? Ik heb er nog nooit zoveel bij elkaar gezien.'
'Het zijn geen Guy Fawkes-poppen,' zei Harry. 'Het zijn knekelpoppen.'
Evi draaide haar hoofd van de ruïnes naar de man naast haar en toen weer terug. 'Knekelpoppen?' vroeg ze.
Harry knikte. 'Ze worden zo genoemd omdat ze kennelijk voor een deel van beenderen worden gemaakt.'
Ze bleef weer staan. 'Dat moet je me uitleggen.'
'O, dat is ook een traditie in Heptonclough. Ze hebben er een heleboel. Deze dateert uit de Middeleeuwen, toen er een knekelhuis naast de kerk was. Ongeveer om de dertig jaar werden de graven geopend, de beenderen opgegraven en in het knekelhuis gelegd. Als het vol was werden ze verbrand. Op een groot vuur in de openlucht, wat later veranderde in een soort vreugdevuur. Ik heb onlangs het hele verhaal gehoord van de vader van mijn kerkvoogd, die ik graag zou willen omschrijven als een bijzonder aardige oude man, maar dan zou ik de waarheid geweld aandoen. Dus ik kan je zoveel vertellen als je wilt over onze vrienden daar, en misschien nog wel meer. Ze zijn bijvoorbeeld allemaal gemaakt volgens hetzelfde model dat de oude meneer Tobias zelf bedacht heeft vijftig jaar geleden.'
'Dit klinkt tamelijk walgelijk. Wat voor soort botten? Toch geen men...'
'Laten we hopen van niet. Hoewel het me niet echt zou verbazen. Ze worden voor het grootste deel van natuurlijke materialen gemaakt. Het frame is voornamelijk wilg en ze worden gevuld met stro, hooi, maïs, groenteresten. Iedere familie in het dorp maakt er minstens een. Het is hun manier om van het jaarlijkse afval af te komen: oude kleren, papier, stukken hout, alles wat organisch is, en vooral botten. Waar ze er in deze tijd van het jaar vrij veel van

hebben omdat ze net klaar zijn met de slacht van het vee voor de winter. Ze vriezen het vlees in of drogen en zouten het, ze koken de botten voor soep en gelei, en dan, nou, ik denk dat ze gewoon niet genoeg honden hebben. Als je me gebeld had toen je hier arriveerde, zoals je me had beloofd, dan was ik je tegemoet gelopen en had ik je de schrik kunnen besparen.'
Evi keek nog steeds om zich heen. 'Dat moet wel een verdomd groot vuur worden,' zei ze.
'Ik denk dat zij de brandstof zijn. Het wordt vast heel spectaculair, maar ik denk dat ik het maar oversla. En maak je niet druk dat je verdomd hebt gezegd op gewijde grond. Ik begin verrassend tolerant te worden.'
Verbeeldde ze het zich of was dit een glimp van de oude Harry? 'Dat durf ik te wedden,' zei ze. 'Is het vuur hier? Op het terrein van de kerk?'
'Over mijn lijk... hoewel ik misschien moet oppassen met wat ik zeg. Nee, het is op een veld hier niet ver vandaan. Je bent er waarschijnlijk langs gereden op de dag dat we elkaar voor het eerst ontmoetten. Op dezelfde plaats waar ze een paar weken geleden een soort oogstceremonie hebben gehouden.' Hij zweeg.
'Waar je me voor had uitgenodigd?' vroeg ze zacht.
'Ja, de avond van ons mislukte eerste afspraakje.'
Ze wist niet wat ze moest zeggen. Ze was weer verder gelopen. Ze moest in de auto zien te komen en wegrijden. Voor...
'Je ziet er, tussen twee haakjes, heel leuk uit,' zei hij.
... voor hij zoiets zei.
'Dank je,' wist ze uit te brengen, terwijl ze haar ogen neersloeg en toen weer opkeek naar zijn gezicht. 'Jij ziet er uit als een dominee.'
Hij lachte kort en leek zich van haar terug te trekken. 'Tja, wat je ziet is wat je krijgt, neem ik aan,' zei hij. Hij liep weer door, deze keer een beetje voor haar uit. Toen bleef hij staan en draaide zich om. 'Is dat het probleem?' vroeg hij.
'Probleem?' zei ze ontwijkend. Nee, Harry, dat was het probleem niet geweest.
'Is dat de reden waarom je van gedachte veranderde?' vroeg hij.
Ze was niet van gedachte veranderd. 'Het is nogal ingewikkeld,' zei ze. Hoeveel kon ze hem vertellen? 'Ik kan het zelfs niet uitleggen.'
De glimlach die om zijn mondhoeken had gespeeld verdween. 'Dat is niet nodig,' zei hij. Hij stak zijn arm weer uit. Ze nam hem aan. 'Mocht je weer van gedachte veranderen, dan weet je me te vinden.'
Maar ze was helemaal nooit van gedachte veranderd. Ze waren bijna bij de ingang waar het pad naar de kerk begon. Over twee of drie minuten konden ze afscheid nemen. De vrouw die plotseling opdook verraste hen allebei.
'Wat doe jij hier,' vroeg ze, terwijl ze woedend naar Evi keek.

Harry was verbluft. De vrouw naast hem had hem helemaal in beslag genomen. Hij had die andere niet zien staan bij de kerkmuur.
'Hallo, Gillian,' zei hij, zijn lot vervloekend. Hij had de tijd willen nemen om afscheid van Evi te nemen, om te kijken of misschien... 'Had je me nodig?' vroeg hij. 'De consistoriekamer is open. Dat zou eigenlijk niet het geval moeten zijn. Ik moet hem steeds op slot doen als ik het gebouw verlaat. Ik denk dat ik afgeleid werd.' Hij glimlachte naar Evi. Ze keek niet meer naar hem. Haar ogen waren gefixeerd op Gillian. Hij voelde de druk van haar hand op zijn arm afnemen. Hij drukte zijn eigen arm dichter tegen zijn ribbenkast en legde zijn vrije hand bovenop die van haar.
'Waarom ben je hier?' wilde Gillian weten, terwijl ze haar boze blik van Evi's gezicht naar haar hand liet glijden, die nu op Harry's arm vastgehouden werd. 'Waar hadden jullie het over?'
'Gillian, waarom wacht je niet...' begon hij.
Gillians hoofd schoot omhoog. 'Wat zei ze? Ze mag niet...'
'Dat doe ik ook niet,' onderbrak Evi haar. 'Ik mag niet over mijn patiënten praten – helemaal nooit – zonder hun toestemming. Dus dat doe ik niet. Ik kwam hier om met dominee Laycock over heel iets anders te praten.'
'We hadden het niet over jou,' zei Harry, die de behoefte voelde om heel duidelijk te zijn. Hij keek van Gillian naar Evi. De jongere vrouw zag er boos en verward uit. Evi keek alleen maar bedroefd. Plotseling kwam er een gedachte bij hem op. *O, goeie help.*
'Eigenlijk, Gillian, heb ik over een kwartier een bijeenkomst in een van mijn andere kerken,' zei hij. 'Het spijt me, dat was ik glad vergeten. Als je wilt praten kun je me vanmiddag thuis bellen. Je moet ons nu excuseren. Ik moet dokter Oliver naar haar auto brengen.'
Gillian liep het pad verder omhoog bij hen vandaan en stopte net buiten gehoorsafstand. Harry liep met Evi het hek door en de paar meter naar haar auto. 'Dat probleem dat wij hebben,' zei hij heel zacht. 'Je weet wel, dat probleem dat ons afspraakje in de weg staat.'
Evi frommelde in haar tas. Ze reageerde niet.
'Zijn we dat net tegengekomen?' vroeg hij.
Ze had haar sleutels gevonden. Ze drukte op de afstandsbediening en de sloten sprongen open. Hij liet haar arm los en boog zich naar voren om het portier te openen. Ze keek hem nog steeds niet aan maar had haar rug naar de abdijruïne gekeerd.
'Het gaat me natuurlijk eigenlijk niet aan, dat weet ik,' zei ze, terwijl ze haar stok opvouwde en hem op de passagiersstoel liet vallen. 'Maar is het niet raar om al deze figuren op het terrein van de kerk te hebben?' Haar aktetas ging ook de auto in. Ze leek vastbesloten om hem niet aan te kijken. 'Ik denk alleen maar aan de jongens van Fletcher,' ging ze verder. 'Ik kan me voorstellen

dat het behoorlijk eng is om te zien als het donker is.'
'O, dat kun je van me aannemen,' zei Harry. Nou, als ze weigerde hem aan te kijken dan kon hij naar hartenlust staren. Er zat een klein moedervlekje net onder haar rechteroor.
Ze had zich omgedraaid en hem betrapt. 'Kun je niet...' Ze maakte de vraag niet af.
'Evi, ik ben hier nog maar een paar weken. Als ik me nu al laat gelden dan zou het desastreus kunnen zijn voor mijn werk hier.'
Ze deed haar mond open maar hij was haar voor. 'Ja, ik weet het. Ik stel mijn carrière voor het welzijn van twee jonge kinderen en ik voel me daar echt heel schuldig over, maar het is nu eenmaal zo dat ik niet alleen zeggenschap heb over dit complex. Ik kan met mijn kerkvoogden praten om te vragen of de figuren niet eerder dan gepland weggehaald kunnen worden. Ik kan met mijn aartsdiaken praten. Als hij me steunt kan ik waarschijnlijk voorkomen dat het volgend jaar weer gebeurt.'
De vingers van haar rechterhand sloten zich over de zijne op het portier. 'Het spijt me,' zei ze. 'Ik wil het je niet moeilijk maken. Maar ze zullen hier nog zeven dagen staan.'
'Nee. Nog vier.' Besefte ze dat ze hem aanraakte?
'Guy Fawkes is op...'
'Die aardige mensen hier steken hun vreugdevuur niet aan op de vijfde november,' antwoordde hij. 'Kennelijk hechten ze niet veel waarde aan het verijdelen van de katholieke samenzwering om het parlement op te blazen. Hun feest is op 2 november.'
'Op Allerzielen?' vroeg ze.
'Ik dacht dat je geen kerkganger was? Maar je hebt gelijk. Op 2 november is het Allerzielen, de dag dat we bidden voor de overledenen die misschien Gods koninkrijk nog niet hebben bereikt. Alleen noemen ze het hier anders. Hier heet het de Dag van de Doden.'

41

31 oktober

Er moest een grote maan zijn met Halloween. Dat voelde goed op de een of andere manier. De maan waar Tom nu naar keek, die zo snel rees dat hij bijna het zilveren spoor kon zien dat hij achterliet, was niet helemaal vol maar hij leek toch enorm tegen de lucht. Het was het spookachtige galjoen uit gedichten dat van vlak boven de hoogste boog in de abdijruïne op hem neer scheen.

Halloween werd normaal gesproken uitgebreid gevierd bij de Fletchers, waarschijnlijk omdat Toms moeder Amerikaanse was. Maar niet dit jaar. Niemand vierde Halloween in Heptonclough; iedereen had het veel te druk met de voorbereidingen voor de festiviteiten van de Dag van de Doden op de tweede november. Dus de Fletcherkinderen hadden maar één uitgeholde pompoen op de vensterbank van de zitkamer staan, met uitzicht op de tuin waar niemand anders dan zij hem kon zien.

Tom zat voor het raam in zijn kamer, verborgen achter het gordijn. Als hij dat deed kon niemand hem zien. Hij had ontdekt dat het een heel handige manier was om allerlei dingen te weten te komen die eigenlijk niet voor zijn oren bestemd waren.

Zoals bijvoorbeeld dat zijn moeder heel erg haar best had gedaan om alle knekelpoppen weg te laten halen uit de ruïne. Joe en hij hadden er die ochtend vierentwintig geteld, vijf meer dan in het begin. Zijn moeder haatte ze en had nog maar tien minuten geleden Harry gebeld. Het had maar weinig gescheeld of ze had ruzie met hem gemaakt.

Zesentwintig. Hij had net zesentwintig knekelpoppen geteld om de ruïne. Er waren er vanochtend nog maar vierentwintig geweest. Op zeker moment die dag waren er nog twee bij gekomen. Fantastisch!

Die ochtend, bij het ontbijt, had Joe gevraagd of ze er zelf ook een mochten maken. Zijn moeder had heel duidelijk nee gezegd, en daarbij zenuwachtig naar Tom gekeken, maar het kon hem eerlijk gezegd niet schelen. Hij vond ze tamelijk cool zelfs, en op een bepaalde manier eigenlijk wel grappig. Er was er een met een rijbroek, een paar oude laarzen en een rijcap. In een van zijn handen hield hij een stok die een rijzweep moest voorstellen en hij had een speelgoedvos onder een arm.

O, shit. O, jezus. Een ervan bewoog net. Tom knipperde met zijn ogen, wreef erin, keek nog nauwkeuriger. Een van de knekelpoppen, gemaakt van alleen maar oude kleren en rommel, kroop over een muur. Hij stond op het punt op te springen en naar beneden te rennen om zijn ouders te halen. Toen bleef hij staan. De pop was weg. Had hij het zich verbeeld?
Als dat zo was, dan deed hij dat nog steeds, want daar was er nog een die door het onderste raam van de toren klom. Het was de pop die Joe het grappigst vond, die in een gebloemde damesjurk en met een grote strohoed. Tom kon duidelijk de hoed zien wiebelen op het hoofd van de pop. Toen sprong hij in de schaduw en verdween.
Wat was er verdomme aan de hand? Zouden ze allemaal op gaan staan en bewegen? Tom ging op zijn knieën zitten. Het kon hem niet schelen of iemand hem zag, eigenlijk hoopte hij dat zelfs. Weer een beweging, ginds bij de buitenmuur. Toen twee, die samen bewogen, of droeg de ene de andere?
'Pap!' riep hij, zo hard als hij durfde, wetend dat Millie aan de andere kant van de overloop lag te slapen. 'Pap, kom eens hier.'
Toen raakte een hand hem aan en hij sprong bijna door het glas. Gelukkig, er was iemand hier, iemand die het ook kon zien. Hij trok het gordijn opzij om te zien wie zijn kamer binnen was gekomen.
Joe. Tom stak een hand uit, trok Joe omhoog naast zich en schoof het gordijn weer om hen heen. 'Keek eens naar de abdij,' zei hij tegen zijn broer. 'De knekelpoppen leven.'
Joe drukte zijn gezicht tegen het glas en keek. De twee jongens zagen hoe een van de poppen over het met gras begroeide deel rende dat vroeger het schip was geweest. Hij verdween achter een stapel stenen. Tom keek naar Joe. Die er absoluut niet verbaasd uitzag. Tom voelde de opwinding in zijn borst als een steen naar zijn maag vallen.
'Dat is zij, hè?' vroeg hij zacht. 'De knekelpoppen bewegen niet vanzelf. Zij doet het.'
Joe keerde zich van zijn broer af en maakte aanstalten van de vensterbank te klimmen. Tom hield hem tegen en pakte zijn arm zo stevig vast dat hij wist dat het pijn moest doen. Joe mompelde iets wat zijn oudere broer niet verstond. Tom dacht niet na. Hij duwde heel hard. Joe's hoofd bonkte tegen het glas en toen viel hij op de grond.

Later, toen Joe buiten levensgevaar was verklaard, helaas, en in bed was gestopt met warme chocolademelk en een hoop gedoe van de kant van zijn moeder, en Tom te horen had gekregen dat hij de komende tien jaar in zijn kamer moest blijven, kon hij eindelijk bedenken wat Joe had gezegd, vlak voor hij hem een duw had gegeven. 'Mag nie zeggen,' had hij gemompeld. Wat in Joe-taal betekende: ik mag niks zeggen.

Deel drie

De Dag van de Doden

42

'Ga heen in vrede om de Heer lief te hebben en te dienen,' zei Harry. Het orgel begon de slotzang te spelen en Harry stapte van de preekstoel. De Renshaws waren zoals altijd de eersten die de kerk verlieten. Toen Christiana opstond om haar vader en grootvader uit de bank te volgen, leek ze iets in haar rechterhand te hebben.

Harry liep de consistoriekamer in en ontgrendelde de buitendeur. Hij liep naar buiten en vervolgens snel naar de achterkant van de kerk, net op tijd om Sinclair de hand te schudden toen hij uit de kerk kwam. Christiana stak haar hand naar hem uit zonder hem aan te kijken. Er zat nu niets in. Daarna kwamen Mike en Jenny Pickup. Jenny's ogen waren vochtig en ze droeg een klein boeketje roze roosjes. Een week eerder had Harry een leeg boek bij de kerkdeur gelegd en parochianen uitgenodigd de namen op te schrijven van de mensen die ze tijdens de herinneringsdienst graag genoemd wilden hebben. Lucy's naam had bovenaan gestaan. 'Dank je,' zei Jenny. 'Dat was prachtig.'

De rest van de congregatie volgde. Allemaal voelden ze de behoefte de dominee de hand te drukken, hem te bedanken en hem iets te vertellen over hun geliefden. Bijna helemaal als laatste kwam Gillian, die tegenwoordig nooit een dienst leek over te slaan, waar hij eigenlijk heel blij om zou moeten zijn. Weer een soldaat van Christus en zo. Ook Hayley was herdacht tijdens de dienst. Harry schudde Gillians hand en omdat hij wist dat ze geen graf had om te bezoeken, boog hij zich bijna voorover om haar op de wang te kussen. Maar de laatste keer dat hij dat gedaan had, had ze haar hoofd op het laatste moment gedraaid en hadden hun lippen elkaar geraakt. Het was een onhandig moment geweest en een haastig gemompelde verontschuldiging had het er niet beter op gemaakt.

Een roodharige vrouw van middelbare leeftijd volgde Gillian naar buiten en zij was de laatste. Harry liep de kerk weer in. Nadat hij had gecontroleerd of het schip leeg was, liep hij door het middenpad naar voren. Iemand had rozenblaadjes gestrooid.

Hij keek omhoog. Het leek bijna of ze van het balkon waren gevallen. Ze lagen precies op de plek waar de kleine Lucy Pickup was gestorven en waar Millie Fletcher bijna was gevallen. Harry herinnerde zich Christiana's dichtgeklemde hand toen ze vertrok. Hij liet de bloemblaadjes liggen waar ze la-

gen en liep snel verder naar de consistoriekamer. Hij controleerde of de buitendeur op slot was en begon zijn gewaad uit te trekken. Drie minuten later liep hij het pad weer op. Zich vermannend tegen de kou deed hij de deur van de consistoriekamer achter zich op slot.
'Jij kunt je snel verkleden, jongen.' Een van de parochianen, een man van in de zeventig, kwam naar hem toe. Zijn vrouw, zijn ouders en twee broers lagen op het kerkhof begraven had hij Harry eerder verteld.
'Ik ben een veelzijdig man, meneer Hargreaves,' antwoordde Harry, terwijl hij tegen de muur van de kerk leunde om zijn hamstrings te stretchen.
'Je gaat toch niet de hei op, jongen? Straks waai je nog weg.'
'Ik heb nooit geweten dat dominees benen hadden,' giechelde een vrouw die achter Stanley Hargreaves omhoog gestrompeld kwam.
'Een gezond lichaam, een gezonde geest, mevrouw Hawthorn,' antwoordde Harry. 'Het spijt me dat ik u geen fraaier paar kan laten zien.'
Harry jogde langzaam langs de twee bejaarde mensen. Toen hij het kerkhof verliet zag hij dat Alice Millie naar hun auto bracht. Hij moest haar echt even spreken. Hij jogde een stukje de heuvel af en zag dat Alice nu stond te praten met de vrouw met het roodgeverfde haar die achter Gillian de kerk uit gekomen was.
'Zo mooi,' zei de vrouw, terwijl ze een hand uitstak naar Millies krullen. 'Ik had er ook zo een als zij. Mijn hart breekt als ik haar zie.'
Millie kroop weg en verborg haar gezicht tegen haar moeders schouders, net toen Alice Harry zag. Hij kwam langzaam dichterbij omdat hij niet wilde storen en omdat hij niet zeker wist hoe welkom hij was.
'Ze worden zo snel groot,' zei Alice.
'Die van mij is nooit groot geworden,' antwoordde de vrouw. Nu ze niet meer bij Millies gezicht kon, klopte ze het kind op de schouder. 'Pas maar goed op dit kleintje. Je weet pas hoeveel ze voor je betekenen als je ze kwijt bent.'
Alice gaf haar pogingen om te glimlachen op. 'Ja, dat zal wel,' zei ze. 'O, daar is de dominee. Ik moet hem even begroeten. Prettig u te ontmoeten.'
De vrouw knikte naar Alice en liep toen, na een laatste aai over Millies hoofd, de heuvel af.
'Ik heb geen idee wie dat opgewekte mens was,' zei Alice zacht toen Harry dichterbij kwam. Hij keek naar de verdwijnende rug van de vrouw en schudde zijn hoofd. 'Ze was net in de kerk,' zei hij. 'Maar ik heb haar nooit eerder gezien. Luister, over gisteravond...'
Alice stak haar hand op. 'Nee, het spijt mij. Ik begrijp hoe moeilijk het voor je is. Het is alleen...' Ze zweeg. 'Ik denk maar steeds dat er iets heel erg mis is met Tom.'
Ze boog zich in de auto, zette Millie in haar kinderzitje en maakte de gordel

om haar dochter vast. Harry leunde dichter naar de auto in de hoop dat hij wat beschutting zou geven. De ijzige wind waaide door zijn korte broek. 'Dat betwijfel ik zeer,' zei hij. 'En dat jij er zo gestrest door raakt helpt hem ook niet echt.'
'Dat is precies wat Evi zei,' antwoordde Alice.

Harry kon niet stoppen. Zijn benen begonnen te trillen en hij had pijn in zijn borst, maar op het moment dat hij stil zou staan, zou het zweet op zijn lichaam onmiddellijk afkoelen.
Hij was twee kilometer boven het dorp. Tien minuten na zijn vertrek had hij een oud ruiterpad gevonden dat hij tot aan de weg had gevolgd. Hij was heuvelopwaarts gegaan, steeds hoger, tot de wind hem bijna van de sokken blies. Nu was hij weer op weg naar huis.
De muren en heggen boden wat beschutting, maar als de wind hem vol raakte had hij bijna het gevoel dat hij niet meer vooruit kwam. Zijn polsbandjes waren doorweekt en de koude lucht deed pijn in zijn longen. Dit was krankzinnig. Hij kon zelfs niet van het uitzicht genieten, zijn ogen traanden zo erg dat hij nauwelijks de grond onder zijn voeten kon zien.
Naar het oosten steeg de massieve Morrell Tor hoog boven de bomen uit, een enorme berg zwerfkeien van grove zandsteen die gevaarlijk boven op elkaar balanceerden. Dit soort steenhopen kwamen veel in het Penninisch Gebergte voor. Ze waren door de natuur gevormd, maar ooit werd gedacht dat ze door mensenhanden waren gemaakt. De Morrell Tor, zo had Harry gehoord, was plaatselijk nogal berucht. Volgens de legende werden in vroeger tijden ongewenste en onwettige baby's vanaf die plek naar beneden gegooid om te pletter te slaan op de rotsen eronder, waarna ze door wolven en wilde honden werden meegesleept. Tegenwoordig vormde hij een serieus probleem voor schapenboeren die hun uiterste best deden om hun dieren er uit de buurt te houden. Er werd gezegd dat op nachten met harde wind, een stuk of tien schapen de dood in werden gedreven door gezang in de boomtoppen.
Hij besefte dat hij was gestopt met rennen. En dat hij het ijskoud had. Hij moest naar huis, douchen en zich verkleden, en dan naar een lunch voor bejaarden in Goodshaw Bridge. En hij moest een telefoontje plegen. Nog een paar meter en dan kon hij een voetpad langs een akker volgen zodat hij aan het eind van Wite Lane uitkwam.
Hij wrong zich door de opening tussen twee hoge zwerfkeien en liep langs de rand van de akker de heuvel af met zijn ogen naar de grond gericht. Op de hoek klom hij over de lage muur naar het stoppelveld erachter. Binnen een minuut was hij op het laagste punt. Hij sprong over het hek Wite Lane in. Bijna thuis.
In elkaar gedoken voor de verbrande haard van de Royle cottage zat het ma-

gere, trillende lichaam van een meisje. Gillian. Hij kon haar op twintig meter afstand horen huilen. Maar het was niet echt huilen. Kermen. Dat was het enige woord ervoor: een hoog, hartverscheurend droevig gekerm. De Ieren noemden het het lied voor de doden.

43

'Oké, oké.' Hij duwde het hek open en liep het overgroeide pad op. 'Kom op, meisje, tijd om naar huis te gaan.' Hij passeerde de plek waar ooit de voordeur was geweest. Gillian keek niet op. Ze bleef voorover gebogen zitten terwijl ze iets tegen haar borst klemde. Hij zocht zich een weg tussen de rommel door en boog voorover. Toen ze naar hem opkeek moest hij zich inhouden om niet achteruit te deinzen. Even had de blik in haar ogen hem doodsbang gemaakt. Het had even geleken alsof er iets essentieels uit haar was verdwenen.

'Kom,' zei hij. 'Laten we hier weggaan. Kom op, meisje, je bevriest.' Gillian droeg alleen maar een dunne trui en haar pols voelde steenkoud. Hij legde een arm om haar middel en trok haar overeind.

Ze bleef snikken terwijl hij haar het hek uit leidde en half voortsleepte door Wite Lane. Het kerkhof en de straat waren verlaten, alleen zijn auto stond er. Hij duwde Gillian de straat over en opende het portier. Hij deed in Heptonclough zijn auto nooit op slot en zijn sleutels lagen nog in de consistoriekamer, bij zijn kleren. Hij dook de auto in, trok zijn jas eruit en wikkelde die om haar schouders.

'Stap in,' zei hij. 'Ik moet mijn tas ophalen, en dan breng ik je naar huis.'

Rillend rende hij het pad op, trok de sleutel uit de zak van zijn korte broek en opende de deur van de consistoriekamer. Zijn tas lag waar hij hem had achtergelaten. Hij greep een trui en trok hem over zijn hoofd. Hij stond op het punt weer te vertrekken toen hij iets zag waardoor hij bleef staan en zich omdraaide.

Iemand was hier binnen geweest. De deur naar het schip stond open. Dat was niet zo geweest toen hij vertrok, dat wist hij zeker. Harry deed een stap naar voren. Het was vast een van de kerkvoogden geweest, Mike of Sinclair. Zij waren de enigen die nu een sleutel hadden. Maar ze hadden er de laatste paar weken een gewoonte van gemaakt om te vertellen wanneer ze binnen moesten zijn. Hij had ze allebei minder dan een uur daarvoor nog gezien. Geen van beiden had gezegd dat hij van plan was om terug te komen. Maar toch kon het alleen maar...

Hij bleef in de deuropening staan, met een bonkend hart en een gejaagde ademhaling, terwijl hij zich voorhield dat dat het gevolg was van het geren over heuvelachtig terrein. Niet zijn kerkvoogden dus. Mike, noch Sinclair

zou alle knielkussens van de haakjes hebben gehaald om ze door het hele gebouw te smijten. Harry stapte het koor op. Tientallen kussens: op de vloer, tussen de orgelpijpen, op de koorbanken, overal waar ze niet hoorden.
Harry liep naar voren. Hij wist dat het niet alleen de kussens waren, dat hij nog meer zou vinden, en dat het nog maar een kwestie van seconden was voor het zover zou zijn. Hij ademde niet meer te snel, hij had zelfs de grootste moeite om lucht te krijgen.
Er groeide iets in zijn keel, als een walgelijke brok die tegen de wanden drukte en de luchtstroom blokkeerde toen hij het midden van het koor bereikte en zich omdraaide om door het middenpad te kijken. Hij was voorbereid op een schok. Maar niet zo'n grote. Hij was er niet op voorbereid om een klein kind te zien, te pletter gevallen, onder de galerij.
Millie Fletcher! Hij had haar gezien in die trui.
Een paar seconden was het onmogelijk om iets anders te doen dan te staren. Hij kreeg nu helemaal geen lucht meer. Zijn hoofd kon elk moment beginnen te tollen. Hij begon naar voren te lopen, waarbij hij zich vastgreep aan de uiteinden van de banken als een peuter die nog onzeker op zijn benen staat. Toen hij halverwege was besefte hij dat hij trilde van opluchting en niet van angst. En hij kon weer ademhalen. Niet Millie, godzijdank, godzijdank, het kon Millie niet zijn en ook geen ander echt kind, want geen enkel deel van de anatomie van een kind was gemaakt van groenten. O, godzijdank.
Een knol, grof beschilderd met de gelaatstrekken van een kind, lag uit elkaar gespat op de tegels. De rieten constructie van het lijf was in stukken. Het was de kleinste van de knekelpoppen, naar binnen gebracht en aangekleed met Millies trui, of een die er zo op leek dat het bijna geen verschil maakte. De rillingen die door zijn lijf gingen waren nu minder het gevolg van opluchting dan van woede. De boodschap kon niet duidelijker zijn. Dit moest Millie voorstellen, Millie, te pletter gevallen op de vloer van de kerk, zoals bijna was gebeurd op de avond van het oogstfeest, zoals Lucy Pickup eerder was overkomen. Wat was hier in godsnaam aan de hand?

Hoewel hij besefte dat Gillian nog steeds op hem zat te wachten in de auto, liep Harry naar de pop en knielde. Hij kon hem daar gewoon niet laten liggen. Hij stak een arm uit om de stukken bij elkaar te rapen en hield zich net op tijd in.
Bewijs.
Uit de consistoriekamer haalde hij een grote zwarte vuilniszak en de rubber huishoudhandschoenen die door een van de leden van de schoonmaakploeg waren achtergelaten. Hij trok de handschoenen aan en verzamelde alle stukken, inclusief de roze met oranje trui, en stopte ze in de zwarte zak. Toen hij klaar was legde hij een knoop in de zak en stond op.

Dit moest hij de politie laten weten. Een tienergrap of niet, Millie was twee jaar en ze was al eerder in groot gevaar gebracht. Dit was echt niet grappig. En daarbij, ondanks de vernieuwde sloten liep er nog steeds iemand naar believen de kerk in of uit.

Gillian vroeg niet waarom het zo lang geduurd had. Ze leek het nauwelijks te hebben gemerkt. Harry zette de verwarming hoog en reed de heuvel af. Al na twee minuten stopte hij bij het postkantoor annex warenhuis van het dorp. Gillian woonde in de flat erboven.
Ze had zich niet bewogen. Op haar schoot klemde ze een klein, roze speelgoedbeest. Hij zette de motor af en stapte uit de auto. Zijn schouders begonnen pijn te doen.
'Gillian, meisje.' Hij leunde naar binnen, en hoewel hij haar niet echt wilde aanraken vermoedde hij dat het onvermijdelijk was. 'Je bent thuis. Kom op, laten we je naar binnen brengen.'
Ze bewoog zich nog steeds niet. Hij probeerde zijn irritatie te verbergen en schoof een arm om haar schouders. Daarna kwam ze gewillig en zwaar op hem leunend, onhandig de auto uit. Toen ze de straat overstaken zag Harry twee vrouwen naar hen kijken.
De buitendeur was niet op slot. Hij pakte Gillians hand en trok haar de smalle trap met de versleten, vuile traploper op. Bovenaan draaide hij zich om. 'Sleutels? ' vroeg hij. Ze haalde haar schouders op.
Hij duwde tegen de deur, die openzwaaide, en een walm van ongewassen kleren en muffe lucht kwam hem tegemoet. Of de flat was niet veel warmer dan de temperatuur buiten of hij was snel op weg om verkouden te worden.
Hij duwde Gillian in de richting van de bank en liep vlug naar de elektrische kachel. Nadat hij hem op maximaal had gezet draaide hij zich weer om naar de jonge vrouw. Ze zat op de rand van de bank te staren naar de muur voor haar. Het stuk speelgoed in haar handen was een konijn.
'Gillian je hebt een deken nodig. Waar kan ik die vinden?'
Ze antwoordde niet en hij draaide haar de rug toe. Als ze naar zijn gezicht keek zou ze zien hoe geërgerd hij was. Boos op haar, boos op zichzelf, boos op de oude mensen van Goodshaw Bridge die, zelfs nu, op hun horloges zouden kijken, en woest op de zieke ellendeling die dacht dat hij hem bang kon maken door een bundel botten en takken aan te kleden.
Gillians flat was niet groot. Al snel vond hij de keuken en daarna de slaapkamer. Hij ving een snelle glimp op van een vloer bezaaid met kleren, veel lege glazen en een vet bord op het nachtkastje. Hij trok het dekbed van het bed.
In de woonkamer lag Gillian opgekruld op de bank, terwijl ze nog steeds het konijn vastklemde. Hij legde het dekbed over haar heen en liep weer naar de

slaapkamer voor een kussen. Hij propte het onder haar hoofd en ging op zijn hurken zitten zodat hij haar recht aan kon kijken.
'Gillian, ik moet iemand bellen,' zei hij. 'Iemand die voor je kan komen zorgen.'
Zilvergrijze ogen keken hem aan. 'Jij,' zei ze schor. 'Ik wil dat jij voor me zorgt.'
Hij schudde zijn hoofd. 'Ik moet weg. Ik ben al laat en jij hebt iemand nodig die echt voor je kan zorgen, niet een man die je nauwelijks kent.'
Gillian drukte zich op een elleboog omhoog. Ze bracht een hand omhoog naar haar hoofd. 'Blijf,' zei ze, terwijl ze over haar haar streek om het te fatsoeneren. Ze drukte zich nog verder omhoog en stak haar hand uit naar Harry. 'Blijf,' herhaalde ze. 'We kunnen, je weet wel...'
'Zal ik dokter Oliver bellen?' bood hij aan, waarbij hij achteroverleunde op zijn hakken zodat hij net buiten haar bereik was. 'Misschien helpt het als je met haar praat.'
Gillian zat hem nu rechtop op de bank woedend aan te kijken. De make-up was uitgesmeerd over haar wangen. Haar neus was rood van de kou. 'Is zij je vriendin?' vroeg ze.
'Natuurlijk niet,' zei hij. Hoewel dat de waarheid was, had hij het gevoel dat hij loog. 'Ik heb haar maar een paar keer ontmoet.' Nee, dat was niet goed genoeg. Het was oneerlijk ten opzichte van hen alle drie. 'Maar ik mag haar wel graag,' voegde hij eraan toe.
'Ik dacht dat je mij graag mocht,' jammerde ze.
'Dat is ook zo,' antwoordde hij. Wanneer had ze zijn hand te pakken gekregen? Hij moest zich op veilige afstand terugtrekken.
'Ik zou heel snel beter kunnen worden als ik jou had, dat weet ik zeker.'
Hij moest het zeggen. Ze moest weten dat dat nooit zou gaan gebeuren.
'Gillian, ik weet hoe moeilijk het vandaag voor jou geweest moet zijn, toen je al die mensen zag die graven gingen bezoeken, en die anderen om zich heen hadden om ze te troosten. Geloof me, ik weet hoe het is om alleen te zijn.'
'Ik ben geen slet, hoor. Er is niemand anders geweest na Pete.'
'Daar twijfel ik niet aan. Maar geloof me, dit is niet de manier om het verlies van Hayley te verwerken. En je huisarts dan?'
Het lukte niet. Ze haalde diep adem om...
'Je snapt er niks van!' schreeuwde ze.
Ze had gelijk. Hij snapte er niks van. Hij wist zich absoluut geen raad.
'Een vriendin dan?' bood hij aan. 'Is er iemand die in de buurt woont?'
'Ze laat me niet met rust,' zei Gillian tegen een punt ergens midden op zijn borst.
'Wie niet? Bedoel je Hayley?'

Ze knikte. 'Ze is dood, dat weet ik,' zei ze. 'Dat weet ik al heel lang, maar ze wil niet weggaan.' Ze greep zijn hand weer. 'Ze achtervolgt me.'
'Gillian...'
Haar hoofd schoot omhoog. Er was angst in haar ogen te lezen. 'Alsjeblieft, help me,' smeekte ze. 'Jij kunt iets doen. Dat weet ik. Zorg dat ze weggaat. Jij kunt – hoe noem je dat – exorcisme doen.'
Het meisje draaide door. Ze had dringend hulp nodig.
'Gillian, ik ga iemand bellen. Je kunt niet...'
'Luister naar me.' Ze greep nu zijn beide handen, liet zich van de bank vallen en knielde voor hem neer. 'Dit is de Dag van de Doden, toch? Als verdwaalde zielen hun weg naar de hemel niet kunnen vinden, komen ze terug naar waar ze gewoond hebben. Ik heb daar nooit in geloofd, maar nu wel. Ze was hier vandaag. Ze heeft haar speelgoedbeest, het roze konijn, in ons oude huis gelegd. Ik heb het net gevonden, waar het fornuis in de keuken heeft gestaan.'
'Gillian...'
'Ze praat de hele tijd tegen me. Ik hoor haar stem die "mammie, mammie, help me," roept. Het maakt niet uit waar ik ben. Hier, als ik slaap, op de hei, ze is er altijd, en ze praat steeds tegen me. "Mammie, mammie," zegt ze, "zoek me." Ze verplaatst dingen, hier in de flat, en laat kleine cadeautjes voor me achter. Elke keer als ik me omdraai denk ik dat ze er zal zijn, in haar Beatrix Potter-pyjama, net als de laatste keer toen ik haar zag.'
Harry merkte dat hij trilde.
'Ze is elke dag bij me. Ze maakt me stapelgek.'
'Gillian, je weet toch dat er geen geesten bestaan?'
Er klonk een luid gebonk op de buitendeur.
'Ga zitten,' zei hij. 'Ik ga kijken wie dat is.' Ze hield nog steeds zijn hand vast. Ze klemde zich eraan vast alsof ze hem niet los wilde laten, maar Harry liep naar de deur en ze had weinig keus. Opgelucht dat hij bij haar uit de buurt was, al was het maar een paar minuten, rende hij de trap af en trok de deur open. De vrouw van middelbare leeftijd met het roodgeverfde haar stond buiten.
'Dominee.' Ze knikte en liep naar voren. Ze verwachtte duidelijk dat hij opzij zou gaan en haar binnen zou laten. 'Edith Holcombe heeft me gebeld,' zei ze. 'Ze zag dat u Gillian thuisbracht. Ze zei dat ik waarschijnlijk maar beter hiernaartoe kon gaan.' Ze deed nog een stap naar voren.
'Bent u een vriendin van Gillian?' vroeg Harry. Was er dan toch versterking gearriveerd?
'Ik ben haar moeder. Gwen Bannister. Prettig u te ontmoeten, dominee. Maakt u zich verder geen zorgen. Ik zal wel voor haar zorgen.'
Haar moeder? O, godzijdank.

'Nou, als dat zo is...' Had hij boven iets laten liggen? Maakte het iets uit? Zaten zijn sleutels in zijn zak? Ja.
'Ze is heel erg van streek,' zei hij, omdat hij niet wilde dat iemand onvoorbereid die trap op zou gaan. 'Ik denk dat ze misschien een dokter nodig heeft.'
'Ik weet het, ik weet het, ik heb het allemaal al eens meegemaakt.' De vrouw had zich langs hem heen gewerkt en was al halverwege de trap. 'Ik heb ook een kind verloren, en ben ik ingestort? Wij hadden in die dagen meer ruggengraat.'
Kon hij weggaan? Absoluut.
Zonder om te kijken glipte hij de deur uit en rende de straat over naar zijn auto. Hij had zijn jas achtergelaten maar dat had hij er wel voor over. Hij keek op zijn horloge. Als hij reed alsof alle duivels uit de hel hem op zijn hielen zaten en hij minder dan twee minuten onder de douche zou doorbrengen, zou hij toch nog twintig minuten te laat zijn. Hij had absoluut geen tijd meer te verliezen.
Dus waarom pakte hij dan zijn telefoon?

Duchess' hoeven klakten op het beton van de binnenplaats toen Evi's telefoon begon te rinkelen. Ze stak een hand in de zak van haar jas en keek op het schermpje. O!
'Evi Oliver,' zei ze, terwijl ze Duchess dichter naar haar box stuurde.
'Hoi, met Harry Laycock,' zei de stem aan de telefoon. Ze had geweten wie het was. Zijn naam had op het digitale schermpje gestaan. Alleen maar dat ene woord: Harry.
'O, goedemorgen.' Was dat goed, vriendelijk maar met een vage toon van verrassing? 'Hoe gaat het met je?'
'Goed,' zei hij. 'Ik heb een beetje haast. Luister, ik heb zitten denken. Dat vreugdevuur. Ik denk dat je moet komen. Ik bedoel, ernaartoe gaan. Met mij.'
Hij vroeg haar mee uit. Of niet? 'Je hebt gezegd dat je er helemaal niet in de buurt wilde komen,' antwoordde ze.
'Ik ben van gedachte veranderd. Er is hier iets aan de hand wat niet helemaal normaal is, Evi, en ik moet weten wat het is. En als je echt tot op de bodem wilt uitzoeken wat er met Tom Fletcher aan de hand is, dan neem ik aan dat jij dat ook wilt.'
Ze kon hem zien? Die avond? 'Ik weet het niet, Harry,' zei ze. 'Het lijkt een beetje...'
'Ik kan je oppikken om halfzeven en je ernaartoe rijden. En je over het ruwe terrein helpen. Niet dat je hulp nodig hebt, dat begrijp ik volledig. En het zou geen afspraakje of zoiets zijn. Strikt professioneel; je weet wel, werk, voor ons allebei.'

'Dank je, ik weet wat professioneel betekent. Ik was van plan om te zeggen dat het een beetje opdringerig lijkt. De Fletchers denken misschien dat ik ze bespioneer. Het is heel belangrijk dat het vertrouwen niet wordt verstoord als je met een gezin werkt.' O, hou toch op, stomme trut, straks gelooft hij je nog.
'Ik heb al met Alice gesproken. Ze vindt het prima. En we zijn allebei uitgenodigd om na afloop te komen eten, maar ik herhaal: het is beslist geen afspraakje.'
'Ja, dat had ik al begrepen. Ik snap het.' Een afspraakje met Harry. Ze had een afspraakje met Harry. Duchess begon achteruit te stappen van de box en draaide rond op het beton. 'Luister, je overrompelt me een beetje hiermee,' zei Evi. 'Het is misschien een goed idee, maar ik moet eerst zelf even met Alice praten. Kan ik je vanmiddag terugbellen?'
'Natuurlijk. Maar nu moet ik rennen. Spreek je later.'
Hij was weg, en wat moest ze in hemelsnaam aantrekken?

44

Zo snel als hij kon, waarbij hij wel goed uitkeek of er misschien niet ergens iemand verstopt zat, rende Tom de ingang naar het kerkhof door, om de ruïnes, langs de kerk, de begraafplaats op, en dook toen achter een grafsteen om weer op adem te komen.

Het was halfvijf en hij en Joe waren net uit school gekomen. Een paar oranje en roze strepen in de lucht gaven aan waar de zon nog geen vijf minuten eerder had gestaan. Het wolkendek werd snel dikker. Het licht zou nu heel gauw afnemen. Hij had niet veel tijd.

Hij liep weer verder, zo dicht mogelijk langs de scheidingsmuur. Als er iets gebeurde kon hij er binnen een paar seconden overheen zijn en door de achterdeur naar binnen vluchten. Ze was snel, dat wist Tom, maar hij was ook snel.

Bij het graf van Lucy Pickup kroop hij weer in elkaar. Iemand had er een bosje roze roosjes op gezet en – en dat zag er eigenlijk zo droevig uit – een kleine, lichtbeige teddybeer met een roze lint om zijn nek. Hij herinnerde zich toen weer waarom het dorp vanavond het vuur aanstak in plaats van op de vijfde november; de tweede dag van november was de Dag van de Doden. Harry had hen er alles over verteld. Het was de dag waarop mensen iedereen herdachten en eerden van wie ze hielden en die nu dood was. In Heptonclough gingen mensen naar hun graven, baden voor hen en lieten cadeautjes achter. Ze eren hun doden in Heptonclough, had Harry gezegd.

Tom keek om zich heen. Er was nog genoeg licht. En hij was heel dicht bij de muur.

Taxusbomen zijn niet geschikt om in te klimmen, iedereen kon je dat vertellen. Ze worden niet zo hoog en hun takken worden niet dik genoeg. Maar deze boom had een sterke tak die over de tuin van de Fletchers hing. Als Tom voorzichtig was, als hij niet bang was voor een paar schrammen, dan kon hij er wel op komen.

Hij had ongeveer tien tot vijftien minuten. Zijn moeder dacht dat hij huiswerk zat te maken en ze had Joe en Millie verboden bij hem in de buurt te komen. Een kwartier was misschien wel genoeg.

Toen hij omhoog klom schrok Tom ervan dat er zoveel van zijn huis te zien was vanuit de boom. Hij kon Joe over de rugleuning van de bank zien kruipen met zijn machinegeweer onder zijn arm. Hij kon zelfs een heel groot deel

van de kamers op de bovenverdieping zien. Daar was zijn moeder in de badkamer, die een luier voor Millie uit een kast pakte. En hij begon zich af te vragen of ze hier, op deze tak, naar hen zat te kijken? Taxusbomen verliezen nooit hun blad. Als ze heel stil bleef zitten hierboven, dan kon ze uren naar zijn familie kijken zonder dat zij er ook maar iets van in de gaten hadden.
Om zijn nek, onder zijn trui om hem te beschermen, had hij de digitale camera van zijn vader. Hij wist hoe hij de flits moest gebruiken, hoe hij moest scherpstellen en hoe hij in- en uit- kon zoomen. Hij had het gisteravond allemaal geoefend terwijl hij foto's nam van Millie die door de kamer danste, en toen had zijn vader hem laten zien hoe hij ze kon downloaden op zijn computer. Tom was van plan om te wachten tot het meisje verscheen, zodat hij foto's van haar kon maken. Zo veel mogelijk. En dan zouden ze hem wel moeten geloven. Als hij ze foto's kon laten zien, zouden ze weten dat hij de waarheid had verteld. Dat hij niet gek was. En het fijnste was, híj zou weten dat hij niet gek was.
Over een paar uur kon het allemaal voorbij zijn.

45

'En wat staat er op het programma, dominee? Eerst een paar voodooceremonies, gevolgd door het onderdeel ritueel offeren, een korte pauze voor een hotdog en daarna het opstaan van de zombies rond middernacht?'

'Ik geloof niet dat je dit echt serieus neemt,' antwoordde Harry, terwijl hij Evi om twee meisjes leidde die zich midden op straat aan elkaar vastklemden. Een van hen had de glazige gezichtsuitdrukking van iemand die zwaar dronken is. Voor hen ontplofte roze en groen vuurwerk in de lucht. Even zag hij de vonken reflecteren in de wolken. Toen was het weer donker.

'Zeker wel,' zei Evi. 'Ik heb in mijn eerste jaar een project gedaan over massapsychologie. Ik wil het heel graag eens echt meemaken.'

Een jongen van rond de twintig dook op uit een van Heptoncloughs talrijke steegjes en schoot op hen af. Een onaangestoken sigaret bungelde in zijn mondhoek. 'Hebbie vuur?' vroeg hij, en keek toen Harry aan. 'O, sorry, dominee.' Hij strompelde weg, de heuvel af. Evi lachte zacht.

Het was drukker in het dorp dan Harry ooit eerder had meegemaakt en hij was gedwongen geweest om bijna een halve kilometer heuvelafwaarts te parkeren. Hij had aangeboden Evi af te zetten bij de kerk, zodat ze op hem kon wachten op de schaapherdersbank, maar ze had geweigerd en nu liepen ze samen met een heleboel andere mensen de heuvel op naar het veld waar het vuur zou worden aangestoken. Het rook sterk naar buskruit en smeulend hout.

Voortdurend werden ze gepasseerd door mensen die sneller konden lopen. De meesten draaiden zich om en knikten, wensten hem goedenavond en keken nieuwsgierig naar Evi. En hij kon het ze niet kwalijk nemen. Met haar donkerblauwe gewatteerde jas, die precies dezelfde kleur had als haar ogen, en een bijpassende hoed, was ze waarschijnlijk het mooiste meisje dat ze in lange tijd hadden gezien.

'Wat is je tot dusverre professioneel gezien opgevallen?' vroeg hij.

Evi rekte zich uit om rond te kijken en keek hem toen aan. 'Alles wat je kunt verwachten,' zei ze. 'Kinderen zijn opgewonden, en daardoor lastig. Dat maakt de ouders prikkelbaar; ze zijn bang ze in het donker kwijt te raken, en daarom zijn ze overbezorgd, en een beetje bang. Dat uit zich in een slecht humeur.'

Daar was die kleine sproet weer, vlak onder haar rechteroor.
'De oudere kinderen zullen meer drinken dan gebruikelijk,' ging ze verder. 'Degenen die oud genoeg zijn om te mogen drinken gaan naar de pub. De jongere kinderen zullen op allerlei donkere plekjes flessen cider verstopt hebben. De kans op ruzies, zelfs geweld, is groot, maar waarschijnlijk pas over een paar uur.'
Als hij die sproet kuste, dan zou hij haar oorschelp tegen zijn wang kunnen voelen en haar haar zou langs zijn neus kriebelen.
'Het grootste probleem,' zei ze, 'is dat gebeurtenissen als deze een zekere verwachting wekken. Iedereen wacht tot er iets gaat gebeuren. Maar de problemen beginnen als de mensen op de een of andere manier teleurgesteld worden, omdat ze een uitlaatklep nodig hebben voor hun frustratie. Luister je eigenlijk wel naar me?'
'Zeker wel,' zei hij, hoewel hij wist dat hij grijnsde als een gek. 'Hebben we het nog steeds over het vuur?'

De Fletchers gingen iets voor zevenen van huis, dik ingepakt in hun warmste kleren. Millie zat bij haar moeder op de arm, Joe zat op de schouders van zijn vader en Tom had diverse keren van beide ouders te horen gekregen dat ze zijn tenen zouden afhakken als ze hem ook maar een seconde uit het oog verloren. De camera hing om zijn nek.
Hij had twintig minuten de tijd gehad op het kerkhof voor zijn moeder bij de achterdeur was verschenen en hem had geroepen. Hij was over de muur geklauterd en de tuin door gerend, met een hand over de camera om hem te beschermen. Zodra zijn moeder het verwachte standje had uitgedeeld, had Tom haar verteld dat hij foto's had genomen van de zonsondergang voor een schoolproject. Ze leek het prima te vinden. Net als hij. Die twintig minuten waren niet verspild geweest. O, nee. Helemaal niet.

Toen ze boven aan de heuvel waren, vermoedde Harry dat Evi moe begon te worden. Ze praatte minder en haar tempo was duidelijk gedaald. Waarom had ze zich niet door hem naar boven laten rijden? Zou ze woest worden als hij voorstelde om een moment te stoppen en wat uit te rusten?
'Kunnen we even gaan zitten?' vroeg Evi.
Schattig, maar zo koppig als een ezel. Ze zou zo ontzettend lastig zijn; het was belachelijk dat hij zo gelukkig was. Hij loodste haar in de richting van de schaapherdersbank en ze gingen allebei zitten. De meeste dorpsbewoners waren Wite Lane al ingelopen. Hij hoorde het geraas en het geknetter van het vuur en zag een vage, oranje gloed boven de huizen. Toen hij zich omdraaide om naar boven te kijken zag hij dat alle knekelpoppen weggehaald waren bij de abdij. Behalve de pop die hij een paar uur geleden aan hoofdinspecteur

Rushton had gegeven. De pop die de komende dagen zou worden onderzocht op vingerafdrukken en andere sporen. Hij en Rushton waren het erover eens geweest dat ze niets tegen de Fletchers zouden zeggen tot ze meer wisten.

'Ging het goed met Alice toen je haar sprak?' vroeg Harry. Zijn dag was behoorlijk hectisch geweest en hij had de telefoon niet aan kunnen nemen toen Evi hem eerder had gebeld. Met een kort bericht had ze hem laten weten waar hij haar op kon halen.

'Ja, dat geloof ik wel.' Evi was nog steeds een beetje buiten adem, haar wangen waren roze. 'Ze leek er tamelijk van overtuigd dat alle kinderen naar het vuur wilden. Tom heeft kennelijk veel belangstelling voor fotografie ontwikkeld en hij wil een paar mooie opnamen maken. En een van haar vriendinnen uit het dorp heeft verteld dat er niks griezeligs gaat gebeuren.'

'Er is voor alles een eerste keer,' mompelde Harry.

'Sorry?'

Harry schudde zijn hoofd. 'Niets, ga verder.'

'Dus we hebben besloten dat het, zolang er niets gebeurt waar ze door van streek raken of bang van worden, goed voor ze is om dingen te doen als gezin. En daarna wilde ze per se dat ik na afloop met jullie mee at. Ze is heel lief.'

'Leuk u te zien met een jongedame, dominee.'

Harry keerde zich van Evi naar drie oudere vrouwen, waaronder degene die eerder zijn benen had bewonderd. Ze keek van hem naar Evi met een gemeen lachje op haar gezicht. 'Ik zeg altijd al dat dominees getrouwd moeten zijn,' ging ze verder. Dat was geen grijns, dat was een wellustige blik. Evi grinnikte zacht naast hem en hij voelde zijn wangen rood worden. Gelukkig was het donker.

'Nee, nee, mevrouw Hawthorn,' riep hij. 'Dokter Oliver is een collega. Allemaal strikt professioneel.'

Minnie Hawthorns twee vriendinnen hadden zich bij haar gevoegd. Alle drie stonden ze naar hem te lachen alsof het een soort pantomime-uitvoering was van *Macbeth*. Heks Hawthorn keek naar Evi, en toen weer naar Harry. 'Ja, ja, jongen,' stemde ze in, knikkend met haar hoofd onder de wollen muts. 'Dat kan ik wel zien.'

Giechelend liepen de drie verder achter de menigte in Wite Lane aan. Minnie Hawthorn wierp hem op het laatste moment nog een blik toe. Knipoogde ze nou naar hem?

'Je kunt die oude wijfies ook niet voor de gek houden,' mopperde Harry.

'We moeten verder,' zei Evi. 'Het gaat wel weer. En we hebben de Fletchers nog niet gezien.'

'Wacht even. Nu ik eindelijk je volledige aandacht heb wil ik je nog iets vertellen wat je moet weten.'

Ze schrokken allebei van een luide klap. Een gouden fontein schoot boven Evi's hoofd de lucht in en verdween in de steeds dikker wordende wolken. In de korte lichtflits stonden de muren van de abdijruïne scherp afgetekend. Ze leken vreemd leeg zonder de knekelpoppen, hoewel er eentje achtergelaten leek te zijn.
Harry sloeg zijn ogen weer neer om Evi recht aan te kijken. 'Ik kwam Gillian vandaag tegen,' zei hij.
Zoals te verwachten verstrakte haar gezicht. Ze deed haar mond open maar hij stak een hand op om haar tegen te houden. 'Ik weet dat je niet over haar mag praten,' zei hij. 'Maar er is geen reden waarom ík dat niet zou mogen. Jij hoeft alleen maar te luisteren.'
Ja, er was beslist een van de knekelpoppen achtergebleven in de ruïne. Hij kon een figuur in het raam van de toren zien. Hij moest zich concentreren, dit was belangrijk. Hij dwong zichzelf naar Evi te kijken, wat niet al te moeilijk was. 'Ze was bij haar oude huis, bijna hysterisch,' zei hij. 'Ze klemde een speeltje van haar dochter tegen zich aan. Ik moest haar naar huis brengen, maar ze kon helemaal niks. Een paar minuten later arriveerde haar moeder en dat was...'
'Haar moeder?'
'Ja. Ik ben haar vandaag voor het eerst tegengekomen. Ze vond het prima om het van me over te nemen, dus ik ben vertrokken. Maar wat ik wil zeggen is, we dachten allemaal dat het beter ging met Gillian. De mensen zeggen dat ze de laatste weken enorm vooruitgegaan is, eigenlijk vanaf het moment dat ze naar jou gaat, maar vandaag heb ik me zorgen gemaakt. De manier waarop ze over haar dochter praat lijkt niet normaal. Ze zei dat het meisje haar achtervolgde. Ze wilde dat ik aan exorcisme zou doen.'
Evi keek naar de bank. Hij kon haar ogen niet zien. Weer ging er een vuurpijl de lucht in. Hij had zich vergist wat betreft de knekelpop. Het raam van de toren was leeg.
'Ik vond dat je het moest weten,' zei hij.
'Dank je,' zei Evi tegen de bank.
Harry haalde diep adem. 'En ook wil ik zeggen,' zei hij, 'dat het natuurlijk vanzelf spreekt dat, zelfs als ze niet ernstig emotioneel beschadigd zou zijn en duidelijk professionele hulp nodig had, ik er nog in geen miljoen jaar ook maar aan zou denken om... Moet ik het echt zeggen?'
'Nee,' fluisterde Evi.
'Dank je.'
'Maar...' Ze keek op.
'Waarom is er altijd een maar?' vroeg Harry, en hij vroeg zich af of hand in hand lopen als onprofessioneel zou worden opgevat.
'Laten we zeggen dat er, hypothetisch gezien, sprake zou kunnen zijn van een

potentiële belangenverstrengeling bij mijn behandeling van een patiënt,' zei Evi. 'De correcte gang van zaken zou zijn dat ik een collega zoek die geschikt is om de behandeling over te nemen. Maar dat kan niet altijd op korte termijn. En er moet rekening worden gehouden met de wensen van de patiënt. Misschien willen ze niet worden doorverwezen. En zolang iemand mijn patiënt is, gaan zijn of haar belangen bij mij voor.'

'Begrepen.' Harry stond op en stak zijn hand uit naar Evi. Ze nam hem aan, stond op en pakte toen zijn arm weer. Ze staken de nu lege straat over en liepen Wite Lane in.

De knekelpoppen stonden in een kring om het vuur. Ze werden overeind gehouden door in het zwart geklede mensen met zwarte verf op hun gezicht. 'Het is alleen maar gezichtsverf,' zei Toms moeder steeds maar weer en tegen niemand in het bijzonder. 'Kijk dat is meneer Marsden van de behangwinkel.' Tom wist dat zijn moeder het goed bedoelde maar dit was niet nodig. Hij wist dat het mensen in zwarte kleren waren. Maar als ze in de schaduw bleven waren ze nauwelijks te zien. Toen ze een paar minuten eerder voorbij waren gelopen, was het net geweest alsof de knekelpoppen uit zichzelf bewogen. Nu stonden ze om het vuur, de knekelpoppen voorop, hun schaduwen erachter. De mensen uit het dorp stonden er op enige afstand in een grote cirkel omheen. Tom en zijn familie waren op straat blijven staan. Joe zat nog steeds op zijn vaders schouders en Tom stond op de muur, vlak achter zijn moeder, die begon te mompelen over hoe lang het nog zou duren voor het begon te regenen. Hij kon gemakkelijk over de hoofden van de menigte naar de kring van knekelpoppen en het vuur in het midden kijken. Het was absoluut het coolste wat hij ooit gezien had.

Hij vond het moeilijk om zijn ogen zelfs maar voor een seconde af te wenden, maar hij moest blijven rondkijken. Ze was hier ergens, hij wist het zeker. Dit zou ze niet willen missen.

Toen Harry en Evi de straat overstaken racete een in het zwart geklede jongen met een zwart gezicht op een fiets voorbij. Aan het stuur zaten glinsterende versieringen. Hij keek vuil naar Harry, en racete toen de heuvel af.

'Een vriend van je?' vroeg Evi.

'Niet echt,' antwoordde Harry. 'Dat is Tom Fletchers grootste vijand, Jake Knowles. Ik heb hem in de problemen gebracht op de dag dat ik hier arriveerde. Hij heeft het me nooit vergeven. En hij is de voornaamste verdachte in die toestand met Millie op de galerij in de kerk.' Harry dacht even na. Was Jake Knowles verantwoordelijk voor de pop met Millies trui aan in de kerk? Het was abnormaal gedrag, zelfs voor een jeugdige misdadiger.

'Ik geloof dat het een van de jongens is die Duchess aan het schrikken heb-

ben gemaakt op de dag dat ik viel,' zei Evi. 'Ik herkende de fiets.'
'Dat verbaast me niks.'
Er waren geen lantaarns in Wite Lane. Ouderwetse toortsen met echte vlammen waren aan de muren en hekken bevestigd om de weg te verlichten. Harry kon de petroleum ruiken toen ze er voorbijliepen. Toen de keien overgingen in gras struikelde Evi en viel tegen Harry aan.
'Ik denk dat het makkelijker voor je is als ik mijn arm om je middel leg,' bood hij aan.
'Leuk geprobeerd, dominee. Ik heb een paar drankjes nodig voor ik daar in trap.'
'Ik dacht dat je niet dronk.'
Ze glimlachte ondeugend. 'Ik zei dat ik het niet mocht. Ik heb nooit gezegd dat ik het niet deed.'
Harry lachte. 'Eindelijk, mijn dag begint er beter uit te zien.'

Geen spoor van haar tot dusverre, maar Tom wist dat ze extra voorzichtig zou zijn met al die mensen in de buurt. Ze zou ergens in de schaduw zitten, achter een muur, misschien op een laag dak. Door via de lens van de camera te kijken kon hij beter zoeken. Er was minder kans om afgeleid te worden en niemand kon zien dat hij iets anders deed dan wachten op een goed moment voor een foto. Hij stond nog steeds op de muur. Hoe mensen dichter bij het vuur konden staan dan hij was Tom een raadsel. De hitte op zijn gezicht was net te harden, maar de menigte op het veld stond maar een paar meter van de loeiende vlammen. De zwarte mannen stonden er zelfs nog dichter bij, en helemaal vooraan – hoewel hij aannam dat zij geen last hadden van de hitte – stonden de knekelpoppen. Waar wachtten ze op? Harry en Evi waren inmiddels gearriveerd en ze stonden daar met zijn allen, en ze wachtten.

Harry begon te begrijpen wat Evi bedoelde met een gevoel van verwachting. Hij zag het op de gezichten om hem heen, als mensen in de rij bij een uitverkoop die wachten tot de deuren van de winkel open gaan. Ze probeerden te praten met hun buren, deden hun best om ontspannen te kijken, maar hun ogen bleven terugkeren naar de lugubere rij poppen op het veld, die toch bijna in de fik moesten vliegen zo dicht bij het vuur. Ze leken zelfs nog dichterbij te staan dan toen hij en Evi net waren gearriveerd, alsof het vuur ze naar zich toe trok. Een plotselinge beweging rechts van hem trok zijn aandacht. Hij draaide zich om. Gillian stond op een paar meter afstand, heel dicht bij het hek naar haar oude huis en staarde hem recht aan. Ze droeg zijn jas.

De knekelpoppen kwamen steeds dichter bij het vuur. Tom had er geconcentreerd naar gekeken. Hij had zelfs de camera om zijn nek laten zakken. Heel langzaam zetten de mensen die ze vasthielden kleine stapjes vooruit. Hoe konden ze? Hoe konden ze de hitte verdragen? Het lawaai van de menigte nam ook af. De mensen leken een voor een stil te worden en keken toe hoe de knekelpoppen geleidelijk dichter bij de vlammen kwamen.

'Harry, luister.'
Evi praatte op zachte toon tegen hem. Hij had moeite haar te verstaan boven het geraas van het vuur. Hij wendde met moeite zijn blik af en boog zich naar haar toe.
'Ik heb geen goed gevoel,' zei ze in zijn oor. 'Er gaat iets gebeuren.'
Hij ging weer rechtop staan en keek naar het vuur. Het leek wel alsof het hele dorp er in een wijde kring omheen stond. Een tiental mensen, waaronder hij en Evi, Gillian en de Fletchers, stonden nog op straat. 'Wat?' vroeg hij, terwijl hij zich weer naar haar toe boog. 'Wat gaat er gebeuren?'
'Ik denk dat ze de spanning opbouwen voor een of andere roekeloze stunt,' zei ze. 'Volgens mij weten de meeste mensen hier wat het is en ik denk dat het soms verkeerd afloopt. Ik heb vanavond al twee mensen gezien met ernstige littekens van brandwonden op hun gezicht. En de mensen zijn nerveus. Kijk maar.'
Ze had gelijk. Stellen waren dichter bij elkaar gaan staan. Ouders hielden hun kinderen stevig vast. Mannen met glazen bier in hun hand dronken niet meer. Alle ogen, behalve die van Evi, waren gericht op het vuur. Op de mannen die er omheen stonden.

Ze wachtten, Tom wist niet waarop. Hij probeerde niet langer foto's te maken want hij wilde niets missen van wat er ging gebeuren. Vlakbij begon een kind te huilen, heel even dacht hij dat het Millie was. Nog drie, misschien vier stapjes en de knekelpoppen zouden bij het vuur zijn. Ze waren gemaakt van stro en oude lappen, hoe konden ze in hemelsnaam...
Een pop vloog in brand. Hij was vermoedelijk geraakt door een wegspattende vonk, want wat kort geleden nog een menselijke vorm was geweest was nu een massa vlammen die hoog in de lucht werd gehouden.
'Wij eren de doden!'
Tom wist niet waar de kreet vandaan kwam, maar terwijl hij over de heide schalde werd de brandende pop hoog de lucht in gegooid. Hij landde bijna midden op het vuur en was binnen een paar seconden opgeslokt. Hoger op de heide, misschien bij de Morrell Tor, stak iemand een vuurpijl af. Hij schoot de lucht in en het leek alsof de ziel van de dode man opsteeg.
Weer vloog een knekelpop in brand en werd in het vuur gegooid. Opnieuw een vuurpijl. Toen een derde knekelpop, en een vierde. Meer vuurpijlen. De menigte zag hoe de knekelpoppen een voor een vlam vatten en op het vuur

werden gegooid. Elke keer wanneer er een de lucht in ging, weerklonk dezelfde kreet.
'Wij eren de doden!'
Sommige knekelpoppen hadden waarschijnlijk vuurwerk in hun zakken gehad want er schoten in alle richtingen gekleurde vonken uit het vuur. Mensen in de menigte begonnen te gillen en draaiden zich om. Vlak voor Tom tilde zijn vader Joe van zijn schouders en zette hem op de grond. Alice, met Millie op haar arm, deed een stap achteruit en Tom voelde dat zijn vader hem van de muur trok. Toen zakte het vuur in de grond.

'Wat in vre...?'
Harry liep naar voren en liet Evi bij de muur achter. Hij was zich er vaag van bewust dat Gareth Fletcher zijn gezin instrueerde te blijven staan waar ze stonden. De twee mannen liepen snel naar voren tot ze op de omheining konden gaan staan om het beter te kunnen zien.
'Ik kan mijn ogen gewoon niet geloven,' hoorde Harry zichzelf zeggen.
'Hoe hebben ze dat in vredesnaam voor elkaar gekregen?' vroeg Gareth.
Waar nog maar een paar seconden eerder het vuur had geraasd was nu een groot, gapend gat in de grond. Het vuur was een kuil vol vlammen geworden. Kleurige vonken van vuurwerk schoten alle kanten op en Harry kon nog verschillende mensachtige figuren ontdekken.
'Ik denk dat we net het voorgeborchte naar de hel hebben gezien,' zei Gareth.
Harry zag dat de mannen die de poppen hadden vastgehouden, zich eindelijk omdraaiden van het vuur. Ze kregen schoppen van toeschouwers aangereikt en begonnen aarde die al in grote hopen klaar lag op het vuur te scheppen. Anderen hielpen, soms met een schop, soms met hun blote handen.
'Ze hebben het vuur over een kuil gebouwd,' zei Gareth. 'Ze moeten er een soort vloer overheen hebben gelegd waarop ze het vuur hebben gebouwd. Toen de fundering doorbrandde stortte het hele zaakje in.'
'Ze begraven de doden,' zei Evi. Harry draaide zich verwonderd om. Ze stond naast hem op de omheining. Even vroeg hij zich af hoe haar dat gelukt was en toen besefte hij dat een vrouw die een paard kon bestijgen waarschijnlijk ook wel op een hek kon komen. 'Kijk maar wat ze doen, ze gooien aarde op de beenderen. Dat doen we ook bij een begrafenis.'
'Ik heb nog nooit zoiets raars gezien,' zei Gareth. 'Wat vind jij ervan, dok?'
Evi leek even na te denken. 'Persoonlijk,' zei ze, 'ben ik blij dat het niet erger was.'

46

De rolgordijnen voor de ramen waren nog open. Dat gebeurde niet vaak meer. Meestal trok Tom ze al dicht voor het helemaal donker was. De hele familie, behalve Millie, was in de keuken. De vader stond het dichtst bij het raam, te praten met de man die voor de kerk zorgde. Aan de tafel zat een jonge vrouw met donker haar en grote ogen. Ze zaten te drinken en te praten. Ze zagen er gelukkig uit. Waar was Millie?

Tom was op het aanrecht geklommen. Hij staarde naar buiten de duisternis in. Toen stak hij een hand uit en trok aan het touwtje waardoor het rolgordijn naar beneden zakte. Het tafereel verdween.

Hadden ze de deur op slot gedaan?

47

'Ik kan niet geloven dat Jenny me daar niet voor gewaarschuwd heeft,' zei Alice.

'Misschien wilde ze de verrassing niet bederven,' zei Gareth. 'Tom kom daar eens af. Wat wil je drinken, Evi?'

Gareth draaide zich van zijn oudste zoon naar Evi, waardoor Tom net genoeg tijd had om het rolgordijn voor het keukenraam te laten zakken. Hij zag dat Evi naar hem keek toen hij naar het andere raam liep, opnieuw op het aanrecht klom en hetzelfde deed. Had hij gecontroleerd of de voordeur wel op slot was?

'Mogen wij volgend jaar ook een knekelpop?' vroeg Joe, voor misschien wel de tiende keer die avond. Joe dacht altijd dat als hij een vraag maar vaak genoeg stelde, hij vroeg of laat wel het antwoord kreeg dat hij wilde. Vaak lukte het.

'Niet als het betekent dat de ballen van je vader worden geroosterd,' zei Alice, waarna Joe hard begon te giechelen. Hij kon dat woord niet horen zonder in de lach te schieten. 'Ik denk dat er vanavond heel wat geschroeide wenkbrauwen zijn in Heptonclough.'

'Om niet te zeggen andere lichaamsdelen,' zei Harry. 'Dank je.' Hij nam een blikje bier aan van Toms vader, trok het open en dronk rechtstreeks uit het blikje.

'Kom op, Joe,' zei Alice, 'het is tijd voor jou om naar boven te gaan. Tom, jij hebt nog een kwartier.'

'Ik wil eerst nog naar mijn foto's kijken,' zei Tom.

'Heb je een paar mooie gemaakt?' vroeg Evi.

Plotseling bedacht Tom iets. 'Ik denk het wel,' zei hij. 'Wilt u ze samen met mij bekijken?'

Toms moeder draaide zich om in de deuropening. 'Tom, liefje...' begon ze.

'Graag,' zei Evi. 'Als jij dat goed vindt, Alice?'

'Natuurlijk,' zei Alice. 'Maar de computer is boven, is dat een probleem?'

'Nee,' zei Evi, terwijl ze opstond. Ze pakte haar stok en maakte aanstalten om achter Tom de kamer uit te lopen.

'Kun je...' begon Harry.

'Ja,' zei Evi, terwijl ze hem aankeek op een manier die naar Tom veronderstelde bozig moest zijn, maar echt, als ze dacht dat dat indruk zou maken dan kon ze nog wel iets leren van zijn moeder.

Tom rende de trap op en Evi volgde hem. Hij hoorde de zachte tik van haar stok op elke tree. Tegen de tijd dat hij boven was kon hij haar ademhaling horen. Zijn moeder had hem verteld dat Evi waarschijnlijk vaak pijn had en dat het heel dapper van haar was om het niet te laten merken of te klagen. Tom nam aan dat zijn moeder gelijk had. Hij kon zich nooit stil houden als hij pijn had en wat Joe betreft, nou dan was de wereld te klein.
Hij ging haar voor over de overloop naar de kamer van zijn ouders waar de computer stond en ze gingen zitten. Tom duwde het schijfje van de camera in de hard drive en kopieerde de foto's die hij die avond had genomen. Hij had nog geen kans gehad ze zelf te bekijken.
'Dit zijn de foto's die ik van de knekelpoppen heb genomen toen ze nog in de abdij zaten,' zei hij. Beneden konden ze Harry horen lachen. Evi draaide haar hoofd even naar de deur en keek toen weer naar Tom.
'Ze zijn goed,' zei ze. 'Mooi hoe je op die foto net de maan op kunt zien komen. En de kleuren van die drie zijn prachtig. Je hebt de zonsondergang er heel mooi op staan.'
Tom wist dat ze hem zat te vleien, maar het was toch leuk om te horen. De foto's waren goed, zijn moeder zei vaak dat hij haar oog voor compositie had, maar het waren niet de foto's van de abdij die hij Evi wilde laten zien. Hij had haar naar boven gebracht om haar...
'Wie is dit?' vroeg Evi.
Tom voelde dat zijn hart sneller begon te kloppen. Hij klikte op de foto waar Evi naar keek en vergrootte hem. Daar was het. Bewijs. Het kleine meisje waar niemand in geloofde, gevangen door de camera. Het probleem was...
'Is dat Joe?' vroeg Evi. 'Nee, Joe is kleiner. Een vriend?'
... dat de figuur op de foto, weggedoken achter een van de grotere zerken, niet scherp genoeg was. Omdat hij wist wie het was kon Tom net de vreemde, ouderwetse jurk die ze had gedragen en haar lange haar herkennen, maar voor iemand die deze foto voor het eerst zag kon het iedereen zijn. Tom klikte de foto weg en opende de volgende.
Hij had bijna twintig minuten in dezelfde houding in de boom gezeten en had bijna op het punt gestaan het op te geven toen ze verscheen. Hij had gezien hoe ze het kerkhof op was gelopen en zijn kant uit was gekomen. Ze liep snel en heel zachtjes. Ze was op drie meter afstand van de muur blijven staan en daar op haar hurken gezakt om naar hun huis te kijken. Terwijl hij nauwelijks adem durfde te halen had Tom de ene foto na de andere gemaakt.
'Daar is ze weer,' zei Evi. 'Is het een zij? Ik weet het niet zeker. Dat kan haar zijn, maar ook gras. Moeilijk te zeggen. O, kijk, daar is ze weer. Deze zijn goed, Tom,' zei ze, terwijl ze van opzij naar hem keek. 'Schimmige figuur op een kerkhof, heel sfeervol. O, kijk, daar is er nog een.'

Beneden deed iemand de voordeur open. 'Daar komt iemand binnen,' zei hij. 'Ik moet mijn vader halen.'
'Tom, wat is er aan de hand?' vroeg Evi gealarmeerd. 'Waar ga je...?'
Tom sprong op en rende de kamer door.
'Tom,' riep Evi. 'Het wás waarschijnlijk je vader. Of Harry, die iets uit de auto moest halen. Waarom ben je...?'
Tom wachtte niet op wat Evi te zeggen had. Hij wist dat het onbeleefd was maar sommige dingen waren gewoon belangrijker. Hij rende naar de trap. Hij had gelijk gehad, de voordeur stond ongeveer tien centimeter open. Hij had hem niet gecontroleerd. Waarom had hij hem niet gecontroleerd? Hij rende naar beneden, terwijl hij een vaag tikje op de overloop achter zich hoorde. Onder aan de trap gekomen duwde hij de voordeur dicht en deed hem op slot.
Was ze nu binnen? Tom schoot de eetkamer in. Niemand onder de tafel. De gordijnen. Met ingehouden adem en een gestrekte arm trok hij ze open. De vensterbank was leeg. Ze kon niet naar de keuken zijn gegaan, zijn vader en Harry waren daar. Ze had niet genoeg tijd gehad om naar boven te gaan. Als ze in huis was dan was ze in de zitkamer.
'Tom!' Evi stond boven aan de trap. Hij deed alsof hij haar niet had gehoord en duwde de deur van de zitkamer open.
'Hé, jongen, wat is er aan de hand?' Toms vader en Harry waren uit de keuken gekomen.
'Ik hoorde de voordeur,' zei Tom. 'Er is iemand binnengekomen.' Hij zag Harry naar zijn vader kijken en zag dat zijn vader de lippen op elkaar klemde.
'Controleer de keuken even voor me, Harry, alsjeblieft,' zei Gareth, zonder zijn blik van Tom af te wenden. 'Kijk of de achterdeur op slot is.'
'Oké,' zei Harry, en Tom hoorde hem teruglopen door de hal naar de keuken. Zijn vader kwam de kamer in en liep naar het dichtstbijzijnde raam. Hij trok de gordijnen opzij en deed hetzelfde bij het andere raam. 'Het is oké,' zei hij. Hij stond pal achter de enige bank waar Tom niet achter kon kijken. 'Wil je dat ik in de eetkamer ga kijken?'
'Dat heb ik al gedaan,' zei Tom timide.
'Waarschijnlijk alleen maar de wind,' zei zijn vader.
Tom knikte. Zijn vader had gelijk. Deze keer was het waarschijnlijk alleen maar de wind geweest.

Hij ging weer naar boven en met Evi bekeek hij zijn foto's tot zijn moeder Evi riep voor het eten en tegen Tom zei dat hij naar bed moest. Op vijf van de foto's die hij had gemaakt stond het meisje, maar geen ervan was duidelijk genoeg om te bewijzen dat het iets anders was dan een normaal kind. Maar toch leek Evi ongewoon geïnteresseerd in haar. Ze bleef Tom maar vragen wie ze was. Hij had gezegd dat hij het niet wist, dat hij niet had geweten dat er nog iemand anders op het kerkhof was geweest. Ze had gedaan alsof ze hem geloofde, maar Tom nam aan dat ze allebei wisten waar het eigenlijk om ging. Soms leek het alsof Evi en hij een spelletje speelden, om elkaar heen dansten, en wachtten om te zien wie van hen het eerst op zou geven.

Het was jammer dat hij geen scherpe foto had kunnen maken, maar het was geen ramp. Het belangrijkste was dat het meisje erop stond. Dat betekende dat ze echt bestond en dat hij niet gek was. Tom kon niet beschrijven hoe opgelucht hij was dat hij dat wist. Hij zou het nog wel een keer proberen.

48

'Bedankt. Ik vond het heel gezellig,' zei Evi.
Alice kuste Evi op haar wang en rekte zich toen uit om hetzelfde te doen bij Harry. Gareth stond met zijn hand op de voordeur.
'Al, heb je mijn sleutels gezien?' vroeg hij.
'O, ik heb ze waarschijnlijk weer verstopt in de zak van je spijkerbroek,' antwoordde Alice, terwijl ze Harry kort omhelsde.
'Ze hingen hier,' zei Gareth. 'Naast die van jou. Ik moet om zes uur weg.'
'Begin dan maar te zoeken,' zei Alice. Ze glimlachte naar Evi. 'Mijn echtgenoot raakt elke dag wel een keer zijn sleutels kwijt,' zei ze. 'Vaak vinden we ze terug op het dak van de auto. Of op de tuinmuur. En zelfs een keer in de botervloot.'
'Tot morgen, Gareth,' zei Harry, terwijl hij Evi's arm pakte toen Gareth zich omdraaide en in huis verdween.
'Nogmaals bedankt, Alice,' zei hij. Nog een laatste glimlach van Alice en toen deed ze de voordeur dicht. Evi hoorde het geluid van een sleutel die werd omgedraaid en liep met Harry naar de auto.
Harry startte de motor, reed achteruit de oprit af en de straat in. Een minuut of twee reden ze in stilte. Het zou hen twintig minuten kosten om thuis te komen, vijfentwintig als het druk was op de weg, en in dit tempo zouden ze waarschijnlijk de hele weg geen woord zeggen. Evi had naar Harry's weerspiegeling in het raam naast haar gekeken. Ze draaide zich naar hem om. Ze moest iets bedenken om te zeggen, al was het iets heel onnozels.
'Het zijn aardige mensen,' zei ze. Ja, dat klonk tamelijk onnozel, zelfs in haar oren.
Harry trapte op de rem en de auto ging langzamer rijden. Een eenzaam schaap langs de weg keek traag op van het gras waar ze van stond te eten.
'Wie?' vroeg Harry, terwijl hij de bocht nam en weer gas gaf.
'De Fletchers.'
'O, ja, sorry,' zei hij, terwijl hij een blik op haar wierp. 'Ik dacht aan iets anders. Hoe vond je Tom vanavond?'
Evi dacht even na. Hoe had ze Tom gevonden? Nog steeds een raadsel, moest ze toegeven.
'Alice zei dat ze het met jou over schizofrenie heeft gehad,' zei Harry, toen ze niet direct antwoord gaf. 'Is dat mogelijk?'

'Tom is niet psychotisch,' zei Evi. Harry had zich die avond geschoren. Ze kon een beetje huiduitslag zien net boven de kraag van zijn jas.
'Hoe zit het dan met die hallucinaties?' zei hij, weer haar kant op kijkend. 'Alice zegt dat hij stemmen hoort in zijn hoofd.'
'Nee, dat is niet zo,' antwoordde ze. 'Hij hoort ze niet in zijn hoofd.'
Voor hen zagen ze de koplampen van een tegenligger. Harry stopte op het gras langs de weg, een paar centimeter van de muur. Ze bleven zitten wachten tot de auto voorbij was. Nu hij haar recht aankeek vond Evi het moeilijk oogcontact te houden.
'Naar wat Alice me verteld heeft komen Toms stemmen van buiten hem,' ging ze verder, en ze liet haar blik naar de houten rand van het dashboard gaan. 'Ze komen van om de hoek, vanachter deuren. En ze zijn altijd van dezelfde persoon. Een klein meisje dat volgens hem de familie in de gaten houdt, naar ze fluistert – naar hem, in het bijzonder – en enge, bedreigende dingen zegt.'
De andere auto was nu op gelijke hoogte, knipperde met zijn koplampen en reed voorbij. Harry trok de handrem los en gaf weer gas.
'Hij probeert ons te bewijzen dat dit vreemde meisje echt is,' zei Evi.
'Hoe dan?' vroeg Harry. 'Wacht, niks zeggen. Heeft hij geprobeerd haar op de foto te zetten?'
Evi knikte. 'Hij heeft me meer dan twintig foto's laten zien die hij vanavond genomen heeft. Op vijf daarvan staat een kleine, onduidelijke figuur, weggekropen tegen de grafstenen.'
'Wie was het volgens hem?'
Ze gingen weer een bocht om en zagen Heptonclough, alweer een flink stuk onder hen, in het donker glinsteren als een sprookjesstad.
'Hij zei dat hij het niet wist,' antwoordde Evi. 'Dat hij niet had geweten dat er iemand was. Hij loog, natuurlijk, het kind was het middelpunt van die foto's. Tom moet hebben geweten dat hij of zij er was. Ik denk dat hij een vriendje van hem heeft overgehaald om op het kerkhof rond te hangen en net te doen alsof hij dat meisje is. Maar het punt is, het is slim en het is rationeel. Ik heb het idee dat hij weet dat dit meisje niet echt is maar dat hij nog steeds de behoefte heeft dat wij in haar geloven. Hij neemt met opzet foto's waarvan hij weet dat ze voor meerdere uitleg vatbaar zullen zijn.'
'Dus hij heeft niet beweerd dat dit het meisje was?'
Weer een bocht, weer een glimp van het donkere landschap onder hen.
'Nee. Hij heeft haar bestaan nog altijd niet genoemd tegenover mij. Dus ik kon ook niks over haar zeggen. Ik moet wachten tot hij dat doet. Waarom rijden we in de richting van de hei?'
'Een kortere weg,' zei Harry. 'Maar wat als ze wél echt is?'
Evi dacht even na en glimlachte toen naar zijn profiel. 'Volgens zijn ouders

praat Tom over dit meisje op een manier die suggereert dat ze niet menselijk is,' antwoordde ze. 'En, tussen twee haakjes, er zijn geen kortere wegen over de hei. Word ik gekidnapt?'
'Ja,' zei hij. 'En hoe zit het met iemand die er ongewoon uitziet? Tom ziet haar alleen maar 's avonds, als ik het goed begrijp. Hij zou in de war kunnen zijn. Wat als er iemand is die het leuk vindt om zich te verstoppen, trucs uit te halen met mensen, misschien iemand die een beetje gestoord is?'
Ze reden hoger en hoger en de duisternis omhulde hen als zwarte inkt die over de hei stroomde. Ergens onder hen ontplofte vuurwerk. Terwijl de vonken wegstierven kon Evi de donkere omtrekken van bomen tegen de hemel zien.
Ze dacht even na en schudde haar hoofd. 'Alleen Tom ziet en hoort haar. Waar gaan we eigenlijk naartoe?'
'Wat als Gillian haar hoort?'
'Gillian?'
'Gillian hoort haar dochtertje roepen. Ze zweert dat het Hayleys stem is. Heeft ze je dat verteld?'
Gillian had haar dat nooit verteld. Nee, ze had gezegd, *ik zie haar nooit.* Zíé haar nooit?
Harry begon langzamer te rijden. Hij deed de grote lichten aan en draaide de weg af. Ze reden nu over de open hei, over een vrijwel onzichtbaar karrenspoor. Voor hen leek niks meer te zijn.
'Ze zegt dat er iemand in haar flat komt,' ging hij verder, terwijl hij stapvoets verder reed toen de auto begon te hotsen en te botsen over de ongelijke grond. 'Iemand die dingen verplaatst, vooral Hayleys oude speelgoed.'
Ze kwamen bij een kleine open plek. Harry zette de motor af en de koplampen uit. De plotselinge stilte was verrassend, net als het verdwijnen van het licht. Naast haar veranderde Harry in weinig meer dan een silhouet en een schaduw, en toch was het op de een of andere manier nog moeilijker om naar hem te kijken.
'Gillian en Tom zijn patiënten van mij om een bepaalde reden,' zei Evi. 'Ze hebben allebei problemen.'
Hij bewoog – ze was niet in staat te voorkomen dat ze haar adem inhield – maar hij stak alleen maar een hand omhoog naar het dak en maakte het los. Het zachte leer schoof terug en de nacht, met een zweem van smeulend hout en kruit, wikkelde zich om haar heen als een koele deken. De hemel boven Evi's hoofd had de kleur van pruimen en de sterren leken een paar lichtjaren dichter bij de aarde gekomen te zijn.
'Je moet het zeggen als je het koud krijgt,' zei hij, terwijl hij weer achteruit zakte op zijn stoel. Even bleef het stil en toen: 'En als ik haar gehoord heb?'
Ze waagde een directe blik. 'Wat?' Hij leunde achterover en staarde met de

handen achter zijn hoofd naar de lucht. Wat hij haar wilde vertellen was iets waar hij zich niet prettig bij voelde.
De nachtlucht was vochtig in Evi's neusgaten; er was regen op komst. Een spoor van paarse sterren schoot omhoog de lucht in, waardoor ze beiden even afgeleid werden.
'Jouw ogen hebben die kleur,' zei Harry. 'En, ja, ik heb ook stemmen gehoord. Griezelige, onwerkelijke stemmen, die uit het niets komen.'
En hij had er niet aan gedacht om dat te vertellen. 'Wanneer?' vroeg ze, terwijl ze meer rechtop ging zitten. 'Waar?'
'Als ik alleen ben,' zei hij. 'Maar alleen in Heptonclough. Alleen in en om de kerk. Ik wed dat Tom zijn stemmen niet op school hoort, of wel?'
Evi leunde weer achterover. 'Daar moet ik over nadenken,' zei ze. 'Waarom zijn we eigenlijk hierboven?'
'Ik heb dit plekje een paar weken geleden gevonden,' zei Harry, en hij boog naar voren om de cassettespeler aan te zetten. Het apparaatje begon te ruisen toen hij op de afspeelknop drukte. 'We zijn ongeveer twintig meter van de rand van de Morrell Tor, het hoogste punt op de hei. Ik heb mezelf toen voorgenomen hiernaartoe te rijden om naar het vuurwerk te kijken.'
Hij was gek. En zij moest ophouden met glimlachen. Ze moedigde hem alleen maar aan. 'Je bent drie dagen te vroeg,' zei ze.
Hij draaide zich naar haar om en liet zijn arm over de rugleuning van haar stoel glijden. Hij was maar een paar centimeter bij haar vandaan. Ze kon het bier ruiken dat hij bij de Fletchers had gedronken. 'Ik wist niet of je over drie dagen wel bij mij zou zijn,' zei hij. 'Dans je?'
'Wat?'
'Dansen. Je weet wel, je lichaam bewegen op de maat van de muziek. Ik heb dit nummer speciaal gekozen.'
Evi luisterde. '*Dancing in the Dark*,' zei ze zacht. 'Mijn moeder speelde dit altijd. Waar ben je...?'
Harry was uit de auto gestapt en liep om de motorkap heen. Hij hield haar portier open en bood haar zijn hand.
Evi schudde haar hoofd. Hartstikke gek. 'Ik kan niet dansen, Harry. Je hebt me gezien. Ik kan nauwelijks zonder hulp lopen.'
Alsof hij haar niet had gehoord reikte hij voor haar langs om het volume harder te draaien. Toen pakte hij haar bij beide armen en tilde haar uit de auto. Evi deed haar mond open om hem te vertellen dat het niet ging lukken, dat ze in jaren niet had gedanst en dat ze samen languit op de grond zouden belanden, maar met zijn armen stevig om haar middel geslagen merkte ze dat ze tamelijk gemakkelijk over het laatste stukje van het karrenspoor en op de rotsige grond van de Tor kon lopen. Hij nam haar rechterhand in de zijne en hield zijn andere arm om haar middel om haar overeind te houden. Zijn jas

hing open. Zijn hand was ijskoud. Terwijl hij haar stevig tegen zich aan hield begon hij te bewegen.
De ouderwetse cassettespeler leek de muziek op de een of andere manier te vervormen. De drum klonk veel harder en veel indringender dan ze zich herinnerde. Het was belachelijk hard, ze zouden het in het dorp wel kunnen horen... maar ze kon zich daar onmogelijk druk om maken, ze kon onmogelijk aan iets anders denken dan aan Harry, die danste alsof hij ervoor in de wieg was gelegd, terwijl hij haar zonder moeite overeind hield en zachtjes in haar oor zong.
De wind blies haar haren in zijn gezicht, hij schudde met zijn hoofd en trok haar tegen zijn schouder en ze bleven bewegen, naar achteren en naar voren in een vloeiende beweging, op de harde rotsgrond van de Tor. En ze had gedacht dat ze nooit meer zou dansen.
'De zingende, dansende dominee,' fluisterde ze, toen ze voelde dat het liedje bijna afgelopen was.
'Die in een band heeft gespeeld op de universiteit,' zei Harry, terwijl de stemmen wegstierven en de klanken van de saxofoon over de hei rolden. 'We hebben nogal wat Springsteen-covers gedaan.'
De sax zweeg. Harry liet haar hand los en sloeg beide armen om haar heen. Ze kon de warmte van zijn hals voelen tegen haar gezicht. Dit was krankzinnig. Ze kon geen relatie met hem beginnen, dat wisten ze allebei, en toch waren ze hier, met een gevoel alsof ze op de top van de wereld stonden, zich aan elkaar vastklemmend als tieners.
'Ik heb een heel rare dag gehad,' fluisterde hij, toen het volgende liedje begon.
'Wil je erover praten?' wist ze uit te brengen.
'Nee.' Ze voelde iets zachts langs haar nek strijken, net onder haar oor, en kon een rilling niet tegenhouden.
'Je hebt het koud,' zei hij, en hij ging rechtop staan.
Nee, dat is niet zo. Laat me niet los.
Hij stapte achteruit, een arm viel naar beneden, hij bracht haar terug naar de auto. Ze hield hem tegen met een hand op zijn borst. 'Ik heb het niet koud,' zei ze. 'Waarom ben je priester?' vroeg ze.
Even keek hij verbaasd. 'Om God te dienen,' antwoordde hij, terwijl hij op haar neerkeek en toen omhoog. 'Was dat regen?'
'Nee.' Ze schudde haar hoofd. 'Dat is niet genoeg. Ik moet begrijpen waarom een man als jij priester is geworden.'
Hij glimlachte nog steeds, maar zijn ogen stonden behoedzaam. 'Dat is nogal een vraag voor een eerste afspraakje. En dat was beslist regen. Kom op, terug naar de auto.'
Ze stond toe dat hij haar weer naar de auto leidde en de deur openhield tot ze weer zat.

'Je hebt gezegd dat dit geen afspraakje was,' zei ze, toen hij ook was ingestapt en zich omdraaide om het dak weer te sluiten.
'Ik heb gelogen,' mompelde hij, terwijl hij de kap vastmaakte en vervolgens de motor startte. Toen leek hij van gedachte te veranderen en zette hem weer uit.
'Ik ben nooit van plan geweest predikant te worden,' zei hij. 'Ik kom uit een arbeidersgezin in Newcastle dat nooit naar de kerk ging en het was gewoon nooit bij me opgekomen. Maar ik was slim, ik kreeg een beurs voor een goede school en ik heb een paar uitstekende leraren gehad. Geschiedenis interesseerde me, en dan vooral op het gebied van religie. Ik raakte gefascineerd door de verschillende geloofsrichtingen: de rituelen, de historie, kunst en literatuur, symbolisme – alles eigenlijk. Ik heb godsdienstwetenschappen gestudeerd aan de universiteit, geen theologie.'
Ze wachtte tot hij verderging. 'Wat gebeurde er?' vroeg ze, toen hij dat niet deed. 'Je hebt een openbaring gehad?'
Hij trommelde met zijn vingers op het stuur. Hij vond het niet gemakkelijk om hierover te praten. 'Zoiets,' zei hij. 'Mensen bleven me maar vertellen dat ik een goede priester zou zijn. Er was alleen dat kleine probleempje met het geloof.'
De regen kwam uit het niets en roffelde op het zachte dak van de auto als kleine stenen. 'Je geloofde niet?' vroeg ze.
Hij haalde een hand door zijn haar. 'Ik was er bijna,' zei hij. 'Ik kon mezelf voorhouden dat ik in alle verschillende aspecten geloofde, maar het waren nog altijd een heleboel verschillende theorieën. Snap je?'
'Ik geloof het wel,' zei Evi, hoewel dat niet echt het geval was.
'En toen, op een dag, gebeurde er iets. Ik zag... ik zag de connectie.'
'De connectie?'
'Ja.' De motor liep weer, hij reed achteruit, weg van de rand van de Tor. 'En dat is alles wat je voor één avond van het innerlijk van de man zult zien, dokter Oliver. Maak je gordel vast en bereid je voor op de start.'

Ze reden over de hei met zo'n snelheid dat Evi wenste dat ze geloofde in een godheid die ze kon aanroepen; voor haar eigen persoonlijke veiligheid. Ze durfde niet meer tegen hem te praten, of iets te zeggen wat hem misschien zou afleiden. Ze was natuurlijk net ook wel ongelooflijk indiscreet geweest. Hoe kon ze zichzelf voorhouden dat ze niets met hem had, terwijl ze wist dat de huid van zijn hals rook naar limoen en gember, en op welke plek haar lippen zijn borst zouden raken als ze zich naar hem toe boog.
Binnen een paar minuten vormde de regen kleine stroompjes die aan weerszijden van de straat naar beneden raceten. Een kwartier later hadden ze de hei verlaten en waren ze akelig dicht bij haar huis.

'En hoe gaat het nu verder?' vroeg Harry toen hij haar straat in reed.
'Ik zie Tom later deze week,' zei ze. 'Hij lijkt zich nu meer te ontspannen tegenover mij. Misschien wordt hij nu wat opener. Als hij nu gewoon het bestaan zou toegeven...' Harry had de auto voor haar huis stilgezet.
'Ik had het niet over de Fletchers,' zei hij, met een stem die een octaaf lager geworden leek te zijn.
'Ik moet gaan,' zei ze, en ze boog voorover om haar tas te zoeken. 'Ik moet vroeg op morgen en... Het was een goed idee van vanavond. Dank je, ik denk dat het zal helpen.' Ze keerde hem de rug toe en pakte de hendel van de deur, zich ervan bewust dat hij naar haar keek. Ze zou dit snel moeten doen, ze kon hem over haar schouder welterusten wensen terwijl ze het pad opliep. Het was een kort pad, nauwelijks twee meter naar de portiek.
De motor zweeg. Achter haar ging Harry's portier open. Hij was veel sneller dan zij, hij zou al om de auto heen zijn voor zij had kunnen opstaan. Ja, daar was hij, met uitgestoken hand. Zou het überhaupt zin hebben om tegen hem te zeggen dat ze zich wel zou redden? Waarschijnlijk niet. En daarbij, dit was een nieuwe Harry, die langer leek, met donkerder ogen; een Harry die zweeg, die zijn arm om haar middel had geslagen en haar snel over het pad hielp. Door de gietregen, naar de beschutting van de portiek. Beslist een nieuwe Harry, die haar naar zich toedraaide, wiens vingers in haar haar grepen en wiens hoofd zich naar haar toe boog zodat het donker werd.
O, dit kon geen kus zijn; dit was een vlinder, die met zijn vleugels langs haar mond streek en zacht op de ronding van haar wang neerstreek, op het punt waar de glimlach begint.
Was dit een kus? Dit zachte strelen van de lippen? Dit vreemde gevoel alsof ze overal werd aangeraakt?
En dit kon zeker geen kus zijn, niet nu ze wegzweefde naar een plaats gehuld in zwart fluweel. Handen zaten verstrikt in haar haar, nee, eentje lag onder tegen haar rug en drukte haar dichter naar hem toe. De regen op het dak van de portiek klonk als tromgeroffel in haar oren. Vingers gleden langs de zijkant van haar gezicht. Hoe kon ze de geur van een mannenhuid zijn vergeten; of het gewicht van zijn lichaam dat haar tegen de muur van de portiek drukte? Als dit een kus was, waarom brandden er dan tranen achter haar ogen?
'Wil je binnenkomen?'
Had ze dat hardop gezegd? Dat moest wel. Want ze kusten elkaar niet langer, maar ze stonden zo dicht bij elkaar dat het geen verschil maakte en zijn adem gleed om haar gezicht als warme mist.
'Ik zou niets liever willen,' zei hij met een stem die niet op die van Harry leek.
De sleutels zaten in haar zak. Nee, ze lagen in haar hand. Haar hand werd uitgestoken naar het slot; zijn hand sloot zich om de hare, om hem tegen te houden.

'Maar...' zei hij.
Waarom was er altijd een maar?
Hij trok haar hand terug, hield hem tegen zijn lippen. 'We hebben nog altijd geen pizza gegeten en we zijn nog niet naar de film geweest,' fluisterde hij. Ze kon hem nauwelijks verstaan boven de regen uit.
En je bent priester, dacht ze.
'En ik wil dit niet overhaasten.' Hij liet haar hand los en hief haar kin zodat ze hem recht aankeek.
'Dat is heel lief,' zei ze. 'En tamelijk vrouwelijk.'
Op dat moment kwam de oude Harry weer boven, die naar haar grijnsde, haar optilde en stevig tegen zich aandrukte. 'Er is absoluut niks vrouwelijks aan me,' siste hij in haar oor, 'wat ik binnen niet al te lange tijd van plan ben te bewijzen. Nou, naar binnen, lastpak, voor ik van gedachte verander.'

Toen de telefoon ging was Harry's eerste gedachte dat hij nog maar net in slaap was gevallen en dat het Evi was, die hem vroeg om langs te komen. Hij draaide zich om in bed, even niet in staat om te bedenken aan welke kant de telefoon ook alweer stond. Weet je wat? Laat maar. Vergeet de pizza, de film, vergeet alles, hij zou gaan.
Nee, aan die kant stond de klok. Het was één minuut over drie. Hij draaide zich weer om en stak een hand uit. Hij kon binnen twee minuten aangekleed zijn, binnen tien minuten bij haar huis. Om kwart over drie kon hij...
'Hoi,' zei hij, nadat hij de telefoon tegen zijn oor had gedrukt.
'Dominee? Dominee Laycock?' Het was een mannenstem. Een oudere man.
'Ja, daar spreekt u mee,' zei hij, zijn maag koud van teleurstelling. Hij zou er toch uit moeten, maar niet naar het warme bed van een vrouw. Iemand ging dood. Seks of de dood, de enige redenen om iemand midden in de nacht te bellen.
'Met Renshaw. Renshaw senior. Mijn zoon heeft me gevraagd u te bellen.'
Tobias Renshaw, de vader van zijn kerkvoogd, belde hem in de kleine uurtjes?
'Het spijt hem dat hij niet zelf kan bellen, en dat hij u moet laten wekken, maar ik ben bang dat uw aanwezigheid dringend gewenst is bij de Sint Barnabas. U zult er politieauto's op straat zien staan. Als u aankomt moet u contact opnemen met hoofdinspecteur Rushton.'

49

3 november

Simba, Millies blauwe teddybeer, lag op zijn rug onder aan de trap. Toen Tom hem de laatste keer had gezien, nog geen vijf uur eerder, had hij in de armen van zijn kleine zusje geklemd gezeten. Dus het zachte speelgoedbeest had plotseling zin gehad om een nachtelijk ommetje te maken of er was iets verschrikkelijk mis. Tom rende de overloop over naar Millies kamer. Het bedje was leeg.

Beneden sloeg een deur dicht. Tom keek naar de deur van de ouderlijke slaapkamer. Hij had geen tijd om iets anders te doen dan te schreeuwen toen hij de trap af rende en de keuken door. Hij had de achterdeur gehoord. Degene die Millie meegenomen had, was net het huis uitgelopen.

Hij voelde een vlaag koude lucht toen hij om de keukentafel rende. De achterdeur was weer opengeklapt en de houten vloer van de garderobe was nat. Het regende nog steeds hard en zelfs toen hij vanuit de deuropening uitkeek over de achtertuin die een modderpoel was, werd hij gegeseld door de wind. En door de meegevoerde vlagen ijskoude waterdruppels raakte zijn pyjama doorweekt.

Zijn ogen waren nog niet aan het donker gewend. Hij tuurde ingespannen en kon net de muur om de begraafplaats en de laurierstruiken erachter onderscheiden. Uit de richting van de taxusboom en het graf van Lucy Pickup hoorde hij gekreun.

Er was daar iemand. Iemand met Millie.

'Pap!' schreeuwde hij. Geen roep als antwoord. Geen keus eigenlijk. Hij moest naar buiten.

De onophoudelijke regen van de afgelopen uren, samen met wat de afgelopen twee dagen al was gevallen, had de tuin veranderd in een moeras. Dikke zwarte modder stroomde over Toms voeten toen hij de beschutting van de achterdeur verliet. Nog een paar stappen en hij kon beter zien. Een donkere figuur probeerde op de muur te klimmen, maar hij had iets in een hand, iets wat eruitzag als een zwarte weekendtas.

'Pap!' schreeuwde hij weer, zo hard als hij kon. Hij probeerde zijn stem in de richting van het huis te sturen zonder de figuur bij de muur uit het oog te verliezen. 'Pap!'

Zijn vader zou er nooit op tijd zijn. Tom rende naar voren. Hij zakte bijna tot zijn knieën in de modder en was net op tijd om een van de benen van de steeds hoger klimmende indringer te grijpen. Het meisje – want wie kon het anders zijn – begon naar hem te schoppen, maar ze verloor haar greep op de muur. Ze hees zich verder omhoog en trapte nog een keer naar Tom die daar niet op verdacht was. Haar gelaarsde voet raakte de zijkant van zijn gezicht en hij liet los. Ze maakte een soort sprong en toen lag ze languit bovenop de muur, waarna ze wild schoppend overeind kwam. Ze was bijna weg, maar de zwarte weekendtas die ze had vastgehouden lag nog onder aan de muur.
Ze keek van de tas naar Tom en toen, met een abrupte beweging van haar hoofd, naar de muur waar ze op stond. Ze wankelde, viel bijna en sprong toen aan de andere kant naar beneden.
De muur bewoog. Dat was niet mogelijk maar het gebeurde wel. De stapel stenen, die jarenlang tonnen aarde hadden tegengehouden, leek op te zwellen. Tom keek hoe eerst één steen, en toen een volgende, en daarna steeds meer stenen naar beneden vielen in de tuin. Door het gat dat ze achterlieten begon aarde van het kerkhof te dringen. Een van de grafzerken leek dichterbij te schuiven. Tom wilde niets liever dan wegrennen maar iets hield hem vastgenageld aan de grond.
De massa nam steeds verder toe, als een zwangere vrouw die op het punt staat te bevallen. De donkere figuur aan de andere kant van de muur liep een paar stappen achteruit toen er steeds meer aarde begon weg te glijden.
Toen barstte de muur uit elkaar als een blokkentoren van een kleuter. Stenen vlogen alle kanten op en een brede stroom zwarte vloeistof liep weg. De grafsteen die het dichtst bij de muur stond, die van Lucy Pickup, gleed steeds dichterbij en viel toen om. Hij brak in twee stukken toen hij op nog geen meter afstand van Tom neerkwam. Aarde stroomde over de helling waar de muur was geweest en hij moest bijna overgeven van de stank van riolering en rottende dingen.
Het meisje liep steeds verder weg. Tom deed een stap naar voren, en toen kwam er iets zwaars naast hem neer wat hem op een paar centimeter miste en hem uit balans bracht. Terwijl hij op de grond viel herkende hij de rand van een lijkkist, een seconde voordat het hout volledig uit elkaar barstte en zijn inhoud toonde.
De schedel grijnsde naar Tom, met kleine witte tanden. Stukken huid, als oud geel leer, hingen er nog aan. Tom kroop weg van het lijk en voelde een schreeuw in zich opkomen, maar hij wist dat hij misschien nooit meer in staat zou zijn om op te houden als hij hem liet gaan.
Een verse massa aarde werd over hem uitgestort, vol bleke voorwerpen waarvan hij wist dat het alleen maar beenderen konden zijn. Hij gooide zijn hoofd achterover en stond op het punt de schreeuw te laten ontsnappen toen een

lichtstraal op zijn gezicht viel en een arm hem bij de schouder greep. Tom draaide zich snel om. Een klein figuurtje in een gele regenjas, met de capuchon strak over het hoofd getrokken en een zaklantaarn in zijn hand, knielde naast hem. Het was Joe.
Tom kroop overeind. Alles in zijn hoofd schreeuwde dat hij terug moest gaan naar huis, zijn moeder en vader wakker moest maken en de politie moest bellen. Toen hij in de richting van de achterdeur begon te lopen trok Joe hem terug. 'Nee, wacht!' schreeuwde hij keihard om boven de wind uit te komen. 'We moeten haar vinden.'
'Het is te laat!' schreeuwde Tom terug. Boven, op het kerkhof was geen spoor meer van de donkere figuur. 'Ze is weg. We moeten mam en pap halen.'
Joe scheen met de zaklantaarn over de grond om hun voeten. Tom wilde schreeuwen dat hij moest stoppen. Het was allemaal nog veel erger als je het goed kon zien. De schedel, weggerold van de rest van het lijk, lag een paar meter verderop. Lucy's kleine standbeeld was met de rest van haar graf omgevallen. Stukken van de lijkkist lagen overal verspreid. Hij zag iets waarvan hij dacht dat het een menselijke hand was, de vingers tot een vuist gebald.
Joe leek iets te zoeken. Eindelijk scheen de zaklantaarn over de zwarte tas waarmee de indringer had geprobeerd te ontsnappen. Hij lag half begraven onder een hoop modder en stenen. Met een kreet rende Joe eropaf en begon aan de handvatten te trekken. Hoewel Tom nog steeds wanhopig graag weg wilde had hij het gevoel dat dit belangrijk zou kunnen zijn. Voorzichtig liep hij ernaartoe om te helpen.
Met een zuigend geluid kwam de tas los en de jongens struikelden achteruit met de handvatten in hun hand geklemd. Joe viel op zijn knieën en begon aan de rits te trekken. Schreeuwend van frustratie slaagde hij er uiteindelijk in hem open te wringen. Toen zag Tom bij het licht van de zaklantaarn dat hij begon te grijnzen. Hij viel op zijn knieën naast zijn broer en keek in de tas. Millie lag erin. Terwijl de jongens keken gingen haar ogen open. Ze knipperde verbaasd naar haar broers terwijl de regendruppels op haar gezicht begonnen te vallen.

50

3 november

Er bonkte iets in Harry's borst. Maar niet zijn hart. Zijn hart maakte nooit zoveel herrie. Moest hij iets zeggen? Moest hij vertellen dat hij de identiteit van een van de dode kinderen kende?

Het was bijna pijnlijk, dat gebonk tegen zijn ribben. Als het zijn hart was dan had hij een groot probleem. Harten werden niet verondersteld zo hard te bonzen.

Hij kon nu niks zeggen. Het zou belachelijk klinken, hysterisch zelfs. Morgen zou vroeg genoeg zijn. Hij keek naar de grond om zeker te weten dat hij op de mat stapte en liep weg bij het afgezette gedeelte. De in het wit geklede figuren om hem heen gingen weer aan het werk.

De achtertuin van de Fletchers was een moeras. Harry liep vlak achter hoofdinspecteur Rushton over de aluminium platen die als een pad over de modder waren gelegd. Boven hun hoofd beschermde een provisorisch plastic scherm tegen de ergste regen. Krachtige lampen op stalen poten waren op de vier hoeken geplaatst. Nu hij zicht op het huis had zag Harry achter de ramen op de benedenverdieping licht branden. Alle gordijnen waren dicht.

'Wat betreft de plaats delict is dit wel het allerergste,' zei Rushton toen ze terugliepen naar het huis. 'We moeten in het donker werken, in afgrijselijk weer, de modder is op sommige plaatsen tientallen centimeters dik en het ziet ernaar uit dat de situatie ter plekke behoorlijk is verstoord voor wij hier arriveerden.'

Een van de in het wit geklede figuren liep nu langzaam om de buitenkant van de binnenste afzetting en nam foto's. Een andere figuur, waarvan Harry dacht dat het een vrouw zou kunnen zijn, was bezig met een centimeter. Ze hield de centimeter van de muur naar het kleinste van de drie lichaampjes en begon te schrijven, of misschien te tekenen, op een klembord dat om haar nek hing.

'De forensische experts die u ziet zijn net uit Manchester gekomen,' legde Rushton uit. 'Wij hebben dit soort specialisme hier niet. Gelukkig was de eerste agent ter plaatse een slimme jongen. Hij heeft het gebied afgezet tot het team hier was. En ook aan de kant van de begraafplaats.'

Harry keek op. Nog meer witte figuren waren zichtbaar aan de andere kant

van de stenen muur. Ook daarboven werden pogingen gedaan het weer tegen te houden. Tussen metalen palen was een zeil gespannen. Een van de agenten was moeizaam bezig grote lappen plastic vast te zetten. In deze wind was het bijna hopeloos.
'Wat doen deze mensen allemaal?' vroeg Harry.
'De fotograaf legt alles vast voordat de sporenonderzoekers aan het werk kunnen,' zei Rushton. 'Hij neemt foto's vanuit elke invalshoek, dan klimt hij omhoog naar de begraafplaats waar hij hetzelfde zal doen. Dat meisje daar is aan het tekenen. Zij meet hoe alles ligt in relatie tot de rest en daarna zal ze het allemaal in de computer invoeren. Dan hebben we een heel nauwkeurig model dat we kunnen gebruiken als we ooit naar de rechtbank moeten. Het belangrijkste vanavond zal zijn om de lichamen te verwijderen, zo mogelijk intact, en ze naar de pathologieafdeling te krijgen. Samen met alles wat relevant zou kunnen zijn. De lijkkist natuurlijk, stukjes kleding, haar, enzovoort. We maken afgietsels van mogelijke voetafdrukken. Het lijkt erop dat ze al begonnen zijn.'
Rushton wees naar een plek niet ver van het huis. Een man knielde op een mat van aluminium en goot een vloeistof op de grond voor hem.
'De andere twee lichamen zijn misschien uit graven naast dat van Lucy gekomen,' opperde Harry. 'Ik kan u niet zeggen wie dat waren, maar er is vast wel ergens een overzicht.'
'Dat hebben we al,' zei Rushton. 'Aan weerszijden zijn familiegraven, drie mensen volgens de gegevens in het ene, vier in het andere. Allemaal volwassenen. En van wat we tot dusverre kunnen zien zijn die graven nog intact.'
'Is het mogelijk dat ze al lang in de grond lagen?' vroeg Harry, die wist dat dat niet zo was. De lijken die hij net had gezien waren meer dan alleen een skelet. 'In een veel ouder graf waar niemand iets van wist? Dit kerkhof is honderden jaren oud. Er moeten verspreid over de heuvel meer oude graven zijn. Zerken werden weggehaald, mensen zijn vergeten wie er in de grond lag.' Hij zweeg. Hij kletste maar wat. En klampte zich vast aan strohalmen.
'Ja, dat kunnen we op dit moment natuurlijk niet uitsluiten,' zei Rushton. 'Maar eerlijk gezegd denkt het team dat dat onwaarschijnlijk is. En ze hebben een punt. Zagen ze er volgens u uit als oude lijken?'
Harry keek weer over zijn schouder. 'Weten de Fletchers wat er aan de hand is?' vroeg hij. 'Ze hebben de laatste tijd behoorlijk veel stress gehad, zou het niet beter zijn...'
'O, ja, ze weten het,' zei Rushton. 'Hun kinderen zijn er de oorzaak van dat de muur is ingestort.'
'Wat?'
'Ik heb nog geen kans gehad om met de ouders te praten, dus ik weet maar de helft van het verhaal,' zei de inspecteur, 'maar het schijnt dat de twee jon-

gens met dit weer buiten waren en op de muur zijn geklommen. Met hun zusje in een weekendtas, kennelijk. Het lijkt erop dat ze weg wilden lopen. Een taak voor de Sociale Dienst als u het mij vraagt. Waar gaat u naartoe?'
Harry liep terug over het pad naar het huis. Een hand kwam neer op zijn schouder. 'Kalm aan, jongen. U kunt nog niet naar binnen. De huisarts van de familie is er en de twee jongens praten met een van mijn mensen. Laten we iedereen eerst maar eens de kans geven hun werk te doen, oké?'
Harry wist dat hij geen keus had.
'Bent u bekend met de indeling van dit deel van het kerkhof, dominee?' vroeg Rushton, toen ze weer verder liepen. 'Beide kerken, de oude en de nieuwe, zijn gebouwd op de top van een steile heuvel, dus er moesten een heleboel terrassen aangelegd worden voor het kerkhof. Die muur waar we bezig zijn is een paar honderd jaar geleden gebouwd zo is mij verteld, maar hij was aan deze kant veel hoger dan aan de kant van de kerk. Kunt u me volgen?'
'Ja, dat weet ik,' zei Harry, toen ze de rand van het terrein van de Fletchers bereikten en zich omdraaiden om de tuin te verlaten. 'Gareth Fletcher is er een paar keer over begonnen. Hij wilde een aannemer laten komen, hij was bezorgd over de stabiliteit van de muur.'
'En terecht.' De twee mannen stonden naast het huis. Een tweede, gigantisch zeil was van het huis tot aan de kerk gespannen, zodat een droge plek was gecreëerd voor het forensische team om hun apparatuur te stallen. Hoewel het weer hen niet kon bereiken, leek het vastbesloten zich niet te laten negeren. Regendruppels kletterden op het plastic dak terwijl de wind het voortdurend en met veel herrie heen en weer bewoog.
'Er is me verteld dat er een ondergrondse stroom onder de kerk door loopt,' ging Rushton verder. Hij trok zijn overall uit en gebaarde naar Harry dat hij hetzelfde moest doen. 'Normaal is dat geen probleem, maar bij zware regenval, zoals in de afgelopen dagen, loopt de kelder onder de kerk vol. Het land in de omgeving wordt drassig. Wist u dat?'
'Ja.' Harry balanceerde op één voet, worstelde met een laars die te strak zat, en zocht om zich heen naar zijn eigen schoenen. 'Gareth en ik zijn een paar weken geleden om het terrein gelopen. Ik was het met hem eens dat het er niet al te stabiel uitzag, maar er is een procedure die ik moet volgen voor er werk mag worden uitgevoerd aan kerkeigendommen. Ik heb de zaak al in beweging gezet maar deze dingen duren altijd weken, soms maanden.'
'En, Brian, is het het graf van mijn kleindochter?'
Harry en Rushton draaiden zich beiden om en zagen dat Sinclair Renshaw de tent vanaf de oprit van de Fletchers was binnengekomen. Tussen de vingers van zijn rechterhand klemde hij een sigaret. Harry had hem nooit eerder zien roken.
'Dat lijkt er wel op,' zei Rushton. 'Het spijt me heel erg.'

Sinclair knikte een keer.
'Weten Jenny en Mike het al?' vroeg Harry. 'Wilt u dat ik…'
'Ik heb gevraagd om het ze pas morgen te vertellen,' onderbrak Sinclair hem. 'Christiana heeft koffie gezet in de consistoriekamer. U kunt beter naar binnen gaan. Daar is het warmer.'
Harry trok zijn eigen jas weer aan. 'Wat gaat er nu verder gebeuren?' vroeg hij aan Rushton.
'Vreemd genoeg is er een protocol voor dit soort gevallen,' antwoordde de hoofdinspecteur, en hij gebaarde dat ze de tent moesten verlaten. 'Stoffelijke resten die worden ontdekt op het terrein van een kerk, moeten worden weggehaald en onderzocht door een door de politie aangestelde patholoog. Als hij vaststelt dat het om oude botten gaat, geldt meestal de honderd-jaarregel: ze worden teruggeven aan de betrokken dominee – aan u, in dit geval – en het wordt uw verantwoordelijkheid ze opnieuw te begraven.'
'Ja, ik geloof dat ik dat wel wist,' stemde Harry in. 'Hoewel het een situatie is die ik nog niet eerder ben tegengekomen.'
'Het is hier zeker nog nooit eerder voorgekomen,' zei Sinclair.
'Maar als de stoffelijke resten daarentegen, laten we zeggen, verser zijn, dan moeten we de identiteit ervan vaststellen,' voegde Rushton eraan toe. 'We moeten zeker weten dat het lichaam werkelijk van de persoon is die op de zerk vermeld staat. Kunt u me volgen, dominee?'
'Ja, natuurlijk,' zei Harry.
'Zodra de identiteit bevestigd is, geven we de resten terug aan u en aan de familie en laten u de regelingen treffen voor de herbegrafenis.'
'Weer een begrafenis,' zei Sinclair, terwijl hij met zijn hand over zijn gezicht streek. 'Dat kan Jenny niet aan. Hoe kun je nu van een moeder verwachten dat ze haar kind twee keer begraaft?'

51

'We moeten een inbraak niet uitsluiten,' zei Harry. 'Tom kan de waarheid vertellen.'

Gareth hield een koffiekop tussen zijn handen. Beide handen zagen er onnatuurlijk wit uit en de vingers hadden een blauwe zweem. Harry voelde een golf van medeleven door zich heen gaan. Hij hoorde het gekraak van de centrale verwarming maar het leek wel alsof de gebeurtenissen van die nacht de kou naar binnen hadden gebracht.

'Er is geen spoor van braak te vinden,' antwoordde Gareth hoofdschuddend. 'De voordeur was op slot, er staat geen raam open en er is er ook geen opengebroken. De achterdeur was niet op slot, maar we laten de sleutel erin en onderaan zit een schuif. Tom kan hem zelf opengemaakt hebben.'

'Waar had hij de tas vandaan?'

'Die stond bij de voordeur. Ik had hem ingepakt om morgen mee te nemen.'

Harry dacht even na en liep toen weer terug door de gang naar de voordeur. Onder het raam zag hij gympen, een short en sokken liggen; Gareths gymspullen waren uit de tas gegooid en achtergelaten. Aan de voetstappen achter zich hoorde hij dat Gareth hem gevolgd was. Door het gekleurde glas van de voordeur kon Harry twee spookachtige, witte figuren zien in het oranje licht van de straatlantaarns. Ze staken de straat over met iets wat leek op een brancard tussen zich in. Toen Harry zich naar Gareth omdraaide viel zijn blik op grijs stof om de kruk van de deur.

'Wat is dat?' vroeg hij.

'De politie heeft al gezocht naar vingerafdrukken,' antwoordde Gareth. 'Ze hebben de hele benedenverdieping en Millies kamer uitgekamd. Ik denk dat ze zich alleen maar proberen in te dekken. Ze hebben niks gevonden.'

'En hoe is het met Joe?' vroeg Harry. 'Wat is er volgens hem gebeurd?'

'Joe hoorde Tom schreeuwen en is opgestaan,' zei Gareth. 'Hij hoorde gebonk beneden, deed zijn regenkleren aan – wat een vooruitziende blik voor een zesjarige – en ging naar buiten. Hij zag Tom in de modder liggen en hij heeft hem geholpen om de tas, met Millie erin, terug naar huis te dragen. Ik was opgestaan om te plassen, zag dat de achterdeur openstond en kwam naar beneden. Ik ben me rot geschrokken. Alle drie, tot op hun huid doorweekt en onder de modder. Tom begon te gillen over dat kleine meisje van hem, Alice wilde onmiddellijk met ze naar het ziekenhuis, ik keek naar buiten en

zag dat ik beter de politie kon bellen. Wat hebben ze daar buiten eigenlijk gevonden?'
'Dat is nog niet duidelijk,' loog Harry. Ze hadden hem gevraagd om nog niet helemaal uit de doeken te doen wat er in de tuin was ontdekt. 'Het spijt me van de muur. Als ik had geweten...'
Gareth staarde naar het rijtje van drie haken naast de voordeur. 'Dat is raar,' zei hij.
'Wat?' vroeg Alice die halverwege de trap stond. Harry draaide zich om en wilde glimlachen, maar het lukte hem niet. Dat was geen gezicht waar je tegen kon glimlachen.
'Mijn sleutels. Ze waren eerder op de avond weg, weet je nog?' zei Gareth. 'Heb jij ze gevonden?'
Alice schudde haar hoofd. 'Ze hebben daar waarschijnlijk de hele tijd gehangen,' antwoordde ze.
'Nee, dat is niet zo. Ik heb gekeken nadat de kinderen naar bed waren gegaan. Ik moest mijn reservesleutels opzoeken om 's morgens te gebruiken. Hoe kunnen ze hier nu weer teruggekomen zijn?'
Alice keek van Harry naar haar man. 'Tom kan...'
'Waarom zou Tom de sleutels van zijn vader verstoppen?' vroeg Harry en hij moest moeite doen om zijn ongeduld te verbergen; zij wisten niet alles wat hij wist. 'Als hij 's nachts de voordeur open wilde maken waren er toch wel andere sleutels die hij had kunnen gebruiken, of niet?'
Alice knikte. 'De mijne hingen er wel,' zei ze, terwijl ze naar de haakjes keek. 'Nog steeds. En hij heeft de voordeur niet opengemaakt. Die was op slot toen we beneden kwamen.'
'Hij dacht eerder vanavond dat er iemand binnen was gekomen,' zei Harry. 'Hij was boven met Evi en kwam in paniek naar beneden gerend. Weet je nog? Hij heeft ons de hele benedenverdieping laten doorzoeken.'
'Precies,' zei Gareth. 'En we hebben overal gekeken. Er was niemand in huis.'
'Nee, dat klopt,' zei Harry. 'De vraag is: waren de sleutels er wel?'

52

'Drie menselijke skeletten,' zei de patholoog. 'Vrijwel zeker van drie heel jonge kinderen, maar daar kom ik zo op.'

Harry had het warm. De ruimte was kleiner dan hij had verwacht. Hij was uitgenodigd door Rushton om aanwezig te zijn bij het onderzoek van de patholoog – de stoffelijke resten waren technisch gezien allemaal zijn verantwoordelijkheid – maar hij had gehoopt zich in de verste hoek terug te kunnen trekken. Dat mocht niet zo zijn. Niemand kon op afstand blijven bij de gebeurtenissen van vandaag, er was gewoon geen ruimte. Een roestvrijstalen werkblad, bijna een meter breed, liep rondom langs de muur van de kamer. De betegelde vloer leek een beetje af te lopen, waardoor water en andere vloeistoffen gemakkelijker weg konden stromen naar de centrale afvoer. Boven de werkbladen hingen wandkasten met glazen deuren. Drie brancards stonden in het midden. Er bleef daardoor weinig ruimte over voor de patholoog, zijn twee assistenten, het team van drie politiemensen en hemzelf. Twee keer had Harry al opzij moeten stappen omdat hij in de weg stond. Hij keek op zijn horloge. Ze waren nog geen vijf minuten in het lab.

'Deze,' ging de patholoog verder terwijl hij naar de eerste brancard liep – Harry was een kwartier geleden aan hem voorgesteld maar hij kon zich zijn naam niet herinneren – 'die we voor het moment Sint Barnabas nummer één zullen noemen, heeft het langst in de grond gelegen. We zien bijna een volledig skelet, en de beenderen van de thorax en het abdomen worden nog net bijeengehouden door de resten van spieren en ligamenten.' Hij liep om de brancard, in de richting van de schedel. 'De rechterarm lijkt bij de schouder afgebroken te zijn toen het graf werd verstoord,' zei hij. 'En een deel van de ulna van de linkerarm is nog niet teruggevonden. Enkele metacarpalia van de linkerhand zijn ook weg. De hersenen en de interne organen zijn natuurlijk allang verdwenen. We hebben sporen van textiel gevonden om het bovenlichaam en twee piepkleine witte knoopjes die in de ribbenkast waren gevallen.'

'Lucy Pickup is tien jaar geleden begraven,' zei Rushton. 'Komt dat overeen met...?'

De patholoog stak een hand op. 'Het tempo waarin een lichaam vergaat varieert sterk,' zei hij. 'Het hangt af van de aarde, het succes van het balsemen als daarvan sprake is geweest, de diepte van het graf, enzovoort. De aarde in het gebied waar de lichamen zijn gevonden is alkalisch, wat normaal het tempo van de decompositie zou vertragen; maar aan de andere kant, dit is een heel jong kind. Heel weinig lichaamsmassa. Alles afwegend zou ik zeggen een periode van tussen de vijf en vijftien jaar.'

'We zullen een beetje meer nodig hebben dan dat, Raymond,' zei Rushton, die aan het voeteneind van de brancard was gaan staan, recht tegenover de patholoog. Raymond, zo heette hij. Raymond Clarke, een van de erkende pathologen op de lijst van de politie.

'Hoe oud zou je zeggen dat ze is?' ging Rushton verder.

'Ik begin nog maar net,' antwoordde Clarke. 'En we weten nog niet of nummer één een zij is. Wat betreft leeftijd, dat moet niet zo'n probleem zijn. Gebaseerd op het skelet hebben we een geschatte lengte van 87 centimeter, wat onze kleine vriend hier in de categorie van vijftien tot zesendertig maanden zou plaatsen. Daarna kijken we naar de mate van ossificatie.'

'De verbening?' vroeg Rushton.

Clarke knikte. 'Het lichaam heeft achthonderd ossificatiepunten en die kunnen een paar handige aanknopingspunten met betrekking tot de leeftijd opleveren,' zei hij. 'Een baby wordt bijvoorbeeld geboren zonder carpale beenderen in de hand. Dan is er nog het cranium. Er zijn vijf grote beenderen in de schedel van een pasgeborene, die geleidelijk sluiten langs speciale naden, sutura genaamd. De pasgeborene heeft ook een paar fontanellen of nog niet verbeende membranen in de schedel. Bij ons vriendje zijn ze dicht, wat aangeeft dat het een kind van minstens vierentwintig maanden is.'

'Tussen twee en drie jaar, dus?' vroeg Rushton. 'Het kan Lucy zijn.'

'Heel goed mogelijk,' zei Clarke. 'Dan kijken we nu naar de verwondingen die het lichaam heeft opgelopen.'

Harry vroeg zich af of iedereen het zo warm had als hij. Waarom zou de onderzoeksruimte van een patholoog warm zijn? Je zou eigenlijk het tegendeel verwachten, om de lichamen in een goede conditie te houden. De twee rechercheurs die Rushton aan hem had voorgesteld – hij mocht een boon worden als hij zich hun namen nog kon herinneren – stonden als een stel standbeelden een stukje verderop aan zijn linkerkant. Een van hen was lang en heel mager, en leek eind dertig te zijn. Zijn haar was net zo dun als de rest van hem en het was net of hij geen wimpers had. De andere rechercheur was iets jonger en stevig gebouwd. Geen van tweeën keek zo ongemakkelijk als Harry zich voelde. Misschien hadden ze geleerd het te verbergen.

'Ik heb het rapport over de dood van Lucy Pickup van de lijkschouwer gekregen,' ging Raymond Clarke verder, terwijl hij zich van het lichaam naar zijn laptop keerde. Hij trok de chirurgische handschoen van zijn rechterhand en sloeg een toets aan om het scherm te activeren. 'Hier staat het allemaal als iemand het wil zien. Het beschrijft een trauma met een stomp voorwerp aan het rechter posterieure deel van de schedel, in het bijzonder de pariëtale en occipitale beenderen, na een val van ongeveer vijf meter op een harde leistenen vloer. Delen van de verbrijzelde schedel hebben massieve interne bloedingen veroorzaakt en de kracht van de impact moet ernstige destructieve schokgolven door de hersenen hebben gestuurd. De dood is waarschijnlijk onmiddellijk ingetreden.'

Rushton en de langste van de twee rechercheurs gingen naast Clarke staan. De drie mannen tuurden naar het computerscherm. Harry bleef waar hij was. Hij wist al hoe Lucy was gestorven. Ze was gevallen, haar dood tegemoet in zijn kerk, en haar kleine schedel...

Hij keek nu naar die schedel. De patholoog kon net zoveel tijd nemen als hij wilde, híj wist dat het Lucy was. 'Daarnaast,' zei Clarke, 'was de ruggengraat op twee plaatsen gebroken, tussen de derde en de vierde lumbale vertebrae en een beetje hoger, tussen de vijfde en de zesde thoracale vertebrae. Er was ook een femurfractuur aan het rechterbeen.' Hij draaide zich om van de computer, keek Harry even aan en liep toen terug naar de brancard. 'Als we naar het hoofd van dit kleine meisje kijken,' zei hij, 'en ja, heren, ik kom tot de conclusie dat het een klein meisje was, kunnen we de ernst van het trauma aan de schedel zien.' Clarke trok zijn handschoen weer aan, schoof zijn hand onder de schedel en draaide hem naar zijn publiek zodat ze konden zien waar de beenderen van de schedel gebroken waren. 'Deze verwondingen komen tamelijk overeen met een val van een aanzienlijke hoogte,' zei hij. 'Ik heb nog geen gelegenheid gehad om de ruggengraat te onderzoeken, maar als we naar haar rechterbeen kijken, dan zien we dat de breuk in de femur vrij goed zichtbaar is. Kunt u het zien?'

'Kan dat gisteravond gebeurd zijn?' vroeg de meer gezette van de rechercheurs. Hij was een brigadier, dacht Harry. Een brigadier die Russell heette. Luke Russell.

'Niet onmogelijk,' zei Clarke. 'Maar als je kijkt naar de röntgenfoto's die gemaakt zijn voor het postmortale onderzoek van de lijkschouwer, dan zijn de breuklijnen vrijwel gelijk. Later vandaag zullen we nog meer röntgenfoto's maken. We kunnen ze vergelijken om helemaal zeker te zijn.'

'Als op haar lichaam een postmortaal onderzoek is uitgevoerd,' vroeg de lange, dunne rechercheur, die volgens Harry de hoogste in rang was van de twee, 'zou dat dan niet te zien zijn? Moet u de borstkas niet openen en de organen verwijderen?'

'Ja, inderdaad,' zei Clarke. 'Een volledig inwendig postmortaal onderzoek houdt ook in dat de ribbenkast wordt doorgezaagd en dat het borstbeen wordt verwijderd. De inwendige organen worden eruit genomen, onderzocht, in een speciale *biohazard-bag* gestopt en teruggeplaatst in de borstholte. De top van de schedel wordt opengezaagd zodat de hersenen kunnen worden onderzocht. Allemaal zaken die nauwelijks over het hoofd gezien kunnen worden.'

'Dus...'

'Helaas schieten we daar niet veel mee op in dit geval, want er is geen volledig inwendig postmortaal onderzoek op Lucy Pickup uitgevoerd, alleen maar een uitwendig onderzoek. Het is altijd een beetje de vraag of je wel of niet tot het uiterste moet gaan en het lichaam moet openmaken. De omstandigheden rond het overlijden worden bekeken en vaak wordt rekening gehouden met de wensen van de familie. Ik ga ervan uit dat de lijkschouwer toen niet het gevoel had dat het nodig was om alles uit de kast te halen. Wat we echter wel hebben, zijn sporen van de balseming.'

Clarke keerde zich naar een van zijn assistenten. 'Geef me die zak eens aan, alsjeblieft, Angela,' zei hij. De oudste van de twee labassistenten pakte een doorzichtige plastic zak van het werkblad achter haar en gaf die aan de patholoog. Hij hield hem tegen het licht en wenkte de politiemensen dichterbij. Van een afstand leek de zak voor zover Harry kon zien leeg te zijn.

'Wat we in deze zak hebben,' zei Clarke, 'is een oogkap. Zie je? Hij lijkt een beetje op een heel grote contactlens. Balsemers gebruiken ze om de oogleden gesloten te houden, zodat de overledene eruitziet of hij rustig ligt te slapen.' Hij stak een gehandschoende hand in de zak en haalde het doorzichtige schijfje eruit. 'We hebben dit in de schedel van nummer één gevonden,' zei hij. 'Het is vermoedelijk op het oog geplakt om het ooglid op zijn plaats te houden.' Hij deed het weer in de zak en gaf hem terug aan zijn assistent.

'We hebben ook sporen van draad gevonden in de kaak,' zei hij. 'Van het soort dat balsemers gebruiken om de lippen op elkaar te houden. En als u kijkt naar de schedel, heren...' Hij liep weer naar het lichaam op de brancard. De anderen volgden en ze gingen bij elkaar staan aan het hoofdeind. Clarke wees naar de gebroken stukken van de schedel. 'Als je goed kijkt,' zei hij, 'dan kun je zien waar de schedel aan elkaar gelijmd lijkt te zijn. Een verwonding op die manier repareren is een klassieke procedure bij het balsemen. Het gaat er vooral om het lichaam zo presentabel mogelijk te maken voor de familie in de dagen voorafgaand aan de begrafenis. Het is echter interessant om te zien dat dit de enige van de drie is die sporen van balseming vertoont. We zullen weefsel opsturen om te laten analyseren, natuurlijk. Formaldehyde is behoorlijk gemeen spul, dat blijft over het algemeen wel een tijdje hangen.'

Clarke liep weg bij het lichaam, trok zijn handschoenen uit en gooide ze in een biohazard-afvalbak. Daarna pakte hij een nieuw paar uit een dispenser. 'We kunnen ook een DNA-analyse doen om absoluut zeker te zijn,' zei hij, terwijl hij de handschoenen aantrok. 'Ik begrijp dat de ouders vanochtend komen, maar als je het mij vraagt, ik ben er 95 procent zeker van dat dit de jongedame is van wie het graf gisteravond werd vernield. Dit is Lucy Pickup.'

Niemand zei iets. Boven hun hoofden zorgde de airconditioning voor een koele luchtstroom die Harry helemaal niet voelde.
'Goed,' zei Clarke en Harry verwachtte bijna dat hij zijn mouwen zou opstropen. 'Dat is het gemakkelijke deel. Laten we nu eens kijken naar haar twee vriendjes.'
Rechercheur Russell wierp een blik op Harry, alsof hij zich afvroeg hoe hij zou reageren op deze mogelijke oneerbiedigheid. Harry sloeg zijn ogen neer. Toen hij weer opkeek stond de patholoog bij de tweede brancard. De anderen gingen om hem heen staan.
'Dit kind is ongeveer even groot,' zei de hoofdinspecteur. 'Hoe weet je zeker dat dit Lucy Pickup niet is?'
'Deze stoffelijke resten hebben geen tien jaar in de grond gelegen,' antwoordde Clarke zonder nadenken. 'Het zou mij verbazen als het langer dan een paar maanden is geweest. Ze verkeren in een totaal andere staat.'
Harry stapte dichterbij en rechercheur Russell stapte opzij om hem de kans te geven in de buurt van de brancard te komen.
'Nummer drie is hetzelfde,' zei Clarke, wijzend naar de derde brancard. 'Zien jullie dat?'
'Helemaal geen skelet te zien,' zei Rushton. 'Ze hebben nog huid. Ze zien er...'
'Droog uit?' suggereerde Clarke, knikkend. 'Dat moet ook. Ze zijn gemummificeerd.'
Harry keek van het ene kind naar het andere. Ze waren, zoals de patholoog zei, volkomen droog, alsof al het vocht uit de lichaampjes was gezogen. Hun huid was verschrompeld, donker als oud leer, en strak als plastic folie om de kleine beenderen getrokken. Op de schedels zat nog haar, aan de handen zaten nog kleine nageltjes. 'Onvergankelijk,' mompelde hij in zichzelf.
'Er zijn geen zwachtels,' zei rechercheur Russell. 'Ik dacht dat mummies werden ingezwachteld.'
'Zeg mummies en iedereen denkt aan het oude Egypte,' zei Clarke. 'Maar strikt genomen is een mummie gewoon een lichaam waarvan de huid en de organen geconserveerd zijn door blootstelling aan iets als chemicaliën, extreme kou of gebrek aan lucht. De Egyptenaren en enkele andere culturen creëerden hun mummies kunstmatig, maar ze komen overal ter wereld voor. Meestal in koude, droge klimaten.'
'Het kan niet in de grond?'
Clarke schudde zijn hoofd. 'In elk geval niet in normale aarde. Een kenmerk van veengrond is dat er geen zuurstof bij het lichaam kan komen, zodat het afbraakproces stopt. Daarom vinden we zoveel geconserveerde lichamen in veengrond.'
'Zouden dit veenlijken kunnen zijn?' vroeg Rushton.

'Dat betwijfel ik. Geen spoor van verkleuring. Ik vermoed dat deze twee boven de grond werden bewaard, ergens waar het koud en droog was, waar de zuurstoftoevoer beperkt was. Op zeker moment tijdens de afgelopen twee of drie maanden – we kunnen een entomoloog naar de activiteit van insecten laten kijken om ons een duidelijker beeld te geven – zijn ze weggehaald van de plek waar ze werden bewaard en in het graf bij Lucy gestopt. Als ik u was, heren, zou ik me afvragen waarom.'

Een paar seconden was er niets anders te horen dan het geluid van ademhaling.

'Sint Barnabas nummer twee moet ongeveer 105 centimeter lang zijn geweest,' ging Clarke verder. 'Waardoor ze in de categorie drie tot vijf jaar valt. Voor zover ik kan zien aan de sutura van de schedel, moet ze in de bovenste helft van die schatting vallen, misschien rond de vier jaar. Onze beste vrienden in deze gevallen zijn echter de tanden.' Hij wees op het gebied rond het kaakbeen. 'Het eerste gebit bestaat uit twintig tanden, die we kennen als de melktanden. Deze beginnen met ongeveer zes maanden door te breken en zijn meestal compleet op driejarige leeftijd. Vanaf de vierentwintigste maand begint de aanleg van de volwassen tanden onder de melktanden.' Hij liet een vinger langs het kaakbeen glijden. 'Melktanden beginnen uit te vallen rond het vijfde of zesde jaar,' ging hij verder. 'Dit varieert natuurlijk aanzienlijk tussen de ene en de andere familie, maar een kind dat verschillende melktanden kwijt is, is vermoedelijk minstens zeven of acht. De volwassen tanden komen door in een volgorde die willekeurig lijkt, maar dat is niet het geval. Dit maakt het relatief gemakkelijk om de leeftijd te bepalen van de schedel van een jong kind. Er zijn zelfs een paar zeer goede tabellen die ik jullie zou kunnen laten zien, zodra we de botten schoon hebben en je de tanden goed kunt zien.'

'Enig idee in dit stadium?' vroeg de rechercheur wiens naam Harry zich gewoon niet kon herinneren. Dave? Steve?

'Lastig zolang we geen röntgenfoto's hebben gemaakt, maar voor zover ik het kan zien lijkt nummer twee een compleet melkgebit te hebben, wat doet vermoeden dat dit een kind is tussen de vier en zes jaar oud.'

'Jongen of meisje?' vroeg Rushton. Beide rechercheurs keken naar hun meerdere en toen weer naar het lichaam.

'Dit is een meisje,' zei Clarke. 'Dankzij de mummificatie kan ik dat met enige zekerheid zeggen.'

'Denkt iemand wat ik denk?' vroeg Rushton terwijl hij naar het plafond keek.

'Ik denk dat we dat allemaal doen, baas,' zei rechercheur Russell.

Ik niet, dacht Harry.

'Mis ik iets?' vroeg Clarke, die van de ene man naar de andere keek.

'Megan Connor,' zei Rushton. 'Vier jaar oud. Kind uit de buurt. Verdween zes jaar geleden op de hei niet ver van hier. Grootste zaak in mijn carrière. Enorme zoektocht. We hebben geen spoor van haar gevonden.' Hij wendde zich tot Harry. 'Klinkt dat bekend, dominee?'
Harry knikte. 'Ik geloof het wel,' zei hij. Het verhaal had het nieuws weken gedomineerd. 'Maar eerlijk gezegd had ik de zaak niet in verband gebracht met deze regio. Ik wist niet precies waar het gebeurd was.'
'Nog geen twee kilometer van Heptonclough,' zei Rushton. 'Meisje verdween uit het zicht van haar ouders tijdens een familiepicknick. Nooit meer gezien.' Hij keerde zich snel weer naar de patholoog. 'Zaten er ook kleren bij het lichaam, Ray?'
'Ja, deze droeg regenkleding,' antwoordde Clarke. 'Regenjas en laarzen. Er is echter maar één laars gevonden. Hier ligt ie. Maat...'
'Maat tien, rood,' zei Rushton, die op het dode kind neerkeek. 'De regenjas is ook rood, met een capuchon en bedrukt met lieveheersbeestjes. Klopt dat?'
'Ja,' zei Clarke. 'Ze zijn verwijderd en veilig gesteld.'
'Ik zie die kleren in mijn dromen,' zei Rushton. 'Waar zijn ze?'
'Daar,' zei Clarke. Hij liep om de derde brancard naar de tafel tegen de muur. Een serie grote, doorzichtige plastic zakken lag netjes op een rij. Hij pakte de eerste, toen de tweede en hield ze Rushton voor. Beide waren voorzien van letters en cijfers. Rushton pakte de zak met daarin een kleine rubberlaars en schudde zacht zijn hoofd.
'Ze droeg ook een spijkerbroek en een soort trui,' zei Clarke. 'En ook ondergoed. Dat kan helpen bij de identificatie.'
'Ik ben opgelucht dat ze is begraven met kleren aan, jongens,' zei Rushton. 'Wat zegt dat over mij?'
Niemand antwoordde.
'Enig idee over de doodsoorzaak, dokter Clarke?' vroeg de rechercheur met het dunne haar. 'De beenderen van de schedel lijken...'
'Ja, inderdaad,' stemde Clarke in. 'Het trauma is zeer vergelijkbaar met het eerste kind. Zwaar letsel met een stomp voorwerp aan de schedel, hoofdzakelijk de pariëtale en frontale beenderen, en in dit geval hebben we een gebroken rechterclavicula of sleutelbeen, een fractuur van de rechterhumerus en een distale fractuur van de rechterradius. Wat zeker past bij een val, maar of dit voor of na het overlijden was is moeilijk te zeggen.'
'Dus beide kinderen zijn van grote hoogte gevallen?' zei Rushton. 'Hoe zeker ben je over nummer twee? Kunnen haar botten op een andere manier zijn gebroken? Zou ze... zouden ze alle twee geslagen kunnen zijn?'
'Onwaarschijnlijk als je kijkt naar het patroon van de verwondingen,' zei Clarke. 'Nummer één heeft een trauma aan de achterkant van haar schedel, aan haar ruggengraat en aan haar rechterbeen, allemaal passend bij een val

van grote hoogte en een landing op de rug. De verwondingen van nummer twee zijn allemaal aan de rechterkant van haar lichaam, opnieuw passend bij een val en een landing op haar rechterzij, waarbij ze mogelijk haar rechterarm heeft uitgestoken om de val te breken. Als kinderen worden geslagen zijn de verwondingen willekeuriger. Ze zijn meestal geconcentreerd rond het hoofd en het bovenlichaam, hoewel je soms trauma aan de armen kunt zien als het kind heeft geprobeerd zich te verdedigen. Er zijn geen duidelijke verdedigingswonden bij deze twee.'

'Kunnen deze breuken gisteravond zijn ontstaan toen het graf werd beschadigd?' vroeg de rechercheur.

'Dat kan ik niet uitsluiten,' zei Clarke. 'Er is geen teken dat deze botten begonnen te helen, dus de breuken zijn in elk geval heel dicht bij het tijdstip van overlijden of na het overlijden ontstaan. Maar jullie hadden een heleboel natte zachte grond, en voor zover ik heb begrepen, zijn de stoffelijke resten meer gerold dan gevallen, van een hoogte van, wat, twee meter?' Hij keek weer naar de schade aan de schedel van nummer twee. 'Ik betwijfel het, heren,' zei hij. 'Iedereen klaar voor nummer drie?'

Nee, dacht Harry.

De groep om de brancard verspreidde zich, om weer samen te komen bij het derde en laatste lijk. Harry nam met tegenzin zijn plaats in.

'Verontrustende overeenkomsten,' zei Clarke. 'Weer een heel jong vrouwelijk kind, grotendeels gemummificeerd. Uit wat ik kan zien van de tanden en de ontwikkeling van de beenderen zou ik zeggen een leeftijd tussen twee en vijf jaar oud. Haar lengte wijst op...'

'Toen ik haar gisteravond zag had ze kleren aan,' viel Harry hem in de rede. 'Wat is er gebeurd met...'

'Uitgetrokken en veilig gesteld,' zei Clarke, die zijn ogen een beetje dichtkneep en Harry oplettend aankeek. 'Waarom?'

'Mag ik ze even zien?' vroeg Harry.

'Wat is er, jongen?' vroeg Rushton.

'Dat weet ik niet zeker,' zei Harry. 'Het was donker gisteravond. Ik kon waarschijnlijk niet helemaal goed nadenken. Is het mogelijk dat ik de nachtpon of wat het was even kan zien?'

Clarke knikte naar de jongste van de twee labassistenten, die naar het werkblad langs de muur liep en een aantal plastic zakken bekeek, waarvan ze er een pakte en aan Harry gaf. Harry nam de zak aan en hield hem tegen het licht.

'Het is een pyjamajasje,' zei de assistente. Het was een jonge vrouw, nauwelijks vijfentwintig, slank, met kort donker haar. 'We moeten de aanhangende aarde afschrapen, het controleren op sporen en daarna zullen we het wassen,' ging ze verder. 'Je kunt het veel beter zien als we dat gedaan hebben.'

'Alleen maar het jasje?' vroeg Harry.
'Dat is alles wat ze tot dusverre hebben gevonden,' antwoordde het meisje. 'De broek komt misschien later vandaag nog wel boven water. Maar het is een vrij opvallend kledingstuk. Met de hand gemaakt, voor zover ik kan zien. Geen label of wasinstructies en deze dieren lijken met de hand geborduurd te zijn.'
'Dat zijn ze ook,' zei Harry, terwijl hij naar een kleine egel keek.
'Waar denkt u aan, dominee?' vroeg Rushton.
Harry wendde zich tot de patholoog. 'Kunnen dit de resten zijn van een meisje van tweeënhalf?' vroeg hij. 'Dat bijna drie jaar dood is?'
'Nou, er is niets wat op iets anders wijst,' zei Clarke.
'Wat is er aan de hand?' zei Rushton. 'Wie denkt u dat ze is?'
'Ze heet Hayley Royle,' zei Harry. 'Haar moeder is lid van mijn parochie. De mensen in het dorp denken dat ze bij een brand in hun huis drie jaar geleden is omgekomen.'
Iedereen in de onderzoeksruimte keek naar hem. Plotseling had hij het niet warm meer. Een koud straaltje zweet liep over zijn rug.
'De pyjama was een cadeau,' ging Harry verder, terwijl hij zich omdraaide naar Lucy's lichaampje. 'Van de moeder van dat kind, vreemd genoeg,' ging hij verder. 'Haar tante heeft hem gemaakt, hij is uniek.' Iedereen staarde naar hem. Hij kraamde waarschijnlijk allemaal onzin uit. Toen keerde Rushton zich naar de patholoog. Hij zei niets maar hield zijn handen omhoog in een zwijgende vraag.
'Er is geen spoor van brandwonden voor zover ik kan zien,' zei Clarke. 'Hoe ernstig was de brand?'
'Hij heeft uren geduurd,' zei Harry. 'Het huis is nog maar een geraamte. Het lichaam van het kind is nooit gevonden.'
De politiemensen keken elkaar aan.
'De moeder is ervan overtuigd dat het kind niet is omgekomen in de vlammen,' ging Harry verder. 'Ze gelooft dat Hayley op de een of ander manier uit het huis is gekomen en dat ze is weggelopen, de hei op. Hieruit blijkt dat ze dat misschien inderdaad heeft gedaan.'
'Grote goden,' mompelde hoofdinspecteur Rushton. 'Sorry, dominee.'
'Dat geeft niet,' zei Harry. 'Als dit kind niet is verbrand, hoe is ze dan gestorven?'
Clarke leek even sprakeloos.
'Is zij ook gevallen?' vroeg Harry, hoewel hij het antwoord eigenlijk al wist. Hayley was van de galerij in zijn kerk gevallen. Net als Lucy. Net als Megan Connor. Hun bloed zou op de stenen liggen, de politie zou later die dag gaan kijken, ze zouden er sporen van vinden. Hij sloot zijn ogen. Millie Fletcher was bijna de vierde geworden.

Clarke zei weer iets. 'Ja, ik ben bang dat dat mogelijk het geval is geweest. Ze heeft verwondingen aan haar schedel, haar gezicht, ribben en bekken. Ze is van grote hoogte op haar gezicht gevallen.'
'Nou, ik denk dat we nu wel kunnen vergeten dat deze kinderen zijn gevallen,' zei Rushton.

53

'Maar het kan Hayley niet zijn,' fluisterde Evi, hoewel ze met zijn tweeën in een hoekje van de ontvangsthal van het ziekenhuis stonden. 'Haar stoffelijke resten zijn gevonden.'
'Nee,' zei Harry, nog steeds ongemakkelijk warm in zijn zwarte shirt en jasje en strakke witte boord. 'Volgens Gillian was er geen spoor...'
'Ja, ik weet wat ze je heeft verteld. Ze heeft tegen mij hetzelfde gezegd. Maar ze loog. O, shit, dit hoort absoluut niet.' Evi leunde achterover in haar stoel en wreef met een hand over haar gezicht. 'Ik hoor hier niet over te praten,' zei ze.
Harry zuchtte. 'Is er geen uitzondering op de regel, waarbij je de vertrouwensrelatie even kunt vergeten als je denkt dat het leven van iemand op het spel staat?' vroeg hij.
'Jawel, maar toch...'
Harry legde een hand op de leuning van Evi's rolstoel. 'Evi, ik heb net drie dode kinderen gezien, die allemaal op een vergelijkbare manier om het leven zijn gekomen, en waarvan er twee al helemaal niet in dat graf thuishoorden. Ik geloof echt dat de normale regels hier niet langer gelden.'
Evi keek een moment naar de grond en leek toen een beslissing te nemen.
'Ik ben naar de brandweerlieden geweest die dienst hadden toen Gillians huis in brand stond,' antwoordde ze zonder op te kijken. 'Ze hebben Hayleys stoffelijke resten de volgende dag gevonden. Alleen maar as en botfragmenten, heel vergelijkbaar met wat er overblijft na een crematie, maar zeker menselijk. De botten zijn getest.'
Harry had het gevoel dat ze hem een stomp in zijn maag had gegeven. 'Als dat zo is, dan had ik het mis,' zei hij. 'Die aardige dokter Clarke zal daar niet blij mee zijn.' Ze zouden allemaal niet blij zijn. 'Ik weet zeker dat ik Gillian heb horen zeggen wat Hayley die laatste nacht droeg,' ging hij verder. 'En omdat Jenny me verteld had dat het met de hand was gemaakt door haar zus, leek er geen twijfel mogelijk.'
Evi zag er net zo bezorgd uit als hij zich voelde. 'Gillian moet het mis hebben gehad,' zei ze. 'Ernstig trauma kan de herinneringen van mensen verstoren. Misschien heeft ze de pyjama aan iemand anders gegeven en is ze dat vergeten. Als die pyjama uniek is, zal dat in elk geval helpen om het lichaam te identificeren.'

'Misschien,' stemde Harry in. 'Het probleem is dat de geest nu uit de fles is. De politie zal met haar moeten praten. Ik weet niet of ze dat aankan.'
'Ik kan er nu naartoe gaan,' zei Evi. 'Ik heb vandaag verder geen afspraken meer.'
Harry hoorde voetstappen naderen. Toen hij opkeek zag hij Rushton in de deuropening staan. 'We zijn klaar om nu naar mevrouw Royle te gaan, dominee,' zei hij. 'Gaat u mee?'
'Natuurlijk,' zei Harry. Hij stond op en draaide zich naar Evi. Aan de achterkant van de rolstoel zaten twee handgrepen, een aan elke kant van haar schouders. 'Mag ik?' bood hij aan.
'Als je het maar uit je hoofd laat,' snauwde ze. 'Laten we gaan.'

54

Gillian leek te zwaaien op haar benen in de deuropening, en haar ogen richtten zich op Harry. 'U hebt me niet gezegd dat u vanmorgen zou komen,' zei ze, en ze wierp daarna een sluwe blik in Evi's richting.

'Gillian, dit is hoofdinspecteur Rushton,' zei Harry. 'Ik ben bang dat we met je moeten praten. Kunnen we even binnenkomen?'

Gillians ogen gingen iets verder open, toen draaide ze zich om en liep de trap op naar haar flat. Harry liet Evi voorgaan en volgde haar. Rushton kwam als laatste naar boven.

De flat leek sinds de vorige dag opgeruimd te zijn. Harry hoopte dat het niet voor hem was.

'Wat is er aan de hand bij de kerk?' vroeg Gillian toen ze allemaal in de kleine zitkamer stonden. 'Er staan de hele ochtend al politieauto's.'

Door het raam achter Gillian kon Harry de hoofdstraat zien die heuvelopwaarts in de richting van de kerk liep. Na de regen van de vorige nacht hing er een lichte mist. De contouren van de gebouwen langs de weg leken vager, alsof ze waren uitgegumd.

'Dat is ten dele de reden waarom we hier zijn,' zei Harry. 'Er is gisteravond iets gebeurd bij de kerk.' Hij draaide zich om. 'Hoofdinspecteur, hebt u er bezwaar tegen als ik...?'

'Nee, alstublieft, gaat uw gang,' antwoordde Rushton, terwijl hij zich in een leunstoel liet zakken.

Harry wachtte tot Gillian en Evi zaten. Evi nam de andere leunstoel, Gillian zat in het midden van de bank. Harry liet zich zakken tot hij op het uiterste randje van de bank naast haar zat. 'Gillian, er is iets gebeurd wat misschien heel moeilijk voor je zal zijn,' begon hij. 'Daarom heb ik dokter Oliver gevraagd om mee te komen.' Gillians ogen gleden naar Evi, alsof ze nu pas merkte dat ze ook mee naar boven was gekomen. Toen keerde ze zich weer naar Harry.

'Weet je nog dat je me vertelde over de nacht waarop je oude huis afbrandde?' vroeg Harry. 'Over de nacht dat Hayley stierf?'

Gillian zei niks, ze knikte alleen maar, zonder haar ogen van Harry's gezicht af te wenden. Hij vroeg zich af of ze weer dronk. Er was iets niet helemaal...

'Herinner je je nog de pyjama die ze droeg?' ging hij verder.

Bij die woorden ging Gillian rechtop zitten. Haar ogen focusten zich en ze

keek van Harry naar Rushton. 'Wat is er gebeurd?' vroeg ze. Ze zag er nu bang uit.
'Mevrouw Royle,' zei Rushton, voorover leunend. In de kleine kamer leken ze allemaal ongemakkelijk dicht bij elkaar te zitten. 'Vanochtend vroeg hebben we de stoffelijke resten gevonden van een klein kind in een pyjama die vergelijkbaar is met de pyjama die u hebt beschreven aan dominee Laycock. Kan het zijn dat u zich hebt vergist over wat uw dochter aan had?'
'Jullie hebben haar gevonden?' Gillian schoof naar voren op de bank, klaar om op te springen.
'Er is een kind gevonden,' zei Harry terwijl hij zijn hand zacht op Gillians arm legde. Uit zijn ooghoek zag hij dat zowel Evi als Rushton aanstalten maakten om op te staan. 'Maar we begrijpen niet hoe het Hayley zou kunnen zijn.'
'Ik wist het.' Haar vingers grepen zijn hand. 'Ik wist dat ze niet was verbrand. Waar was ze? Wat is er met haar gebeurd?'
'Mevrouw Royle.' Rushtons stem was luid genoeg om Gillian even tot zwijgen te brengen. 'Ik heb het rapport gezien van de brandweercommandant die de leiding had bij de brand in uw huis. Volgens dat rapport werden de stoffelijke resten van uw dochter gevonden. Ze zijn kort na de brand aan u overgedragen.'
'Nee,' snauwde Gillian terwijl ze woedend naar Rushton keek.
'Nee?' herhaalde Harry.
Gillian draaide haar hoofd om hem aan te kijken. 'Wat zij me hebben gegeven was Hayley niet. Dat weet ik zeker.' Ze keek weer naar Rushton. 'Ze hebben geprobeerd me af te schepen met een handvol as. Ik weet dat ze naar buiten is gekomen. Kijk niet of ik gek ben, ik weet waar ik het over heb.'
'Gillian, wat is er gebeurd met de as die de brandweerlieden je hebben gegeven?' vroeg Evi. 'Wat heb je ermee gedaan?'
Gillian stond zo snel op dat Harry bijna van de bank viel. Hij zag hoe ze de kamer door liep en in de keuken verdween. Een kastje werd opengetrokken en voorwerpen werden heen en weer geschoven. Hij keek naar Evi die licht haar schouders ophaalde. Toen was Gillian terug met een metalen pot in haar handen. Het leek op – het leek op wat het was – een urn. Harry stond op.
Gillian liep de kamer door naar de kleine salontafel midden op het kleed. Ze viel op haar knieën en zwaaide een hand over de tafel. Een tijdschrift en haar handtas vielen op de vloer.
'Gillian, nee!' riep Evi, een fractie van een seconde voor Harry besefte wat het meisje op het punt stond te doen.
'O, lieve help,' mompelde Rushton terwijl hij opstond.
Gillian had het deksel van de urn gedraaid en hem omgekeerd. De as stroomde eruit zodat een kleine wolk boven de tafel ontstond. Harry hoorde harde

stukjes op het hout vallen. Iets grijs, ongeveer zes centimeter lang, viel op het kleed bij zijn voeten.
'Dit is Hayley niet!' riep Gillian. 'Dat weet ik zeker.'
Evi knielde naast Gillian op het kleed. Ze had een arm om de schouders van de jonge vrouw geslagen en probeerde met de andere Gillians hand te grijpen om te voorkomen dat ze de as door de kamer zou gooien.
'Oké, ik heb haar.' Harry's hand raakte die van Evi een fractie van een seconde. Toen tilde hij Gillian op en pakte de lege urn uit haar hand. Ze kalmeerde onmiddellijk, draaide zich naar hem om en begon tegen zijn schouder te snikken. Goeie god, wat had hij in gang gezet?
'Raakt u dat alstublieft niet aan, dokter Oliver,' zei Rushton. Harry draaide zijn hoofd om en voelde dat Gillians haar tegen zijn gezicht zat geplakt. Evi, die nog steeds op de vloer knielde, had de urn opgepakt en het leek of ze de as er weer in wilde schuiven. 'Ik doe het wel,' zei Rushton, en hij nam de urn van haar over.
Vier hoofden draaiden zich om toen ze de voordeur open hoorden gaan, gevolgd door voetstappen op de trap. Harry greep Gillian stevig vast en slaagde erin haar weer in de richting van de bank te leiden. Hij duwde haar voorzichtig neer en draaide zich toen weer naar Evi. Ze zat nog steeds op het kleed. Zonder op toestemming te wachten sloeg hij zijn handen om haar middel, tilde haar op en hielp haar in de leunstoel waar ze had gezeten.
'Dank je,' mompelde ze. Haar onderlip leek te trillen. Achter haar zag hij Gwen Bannister, Gillians moeder, in de deuropening staan die het tafereel stond op te nemen. Rushton was begonnen met het opruimen van de as. Gillian huilde weer, met haar hoofd op haar knieën zodat haar blonde haar op de grond hing. Evi had haar tas gepakt en zat erin te rommelen. Harry verwachtte half dat de nieuw aangekomene zich zou omdraaien en vertrekken.
'Hoofdinspecteur Rushton, ik wil Gillian iets geven zodat ze zich beter voelt,' zei Evi. 'Hebt u nog meer vragen voor haar?'
'Op het moment niet,' antwoordde Rushton. 'Ik neem deze as mee om opnieuw te laten testen. Voor zover ik weet hebben de tests van drie jaar geleden alleen maar bevestigd dat het menselijke resten waren. Ik denk dat we meer zekerheid moeten hebben.'
'Misschien kan Gillian even een poosje rusten,' stelde Evi voor, terwijl ze weer probeerde op te staan.
Gwen liep de kamer door en pakte haar dochters hand. 'Kom, liefje,' zei ze, en trok Gillian overeind. 'Kom, ga maar even liggen.'
Toen de twee vrouwen in Gillians slaapkamer verdwenen zuchtte Harry van opluchting. 'Moet Gillian het pyjamajasje identificeren?' vroeg hij. Hij wist dat het in Rushtons aktetas zat, in een plastic zak met een label erop.

Rushton schudde zijn hoofd. 'Ik geloof niet dat ze een betrouwbare getuige is, denkt u wel? Hoe zit het met de vrouw die het heeft gemaakt? Was dat volgens u niet Christiana, de oudste dochter van Sinclair?'
Harry knikte. 'Dat heeft Jenny me verteld. De pyjama is gemaakt voor Lucy. Ze dacht dat hij te mooi was om weg te gooien en een paar jaar na het overlijden van Lucy heeft ze hem aan Gillian gegeven voor haar dochtertje.' Harry zweeg. Kleertjes, gemaakt voor een dood kind, werden aan een ander kind gegeven. Beide waren geëindigd in hetzelfde graf.
'Wat een ellende,' zei Rushton, die Harry's gedachten leek te delen. 'Goed, ik kan maar beter naar Abbot's House gaan. Kijken of ik iemand kan vinden die nog in staat is een zinnig woord uit te brengen.'
'Ik ga met u mee,' zei Harry. 'Dat wil zeggen naar de kerk. Ik moet uitzoeken hoe het er op het kerkhof uitziet. Mijn aartsdiaken heeft een verslag nodig. En jij Evi?'
Evi keek naar de slaapkamerdeur. 'Ik moet eigenlijk nog wel even blijven,' zei ze.
'Bel je me als je hier weg gaat?' vroeg Harry. Hij glimlachte even naar haar en draaide zich toen om om te vertrekken. Rushton volgde hem naar buiten, met de stoffelijke resten van een menselijk wezen in zijn hand.

55

'Hebt u al contact gehad met de ouders van Megan Connor?' vroeg Harry, terwijl hij met Rushton in de richting van het huis van de Fletchers liep. Op de top van de heuvel was de mist dikker. Hij leek bijna uit de rotsen op te stijgen om in hoeken en onder dakranden te blijven hangen. Hij bracht de geur van de hei met zich mee; Harry rook natte aarde en, ondanks alle regen, een lichte houtskoolgeur van de voorgaande avond.

'Ja, ze zijn onderweg,' knikte Rushton. 'Ze wonen nu in Accrington. Ze zijn een paar jaar na het gebeurde verhuisd. Ik zie ze over een uur. Ik wilde dat ik hun meer antwoorden kon geven.'

Harry kon zich de uitzending herinneren van de smeekbede door de Connors voor een veilige terugkeer van hun dochter. Die was een paar dagen lang het hoofdthema geweest tijdens het avondnieuws. De politie had in het hele land gezocht en Megan zou tot zelfs in Wales en aan de zuidkust gezien zijn. En toch was ze nog geen halve kilometer van waar ze verdween gevonden.

'Wat ik niet begrijp,' zei Harry, 'is dat de patholoog zo zeker wist dat de twee meisjes, van wie we denken dat het Megan en Hayley zijn, niet meer dan een paar maanden in de grond kunnen hebben gelegen. Dus hun lichamen werden ergens bewaard, zes jaar lang in Megans geval, drie jaar in Hayleys. Het waren allebei kinderen uit de buurt, dan lijkt het toch logisch om te veronderstellen dat het ergens hier in de buurt is geweest.'

Op de oprit van de Fletchers stonden verschillende politiemensen, en op een afstandje stond een wat nonchalanter gekleed groepje waarvan Harry met een moedeloos gevoel besefte dat het journalisten waren.

'Ben zo bij jullie, mensen,' riep Rushton naar het politieteam. 'Uw vraag is of we wel goed hebben gezocht toen Megan werd vermist, klopt dat, dominee?'

'Sorry, ik bedoelde niet...' De journalisten hadden hen gezien en begonnen achter de afzettingstape naar ze toe te komen.

'Het antwoord is ja, dat hebben we zeker,' zei Rushton zacht, met een blik op de journalisten. 'We hadden hier op een gegeven moment vijftig mensen, en het grootste deel van het dorp heeft meegeholpen. We hebben niet alleen in het dorp gekeken, we hebben de hele hei afgezocht. Elke ruïne, elk waterpompstation, elke struik en elke stapel stenen. We hebben kadaverhonden ingezet die getraind zijn om alleen op rottend vlees af te gaan. Ze hebben

twee verse lijken gevonden. Het ene was een konijn, in die oude cottage die van de familie Renshaw is. De andere was een huiskat. Ze zijn erop getraind resten van dieren met rust te laten, dus het heeft ons niet te veel tijd gekost.'
'Maar hoe...?' Harry maakte de vraag niet af.
'We hebben ook een helikopter over het gebied laten vliegen, met apparatuur die de warmte van een rottend lijk kan opsporen. Hij heeft een das, een hert, nog een paar konijnen en een slechtvalk met één vleugel voor ons gevonden. Geen kleine meisjes.'
'Hoofdinspecteur Rushton...' Een van de reporters, een jongeman van in de twintig, keek om een vrouwelijke politieagent heen, in een poging Harry en Rushton beter te kunnen zien.
'Dus ik ben geneigd te denken dat als de honden en de heli en de helft van het graafschap Lancashire die in de regio hebben gezocht, Megan niet hebben gevonden, dat kwam omdat ze niet daar was waar we hebben gezocht. Naar Hayley hebben we natuurlijk niet gezocht, want niemand wist dat ze werd vermist.'
Behalve haar moeder dan, dacht Harry. Een van de rechercheurs die ook bij de patholoog was geweest kwam op hen af. Het was de oudere en meerdere van de twee, die met het dunnende haar en de onzichtbare wimpers. Die Dave of Steve of zoiets heette.
'Geef me nog een paar seconden, Jove,' zei Rushton.
Jove?
'Een van de dingen die ik ga uitzoeken is waarom niemand heeft gezien dat het graf van de kleine Lucy was geschonden. Hoewel dat deel van het kerkhof niet direct in het zicht lag voordat je vrienden de Fletchers hun huis hier bouwden. Iemand die 's nachts stilletjes te werk gaat en zorgvuldig zijn sporen uitwist, ja, ik snap wel dat dat mogelijk is. En als hij mazzel had met een mist als deze, dan kon hij misschien zelfs wel bij daglicht zijn gang gaan.'
Zijn arm viel van Harry's schouder en hij liep de heuvel weer af om zich tot de journalisten te richten.
'Persconferentie om drie uur, dames en heren. Dan zal ik met u praten!' riep hij. 'Goed, beste mensen,' zei hij tegen zijn collega's, en hij rechtte zijn schouders. 'Wat hebben jullie voor me?'
De rechercheur met het dunne haar die, zoals Harry net had gehoord, was genoemd naar een Romeinse god, nam Harry's plaats naast Rushton in en gebaarde dat ze de heuvel op moesten lopen in de richting van het kerkhof. Harry en de andere rechercheur die hij zich herinnerde van het onderzoek, volgden. De omvang van de man was zonder de operatiekleding nog beter zichtbaar. Zijn broek spande om zijn middel.
'U hebt er hierboven beter zicht op,' legde Jove uit toen ze door de ingang het pad op liepen. Harry kon het uiteinde van de toren niet zien. Ook de toppen

van de hogere bogen waren in grijze mist gehuld. 'Ze hebben de dekzeilen weggehaald zolang het niet meer regent,' ging hij verder. 'Om te profiteren van het daglicht.' Hij keek op. 'Voor zover dat er is.'
'Is er nog iets anders gevonden?' vroeg Rushton. De vier mannen liepen snel langs de kerk naar het gedeelte met de tent dicht bij de muur. Een geüniformeerde agent stond op wacht bij de ingang.
'De andere helft van de pyjama,' zei Jove zacht. 'Met iets wat mogelijk bloedvlekken kunnen zijn. Hij is naar het lab gestuurd. Met een paar botten. Ik kan niet zeggen wat het waren, maar ze zagen er klein uit. O, en het graf aan de rechterkant van het ingestorte graf als je met het gezicht naar het huis staat, is van een familie die Seacroft heet?'
'Ja,' zei Rushton aanmoedigend.
Ze waren nu bij de politietent. De agent stapte opzij en liet hen erlangs. Harry was de laatste. De plastic wanden waren aan drie kanten gesloten. Hij kon recht in de tuin van de Fletchers kijken. Drie forensische onderzoekers waren daar beneden aan het werk. Twee van hen leken de stenen die losgeraakt waren uit de muur naar de rand van de tuin te dragen. Er stond daar ook een klein stenen beeld van een kind. De rolgordijnen voor de ramen van het huis waren nog steeds dicht.
'Daarvan kun je inmiddels de kist zien,' zei Jove. 'Hier, een mooi stukje eiken. We konden hem gisteravond niet zien, maar nu ligt het grootste deel van de zijkant vrij, zoals u kunt zien.'
Harry keek naar het hout, met vochtplekken en hier en daar een beetje verrot. 'We kunnen hem zo niet laten liggen,' zei Jove. 'We halen hem eruit en laten Clarke komen om er naar te kijken. Zien we iets verdachts dan gaat het hele zaakje naar het lab.'
'Heel goed,' zei Rushton. 'We moeten hetzelfde aan de andere kant doen. Heeft iemand een verzoek tot opgraving ingediend?'
'Ik geloof het wel, sir, maar ik zal het navragen.'
'Er is een gigantische kelder onder de kerk,' zei Harry, omdat hij niet langer in staat was te zwijgen. 'Koud en droog. Een plek waar je gemummificeerde lichamen zou kunnen verwachten. Hij is jaren op slot geweest. Hebt u daar gekeken toen u naar Megan zocht?'
'Dat hebben we gedaan.' Rushton knikte. 'Sinclair heeft hem voor ons open gemaakt. Alle oude sarcofagen zijn geopend. We hebben ook de honden mee naar beneden genomen. Om de lucht op te snuiven, om het zo maar te zeggen. Ze raakten even behoorlijk opgewonden in de kerk zelf, op de trap naar een van de oude klokkentorens.'
'En?' drong Harry aan, terwijl hij zich omdraaide om naar de kerk te kijken. Alleen de dichtstbijzijnde van de vier torens, die op de zuidwestelijke hoek, was vanaf daar te zien.

'Drie dode duiven,' zei Rushton. 'Ik kon ze zelf al ruiken voor ik halverwege de trap was.'
'Gaat u opnieuw in de kelder zoeken?' vroeg Harry. 'Het waren meisjes uit de buurt. Ze werden hier meegenomen en hier teruggevonden. Ze moeten ergens hier in de buurt verborgen zijn.'
Rushton keek nauwelijks zijn kant uit. 'Dank u, dominee, het korps heeft al enige ervaring met het uitvoeren van een moordonderzoek.'
Een radio begon te knetteren. Jove trok de ontvanger van zijn riem en draaide zich om. 'Neasden,' mompelde hij. Even later draaide hij zich weer naar zijn meerdere. 'Nodig in de woning, chef,' zei hij. 'Ze hebben iets gevonden.'

'Hoe lang zal ze van de wereld zijn?' vroeg Gwen Bannister.
'Moeilijk te zeggen,' antwoordde Evi. 'Temazepam is een heel licht kalmeringsmiddel en ik heb haar niet veel gegeven. Iemand die een beetje fitter is en misschien wat meer weegt zou zich alleen maar een beetje suf voelen, of een beetje duizelig. Gillian was waarschijnlijk uitgeput dat ze zo snel in slaap viel.'
Gillians gezicht zag er ontspannen uit en had iets van de stress van het laatste halfuur verloren. Ze leek jonger, zachter. Een arm lag over het kussen. De mouw van het T-shirt dat ze droeg was bijna tot haar elleboog opgestroopt. Evi pakte zachtjes Gillians arm en trok de stof een beetje omhoog.
'Ik dacht dat het beter met haar ging,' zei haar moeder, terwijl ze naar de felle, verse striemen over de onderarm van het meisje keek. 'Ze was opgeknapt sinds het begin van de therapie.'
'Deze dingen kosten tijd,' zei Evi. 'Het is nog vroeg.'
Gwen keerde zich naar de deur. 'Kom op, liefje, je moet niet zo lang staan. Wat zou je zeggen van iets warms?'
'Dat klinkt goed,' zei Evi. 'Ontbijt lijkt al heel lang geleden.'
'Thee of koffie?' Gwen verliet de slaapkamer. Evi stopte Gillians arm onder het dekbed en trok het een beetje hoger om haar schouders.
'Thee graag, wel melk, geen suiker,' riep ze zachtjes terwijl ze de woonkamer weer inliep. De mist buiten werd beslist dikker. Toen ze in Gillians flat waren gearriveerd, had hij boven de hei en het hooggelegen deel van het dorp gehangen. Sindsdien was hij lager gaan hangen. Ze kon nog net een deel van de oude toren zien, maar niet meer.
Evi liep weg bij het raam en ging zitten. Het leek of de salontafel was bestrooid met fijn grijs stof. Ze hoorde het geluid van een waterketel die floot, van water dat werd opgegoten, van een koelkast die werd geopend. Toen kwam Gwen terug met een dienblad waar twee bekers thee en een schaaltje koekjes op stonden. Ze bleef staan en keek naar de salontafel toen de betekenis van het stof tot haar door drong.

'Dat lijkt niet gepast, hè?' zei ze. 'Zal ik het schoonmaken?'
'Ik weet het niet,' zei Evi. 'Laat het misschien maar even zo. Ik zal proberen contact op te nemen met die politieman voor ik ga. Ik zal hem vragen wat we moeten doen.'
Gwen boog zich voorover en zette het blad op de grond. Ze hield Evi het schaaltje koekjes voor.
'Ik geloof niet dat Gillian vandaag alleen gelaten kan worden, ben ik bang,' zei Evi. Ze beet in een koekje en had er onmiddellijk spijt van. Het was zacht en lag als vochtig karton in haar mond. 'Ik kan later nog eens langskomen als ze wakker is, maar er moet iemand bij haar blijven. Als u dat niet kunt, dan kan ik regelen dat ze wordt opgenomen. In het ziekenhuis, bedoel ik. Misschien alleen voor vannacht.'
Gwen schudde haar hoofd. 'Dat hoeft niet. Ik kan bij haar blijven. Ik neem haar vanavond wel mee naar huis. Ik neem aan dat we het voor de verandering wel even met elkaar uit kunnen houden. Wat een vieze koekjes, sorry, liefje.'
'Jullie zijn niet close?' vroeg Evi voorzichtig. Gillian praatte zo zelden over haar moeder dat ze werkelijk geen idee had van de relatie tussen die twee.
Gwen aarzelde. 'Het gaat wel,' zei ze. 'Gill is een tijdje nogal losgeslagen geweest. Aan beide kanten zijn woorden gevallen. Ik neem aan dat jij en je moeder van tijd tot tijd ook weleens ruzie zullen hebben.'
'Natuurlijk,' zei Evi. 'Woont u alleen?'
'Ja. Gillians vader is lang geleden omgekomen bij een akelig auto-ongeluk. Mijn tweede huwelijk heeft geen stand gehouden. Maar ik neem aan dat je dat allemaal al weet, of niet?'
Evi glimlachte en sloeg haar ogen neer.
'Ik heb gehoord dat ze gisteravond een aantal lichamen hebben opgegraven op het kerkhof,' zei Gwen. Ze at het laatste stukje van haar koekje op en pakte een tweede. 'Lichamen die daar niet hoorden te zijn, bedoel ik. Is dat waar?'
'Het spijt me, ze hebben me er niet veel over verteld,' zei Evi.
'Kleine kinderen, heb ik gehoord. Ben je daarom hier? Denken ze dat ze Hayley hebben gevonden?'
'Er werd iets over gezegd dat dit een mogelijkheid was,' zei Evi, terwijl ze zich afvroeg hoe ze dat zo vaag mogelijk kon laten klinken. 'Maar...' Ze gebaarde naar de salontafel, naar het stof dat leek te bewegen door een bries die geen van beide vrouwen kon voelen.
'Hoe zou het Hayley kunnen zijn als Hayley de afgelopen drie jaar in een pot in de keuken heeft gestaan?' maakte Gwen de zin af.
'Toen u binnenkwam,' zei Evi, 'zei Gillian dat de as niet van Hayley was. Weet u waarom ze daar zo zeker van is?'

'Ze heeft altijd geweigerd dat te geloven,' zei Gwen. 'Zelfs toen werd bevestigd dat de resten menselijk waren, wilde ze het niet accepteren. Alsof iemand anders in het huis omgekomen kon zijn bij de brand zonder dat zij het wist.'
Gwen kauwde in gedachten op haar koekje. Evi nam een slokje van de gloeiend hete thee en wachtte.
'Soms vraag ik me af of het mijn schuld was,' zei Gwen, na een tijdje. 'Of ik niet al lang geleden hulp voor haar had moeten zoeken. Maar in die tijd deden we niet aan dat slappe hulpverleningsgedoe – ik wil je niet beledigen, liefje – we gingen gewoon verder.'
'Dacht u dat Gillian een tijd geleden al hulp nodig had?' vroeg Evi. 'Had ze problemen op school?'
'Het gewone tienergedoe,' antwoordde Gwen, terwijl ze haar beker op de grond zette en de koekjeskruimels van haar vingers veegde. 'Roken achter de fietsenhokken, spijbelen. Nee, ik bedoel wat er gebeurde met haar zusje. Toen Gillian twaalf was. Ze zal het wel verteld hebben.'
Gwen keek Evi aan. De lijnen om haar mond leken harder geworden. Ze pakte de beker weer en nam een te grote slok. Toen ze de beker liet zakken kon Evi vochtige plekken om haar mond zien.
'Het spijt me,' zei Evi voorzichtig, terwijl de andere vrouw met een vinger langs haar lippen streek. 'Ik geloof niet dat Gillian het ooit over een zusje heeft gehad.'
Gwen leunde naar voren en zette haar beker op de salontafel. 'Je zou het haar eens moeten vragen,' zei ze.
'Ik stel uw advies op prijs,' zei Evi, 'maar we praten alleen over wat Gillian naar voren brengt. Het zou niet eerlijk zijn om haar te overvallen met een onderwerp. Als Gillian een zusje had dan moet ik wachten tot ze erover wil praten.'
'Nou, dan kun je lang wachten,' zei Gwen. 'Ze heeft er in elk geval nooit over willen praten met mij. Maar misschien moet je het weten, vooral als...' Ze keek naar de salontafel, waar haar beker midden in een dunne laag as stond.
'Gillian had een zusje dat Lauren heette,' ging ze verder. 'Ze is van de trap gevallen toen ze achttien maanden oud was. Iemand had het traphekje open laten staan, Gillian hoogstwaarschijnlijk. Hoewel ze het nooit heeft toegegeven. Lauren struikelde en is van boven naar beneden gevallen. Ze kwam op de tegels in de hal terecht. Ze heeft nog drie dagen geleefd maar is niet meer bij bewustzijn gekomen. Ik heb nooit meer gezien dat ze haar ogen opendeed.'
'Het spijt me,' zei Evi. 'Dat wist ik niet. Wat vreselijk voor jullie allebei om daarna ook nog Hayley te moeten verliezen.' Weer een kind dat doodgevallen was?

'Ja. En daarna heeft mijn huwelijk niet lang meer geduurd. John heeft haar gevonden moet je weten. Hij is er nooit meer overheen gekomen.'
Evi's mobiele telefoon piepte. Een tekstbericht. 'Sorry,' zei ze, terwijl ze hem uit haar zak haalde en op het schermpje keek. De dominee kon sms'en, min of meer. Zes vraagtekens, gevolgd door twee X'en en een H.
'Ik moet gaan,' zei Evi. 'Dank dat u me dit hebt verteld. Ik kom over een paar uur wel weer langs. Misschien is Gillian dan wakker zodat we kunnen beslissen wat we zullen doen. Is dat goed?'

56

Bij de kerkdeur bleef Harry staan om de drie politiemensen de gelegenheid te geven voor hem uit te lopen. De journalisten hingen nog steeds in de buurt rond. Rushton en de twee rechercheurs liepen langs hen heen zonder antwoord te geven op hun vragen en verdwenen in het huis van de Fletchers.

'Is het waar?'

Harry draaide zich om. De lange, zwaargebouwde man was als een geest uit de mist opgedoken. Misschien had hij wel achter de kerk staan wachten op de kans Harry alleen te spreken.

'Hallo, Mike,' zei hij. 'Hoe gaat het met jou en Jenny?'

'Is het waar? Hebben ze twee andere kinderen in Lucy's graf gevonden? Allebei met een ingeslagen schedel?' Mike Pickup ademde zwaar. Zijn gezicht leek nog roder dan normaal en de spieren in zijn kaak trilden. 'Heeft de een of andere zieke figuur mijn dochters graf gebruikt...?'

Harry legde zijn hand op de arm van de man. 'Kom,' zei hij. 'Er is koffie in de consistoriekamer.' Mike maakte geen aanstalten in beweging te komen. 'Ik zal je vertellen wat ik weet,' voegde Harry eraan toe. Het had het gewenste effect en Mike liet zich over de laatste paar meter van het pad leiden en via de openstaande deur de consistoriekamer in.

Harry's *inner sanctum* was overgenomen. Twee politiemensen leunden tegen een muur en dronken koffie. Een andere bekeek een plattegrond op Harry's bureau. Christiana Renshaw stond bekers af te wassen. De consistoriekamer was de meldkamer geworden.

Harry nam een beker koffie aan van Christiana en bedankte haar met een knikje. Toen liep hij de kerk in en de treden af naar het schip, waar hij bij de eerste bank bleef staan. Samen met Mike ging hij zitten.

'Wat ik je nu vertel is vertrouwelijke politie-informatie,' zei Harry. 'Maar ik denk dat je er recht op hebt om het te weten.' De koffie was al een tijd geleden gezet want hij was niet zo warm. Harry nam twee grote slokken, meer om zichzelf tijd te geven dan omdat hij wilde drinken.

'De stoffelijke resten van drie kleine kinderen zijn gisteravond gevonden,' begon hij. 'Ze schijnen allemaal uit Lucy's graf gevallen te zijn toen de muur instortte. Een van hen is min of meer geïdentificeerd als Lucy, afhankelijk van het DNA-monster dat Jenny geloof ik vanmorgen heeft gegeven. De iden-

titeit van de andere twee is nog niet bekend.'
'Sommige mensen zeggen dat het die kleine Megan is,' zei Mike. 'Ik heb meegeholpen met zoeken naar haar. Twee hele dagen. Ik heb alle jongens ook mee laten zoeken.' Hij zette de beker op de plank voor het gebedenboek en frommelde in zijn zak. 'Ik had te doen met haar ouders,' zei hij. 'Ik weet wat het is om een kind te verliezen.'
'Hoe houdt Jenny zich?' vroeg Harry, toen Mike een pakje sigaretten uit zijn zak haalde en ernaar zat te kijken.
'Ze heeft zich al de hele ochtend met haar vader en Tobias opgesloten,' antwoordde Mike. Hij keerde het pakje om. Harry hoorde het zachte geluid van de sigaretten die verschoven. 'Familieberaad,' zei Mike, en hij keerde het pakje naar de andere kant. 'Daar heb ik niks mee te maken, natuurlijk. Ik ben niet veel meer dan een ingehuurde kracht.' Hij deed het pakje open en liet de inhoud in zijn handen vallen.
Het leek wel alsof de mist in het kerkgebouw begon door te dringen. Normaal voelde het er niet zo vochtig.
'Verdriet wordt door ieder mens anders beleefd,' zei Harry, verbaasd door de bitterheid die hij in de stem van de andere man kon horen. 'Ik heb weleens gehoord dat er een speciale band bestaat tussen vaders en dochters.'
Mike hield een sigaret tussen zijn vinger en duim. Terwijl Harry toekeek begon hij hem te buigen. Mikes ogen glansden. Hij haalde diep en langzaam adem, alsof hij grote moeite moest doen om niet in te storten. Hij schudde zijn hoofd. De sigaret in zijn hand was gebroken, waardeloos geworden.
'Ze was niet eens van mij,' zei hij. 'Wat vind je daar wel van, Harry?'
'Biologisch gezien, bedoel je?' vroeg Harry.
Mike schudde nog steeds zijn hoofd. 'Jenny werd kort nadat ik haar ontmoette zwanger,' zei hij. 'We gingen nog niet eens samen uit, het was duidelijk dat het niet van mij kon zijn. Ze heeft me nooit verteld wie de vader was. Gewoon een stomme fout, zei ze, niet eens een relatie, maar ze wilde het kind houden. Ik bewonderde haar daar eigenlijk wel om. Maar Sinclair was absoluut niet van plan toe te staan dat een dochter van hem een alleenstaande moeder zou worden.'
'Dus jullie zijn getrouwd?'
'Honderdzestig hectare grond kreeg ik voor de moeite. En tweeduizend ooien. Ik kom uit een boerenfamilie, Harry, uit de buurt van Whitby, maar ik heb drie oudere broers. Het was de enige kans die ik ooit zou krijgen om mijn eigen boerderij te hebben. Het ironische is dat ik waarschijnlijk toch wel met Jenny zou zijn getrouwd. Ik was al half verliefd op haar.'
De beker in Harry's hand werd snel kouder, alsof Harry al zijn warmte opzoog.
'En je accepteerde Lucy als...'

'Dat sprak vanzelf. Ik was dol op haar vanaf het allereerste moment dat ik haar zag. En na een tijdje was ik het vergeten; ik vergat gewoon dat ze niet echt van mij was. Ik ben nooit over haar dood heen gekomen. Als we meer kinderen hadden gehad, misschien. Maar ik betwijfel of we die ooit zullen krijgen.'
De deur naar de consistoriekamer ging open en twee geüniformeerde politiemensen, een man en een vrouw, kwamen de kerk in. Ze bleven staan toen ze Harry en Mike zagen, mompelden een verontschuldiging en liepen weer weg. Mike keek hen na en stond toen op. 'Wat is er gebeurd, Harry?' vroeg hij, zonder zijn blik van de deur naar de consistoriekamer af te wenden. 'Wat is er gebeurd met de andere twee kinderen? Hoe zijn zij om het leven gekomen?' Twee gebroken sigaretten lagen op de stenen vloer.
'De exacte doodsoorzaak is nog niet...' begon Harry terwijl hij opstond en uit de bank stapte.
Mike draaide zich om en keek hem aan. 'Zeg dat niet. Ik wil niet onbeleefd zijn, Harry,' zei hij, 'maar jij was ook bij dat verdomde onderzoek vanochtend. Waren hun schedels ingeslagen?'
Harry haalde diep adem. Dit was een vergissing geweest. Hij had zich hier niet in moeten laten meeslepen. 'Er waren tekenen van trauma aan het hoofd in beide gevallen,' begon hij. 'Maar we moeten wachten...'
'Net als bij Lucy?' vroeg Mike dringend.
'De patholoog dacht dat de verwondingen mogelijk konden passen bij een val,' zei Harry. Rushton zou hem vermoorden.
'Net als bij Lucy?' herhaalde Mike.
'Dat is helaas het enige wat ik je kan vertellen,' zei Harry.
Mike keek hem nog even strak aan. Toen zei hij: 'Dank voor je tijd, Harry. Ik zal je niet langer ophouden.' Hij knikte en liep door de kerk naar voren. Hij ging de consistoriekamer in en verdween uit het zicht. Harry's mobiele telefoon liet drie scherpe piepjes horen. Hij haalde hem uit zijn zak. Evi was bij de kerk gearriveerd en vroeg zich af waar hij was. Hij liep achter Mike aan.
'Ze zullen nu wel weggaan, neem ik aan.' Harry schrok van de stem. Hij draaide zich om en zag dat Christiana naar hem stond te kijken. Haar stem leek op die van Jenny, maar dan zachter en vriendelijker. Hij dacht niet dat hij haar eerder had horen praten.
'Ik ben bang dat de politie hier nog wel een tijdje zal zijn,' antwoordde Harry. 'Het is onplezierig, ik weet het. Maar noodzakelijk.'
'Niet de politie. De Fletchers.' Ze droeg altijd jurken, had hij opgemerkt. Prachtig gemaakte jurken, van stoffen die er duur uitzagen. Ze pasten haar perfect en Harry vroeg zich af of ze ze zelf maakte, net als Lucy's pyjama.
'De Fletchers?' herhaalde Harry. 'Waarom zouden de...' Hij zweeg. Christiana's haar hing die ochtend los en werd met een haarband uit haar gezicht

gehouden. Het was lang, tot over haar schouders, ongewoon voor een vrouw van in de veertig. Ze stond nu heel dicht bij hem, dichter dan hij prettig vond, alsof ze niet afgeluisterd wilde worden. Hij kon de ouderwetse bloemengeur ruiken die ze droeg en herinnerde zich plotseling de dag dat ze geurige rozenblaadjes onder de galerij had gestrooid.

'Zoveel kleine meisjes,' zei ze. 'Zeg dat ze moeten vertrekken, dominee. Het is niet veilig hier. Niet voor kleine meisjes.'

57

'Waar denkt u dat de kinderen gisteravond van plan waren naartoe te gaan, mevrouw Fletcher?'

'Aangenomen dat ze van plan waren ergens naartoe te gaan,' onderbrak Harry haar, voordat Alice haar mond open kon doen. 'Volgens Tom probeerde hij zijn zusje te redden.'

Evi zag dat de blonde maatschappelijk werkster naar haar notitieblok op de keukentafel keek en even nadacht. 'Ja,' zei de vrouw na een moment. 'Van dat geheimzinnige kleine meisje van hem.' Ze keek Alice weer aan. Op haar lippen zat felroze lipgloss. 'Hebben ze ooit eerder een poging gedaan om weg te lopen?' vroeg ze.

'Opnieuw, aangenomen dat ze probeerden weg te lopen,' zei Harry. 'Het is mijn ervaring dat kinderen niet midden in de nacht weglopen, vooral niet als het giet van de regen. Ze gaan overdag, meestal als ze te horen hebben gekregen dat ze geen snoep mogen of dat ze hun kamer moeten opruimen, en ze komen maar zelden verder dan de hoek van de straat.'

'Hoeveel ervaring hebt u precies met kinderen die weglopen, meneer Laycock?' vroeg de maatschappelijk werkster. Evi bracht haar beker naar haar mond om haar glimlach te verbergen. Dit was absoluut geen zaak om over te lachen en toch was er iets aan Harry's strijdlustige houding wat haar amuseerde.

'Is er iemand die nog meer koffie wil?' vroeg Alice. Niemand gaf antwoord. Vier bekers stonden op de tafel voor hen. Met uitzondering van die van Evi, die af en toe werd gebruikt om zich achter te verbergen, leek geen ervan aangeraakt.

De keukendeur ging open en Joe verscheen. Iedereen draaide zich naar hem om.

'Mama, ik moet plassen,' zei hij, terwijl hij nieuwsgierig van de ene volwassene naar de andere keek. Zijn lippen vertrokken in een vaag glimlachje toen hij Harry zag.

Alice stond op. 'Je moet beneden blijven, liefje,' zei ze en wees naar de deur aan de andere kant van de keuken. 'Kun je achter Harry langs?'

'Ik wil mijn bestuurbare Dalek,' antwoordde Joe, zonder zich te verroeren. Zijn moeder schudde haar hoofd.

'Niet voor de politiemensen klaar zijn, schat,' zei ze. 'Is Millie oké?'

'Ze is een toren aan het bouwen met Tom,' antwoordde Joe. 'Van brandhout.'
'O, goed,' mompelde Alice, toen Joe zich omdraaide en de keuken uitliep.
'De bovenverdieping is nog steeds officieel plaats delict,' zei Alice, tegen niemand in het bijzonder. 'Ik mocht vandaag niet in Millies kamer komen. Ik moest haar kleren van Joe aantrekken.'
'Ze hebben dus geen sporen van deze zogenaamde inbraak gevonden,' zei de maatschappelijk werkster. Hannah Wilson, zoals ze zichzelf had voorgesteld, had vlak na de komst van Harry en Evi op de deur van de Fletchers geklopt. Ze was begin dertig, aan de mollige kant, en had een flinke boezem die in een laag uitgesneden, strakke trui was geperst. Een lange ketting lag tegen haar borstbeen en accentueerde haar decolleté. Al bijna twintig minuten zat Evi te wachten tot Harry's blik ernaartoe zou glijden. Tot dusverre was hij erin geslaagd dat te vermijden.
'De sleutels van Alice' man waren weg,' gaf Harry aan.
'Sleutels zijn heel vaak weg,' antwoordde Hannah. 'U hebt meer nodig dan dat als u ontvoering van een kind wilt bewijzen.'
'En hoe zit het dan met die twee ongeïdentificeerde lichamen in het mortuarium van Burnley General?' zei Harry. 'Allebei gisternacht uit de achtertuin van de Fletchers gevist. Sorry dat ik zo bot ben, Alice.'
Alice haalde haar schouders op en keek naar Evi. Evi glimlachte half terug. Ze wist dat ze moest proberen Harry een beetje in toom te houden. Een bezoek van Bureau Jeugdzorg was een standaardprocedure na een incident waarbij de politie werd ingeschakeld en kinderen risico leken te lopen. Als Harry deze vrouw tegen de haren in streek, kon het persoonlijk worden. Hannah Wilson zou zich dan misschien laten gelden, waardoor de Fletchers de dupe werden.
'Nou, in dit stadium weten we nog niet of dat wat de politie buiten aan het onderzoeken is iets te maken heeft met dit gezin,' zei Hannah. 'Vooralsnog is het welzijn van de kinderen mijn enige zorg.'
'En dat geldt ook voor mij,' onderbrak Alice haar.
'U moet toegeven dat Toms verhaal niet helemaal klopt.' De maatschappelijk werkster keek van Harry naar Alice naar Evi, alsof ze hen uitdaagde haar tegen te spreken. 'Tom heeft een behoorlijke blauwe plek in zijn gezicht. Als ik u goed begrepen heb, mevrouw Fletcher, komt dat volgens hem omdat het kleine meisje dat zijn zusje meenam, hem heeft geschopt.'
'Dat heeft hij me verteld,' zei Alice.
'Maar uit zijn eerdere beschrijvingen van het meisje heb ik begrepen dat ze geen schoenen aan heeft.'
Niemand zei iets. Evi liet haar ogen over de tafel gaan, en ze baalde ervan dat ze dat niet als eerste opgemerkt had. De keukendeur ging weer open. Deze

keer was het Tom, de paarse kneuzing stak duidelijk af tegen de bleke huid van zijn wang.
'Mam, Millie heeft met haar sap geknoeid op de bank,' zei hij. Alice zuchtte en begon aanstalten te maken om op te staan.
'Ik doe het wel,' bood Evi aan. Ze stond op en pakte een vaatdoekje. 'Ga jij hier maar verder, Alice. Ik weet zeker dat mevrouw Wilson bijna klaar is.'
Evi volgde Tom naar de zitkamer. Ze kon boven zware voetstappen horen rondlopen en mensen op zachte toon horen praten. Joe was aan de andere kant van de kamer en keek achter de gesloten gordijnen langs om te zien wat er buiten in de tuin gebeurde. Millie zag er ongelooflijk schattig uit in een denim tuinbroek die bij de enkels was opgerold. Ze zwaaide met een aanmaakhoutje naar haar en viel bijna achterover in de lege haard. Tom rende naar voren en ving haar op voordat ze met haar hoofd tegen de haard kon vallen.
'Ha, schatje,' zei Evi, toen de peuter weer veilig op haar voeten stond. Het leek of het meisje had gehuild. De huid om haar ogen zag er rood en geïrriteerd uit. 'Waar is er geknoeid?' vroeg Evi.
'Da,' zei Millie, wijzend naar het midden van de bank. Evi vond het sap en haalde de vochtige doek over de bekleding. Ze voelde dat Tom naar haar keek.
'Hoe voel je je nu, Tom?' vroeg ze. 'Ben je nog moe?'
Tom haalde zijn schouders op. 'Wie is die vrouw?' vroeg hij. 'Is zij een dokter, net als u?'
Evi schudde haar hoofd. 'Nee, zij is een maatschappelijk werkster. Ze is hier om uit te vinden wat er vannacht gebeurd is en om ervoor te zorgen dat het goed gaat met jou en Joe en Millie.'
'Moet ik met haar praten?'
Evi ging op de armleuning van de bank zitten. 'Wil je met haar praten?' vroeg ze.
Tom dacht even na en schudde toen zijn hoofd.
'Waarom niet?' vroeg Evi, terwijl ze merkte dat Millie naar hen keek en haar ogen van de ene spreker naar de andere liet gaan alsof ze elk woord verstond. Bij het raam was Joe heel stil geworden.
Tom haalde zijn schouders weer op en staarde naar de stapel brandhout op het kleed.
Evi keek hem een paar seconden aan en nam toen een beslissing. 'Waarom heb je me nooit over het kleine meisje verteld, Tom?' vroeg ze. Tom sperde zijn ogen open. 'Ik weet dat je me gisteravond haar foto hebt laten zien, maar je hebt me niet verteld wie het was.' Uit haar ooghoek kon Evi Joe zien bij het raam. Hij keek niet meer tussen de gordijnen door, maar naar hen. 'Is dat omdat je denkt dat ik je niet zou geloven?' ging ze met zachte stem verder.

'Zou u dat wel dan?' vroeg Tom.
'Ik praat heel veel met mensen,' zei Evi. 'En ik kan meestal wel zeggen wanneer ze liegen. Ze verraden zichzelf op allerlei manieren. Ik heb goed naar je gekeken als wij met elkaar praatten, Tom, en ik geloof niet dat je een leugenaar bent.' Ze glimlachte, wat niet moeilijk was als je naar Tom keek. 'Ik denk dat je me af en toe een raar smoesje hebt verteld, maar over het algemeen lieg je niet.' Tom hield haar blik vast. 'Dus als jij me alles over dit kleine meisje vertelt, en als jij me de waarheid vertelt, dan weet ik dat.'
Tom keek naar Joe, en toen omlaag naar Millie. Allebei staarden ze hem aan, alsof ze wachtten tot hij zou beginnen. Toen begon hij te praten.
'Ze houdt ons al een hele tijd in de gaten,' zei hij. 'Soms lijkt het wel alsof ze er altijd is...'

58

'Wat is een urgentieverklaring?' vroeg Harry.
'Dat is een gerechtelijk bevel,' antwoordde Hannah Wilson. 'Daarmee kunnen kinderen voor hun eigen bescherming uit huis geplaatst worden. Die gaat direct in.'
Harry ging weer zitten en schoof zijn stoel dichter naar die van Alice. Ze zat heel stil; hij zou misschien gedacht hebben dat ze niet luisterde als hij haar trillende vingers niet had gezien.
'Hebt u dit met dokter Oliver besproken?' vroeg Harry. 'Als de psychiater van het gezin zou ik denken dat zij als eerste zou moeten worden geconsulteerd.'
'Dokter Oliver kan een rapport indienen, natuurlijk,' antwoordde Hannah. 'Ik weet zeker dat de rechter het mee zal wegen.'
Harry stond op het punt iets te zeggen – hij wist eigenlijk nog niet wat – toen hij voetstappen van de trap hoorde komen. Ze konden Rushtons kenmerkende stem horen, en toen de voordeur die open en weer dicht ging. De voetstappen kwamen in de richting van de keuken en bleven toen staan.
'Dit is iets wat de familie moet weten,' hoorden ze Rushton zeggen op lage maar vastbesloten toon. Toen kwam hij de keuken in, nadat hij eerst beleefd op de deur had geklopt. Hij werd gevolgd door rechercheur Neasden en een vrouwelijke agent. Neasden zag er niet gelukkig uit.
'Sorry dat ik stoor, mevrouw Fletcher,' zei Rushton. 'Ik wil graag even met u praten, als het kan.'
Alice leek zich voor te bereiden op een volgende klap. 'Oké,' zei ze. 'Wilt u me alleen spreken?'
Rushton keek snel de tafel rond, waarbij hij Neasdens blik meed. 'O, ik denk dat we hier met vrienden onder elkaar zijn,' zei hij. 'Hoe gaat ie, Hannah? Ben je bijna klaar?'
'Hebt u iets gevonden?' vroeg Harry.
'Dat geloof ik wel,' antwoordde Rushton. 'Hoe laat komt uw man thuis, mevrouw Fletcher?'
Alice leek haar vermogen om snel te denken kwijt te zijn. Ze wierp een blik op haar horloge en toen op Harry. 'Hij zei dat hij een paar uur weg zou zijn,' zei ze na een moment. Ze keek op de keukenklok op de muur achter haar. 'Inspectie van een terrein waar hij niet onderuit kon. Hij kan er elk moment zijn.'

'Goed,' zei Rushton. 'En misschien moet u maar een slotenmaker laten komen. Om ervoor te zorgen dat de sloten worden veranderd.'
'Waarom?' vroeg Alice.
Rushton trok de stoel naar achteren waar Evi net op had gezeten en ging zitten. Achter hem leunde rechercheur Neasden met samengeknepen lippen tegen de hoge keukenkast. De vrouwelijke agent bleef bij de deur staan nadat ze hem zacht achter zich had gesloten.
'U herinnert zich dat we vannacht voetafdrukken hebben gevonden in de tuin,' begon Rushton. 'Onze mensen van het forensisch team hebben er afgietsels van gemaakt.' Hij wendde zich tot de man achter hem. 'Heb je hem, Jove?' vroeg hij.
Rechercheur Neasden had een dunne, blauwe, plastic map in zijn hand. Met duidelijke tegenzin haalde hij er een stijf, wit A4'tje uit en gaf het aan zijn baas. Rushton legde het voor Alice en Harry neer. Het was een foto van een voetafdruk in de modder.
'We weten dat de afdrukken gisteravond laat in de tuin zijn achtergelaten,' zei Rushton, 'vanwege alle regen die is gevallen. Als ze van eerder die avond waren, dan zouden ze weggespoeld zijn. Dus we weten nu dat er behalve uw kinderen nog iemand daar buiten moet zijn geweest rond de tijd dat de muur naar beneden kwam.'
Hannah leunde naar voren om de afdruk te bestuderen.
'We hebben vannacht verschillende afgietsels van voetafdrukken gemaakt,' zei Rushton, 'en een hele vracht foto's, maar deze is het duidelijkst.' Hij draaide zich naar Harry. 'U herinnert zich misschien nog dat ik zei dat de agent die het eerst ter plekke was een slimme vent was?'
Harry knikte.
'Het blijkt dat hij nog slimmer is dan ik dacht,' ging Rushton verder, 'want hij ontdekte deze afdruk. Hij wist dat de regen hem zou uitwissen en daarom heeft hij er een omgekeerde emmer overheen gezet tot het onderzoeksteam hier was. Ze waren in staat om een paar heel goede foto's te maken en een prima afgietsel.'
'Ze hebben hier een afgietsel van gemaakt?' vroeg Alice. 'Waarmee? Met gips?'
'Een heel hard, speciaal soort gips,' antwoordde Rushton. Hij wees naar de voetafdruk. 'Dit is waarschijnlijk maat eenenveertig, misschien tweeënveertig,' zei hij. 'Niet dat dat veel helpt, eerlijk gezegd, want het kan van een lange vrouw of een man met kleine voeten zijn. U hebt maat zevenendertig, heb ik begrepen, mevrouw Fletcher?'
Alice knikte. 'En Gareth heeft...'
'Vijfenveertig, ja, dat weten we. We hebben ook afgietsels van zijn voetafdrukken. Ze komen overeen met de laarzen die hij droeg toen hij naar buiten

ging. Maar deze afdrukken zijn heel anders. Met een veel grover loopvlak, ziet u wel?' Rushton liet zijn vinger over de omtrek van de afdruk gaan.
Harry leunde naar voren om het beter te kunnen zien. Over de afdruk liepen horizontale strepen. Door de schaduwen op de foto leken ze diep te zijn, het soort profiel dat je op laarzen ziet die gemaakt worden voor zwaar terrein.
'Dat lijkt me een heel gewone rubberlaars,' zei Harry. Op het gedeelte tussen de zool en de hiel kon hij nog net een incomplete vorm zien, misschien tweederde van een afgeronde driehoek. 'Is dat een merklogo?' voegde hij eraan toe.
'Ja, inderdaad,' zei Rushton. 'Het is nauwelijks te zien, maar er is me verteld dat er "Made in France" onder staat. Moet niet al te moeilijk zijn om het merk en de producent te achterhalen.'
'Maar u wist gisternacht al van die afdrukken in de tuin,' zei Alice. 'Waarom zijn ze plotseling zo...'
'Ah,' onderbrak Rushton haar. 'Maar gisternacht wisten we nog niet van de identieke afdruk boven.'
'Chef, we moeten niet...' zei rechercheur Neasden.
Rushton stak een hand op om hem tot zwijgen te brengen. 'Er zijn drie jonge kinderen hier in huis,' zei hij. 'Ze moeten dit weten.'
'Neem me niet kwalijk,' zei Alice zacht. 'Identieke afdruk boven?'
'Op de overloop,' zei Jove, met een gelaten blik naar zijn baas. 'Pal voor uw dochters kamer. Ik ben bang dat degene die gisteravond in uw tuin was, eerst in huis is geweest.'
Alice' vingers gingen naar haar gezicht. Het was moeilijk om te zeggen wat de minste kleur had, haar vingers of haar gezicht.
'Ja, ik weet het, meisje,' zei Rushton. 'Dat is verontrustend, maar het betekent dat we vooruitgang boeken.'
'Ik heb gisteravond gekeken,' zei Alice, die het niet leek te willen geloven. 'Ik heb helemaal niet gezien dat iemand...'
'Nee, dat kon ook niet,' antwoordde rechercheur Neasden. 'Het is wat we een latente afdruk noemen. Vrijwel onzichtbaar met het blote oog en vooral achtergelaten door schoenen die tamelijk schoon zijn.'
'Het is namelijk zo, meisje, schoenen nemen sporen op van de ondergrond waarop we lopen,' zei Rushton. 'Dat noemen we Lockets' Law of zoiets.'
'Locard's Exchange Principle,' viel Neasden hem in de rede. Harry zag voor het eerst een glimlach op zijn gezicht. 'Elke keer als twee oppervlakken met elkaar in contact komen bestaat de kans dat fysieke materialen worden uitgewisseld. We nemen iets mee van wat we tegenkomen, overal waar we naartoe gaan.'
'Ja, dat is het.' Rushton knikte in de richting van zijn rechercheur. 'Zoals ik al zei, elke keer als we ergens op lopen – stof, modder, tapijt, enzovoort –

blijven piepkleine deeltjes aan de zolen van onze schoenen plakken en als onze schoenen dan weer in contact komen met een schoon, droog oppervlak, zoals uw houten vloer boven, mevrouw Fletcher, laten ze een vage afdruk achter. We ontdekken ze – als ik zeg we, dan bedoel ik mijn slimme jongens en meisjes – op dezelfde manier als vingerafdrukken. We brengen poeder aan en nemen de afdruk op met plakband.'
'Was er binnen maar één afdruk?' vroeg Harry. Rushton keerde zich om naar de rechercheur voor bevestiging.
Neasden knikte. 'We zijn er vrij zeker van dat er niet meer zijn,' zei hij. 'Er waren er gisteravond hoogstwaarschijnlijk wel meer, maar er is een heleboel heen en weer geloop geweest in huis, al voordat wij hier waren. Andere afdrukken zijn waarschijnlijk verloren gegaan. Maar dat maakt niet uit. Eentje is genoeg.'
'Gaat het een beetje, Alice?' vroeg Harry.
Alice leek weer een beetje kleur te krijgen. Ze knikte. 'Eigenlijk is het een opluchting,' zei ze. 'Dat betekent dat Tom niet heeft gelogen.' Ze zweeg even. 'Hij heeft waarschijnlijk steeds de waarheid verteld.'
Harry glimlachte naar haar en keerde zich weer om naar Rushton. 'Kunt u de laars herleiden naar de eigenaar?' vroeg hij.
'Daar is een goede kans op,' knikte Rushton. 'We hebben ook, heel handig, een klein scheurtje in de rechterkant van de zool, ziet u?' Hij tikte met zijn rechterwijsvinger op de zijkant van de foto. Harry zag een kleine inkeping, slechts een halve centimeter lang. 'En ook zijn er volgens ons lab slijtpatronen zichtbaar. Als we de laars in kwestie vinden, kunnen we bewijzen dat de drager in uw huis en tuin was. Om die reden bracht ik, gezien het ontbreken van braaksporen, het onderwerp nieuwe sloten ter sprake. Een inbraakalarm is misschien ook wel een idee als u toch bezig bent.'
'Ik zal Gareth bellen,' zei Alice, en stond op. 'Hij kan een paar nieuwe sloten meebrengen als hij naar huis komt.'
'Een goed idee,' stemde Rushton in. 'Maar wacht even, meisje. Dat is niet alles, ben ik bang. U kunt beter even gaan zitten.'
Alice keek naar de keukendeur. 'Ik moet echt even bij de kinderen gaan kijken,' zei ze.
'Evi is bij ze,' merkte Harry op, terwijl hij zich afvroeg of de maatschappelijk werkster zou aanbieden om te gaan kijken of het goed ging met de kinderen. Maar nee dus. Alice ging weer zitten.
'Waar brengt u uw kleren naar toe om ze te laten reinigen, mevrouw Fletcher?' vroeg Rushton.
'Mijn wat?' vroeg Alice.
'De stomerij. Er zijn een paar adressen in Goodshaw Bridge, gaat u daar weleens naartoe?'

'Dat zou ik waarschijnlijk wel doen,' zei Alice, 'als ik iets had om te laten reinigen. Maar dat is denk ik maar één keer per jaar.'
Het bleef even stil. Rushton en Jove keken elkaar aan.
'Ik heb drie kinderen,' ging Alice verder, alsof ze bang was dat ze haar niet zouden geloven. 'Ik ben schilderes van beroep en mijn man werkt in de bouw. Ik koop vrijwel niks wat niet in de wasmachine kan.'
'Heel verstandig,' knikte Rushton. 'Volgens mij kost het een kapitaal om mijn pakken schoon te houden. Hebt u ooit zo'n product voor dry cleaning thuis geprobeerd? Weet u wel, zo'n ding waarbij je alles in een zak met een hele lading chemicaliën in de droger stopt?'
'Daar heb ik nog nooit van gehoord,' zei Alice.
'Dus u hebt er geen bezwaar tegen als Stacey en haar collega's even snel in uw kasten kijken om er zeker van te zijn dat u niks bent vergeten?'
Alice dacht even na. 'Ga uw gang,' zei ze. 'Ze zijn alleen niet erg opgeruimd.'
Neasden draaide zich om en knikte naar de vrouwelijke agent. Ze verliet de keuken.
'We begrijpen niet helemaal wat een stomerij met dit alles te maken heeft,' zei Harry.
'Ga je gang, Jove,' zei Rushton, terwijl hij achterover leunde in zijn stoel.
Harry hoorde hoe in de hal de voordeur open- en weer dichtging toen iemand, hij nam aan de vrouwelijke agent, het huis verliet.
'De mensen van de forensische afdeling hebben gisteravond iets in uw tuin gevonden wat ons voor een raadsel stelde,' zei rechercheur Neasden tegen Alice. 'We dachten dat het gewoon een of ander stukje stof was maar we hebben het gefotografeerd, in een zak gedaan en naar het lab gebracht, zoals gebruikelijk.'
De voordeur ging weer open. Voetstappen kwamen in de richting van de keuken.
'Ongeveer een halfuur geleden kregen we een telefoontje omdat ze erin geslaagd waren het te identificeren,' ging hij verder. 'Het is een essentieel onderdeel van een set om thuis kleding chemisch te reinigen. Een soort katoenen doekje, geïmpregneerd met chemicaliën om vlekken te verwijderen, dat je met je kleren in de droger doet. Dat wil zeggen, als je thuis je kleren chemisch reinigt.'
'Ik moet het hier eens over hebben met mijn vrouw,' zei Rushton, die inmiddels tamelijk gevaarlijk achterover helde.
'Ja, dank u, chef. Maar goed...'
De keukendeur ging open en de vrouwelijke agent was terug met twee collega's, allebei mannen. 'Is het goed als we hier beginnen, meneer?' vroeg ze.
Rushton knikte en liet de voorpoten van zijn stoel weer op de vloer zakken.
'De bijkeuken is daar,' wees Alice. De twee geüniformeerde mannen verlieten

de keuken, en Stacey zakte door haar knieën en trok het kastje onder Alice' aanrecht open.
'Waar was ik gebleven?' zei rechercheur Neasden. 'O, ja. Het geïmpregneerde doekje. We vragen ons natuurlijk af hoe dat in uw tuin is gekomen. Er zit nog een behoorlijke hoeveelheid chemicaliën in en het was ook niet erg nat of vies toen we het opraapten, waardoor we vermoeden dat het, net als de voetafdrukken, gisteravond in uw tuin is achtergelaten. Het lab zegt ook dat ze sporen van dezelfde chemicaliën in de sporttas van uw man hebben gevonden.'
'Het doekje zat in de tas,' zei Harry. Iedereen negeerde hem.
'Is er een reden waarom uw man zo'n doekje in zijn sporttas zou hebben?' vroeg rechercheur Neasden.
Alice schudde haar hoofd. 'Gareth weet niet hoe de wasmachine werkt,' zei ze.
'Nou, de middelen die bij een stomerij worden gebruikt, hebben een heel opvallende geur,' zei Rushton, die zich kennelijk niet langer in kon houden. 'Dat weet u vast wel, dominee. Uw prachtige gewaden worden vast allemaal professioneel gereinigd.'
Harry knikte. 'Het beneemt je gewoon de adem als je ze uit de plastic hoezen haalt.'
'En toen we de lakens van uw dochters bed haalden, vingen we een vleugje van het een of ander op. Nou, om eerlijk te zijn, Jove. Heel goede neus.'
'Hoe gaat het vandaag met haar?' vroeg Neasden. 'Hebt u iets ongewoons opgemerkt? De huisarts heeft haar gisteren onderzocht, toch?'
'Ja,' zei Alice, die weer angstig begon te kijken. 'Ik denk dat ik nu even moet gaan kijken om te...'
'Ik ga wel,' zei Harry terwijl hij opstond. Hij liep weg van de tafel en bleef toen staan. Hij wilde niet weg, hij wilde horen waar dit naartoe ging.
'De dokter zei dat ze prima in orde leek,' zei Alice. 'Een beetje suf maar verder oké. Hij maakte zich geen zorgen om haar, maar hij heeft me alleen gevraagd later vandaag met haar langs te komen.'
'Hoest ze ook? Loopneus? Rode ogen?' vroeg Neasden.
Alice knikte. 'Ze wrijft heel veel in haar ogen. Wat is er met haar gebeurd?'
'Wat ons het meest verbaasde aan het verhaal van uw zoon,' zei Rushton, 'want iets zei me dat hij niet loog, was hoe die insluiper een klein kind in een weekendtas kon stoppen zonder dat ze alles bij elkaar gilde en het hele huis wakker maakte. Ik denk dat ik het nu begin te begrijpen.'
'Ik snap nog steeds niet...' Harry was inmiddels bij de deur.
'Het voornaamste component van deze geïmpregneerde doekjes is perchloorethyleen,' zei rechercheur Neasden.
'Wat?' vroeg Alice.

'Vergeet het eerste stukje maar,' zei Rushton. 'We hebben het over ether. Wordt al eeuwen gebruikt als een tamelijk primitief verdovingsmiddel. Het spijt me het te moeten zeggen, maar het lijkt erop dat er iemand een doekje dat gedrenkt is in ether tegen Millies gezicht heeft gedrukt. Het zou hoogstwaarschijnlijk niet hebben gewerkt bij een volwassene, en vermoedelijk zelfs niet bij een van uw jongens, maar omdat ze zo klein is en vanwege het feit dat ze lag te slapen, was het waarschijnlijk net voldoende om haar zo slaperig te maken dat ze in de tas gestopt kon worden.'
Alice slaakte een kreetje en rende op Harry en de deur af.
'Ik ga al,' mompelde hij, en trok de keukendeur open. Met vier passen stond hij bij de deur van de zitkamer. Hij trok hem open, in de wetenschap dat Alice hem vlak op de hielen zat. Evi en de drie kinderen zaten op de vloer en vier lieve gezichten keerden zich naar hem toe. Alice duwde zich langs hem heen.
'Ma, ma,' riep Millie met een stralend snoetje, en begon vervolgens te piepen van verontwaardiging toen haar moeder haar optilde en tegen zich aandrukte.
Rushton en rechercheur Neasden kwamen de kamer in.
'Oké dan,' kondigde Rushton aan. 'Superheld Tom en zijn trouwe maatje, Joe de Onoverwinnelijke, ik geloof dat we nog eens met jullie twee moeten praten.'

59

'Misschien plaatsen ze hier ooit nog weleens een gedenksteen voor ons als we dood zijn,' zei Harry. 'Heb je het koud?'
'Hoezo?' vroeg Evi. 'Ga je me je jas aanbieden?' Harry bleef recht voor zich uit kijken. 'Ik zal hem met je delen,' bood hij aan.
Evi wachtte tot hij zich grijnzend naar haar toe zou draaien. Hij verroerde zich niet.
'Je ziet er moe uit,' zei ze, hoewel hij er eigenlijk niet alleen moe uitzag. Hij leek magerder, ouder. De man die ze die ochtend in het ziekenhuis had ontmoet, was niet de Harry geweest die ze kende. Iemand anders had zijn plaats ingenomen. Die ander was er nog steeds.
'Ja, ik heb de eerste helft van de nacht aan jou liggen denken,' zei hij, nog steeds met zijn ogen gericht op het gebouw aan de overkant van de straat. 'En toen werd ik gebeld.'
Evi wist door het lege gevoel in haar maag dat het midden op de dag moest zijn, maar de zon was nog niet door de mist gebroken. Zo hoog op de hei kon ze bijna voelen hoe die, koud en klam, in haar longen drong.
'Ik moet gaan kijken hoe het met Gillian gaat,' zei ze, hoewel ze wist dat teruggaan naar die flat wel het laatste was wat ze wilde. Ze duwde zich naar voren op de bank en keek de heuvel af. 'Loop je met me mee naar mijn auto?' vroeg ze.
'Nee,' zei hij, en hij leunde achterover tegen de muur en sloeg zijn armen over elkaar.
'Nee?' Gisteravond had hij haar gekust, met haar gedanst en nu kon hij zelfs niet meer beleefd zijn?
'Je moet even tot rust komen,' zei hij, toen hij zich eindelijk naar haar omdraaide. 'Wij allebei. Een moment van reflectie op een heel ongewone dag.'
'Je gaat toch niet de dominee uithangen tegenover mij, hè?' waagde Evi. 'Als je me vraagt om het hoofd te buigen begin ik te lachen.'
'Ik begrijp absoluut niet dat je patiënten je serieus nemen.' Hij lachte tenminste weer, ze begon tot hem door te dringen.
Ze zag iets bewegen onder aan de heuvel. Ze rekte zich uit om over Harry's schouder te kijken op het moment dat hij zich omdraaide. Alice' auto reed achteruit de oprit af. Op de achterbank zagen ze een klein gezichtje. Een hand zwaaide. Toen reed de auto weg, langs de politieafzetting de heuvel af.

Hoofdinspecteur Rushton en rechercheur Neasden stapten in een donkerblauwe stationcar en reden achter de Fletchers aan.
'Zal het goed komen met Millie?' vroeg Harry.
'Natuurlijk,' zei Evi snel. 'De roodheid om haar ogen en neusgaten zal na vandaag snel over zijn. Misschien is ze nog een paar dagen een beetje moe en humeurig, maar dat is alles.'
'Zullen ze sporen van ether in haar bloed aantreffen?' vroeg Harry.
'Vrijwel zeker,' zei Evi.
Weer kwam iemand het huis van de Fletchers uit. Hannah Wilson, de blonde maatschappelijk werkster.
'Juffrouw Bemoeial daar had het over iets wat ze een urgentieverklaring noemde,' zei hij. 'Moeten we ons zorgen maken?'
'Ik zal met haar baas bellen als ik weer terug ben,' zei Evi. 'Om ervoor te zorgen dat ik op de hoogte gehouden wordt van mogelijke verzoeken aan de rechtbank. Goed van jou dat je je ogen van haar decolleté wist te houden, trouwens.'
'Ik val niet op blondjes. Ga je er tegenin?'
Evi dacht even na terwijl Hannah Wilson in een klein rood autootje stapte en wegreed. 'Als ik denk dat het nodig is, Harry, vraag ik er zelf een aan,' zei ze. 'Nee, begin nou niet te sputteren. Deze kinderen lopen absoluut een risico. Als je terugdenkt aan de gebeurtenissen van vannacht, dan denk ik niet dat er iemand is die daaraan twijfelt.'
'Maar door ze weg te halen bij hun moeder en vader...'
'Zo'n verklaring betekent niet dat ze weggehaald worden bij hun ouders, het geeft de autoriteiten alleen maar de macht om ze te beschermen. Gareth Fletchers ouders wonen dichtbij, klopt dat?'
Harry knikte. 'Dat geloof ik wel,' zei hij. 'In Burnley.'
'Nou, een rechter kan bijvoorbeeld beslissen dat de kinderen een tijdje bij hun grootouders moeten logeren, met de volledige instemming en medewerking van Alice en Gareth, natuurlijk.'
'Hoe lang?'
Ze schudde haar hoofd. 'Dat is niet te zeggen. Meestal geldt zo'n verklaring maar een paar dagen, maar vaak komt er een bevel voor een langere periode achteraan. O, kijk me niet zo aan. Ik heb nooit geloofd dat de ouders van deze kinderen een deel van het probleem zijn. Maar er ís wel een probleem.'
'Rushton laat het huis bewaken,' zei Harry.
'En hoe lang zal dat duren? Hij heeft de mankracht niet om dat eindeloos door te laten gaan. En zelfs als blijkt dat die kinderen zijn vermoord – als er hier een psychopaat is die het voorzien heeft op kleine meisjes – ze zijn al jaren dood. Het is niet waarschijnlijk dat ze degene die hier verantwoordelijk voor is snel zullen vinden.'

Harry zei niks. Ze had gelijk.
'En terwijl zij blijven zoeken, zijn de kinderen van Alice en Gareth nog steeds in gevaar.'
Ook daar had ze gelijk in. Met tegenzin knikte Harry.
'Ik heb net lang met Tom gepraat,' zei Evi. 'Hij is eindelijk begonnen me te vertellen over dat kleine meisje van hem.'
'En...'
'Ik ben er vrij zeker van dat hij niet liegt. Iemand heeft hem angst aangejaagd en ik denk dat wat jij gisteravond zei misschien wel klopt. Iemand haalt een tamelijk gemene grap uit. Misschien door zich te verkleden in een soort halloweenkostuum. Ze schijnt vooral 's nachts op te duiken, waardoor hij haar nooit goed kan zien. Heel vaak, zegt hij, ziet hij haar eigenlijk niet echt. Dan vangt hij alleen maar een glimp van haar op en hoort hij haar dingen roepen.'
'Denkt hij dat ze Millie in september op de balustrade van de galerij heeft gezet?'
'Ja, daar is hij van overtuigd.'
'En denkt hij ook dat ze Millie gisteravond heeft meegenomen?'
Ze draaide zich weer om. Was het haar verbeelding of was Harry dichterbij gekomen op de bank?
'In eerste instantie wel,' zei ze. 'Maar toen we erover praatten besefte hij dat dat niet kon. De insluiper die hij beschrijft lijkt helemaal niet op het kleine meisje; hij is bijvoorbeeld veel langer, en hij draagt heel andere kleren. Juffrouw Bemoeial, zoals jij haar noemt, was slim genoeg om op te merken dat degene die Tom een trap gaf, laarzen droeg.'
'Die juffrouw Bemoeial interesseert me geen barst. Wat hier gebeurt heeft iets te maken met de kerk. Ik weet het zeker.'
'De kerk?'
'We weten dat een van die kinderen, Lucy Pickup, in de kerk is gestorven. Millie Fletcher bijna. Ik wil wedden dat het met die andere twee ook het geval is. Ze zijn meegenomen naar de galerij en naar beneden geduwd.'
Evi moest dit even tot zich door laten dringen. 'Vier kleine meisjes,' zei ze. 'Wie doet zoiets?'
'Ze zijn van de galerij geduwd en hun lichamen zijn verborgen in de kelder. Als Millie die nacht was gevallen, als we haar niet op tijd hadden gevonden, dan zou zij ook mee naar beneden zijn genomen. Dat was waarschijnlijk ook het plan met Lucy, maar Jenny heeft haar heel snel gevonden.'
Evi voelde iets kriebelen tussen haar schouderbladen. Ze sloeg haar armen om zich heen om een rilling te onderdrukken. 'Daar zeg je nogal wat, Harry,' zei ze.
'Je was ooit een braaf katholiek meisje. Heb je weleens gehoord van de Onvergankelijken?'

Evi dacht even na en schudde haar hoofd. 'Ik geloof het niet.'
'Ik moest er eerder aan denken, bij de patholoog. Toen ik Megan en Hayley zag. Hun lichamen waren geconserveerd. Vrijwel geen ontbinding.'
'Ik luister.'
'Het is een katholiek en christelijk orthodox geloof dat sommige lichamen, vooral die van zeer vrome mensen, na de dood niet vergaan,' zei Harry. 'Iets bovennatuurlijks, het werk van de Heilige Geest, houdt ze in perfecte staat. Ze worden de Onvergankelijken genoemd.'
'Onvergankelijk qua lichaam en ziel?' vroeg Evi.
Hij knikte. 'Dat is een van de redenen om iemand aan te wijzen als kandidaat voor heiligverklaring,' ging hij verder. 'Ik kan je talloze voorbeelden geven. De heilige Bernadette van Lourdes, Pater Pio, de heilige Virginia Centurione, verschillende pausen.'
'Maar volgens wat je me verteld hebt ontstaat mummificatie, en dat is waar we het hier over hebben, op een natuurlijke manier.'
Harry lachte zacht. 'Natuurlijk,' zei hij. 'Ik probeer ook niet te zeggen dat we hier te maken hebben met het werk van de Heilige Geest, verre van dat. Maar het heeft me aan het denken gezet.' Hij draaide zich naar haar om. Zijn ogen waren rood en er stonden lijnen in zijn voorhoofd die ze eerder niet had opgemerkt. 'Want als je het niet als iets bovennatuurlijk beschouwt,' ging hij verder, 'dan zou je kunnen zeggen dat een van de redenen waarom, relatief gezien, zoveel religieuze mensen zogenaamd onvergankelijke lichamen hebben, is dat hun stoffelijke resten worden opgeborgen op plaatsen waar mummificatie heel waarschijnlijk is: koude, droge crypten in een kerk, in luchtdicht afgesloten stenen grafkisten. Zoals hier pal onder ons.'
Evi keek onwillekeurig naar beneden. 'Heb je dit tegen Rushton gezegd?' vroeg ze.
'Ja. Hij is er nogal sceptisch over, want ze hebben de crypte uitgebreid doorzocht in de dagen na de verdwijning van Megan. Maar hij moet nou weer naar beneden. Als ze goed genoeg zoeken vinden ze vast wel sporen.'
'Hij zal jou er ook bij willen hebben,' zei Evi, in een poging hem aan het lachen te maken.
Harry keek haar nog steeds aan. 'Ik voel me soms een beetje ongemakkelijk bij hem,' zei hij. 'Hij raakt steeds mijn schouder of mijn arm aan. Denk je dat hij op me valt?'
Evi haalde even haar schouders op. 'Ik kan niet bedenken waarom dat niet zo zou zijn,' zei ze.
'Goed antwoord. Heb je iets vanavond?'
Ze dwong zichzelf de andere kant op te kijken. 'Nee,' zei ze langzaam, 'maar...'
'Waarom is er altijd een maar?' vroeg Harry.
Evi keek hem weer aan. 'Ik kan mijn afspraken met Gillian nu niet afzeggen,'

zei ze. 'De timing is totaal verkeerd. En er is geen genie voor nodig om te zien dat ze helemaal gek is op jou.'
'En dat is mijn fout?' Hij had haar hand gepakt en trok aan de handschoen. Ze kon zijn vingers op haar pols voelen. Ze probeerde haar hand terug te trekken maar hij hield hem stevig vast.
'Misschien niet,' zei ze. 'Maar of het nou wel of niet jouw fout is, het is wel jouw probleem. Kop op, er is waarschijnlijk wel een richtlijn waar je je aan vast kunt houden. Vrouwen vallen al eeuwen voor de dominee.' De handschoen werd van haar vingers getrokken. Ze hield haar adem in.
'Nooit de goeien,' zei hij, terwijl zijn hand zich om de hare sloot. 'En wat bedoel je met "misschien niet"?'
'Je kunt heel charmant zijn, Harry. Ik kan niet geloven dat je dat allemaal voor mij reserveert.'
'Nou, dat heb je dan mis. Voor jou en hoofdinspecteur Rushton, natuurlijk.' Zijn wijsvinger was in de mouw van haar jas gegleden. 'Je huid is zo zacht,' mompelde hij.
'Als dat kind dat ze vannacht hebben gevonden inderdaad Hayley blijkt te zijn,' zei Evi, terwijl ze zijn hand pakte en hem gedecideerd van de hare trok, 'dan kan ik absoluut niet voorzien hoe Gillian zal reageren. Ik moet met haar in contact blijven, zelfs als...'
Ze zweeg. Woorden waren overbodig.
'Als het kind dat ze vannacht hebben gevonden inderdaad Hayley blijkt te zijn,' zei Harry, opnieuw achteroverleunend, 'moet ik haar begraven.'

60

8 november

'U had gelijk, dominee. Ze werden in de crypte bewaard. In de derde tombe vanaf het begin. We hebben sporen van haren en bloed gevonden, van allebei. En ook andere lichaamssappen. Zelfs een knoop.'
'God hebbe hun ziel,' antwoordde Harry.
'Inderdaad.' Rushtons stem door de telefoon was ongebruikelijk zacht. 'Natuurlijk hadden we die kelder ook al doorzocht toen we naar Megan zochten, maar toen was hij leeg,' ging hij verder. 'Dus het is duidelijk dat ze ergens anders werd bewaard, misschien zelfs wel in het huis van de moordenaar terwijl wij aan het zoeken waren, en is verplaatst toen alles weer rustig was.'
Harry keek op de klok. Zes uur 's avonds. Had het zin om Evi te bellen? Het was al vier dagen geleden dat ze de moeite had genomen de telefoon aan te nemen.
'We hebben ook sporen van bloed gevonden in het hoofdgedeelte van de kerk,' ging Rushton verder. 'Hoe noem je dat, het schip?'
Harry mompelde iets.
'Precies onder de galerij. De stenen waren schoongemaakt maar we hebben wat van de specie tussen de tegels geschraapt,' zei Rushton. 'We zijn erin geslaagd het te matchen met beide meisjes.'
'En het is vastgesteld dat het Megan en Hayley waren?'
Rushton zuchtte. 'Ja. We hebben de resultaten van de DNA-tests een paar dagen geleden gekregen. Niet dat we eraan twijfelden. We wachten nog steeds op de uitslag over de stoffelijke resten in de urn die aan Gillian Royle is gegeven. God sta ons bij als dat nog een vermist kind is.'
'Zeg dat wel,' zei Harry. 'Enig vermoeden?'
'Verschillende sporen die we volgen,' antwoordde Rushton.
Harry wachtte. 'Hoe zit het met de pop die ik onder de galerij heb gevonden?' vroeg hij toen hij besefte dat Rushton er niets meer over zou zeggen.
'We hebben met de familie gesproken die hem gemaakt heeft,' gaf de hoofdinspecteur toe. 'Ze zeiden dat ze hem de avond van het vuur hebben gezocht, maar dat ze hem niet konden vinden. Ze beweren dat ze geen idee hebben hoe hij in de kerk kan zijn gekomen. Er zijn een paar afdrukken die niet

overeenkomen met de leden van de familie dus ze zouden heel goed de waarheid kunnen vertellen. De trui was inderdaad van Millie Fletcher. Haar moeder heeft hem geïdentificeerd.'
'Hoe kan dat?'
'Gestolen van de waslijn is ons idee. Moet niet moeilijk zijn geweest, de tuin is heel open. Ik heb voor de komende weken meer politie naar het dorp gestuurd. We houden het huis scherp in de gaten.' Hij zuchtte nog eens diep. 'We praten met de jonge Tom Fletcher en zijn psychiater over dat kleine meisje dat steeds rond schijnt te hangen,' zei hij. 'We moeten haar vinden.'
'Ze woont vast in het dorp,' zei Harry. 'Dat kan niet zo moeilijk zijn.' Rushton had met Evi gesproken. Iedereen kon haar zien behalve hij.
'Het probleem is dat die kleine Tom een nogal levendige fantasie heeft. Hij praat over dit meisje alsof ze nauwelijks menselijk is. We kunnen moeilijk een huis-aan-huiszoektocht beginnen naar een monster in menselijke vorm.'
'Ik neem aan van niet.'
'En we hebben de voetafdruk geïdentificeerd die die nacht in hun tuin is gevonden. Een rubberlaars, zoals we al dachten, maat tweeënveertig, met een rubberzool, gemaakt in Frankrijk. Helaas worden er elk jaar duizenden van geïmporteerd en er zijn meer dan tien leveranciers alleen al in het noordwesten. Het zal wel even gaan duren.'
Zodra hij had opgehangen probeerde Harry Evi te bellen. Hij kreeg haar antwoordapparaat en liet een boodschap achter. Toen liep hij door zijn stille huis, deed de achterdeur open en ging de tuin in. Hij ging op een vochtige, met mos begroeide bank onder een kale magnolia zitten en probeerde te bidden.

Deel vier

De langste nacht

61

19 december

'Voor wat het waard is, dominee, ik vond deze beter dan de eerste. Korter. We hoefden tenminste niet zo lang in de wind te staan.'

Toen Harry zich omdraaide zag hij dat Tobias Renshaw ongemerkt naar hem toe was gekomen tussen de rouwenden door die zich in de grote zaal van het huis van de Renshaws hadden verzameld. Hij had beslist zijn dag niet. Toen hij zich na Lucy's tweede begrafenis, in een nieuw graf, lager op de heuvel dan haar eerste, met wapperende toga terughaastte naar de kerk in een poging Evi te ontmoeten voor ze – weer – verdween, was hij praktisch gestruikeld over het stelletje journalisten dat bij de kerkdeur rondhing. Hij was werkelijk niet in de stemming voor deze onaangename oude kerel. Hij keek nadrukkelijk de kamer rond.

'Ik weet niet of Mike al terug is van het kerkhof,' zei hij. 'Misschien moet ik maar even naar buiten gaan om hem te zoeken. Hij schijnt het hier heel moeilijk mee te hebben.'

'Wie?' vroeg Tobias. 'O, de man van Jenny. Die heb ik nooit echt gemogen. Hij leek me altijd een beetje op eigen voordeel uit. Maar och, zij lijkt er wel gelukkig mee te zijn. Hoe gaat het met de mooie Alice en haar lieve dochter? Ik zag ze net niet in de kerk. Zijn ze nog niet terug?'

'Hoofdinspecteur,' zei Harry opgelucht toen Rushton achter Tobias opdook. 'Goed u te zien.'

'Goed gedaan, jongen.' Rushton knikte naar hem en keerde zich toen naar de oudere man. 'Meneer Renshaw,' zei hij. 'Mijn deelneming.'

'Ja, ja,' zei Tobias. 'Kan ik nog iets te drinken halen voor iemand? Je zou haast denken dat er een fonds voor zware tijden zou moeten zijn, hè, voor als een tweede begrafenis nodig blijkt.' Harry en Rushton zagen de oude man weglopen naar een tafel met drankjes.

'Hij bedoelt het niet kwaad,' zei Rushton zachtjes.

'Als u het zegt,' zei Harry, die de energie niet kon opbrengen om zijn gevoelens te verbergen. 'Maar weet u wat ik me afvraag?'

'En wat is dat, jongen?'

'Is alles hier, het land, de boerderij, al het onroerend goed, van Tobias? Hij is natuurlijk de oudste Renshaw. Toch lijkt Sinclair het voor het zeggen te hebben.'

‘Het is een paar jaar geleden allemaal overgedragen aan Sinclair,’ antwoordde Rushton. ‘Voor zover ik me herinner was Tobias eraan toe om zich terug te trekken en Sinclair wilde het niet overnemen zonder dat hij de vrije hand kreeg.’
Harry merkte dat de adem van de andere man naar sigaretten en koffie rook. ‘Hij wilde dat zijn vader de controle uit handen gaf?’ vroeg hij.
‘O, dat klinkt erger dan het was. Het zou uiteindelijk allemaal van Sinclair zijn. Het landgoed is – hoe noem je dat? – vastgezet. De oudste mannelijke erfgenaam krijgt alles. Nou, ik ben blij dat ik u tref. Ik wil u even spreken, als dat kan.’
Terwijl Harry zich naar een rustig hoekje van de oude schoolruimte liet leiden, ving hij een blik op van Gillian die naar hen stond te kijken.
‘We hebben de resultaten van de laatste DNA-test binnen,’ zei Rushton zacht. Hij had Gillian ook gezien. ‘U weet wel, van de as die mevrouw Royle in haar keukenkastje had? Het duurde langer dan we hadden gehoopt, maar hoe dan ook, hij is binnen.’
‘En?’
‘Resultaat. Een perfecte match met onze vriend Arthur.’
Harry zuchtte. Er stond een fles Ierse whisky op tafel maar de dag was nog niet half om en hij had een drukke middag voor de boeg. ‘Dus als ik het goed begrijp,’ zei hij, ‘was de as die Gillian Royle al die tijd in haar keukenkastje had in werkelijkheid van een zeventig jaar oude man die Arthur Seacroft heette en die oorspronkelijk naast Lucy begraven was?’
‘Nou, strikt genomen alleen de as van een deel van zijn rechterbeen,’ zei Rushton. ‘De rest van hem ligt nog in het graf. Ah, dank je, liefje, dat is heel aardig.’
Christiana Renshaw was naar hen toe gekomen met een schaal vol sandwiches. Rushton nam er twee. Harry schudde zijn hoofd en wachtte tot Christiana was doorgelopen naar de volgende groep.
‘Dus iemand heeft Arthurs graf opengemaakt,’ zei hij, ‘een van zijn ledematen gepakt, die nacht ingebroken in Gillians huis, Hayley ontvoerd, Arthurs been achtergelaten in haar bedje en vervolgens de zaak aangestoken.’
Rushton kauwde een paar seconden en slikte. ‘Je moet wel bewondering hebben voor de brutaliteit,’ zei hij. ‘Zonder een spoor van verkoolde menselijke resten in het huis zouden de brandweerlieden argwaan hebben gekregen. Als ze niets hadden gevonden, zou dat Gillians bewering dat haar dochter niet bij de brand was omgekomen veel geloofwaardiger hebben gemaakt. Er zou een serieuze zoektocht in gang zijn gezet. We zouden ze hebben gevonden in de crypte. Arthurs rechterbeen heeft dat allemaal voorkomen. We hebben niet naar Hayley gezocht. Nog een ernstige fout waar ik verantwoording voor zal moeten afleggen als ik mijn schepper ontmoet.’

'Terugkijken is makkelijk genoeg,' zei Harry. 'Ik heb het rapport over de brand gelezen. Gillian heeft het me laten zien. De onderzoekers hadden geen enkele reden om brandstichting te vermoeden.'
Rushton zei niets. Hij ging door met eten maar het leek een automatische handeling. 'We hebben ook het rapport van de entomoloog binnen,' zei hij na een minuut. 'Het gaat eindeloos door over eieren leggen en broedcycli, kaasraspen, keldervliegen, doodskistvlinders, sorry, jongen, ik weet niks van insecten. Het komt erop neer dat hij denkt dat Megan en Hayley begin september bij Lucy in de grond zijn gestopt.'
'Ongeveer rond de tijd dat de kerk werd heropend,' zei Harry.
'Precies.' Rushton slikte de laatste hap van zijn eerste sandwich door en begon aan de tweede. 'De dader was niet van plan het risico te lopen dat ze zouden worden gevonden als de nieuwe dominee besloot de crypte te onderzoeken. En dus werden ze verplaatst naar de begraafplaats, wat de beste plek is die ik kan bedenken om een paar lichamen te verbergen. Hij of zij had geen rekening gehouden met de jongens van Fletcher en hun nachtelijke escapades.'
Aan de andere kant van de kamer verscheen Christiana weer. De schaal met sandwiches was weer aangevuld.
'Christiana weet meer dan ze ons heeft verteld,' zei Harry.
Rushton draaide zich om en keek naar Christiana. Ze liep langzaam, maar tamelijk gracieus voor een vrouw die zo lang was. 'Ah, wat je zegt, jongen,' zei hij. 'Maar toen ik met haar sprak zei ze alleen maar dat iedereen toch ongerust zou worden nadat er twee andere meisjes waren gevonden die op precies dezelfde manier waren omgekomen als Lucy. En nadat Millie Fletcher ook bijna op dezelfde manier was verongelukt. U moet toegeven dat ze een punt heeft. En voor u het vraagt, ze heeft aangeboden ons haar vingerafdrukken te geven; ze zaten niet op de pop die u hebt gevonden, en ook niet op de karaf die Mike in oktober heeft gebracht.'
'O, u hebt waarschijnlijk gelijk,' gaf Harry toe. 'Ik zie overal spoken.'
'U weet dat ik haar heb opgezocht op de ochtend nadat we de lichamen hadden gevonden?' vroeg Rushton. 'Om haar te vragen de pyjama te identificeren?'
Harry knikte.
'Ik heb hem aan Jenny en Christiana laten zien. Jenny wist het niet zeker; nou ja, ze was die dag heel erg van streek, maar Christiana, nou, dat was me wat. Ze haalde haar handwerkspullen tevoorschijn en liet me de patronen zien die ze had gebruikt om de dieren al die jaren geleden te maken. En toen vertelde ze me de exacte kleur en het referentienummer van elk strengetje borduurgaren dat ze had gebruikt. Ze is een vreemd type, maar op haar eigen manier heel slim.'

'Is er nog nieuws over de laars?' vroeg Harry, en hij wachtte toen tot Rushton zijn sandwich op had.
'Een dood spoor,' zei Rushton. 'Ik had gehoopt dat ze hem zouden kunnen herleiden naar een bepaalde levering, maar helaas niet. Als we de laars zelf vinden kunnen we hem matchen. Maar er zijn hier een heleboel mensen die rubberlaarzen dragen.'
Terwijl Rushton sprak zag Harry Gillian. Ze bracht een glas kleurloze vloeistof naar haar lippen en slikte het grootste deel ervan door. Rushton volgde zijn blik en de twee mannen zagen dat Gillian naar de tafel met de drankjes liep. Ze stak, lichtelijk zwaaiend op haar benen, een hand uit en pakte een fles.
Gillians eerste reactie toen ze hoorde dat Hayley inderdaad een van de drie lichamen was die door Tom Fletcher naar boven waren gehaald, was blijdschap geweest omdat ze gelijk had gehad: haar dochter was niet omgekomen in het vuur zoals ze altijd al had gezegd. Maar al snel daarna begon ze zichzelf te kwellen door zich de laatste uren van haar dochter steeds maar weer voor de geest te halen. Zelfs zonder dat hij met Evi had gesproken, wist Harry dat Gillians herstel een ernstige terugval had gehad.
Hij keek snel de kamer rond. Haar moeder was nergens te zien. 'Excuseer me,' zei hij tegen Rushton.
De oudere man knikte. 'Ja, toe maar, jongen,' zei hij. 'Hoewel, om eerlijk te zijn, weet ik niet of u veel voor haar kunt doen.'

62

'Oké, dit zijn de spelregels,' zei Evi terwijl ze keek naar de drie alerte, geïnteresseerde gezichten voor haar. Ze waren in de familiekamer in het ziekenhuis. De kinderen Fletcher zaten tegenover haar op drie kleine, felgekleurde leunstoeltjes.

'In deze doos zitten een paar grappige maskers en ook een paar heel enge,' ging ze verder. 'Maar zodra iemand het eng begint te vinden of bang wordt, kunnen we stoppen. Joe en Millie, het is prima als jullie daar aan tafel willen gaan tekenen, of met het speelgoed in de doos willen spelen. Maar het is ook goed als je liever wilt blijven om Tom te helpen.'

'Ik wil tekenen,' zei Joe.

Evi wees naar de lage tafel waar al papier, kleurstiften en potloden klaarlagen. In een hoek van de kamer zaten Alice en rechercheur Liz Mortimer. Evi had hun gevraagd de kinderen niet af te leiden of ze onzeker te maken. Achter een grote spiegel aan een muur van de kamer stond rechercheur Andy Jeffries te kijken en aantekeningen te maken.

'Oké, Tom,' zei Evi. 'Ben je er klaar voor om in de doos te kijken?'

Tom knikte. Hij keek een beetje bang maar ze dacht dat hij ook wel blij was met de aandacht. Evi liet zich op het kleed zakken. Langere tijd knielen was een heel slecht idee waarvoor ze later zou moeten boeten, maar het was in dit geval niet te vermijden. Ze haalde de deksel van de kartonnen doos en was zich er sterk van bewust dat Alice naar hen zat te kijken met een hand boven haar ogen, een tijdschrift op haar schoot. Evi stak een hand in de doos. 'Ik denk dat dit...' ze wierp een snelle blik op het masker dat ze tevoorschijn haalde, 'Scooby Doo is,' zei ze, en ze hield een kartonnen hondenkop omhoog.

Tom glimlachte en ontspande zichtbaar. 'Mag ik hem opzetten?' vroeg hij.

Toen Evi hem aan hem gaf wurmde Millie zich uit haar leunstoel en liep recht op de doos af. Tom zette het Scooby Doo-masker op en keerde zich om naar de grote spiegel om te kijken. Alice keek op, glimlachte en las weer verder in haar tijdschrift. Millie had de deksel van de doos gepakt en hem op haar hoofd gezet.

'Goed,' zei Evi, terwijl ze haar hand weer in de doos stak. 'De volgende is Basil Brush. Mag ik die opzetten?'

'We gaan morgen naar de toneelvoorstelling,' zei Tom. 'In Blackburn. Het is een schoolreisje.'

Het had een paar weken gekost om het onderzoek op te zetten. Het idee was bij Evi opgekomen kort nadat Tom haar voor het eerst had verteld over het vreemde kleine meisje. Nadat ze naar zijn beschrijving had geluisterd, had ze aan het onderzoeksteam haar theorie uitgelegd dat iemand, waarschijnlijk een ouder kind of een jonge tiener, bij het huis rondhing en zelfs een keer naar binnen was geslopen met een soort carnavalsmasker op. Als ze wisten om welk masker het ging, had de politie misschien een kans om uit te zoeken waar en aan wie het was verkocht. Het was een gok, vooral omdat er geen bewijs was dat Toms kleine meisje op wat voor manier dan ook te maken had met de poging Millie te ontvoeren, maar de politie was bereid het te proberen.

Toen ze eenmaal hadden besloten het uit te voeren, had het onderzoeksteam elk feest-, carnavals- en halloweenmasker verzameld dat ze konden vinden in winkels en op internet. Evi had er al een paar uit gehaald die geen enkele overeenkomst vertoonden met Toms beschrijving en ervoor gezorgd dat de grappige, minder bedreigende exemplaren als eerste uit de doos zouden komen.

Tom pakte ze nu zelf uit de doos en draaide zich met elke nieuwe vondst naar de spiegel om te zien hoe hij stond. Millie deed haar broer na, waarbij het elastiek vast bleef zitten in haar haar. Joe negeerde hen allebei heel nadrukkelijk. Geleidelijk aan werden de maskers dreigender en enger. Niet langer bedoeld voor kinderfeestjes.

'Mam, kijk,' riep Tom. Hij ging rechtop staan, met een veel te groot masker voor zijn gezicht. Het masker leek op een domme Oost-Europese boer met neerhangende mondhoeken.

'Wat?' vroeg Alice, terwijl ze opkeek van haar tijdschrift. 'O, heel mooi.'

'Je weet toch wel wie ik ben,' drong Tom aan. 'De bediende uit die Draculafilm. Die vleermuizenpap maakt voor het ontbijt.'

'Ja, daar moet ik wat van zien te krijgen,' stemde Alice in. 'Zitten er geen leukere in?'

Tom keerde zich weer naar de doos terwijl Millie naar haar moeder waggelde met het masker van de Hulk over haar gezicht. Maar dan ondersteboven.

Een halfuur later had Tom de bodem van de doos bereikt en stond Evi op het punt toe te geven dat het mislukt was. Het positieve was dat geen van de kinderen van streek leek door het experiment. Tom had gedaan alsof het een groot spel was. Hij had elk masker opgezet en er Evi ook een paar op laten zetten. Ook Millie had meegedaan aan de pret, hoewel ze daarna moe was geworden en nu op haar moeders schoot zat. Joe had zijn broer en zus volledig genegeerd en zich volledig op zijn tekenwerk geconcentreerd. Hij werk-

te nu al meer dan een halfuur aan dezelfde tekening. Hij zat net iets te ver weg voor Evi om te kunnen zien wat het was.
De klok in de hoek van de kamer gaf aan dat het bijna halfzeven was. 'Ik ben bang dat we nu moeten ophouden,' zei Evi, met een blik naar de grote spiegel.
'Dankjewel, Tom,' zei ze. 'Dat was heel dapper van je. En het heeft heel goed geholpen. Dankjewel, Millie.' Ze keek naar Alice en rechercheur Mortimer. Alice trok vragend haar wenkbrauwen op. Evi schudde haar hoofd. Alice stond op met Millie in haar armen. Het meisje keek een beetje slaperig en drukte zich dicht tegen haar moeder aan.
'Het was een poging waard, neem ik aan,' mompelde de rechercheur toen ze opstond.
'Kom, jongens,' zei Alice. 'Waar zijn onze jassen? Joe, ben je klaar?'
Evi was Joe bijna vergeten. De jongen was heel stil geweest terwijl zij zich met Tom en Millie bezig had gehouden. Nu stond hij op en keek naar de tekening waar hij aan gewerkt had. Hij kwam naar haar toe en gaf haar de tekening.
Evi keek en voelde haar borst samenknijpen. De tekening was uitzonderlijk goed voor een zesjarige. Hij was van een meisje in een lichtblauwe jurk, met lang blond haar en veel te grote handen en voeten. Het hoofd leek ook te groot en de ogen waren enorm en hadden zware oogleden. De mond met de volle lippen hing open en de nek was vreselijk misvormd. Door een beweging naast zich besefte Evi dat Tom ook naar de tekening van zijn broer keek. Alice en Millie kwamen dichterbij.
'Ebba,' zei Millie, en haar ogen begonnen te stralen terwijl ze een handje uitstak naar de tekening. 'Ebba.'
'Dat is ze,' zei Tom met een klein stemmetje. 'Zo ziet ze eruit.'

63

'Alle drie? Weet je het zeker?'
'Absoluut,' zei Evi. 'Joe heeft haar getekend, en Tom en Millie hebben haar allebei herkend. Millie had zelfs een naam voor haar. Ebba, noemde ze haar. Ze is echt, deze Ebba. De politie moet haar alleen vinden. Draai je Springsteen?'
'Een man mag dromen. Wacht even, dan zal ik hem zachter zetten.' Harry pakte de afstandsbediening en de muziek stierf weg. 'En wat is het dan?' vroeg hij. 'Een kind, een dwerg?'
'Moeilijk om te zeggen. Tom heeft op een kaart aangegeven hoe lang hij ongeveer dacht dat ze was. Ongeveer één meter veertig, de lengte van een acht- of negenjarig kind. Maar als Joe's tekening klopt, zijn haar handen, voeten en hoofd buitenproportioneel groot. Dat doet denken aan een volwassene met een groeistoornis. En ze lijkt een soort bult, of misschien een gezwel te hebben in haar hals.'
'Als er zo iemand in Heptonclough woont, moeten de mensen haar kennen.'
'Precies. En ze moet hier wonen. Er zijn geen andere dorpen die dicht genoeg in de buurt liggen.'
'Er zijn in de omgeving vrij veel boerderijen, soms tamelijk geïsoleerd. Misschien woont ze in een daarvan.'
'De rechercheur die erbij was zei al zoiets. Hij gaat het er met zijn baas over hebben om een paar agenten huisbezoeken te laten afleggen.'
'Nemen ze het allemaal serieus? Ik bedoel, je moet toch toegeven, het gaat hier om een tekening van een zesjarig kind.'
'Ik geloof niet dat ze iets anders hebben om op voort te borduren, denk je wel?'
'Wat zei Joe over haar?'
'Niets. Ik heb ruim vijf minuten met hem alleen gepraat, maar hij zegt geen woord. Tom denkt dat hij haar beloofd heeft om niet over haar te praten, maar dat het tekenen van haar portret niet telt.'
'Zou ze hem bedreigd hebben?' vroeg Harry.
'Mogelijk. Hoewel ik het betwijfel. Joe lijkt absoluut niet bang voor haar te zijn. Hij was niet bang door het gesprek, hij zweeg alleen. En Millie reageerde op het portret alsof het een oude vriendin was.'
'Dus Tom is doodsbang voor iemand waar zijn broer en zus geen probleem mee hebben? Hoe waarschijnlijk is dat?'

'Tom is een stuk ouder,' zei Evi. 'Op veel fronten begint hij te denken als een volwassene. Omdat Joe en Millie jonger zijn, accepteren ze Ebba misschien eerder.'
'Hoe noem je haar?' vroeg Harry.
'Ebba, Millies naam voor haar. Het kan natuurlijk van alles zijn, Emma, Ella, wie weet? Maar waar het om gaat, ze is echt.'
'En hoe komt ze het huis binnen?'
'Volgens Tom doet ze dat niet meer. Hij heeft haar niet meer gezien sinds de muur ingestort is. Nu Alice en Gareth allerlei veiligheidsmaatregelen hebben genomen, kan ze er niet meer in. Hij denkt dat ze hen misschien nog steeds in de gaten houdt als ze buiten zijn, maar dat weet hij niet zeker.'
'Kom hiernaartoe,' zei Harry, een beetje bang omdat hij het zo graag wilde.
Geen antwoord.
'Ik ben aan het koken,' probeerde hij toen er nog steeds niet werd gereageerd.
'Je weet dat ik dat niet kan doen,' zei ze.
In Harry knapte iets. 'Daar weet ik helemaal niks van,' zei hij. 'Het enige wat ik weet is dat ik voor het eerst van mijn leven mijn greep verlies op wat er om me heen gebeurt. Ik word elke keer als ik naar buiten ga aangeklampt door journalisten, ik durf nauwelijks nog de telefoon aan te nemen. Overal waar ik kom staat een agent. Ik begin het gevoel te krijgen dat ik zelf een verdachte ben, hoewel ik hier nog maar drie maanden ben.'
'Dat begrijp ik, maar…'
'Ik heb te maken met een ellende die ik nog niet eerder meegemaakt heb. Kinderlijken rollen om me heen uit de grond en mijn enige vrienden in het dorp staan op het randje van een zenuwinzinking. Ik vind kinderpoppen in de kerk, met een truc hebben ze me bloed laten drinken...'
'Harry...'
'En de enige persoon die ik heb ontmoet en die me kan helpen om bij mijn verstand te blijven weigert iets met me te maken te hebben.' Zijn stem was met elk woord harder geworden. Hij stond praktisch tegen haar te schreeuwen.
'Kinderpoppen? Bloed? Waar heb je het over?' Haar stem was juist zachter geworden. Ze klonk of ze de telefoon een stuk van haar oor hield. Harry hoorde een zacht geklop. Had de kat iets omgegooid?
'Evi, als ik dacht dat je niks van me wilde weten, zou ik je niet lastigvallen,' zei hij terwijl hij om zich heen keek. Geen spoor van de kat. 'Zo'n zielig geval ben ik echt niet. Vertel me alleen maar dat ik buiten mijn boekje ga en ik zal je verder met rust laten. Maar dat geloof ik niet. Ik geloof dat jij hetzelfde voelt als ik, en...' Weer het klopgeluid. Verdorie, er stond iemand voor de deur.
'Wat bedoel je, dat je bloed hebt gedronken?'

'Luister, kunnen we die onzin even vergeten en over ons praten? Kom hier eten en verder niks, dat beloof ik je. Ik wil alleen maar praten.'
'Harry, wat heb je me niet verteld?'
'Ik zal je alles vertellen als je hiernaartoe komt,' beloofde hij.
'Doe niet zo verdomd kinderachtig,' snauwde ze. 'Harry, dit is belangrijk. Vertel me wat er is gebeurd.'
'Er is iemand aan de deur,' zei hij. 'Ik moet opendoen. Als je er niet binnen een halfuur bent kom ik naar jou.' Hij legde de telefoon neer.
Binnensmonds vloekend liep Harry de hal door. Hij zag een lange, donkere vorm door het glas van de voordeur. Terwijl hij zich afvroeg wat het snelheidsrecord was om een ongewenste parochiaan af te schepen trok Harry de deur open.
Hoofdinspecteur Rushton stond op de stoep, met in zijn hand een fles Jameson. Hij hield hem omhoog. 'Ik zag toevallig dat uw fles er een beetje leeg uitzag toen ik hier de laatste keer was,' zei hij. 'Daarom heb ik mijn eigen fles maar meegebracht.'

64

20 december

'Hé, hallo daar.'
Harry keek op. Hij had voetstappen gehoord maar gewoon aangenomen dat het weer een politieman was die door zijn kerk zwierf. En nu, nog voor hij zijn mond had opengedaan om hallo te zeggen, was hij al opgestaan, de consistoriekamer doorgelopen naar de jonge vrouw die misschien wel dezelfde paarse kleur als die van haar ogen droeg, maar het was onmogelijk om daar zeker van te zijn omdat hij haar al in zijn armen had genomen, en dus veel te dichtbij was om te kunnen zien wat ze aan had, en ze glimlachte naar hem...
Droom maar lekker verder, Harry. Hij had zich niet verroerd achter zijn bureau en zat nog steeds stom voor zich uit te staren. En ja, ze droeg paars, een grote, losvallende trui over een strakke zwarte spijkerbroek in lange laarzen; en er kwam een heel on-domineesachtige gedachte bij hem op over die laarzen en blote benen.
'Je bent niet gekomen,' zei ze, met een hand tegen de deurpost en met de andere de deur open houdend.
Harry leunde achteruit in zijn stoel. Vijf seconden zou het hem kosten om de kamer door te lopen, de deur dicht te schoppen en de fantasie werkelijkheid te laten worden. 'De andere liefde van mijn leven arriveerde met een fles Ierse whisky,' zei hij. 'Een uur later was het voor ons beiden geen optie meer om nog te rijden, en ik hoop dat hij zich de hele dag net zo ellendig voelt.'
'Hoofdinspecteur Rushton?' vroeg ze, terwijl haar wangen een beetje rozer waren geworden.
'Die, ja.' Zou het vijf seconden kosten? Hij kon het waarschijnlijk wel in vier, als hij over het bureau sprong.
'Hoe ging het met hem?' Ze liep naar voren, pakte haar stok die tegen de deurpost stond en liet de deur dichtvallen.
Als hij over het bureau sprong zou hij moeten overgeven.
'Doodsbang dat hij gedwongen zal worden om vervroegd met pensioen te gaan voor de zaak is opgelost,' zei hij. 'En compleet met de handen in het haar over wat hij verder kan doen. Behoorlijk hulpeloos aan het rondzwal-

ken. Ik heb gezegd dat ik precies wist hoe hij zich voelde en we hebben nog maar eens ingeschonken.'
Haar glimlach verdween toen buiten voetstappen naderden. Harry wachtte om te horen of ze in de richting van de consistoriekamer kwamen maar ze liepen verder het pad af.
'Ik wil dat je me vertelt wat er allemaal is gebeurd,' zei ze. 'Het is belangrijk.'
Harry zuchtte. Hij wilde het daar nu echt, absoluut niet over hebben met Evi. Het enige wat hij wilde was naar haar toe lopen, haar wegtrekken bij die deur en...
Ze hield haar hoofd scheef en keek hem aan. 'Alsjeblieft,' zei ze.
'Oké, oké.'
Zo beknopt mogelijk bracht hij haar op de hoogte van alle eigenaardige dingen die hem waren overkomen sinds zijn komst naar Heptonclough: het gefluister, de dreigende stemmen; zijn voortdurende gevoel dat hij niet alleen was in de kerk, de kapotgegooide pop die een opmerkelijke gelijkenis met Millie vertoonde; en zijn eigen persoonlijke favoriet: het drinken van bloed uit een avondmaalsbeker. Toen hij klaar was, zweeg ze.
'Mag ik gaan zitten?' vroeg ze, na een moment.
Hij trok een stoel bij het bureau en ze zonk erin, haar voorhoofd gefronst van pijn. Toen keek ze naar hem omhoog. 'Gaat het wel met je?' vroeg ze.
Hij haalde zijn schouders op. 'Dat kan ik niet een-twee-drie zeggen. Snap jij hier iets van?'
Ze schudde haar hoofd. 'Niet echt. Maar ik denk dat ik iets dichter bij de oplossing ben wie Ebba is. Daarom ben ik gekomen. Mijn laptop zit in mijn tas. Kun je hem even pakken, alsjeblieft?'
Harry pakte Evi's grote, zwarte leren tas die ze bij de deur had laten staan en zette hem voor haar op het bureau. Terwijl ze haar computer eruit haalde en aanzette, schoof hij een stoel om het bureau heen zodat ze naast elkaar zaten. Evi opende een scherm en draaide de computer zo dat Harry het kon zien. Het was een bladzijde van een medische site. Zijn ogen gleden naar de titel bovenaan. 'Congenitale hypothyreoïdie,' las hij en hij keek naar haar voor bevestiging. Ze knikte.
'Zodra Tom Joe's tekening had om zijn geheugen op te frissen, kon hij me een heel gedetailleerde beschrijving van het meisje geven,' zei ze. 'Maar de zwelling is het doorslaggevende bewijs.'
'Wat is het precies?' vroeg Harry, die de tekst onder het kopje snel had gelezen zonder dat hij veel snapte van het medische jargon.
'In feite een tekort aan het hormoon thyroxine in het lichaam,' zei Evi. Ze zat een paar centimeter bij hem vandaan. Hij kon haar zoete, warme geur ruiken, te licht om een parfum te zijn, misschien zeep, bodylotion. Hij moest zich concentreren.

'Thyroxine wordt geproduceerd door de schildklier,' zei ze. 'Als we er niet genoeg van hebben, kunnen we niet goed groeien en ons ontwikkelen zoals zou moeten. Gelukkig is de aandoening tegenwoordig zeldzaam omdat hij behandeld kan worden, maar vroeger kwam het heel veel voor, vooral in bepaalde delen van de wereld.'
'Ik geloof niet dat ik er ooit van heb gehoord,' zei Harry hoofdschuddend.
'O, vast wel,' zei Evi. 'De politiek minder correcte naam is cretinisme. Ik denk dat Toms vriendinnetje – laten we haar voor het gemak maar Ebba noemen – iemand is die we vroeger cretin noemden.'
Harry wreef nadenkend over zijn slapen. 'Wat is het dan?' vroeg hij. 'Een kind?'
'Dat hoeft niet,' zei Evi, met een glimlach. 'Mensen die er aan lijden worden zelden langer dan één meter vijftig, dus een volwassene kan er gemakkelijk veel jonger uitzien. Daarbij hebben ze meestal de mentale leeftijd van een kind en gedragen ze zich dus ook als een kind. Wil je een paracetamol?'
'Als ik er nog meer van neem begin ik te rammelen. Wat is de oorzaak?' vroeg Harry. 'Is het genetisch?'
'In sommige gevallen,' zei Evi. 'Maar het is meestal het gevolg van het milieu. Voor de productie van thyroxine heeft het lichaam jodium nodig, dat we hoofdzakelijk uit voeding halen. Toen de mensen vroeger hun eigen voedsel verbouwden en vee uit de naaste omgeving aten waren ze veel kwetsbaarder. In bepaalde gebieden, vooral afgelegen bergstreken zoals de Alpen, zat er onvoldoende jodium in de bodem. Dus als je in een gebied woonde waar geen jodium in de grond voorkwam, kon je schildklier opzwellen om zo veel mogelijk jodium op te zuigen. Daardoor wordt de zwelling in de hals veroorzaakt.'
'We zijn een heel stuk van de Alpen verwijderd,' zei Harry.
'Delen van Derbyshire waren nog niet zo lang geleden heel kwetsbaar,' antwoordde Evi. 'De "Derbyshire Neck" was een bekende medische afwijking. Kijk maar.'
Ze wijzigde het scherm en Harry keek naar een foto van een vrouw in laat negentiende-eeuwse kleding. Een enorme zwelling in haar hals duwde haar hoofd naar opzij, zodat ze werd gedwongen omhoog te kijken.
'Dat noemen we een krop,' wees Evi. 'En we zitten niet zo heel ver van het Peak District.'
'Dus het meisje dat Tom zoveel angst aanjaagt is een vrouw uit het dorp die dit heeft? Ik vind het ongelooflijk dat niemand het ooit over haar heeft gehad.'
'Dat lijkt vreemd,' stemde Evi in. 'Maar de Fletchers zijn nog relatief nieuw hier. Misschien waren de mensen gewoon discreet.'
Harry dacht even na. 'Ik moet koffie hebben,' zei hij. Hij stond op en liep

naar het aanrecht. Met de waterkoker in de hand draaide hij zich om. 'En volgens jou kan de aandoening worden behandeld?'
'Absoluut.' Evi knikte. 'Dat verbaast me dus zo. Pasgeboren baby's worden tegenwoordig routinematig onderzocht. Als er sprake is van een gebrek aan thyroxine, dan kan het kunstmatig worden toegediend. Ze moeten het hun hele leven innemen, maar hun ontwikkeling zal normaal verlopen.'
Harry zette de waterkoker aan en pakte schone bekers.
'De enige verklaring die ik kan bedenken is dat ze weinig ontwikkelde ouders heeft die de behandeling niet hebben volgehouden,' ging Evi verder. 'Misschien lijden ze er zelf aan. Ik heb vanochtend met hoofdinspecteur Rushton gesproken en voorgesteld dat hij eens gaat kijken bij afgelegen boerderijen en cottages van landarbeiders. Ik vermoed dat deze familie niet zo vaak naar het dorp komt.'
'Oké, de grote vraag is nu,' zei Harry, terwijl hij oploskoffie in de bekers schepte, 'kan dit meisje, deze vrouw, wat dan ook, verantwoordelijk zijn voor de dood van Lucy, Megan en Hayley? En voor het bedreigen van Millie?'
Evi zette het scherm weer aan. 'Ik ben het grootste deel van de dag bezig geweest om zo veel mogelijk te weten te komen over de aandoening,' zei ze. 'Er is geen bewijs voor zover ik kan zien dat deze mensen zich gewelddadig of agressief gedragen. Zelfs Tom denkt niet dat zij degene was die Millie probeerde te ontvoeren. Hij zegt dat die persoon veel groter was.'
'Het was donker, hij was bang,' zei Harry. 'Hij was misschien in de war.'
'Ja, maar het lijkt ook niet te kloppen. Deze mensen staan bekend om hun vriendelijkheid, hun onschuld. De naam waarmee ze worden aangeduid suggereert dat al. Het woord cretin komt volgens zeggen van het Anglo-Franse woord *chrétien*.'
'En dat betekent?' vroeg Harry, toen het water kookte en de waterkoker afsloeg.
'Christelijk,' zei Evi. 'Cretin betekent christelijk. Het zou erop duiden dat de mensen die eraan lijden net als Christus niet in staat zijn een zonde te begaan.'
Hij kon zich vanmorgen echt niet concentreren. 'Hoezo?' vroeg hij.
'Ze hebben niet het mentale vermogen om goed en fout van elkaar te onderscheiden, dus niets van wat ze doen kan in de volledige betekenis van het woord als zondig worden beschouwd. Ze blijven onschuldig.'
Harry schudde bijna zijn hoofd maar wist zich net op tijd in te houden. Hij zou nooit meer drinken. 'Dat betekent dus niet dat ze niks verkeerds kunnen doen, maar alleen dat ze niet weten dat ze iets verkeerds doen,' zei hij. 'Wat als deze Ebba kleine blonde meisjes heel leuk vindt en ze als een soort speelgoed beschouwt, en het allemaal... O, wacht even, er begint een belletje te rinkelen.'

'Ik zou zeggen dat een rinkelende bel in je hoofd wel het laatste is wat je nodig hebt.' Ze lachte hem uit.
'Wat ik nu nodig heb kan niet in het huis van God worden besproken,' antwoordde hij. Maar ze had gelijk, hij kon een kater vandaag echt niet gebruiken. 'Onschuldige christenen,' zei hij, alsof hij de woorden proefde in zijn mond. Toen had hij het. 'Onschuldige christelijke zielen,' zei hij. 'We moeten het overlijdensregister hebben.'
'Sorry?'
Harry had de kast waar het register werd bewaard al open getrokken.
'Kijk,' zei hij, toen hij de juiste bladzijde had gevonden. 'Sophie Renshaw, overleden in 1908, achttien jaar oud, omschreven als *een onschuldige christelijke ziel*.'
'Hier is er nog een,' zei Evi. 'Charles Perkins, overleden in 1932, vijftien jaar oud. Hoeveel zijn er?'
Hij telde snel. 'Acht,' zei hij. 'Zes meisje, twee jongens, allemaal onder de vijfentwintig op het moment van overlijden.'
'De aandoening komt meer voor bij vrouwen,' zei Evi. 'Denk je dat al deze mensen net zo zijn geweest als Ebba?'
'Het zou me absoluut niet verbazen. Ik herinner me nog dat die ouwe kerel erover op liep te scheppen. "Vijfennegentig procent van de voeding die ik in mijn hele leven heb gegeten, komt van deze heide", dat zei hij tegen me. Ik wil wedden dat de bodem hier... Wat zei je ook alweer?'
'Onvoldoende jodium bevat. We moeten haar absoluut vinden, Harry.'

65

De bus stopte en vijftig opgewonden kinderen sprongen op. Door de bewasemde ramen kon Tom het enorme spandoek en de posters voor de King George's Hall en de verlichte kerstversieringen van Blackburn zien. *De Sneeuwkoningin*, een beetje een meisjesverhaal, maar wie kon dat nou iets schelen? Het betekende een middag vrij van school, en morgen begon de kerstvakantie.

Tom voelde dat hij naar voren werd geduwd. 'Voorzichtig uitstappen,' zei meneer Deacon, hoofd van de school. 'Ik wil vanmiddag niet bij de Spoedeisende Hulp zitten.'

Grijnzend in zichzelf stapte Tom op het asfalt. Een tweede bus was gestopt in Blakeymoor Street en de Key Stage One-kinderen stapten uit. De meesten waren nog nooit met school op stap geweest en ze stonden gefascineerd door de kerstverlichting om zich heen te kijken. Terwijl Tom toekeek, sprong Joe zonder moeite uit de bus, van een tree die half zo hoog was als hijzelf. Hij zag Tom en zwaaide.

Terwijl hij af en toe een sprongetje maakte, volgde Tom de rij, de King George's Hall in.

66

'Denk jij dat het belangrijk is waar het gebeurt?' vroeg Evi, toen Harry met haar terugliep door de kerk. 'Dat van alle hoge plekken in de wereld waar kleine kinderen vanaf gegooid kunnen worden, het hier moet zijn?'
'Ik weet het zeker,' antwoordde hij. 'Dit is de moordplek.'
Evi liet haar blik omhoog glijden, naar de galerij die bijna recht boven hen was. 'Dat is walgelijk,' zei ze.
Harry keek ook omhoog. 'Er is iets niet in de haak met deze kerk, Evi. Ik denk dat ik het al wist zodra ik er naar binnen stapte.'
Hij voelde haar vingers zacht langs zijn hand strijken.
'Gebouwen absorberen iets van wat erin gebeurt,' vervolgde hij. 'Ik verwacht niet dat iedereen het met me eens is, maar ik weet het zeker. Normaal voelen kerken als vredige, veilige plaatsen omdat ze tientallen jaren, soms eeuwenlang gebeden van hoop en goede wil hebben geabsorbeerd.'
'Maar deze niet?' Haar vingers sloten zich om zijn hand.
'Nee,' zei Harry. 'Deze geeft vooral een gevoel van pijn.'
Even bewogen ze niet. Toen, bijna op hetzelfde moment dat hij wist wat ze ging doen, draaide Evi zich om en stak haar armen naar hem uit. Het was maar een omhelzing, dat wist hij, een ogenblik van troost, maar het was onmogelijk om zo dicht bij haar te zijn en zijn hoofd niet te buigen naar de huid aan de zijkant van haar nek, om die sproet te vinden, om zijn gezicht tegen haar haren te drukken en diep in te ademen. Toen bewoog ze in zijn armen, trok haar hoofd terug, en het was volstrekt ondenkbaar dat hij haar niet zou kussen.
De tijd ging voorbij en het enige waar hij aan kon denken was dat de wereld toch niet zo slecht kon zijn omdat Evi er was; zou hij voor eeuwig verdoemd zijn als hij haar op zou tillen, haar voorzichtig op de bank naast hen zou leggen en de rest van de middag de liefde met haar zou bedrijven?
Toen haalde Evi hijgend adem, een geluid dat niets met hartstocht te maken had. Ze was verstijfd in zijn armen, had zich van hem teruggetrokken en staarde over zijn linkerschouder. Koude lucht in zijn nek vertelde hem dat de voordeur van de kerk open was. Hij deed een stap naar achteren en draaide zich om.
Gillian stond in de deuropening. Heel even dacht Harry dat ze flauw ging

vallen. Toen leek het alsof ze zich woedend op hen zou storten. Ze deed geen van beide. Ze draaide zich om en rende weg.

67

Millie stond in de deuropening naar een paar kippen te kijken die op straat scharrelden. Op de oprit was haar moeder bezig boodschappen uit de auto te laden. Ze ging rechtop staan en liep naar de deur. 'Ga gauw weer naar binnen,' zei ze tegen de peuter, terwijl ze zich naar haar toe boog. 'Het is ijskoud.' Ze schoof langs het kind en verdween. Even later grepen haar handen Millie om haar middel. 'Ik meen het,' zei ze, terwijl ze haar dochter optilde en haar uit het zicht bracht. 'Je valt straks nog van de stoep.'
Even was de deuropening leeg en toen verscheen de moeder weer. Ze liep snel naar haar auto en pakte de laatste tassen. Terwijl ze weer rechtop ging staan en het knopje indrukte op het ding in haar hand zodat de auto werd afgesloten, verscheen het kind weer in de deuropening. Ze wierp een korte, heimelijke blik op haar moeder en keek vervolgens weer naar de kippen die hun tuin in waren gelopen. Toen klom ze de treden naar de oprit af.
Het slot van de auto werkte niet. De moeder drukte twee keer op het knopje, gaf het toen op en sloot de auto af met de sleutel, net toen Millie wegliep over het gras. De moeder stak de oprit over en ging naar binnen. De voordeur ging dicht. Stilte. Een minuut, misschien twee, was er niets te zien, niets te horen. Toen werd de voordeur opengetrokken en de vrouw verscheen met een bleek gezicht en haar handen om haar bovenarmen geklemd in de deuropening. 'Millie!' riep ze, alsof ze bang was dat ze te hard zou schreeuwen. 'Millie!' riep ze weer, een beetje harder deze keer. 'Millie!'

68

'Waar heb je deze gevonden?' vroeg Harry.

'Het archief van Milieubeheer,' zei Gareth. 'Pas op met die chips, ik word vermoord als ik er vetvlekken op maak.'

Harry legde zijn zakje chips opzij en leunde over de kaarten. 'Stroomgebiedkaarten,' zei hij. 'Daar heb ik nog nooit van gehoord.'

Gareth pakte zijn biertje en nam een slok. Vijf dagen voor kerst. Het was druk in de White Lion in het centrum van Heptonclough, en zelfs om bijna vijf uur 's middags hadden de beide mannen geluk gehad dat ze een tafeltje konden vinden. Harry wenste bijna dat het niet zo was geweest, dat hij en Gareth Fletcher een andere afspraak hadden moeten maken voor het gesprek dat ze al dagen gepland hadden. Hij had Evi willen helpen om Gillian te vinden en met haar te praten. Dat was niet iets wat ze in haar eentje zou moeten doen.

'Dat is ook niet zo gek,' zei Gareth. 'Ze worden gemaakt door het waterschap.' Een groepje kantoormensen aan de andere kant van het café was in opperbeste stemming. Een paar hadden een papieren hoedje op. De meesten leken niet al te vast meer op hun benen te staan.

Evi had niet gewild dat hij met haar mee zou gaan. Gillian was haar patiënt, had ze gezegd. Haar verantwoordelijkheid.

'De meeste kaarten zijn van wegen, dorpen en steden,' zei Gareth.

'Ja,' stemde Harry in.

'Deze is van rivieren. Kijk, dit is de Rindle. Ontspringt als een bron boven in de heuvels en loopt geleidelijk naar beneden tot het punt waar hij in de Tane stroomt. Al deze andere beken en rivieren zijn er zijtakken van.' Gareth leunde over de kaart en wees met zijn vinger naar vage, kronkelende lijnen. 'Ze komen allemaal in de rivier uit en hij wordt geleidelijk steeds breder en breder. Het gebied dat ze samen bestrijken heet het stroomgebied.'

'Oké, ik snap het,' zei Harry, die naar een donkerharig meisje met een paars hoedje had staan kijken dat hem deed denken aan... Hoe snel kon hij haar bellen? Was ze nu bij Gillian? 'En het waterschap heeft ze nodig voor...?' vroeg hij, terwijl hij zichzelf dwong om zich te concentreren.

'Als een stroom opdroogt, als hij vervuild raakt, als er een grote vissterfte is, of als een overstroming dreigt, moeten de autoriteiten weten waar het is en welke andere waterlopen daar ook de gevolgen van zullen ondervinden.'

‘Oké.’ *Ik kan hiervoor uit het register worden geschrapt, Harry*, had ze tegen hem gezegd toen ze stonden te discussiëren bij de kerkpoort. *Je hebt geen idee hoe ernstig dit is.*
‘De moderne kaarten zijn makkelijker om te lezen, alle verschillende stroomgebieden hebben andere kleuren,’ zei Gareth. ‘Deze moet wel tachtig jaar oud zijn. Maar hij heeft iets wat de moderne kaarten niet hebben. Hier staan ook de ondergrondse stromen op. En zelfs een paar van de dieper gelegen waterhoudende grondlagen. Hij is uit de tijd dat mensen hun eigen putten groeven en moesten weten waar ze een kans maakten om water te vinden.’
‘Ik snap het nog steeds,’ zei Harry. *Ze vertrouwde me en ik heb haar op een vreselijke manier in de steek gelaten.*
‘Je kunt zien dat hierboven een tamelijk grote ondergrondse stroom begint, vlak onder de Morrell Tor, die door het dorp naar beneden loopt, onderweg een groot aantal putten van water voorziet die waarschijnlijk inmiddels allemaal in onbruik geraakt en afgedekt zijn, en die uiteindelijk onder de kerk verdwijnt.’
‘We zagen hem op die dag dat we op onderzoek waren. De monniken hadden er een soort drinkfontein van gemaakt.’
‘Precies. Nou, inmiddels weten we dat hij in een rooster verdwijnt, onder de kelder door loopt, en, dit is belangrijk, ben je er nog bij?’
‘Ja hoor, ik vind het vreselijk boeiend.’ *Als er iets met haar gebeurt is het mijn fout.*
‘Vlak nadat hij de fundering van de kerk voorbij is splitst hij zich in tweeën. De hoofdstroom loopt verder naar beneden, via de begraafplaats, onder de tuin van de Renshaws door en verder naar de hei. Het andere deel loopt in westelijke richting, evenwijdig aan de muur om de kerk.’
‘Die daardoor ernstig wordt verzwakt?’
‘Volgens mij wel. Als je het mij vraagt heeft het weinig zin om de muur te herbouwen als je die zijtak van de stroom niet verlegt.’
‘Zal het water verder de heuvel aflopen met de rest als we hem blokkeren?’
‘Waarschijnlijk wel, hoewel ik het eerst zou moeten bespreken met mijn vrienden van het waterschap. Wil je dat ik dat doe voor jij het met God gaat hebben over het beschikbaar stellen van het geld?’
‘Ja, graag. Wat is dit?’ In een poging zijn gedachten af te leiden van wat er met Gillian en Evi zou kunnen gebeuren, had Harry geprobeerd plaatsen die hij om het dorp kende te ontdekken op de kaart. Hij had Wite Lane gevonden, en het pad gevolgd waar hij soms de heuvel op jogde. Hij wees op een dubbele cirkel binnen een rechthoek.
‘Dat lijkt op een boorput, een oude wel,’ zei Gareth. ‘Al heb ik geen idee waarom er helemaal daarboven een zou zijn.’

'Hij is vlak onder de Tor, of niet? Was daarboven niet een oude molen?'
'Dat klopt. Ik wil wedden dat deze boorput in dat huisje is dat de kinderen het huisje van Roodkapje noemen.'
Harry knikte. Hij kende het gebouwtje. 'Het is van de Renshaws,' zei hij. 'Hoofdinspecteur Rushton vertelde me dat ze er op de dag dat ze naar Megan Connor zochten in zijn geweest. Ik geloof niet dat hij het over een boorput heeft gehad.'
'Als hij is afgedekt en in de vergetelheid is geraakt wist hij misschien helemaal niet dat hij er was,' zei Gareth terwijl hij zijn glas leeg dronk. 'Er zijn tientallen bronnen en wellen in de omgeving waar niemand iets van weet. Nog een?'
'Ik denk dat ik nog dronken ben van gisteravond,' zei Harry. 'Eentje meer zal wel geen verschil maken.'
Gareth grijnsde. Toen hij opstond hoorden de beide mannen het blikkerige geluid van de Bob de Bouwer-tune. 'Dat ben ik,' zei Gareth en haalde zijn mobiele telefoon uit zijn zak.
Met de telefoon tegen zijn oor liep Gareth verder. Hij was net bij de bar toen hij zich omdraaide, een snelle blik in Harry's richting wierp en het café uitliep, waarbij hij twee jongens opzij duwde die eruit zagen of ze nauwelijks oud genoeg waren om te mogen drinken.
Even verroerde Harry zich niet. Toen stond hij op. Het was vast een probleem op Gareths werk, zei hij tegen zichzelf, niets belangrijks. Het lawaai in het café leek toe te nemen. De meisjes aan de tafel met de kantoormensen gilden en bliezen op de papieren toeters die uit de *Christmas crackers* kwamen.
Hij zette koers naar de deur.
Er was vast niks met Millie. Ze was die ochtend met haar moeder naar de winkel, voor de laatste boodschappen voor kerst, er kon niets gebeuren bij de supermarkt. Een serveerster liep van het ene tafeltje naar het volgende. '*Sherry trifle?*' zei ze. 'Wie heeft de sherry trifle besteld?' Zelfs de kassa bij de bar leek onnatuurlijk schril.
'Gelukkig kerstfeest, dominee,' riepen de mensen hem na terwijl hij zich een weg baande door de menigte. Hij negeerde hen. Er was vast niks met Millie. Haar moeder verloor haar de laatste dagen geen moment uit het oog. Iemand liet vlak achter hem een glas vallen. Misschien had hij het wel omgegooid. Het viel kapot op de tegelvloer.
Hij duwde tegen de deur; de koude avondlucht sloeg hem in het gezicht, net als de stilte. Hij haalde diep adem en keek om zich heen. Het was helemaal donker. Gareth stond een eind verder op de heuvel op het punt in zijn vrachtauto te stappen, en even wilde Harry hem het liefst laten gaan. Hij wilde niet dat hij zich omdraaide; hij wilde die blik zolang als hij leefde nooit meer op iemands gezicht zien.

‘Hé!’ schreeuwde hij, omdat hij zich met de beste wil van de wereld niet meer kon herinneren hoe de andere man heette.
Gareth draaide zich om. Daar was hij weer, die blik: doodsangst. Hij deed zijn mond open en Harry kon maar net verstaan wat Gareth hem toeschreeuwde. Dus niet Millie, met Millie was alles goed.
Het was Joe die werd vermist.

69

'Oké dan, dit weten we nu.' Hoofdinspecteur Rushton zweeg en schraapte zijn keel. Hij moest naar de kruin van Alice' hoofd kijken, haar ogen waren gericht op een achtergebleven cornflake op de keukentafel.

'Joe was tijdens de pauze zeker nog in de King George,' ging Rushton verder. 'Die was van kwart over drie tot kwart voor vier. De manager van het theater was heel zeker van de tijd. Joe heeft een ijsje gekregen en meerdere jongens herinneren zich dat ze hem in de rij voor het toilet hebben zien staan. Waar we niet zeker van zijn is of hij tijdens de tweede helft nog in het theater was.'

'Wie zat er verdomme naast hem?' zei Gareth. Hij had nog geen moment stil gestaan sinds hij en Harry binnen waren gekomen. Hij liep te ijsberen, hij wiegde heen en weer op zijn hielen, hij zwierf van de ene kamer naar de andere, schreeuwde wat er in zijn hoofd opkwam tegen wie er ook maar mocht luisteren. In scherp contrast daarmee had Alice zich in drie uur nauwelijks bewogen. Haar gezicht leek met de minuut bleker en smaller te worden.

Harry keek op zijn horloge: bijna acht uur. Hij haalde zijn telefoon uit zijn zak en keek op het scherm. Geen berichten.

'Tja, dat is het juist,' zei rechercheur Neasden. 'De kinderen hadden geen vaste zitplaats, ze zijn tijdens de pauze van plaats gewisseld. Een of twee kleintjes werden bang voor de slechterik op het toneel en zijn naast de leraren gaan zitten. Het theater was niet helemaal vol, er waren dus lege stoelen. Niemand die we hebben gesproken kan met zekerheid zeggen of hij Joe tijdens de tweede helft nog gezien heeft. We hebben het nagevraagd bij het personeel; drie ervan hadden dienst en geen van hen herinnert zich een jongen die in zijn eentje rondzwierf.'

'De school wist niet zeker of hij werd vermist tot alle kinderen weer in de bussen zaten en waren geteld,' zei Rushton. 'Dat was om tien voor vijf. De leraren gingen het theater weer in om te zoeken, maar gaven het na een halfuur op. Wij werden om vijf voor halfzes op de hoogte gesteld.'

'Hij kon dan al twee uur weg zijn,' zei Gareth, die langs rechercheur Neasden schoof om bij het aanrecht te komen. Hij vulde een glas met water, bracht het naar zijn mond en zette het weer neer. Hij draaide zich om toen de keukendeur openging en Tom binnenkwam. De jongen stond in de deuropening en keek van de ene volwassene naar de andere. Niemand leek te weten wat ze tegen hem moesten zeggen. Toen verscheen Jenny Pickup achter hem, bleker en slordiger dan normaal, met Millie op haar arm.

'Kom maar Tom, lieverd,' zei ze. 'Laten we de mensen hier maar laten praten. Zullen we een computerspelletje doen?'

Tom deed zijn mond open alsof hij iets wilde zeggen, maar zijn onderlip begon te trillen. Hij draaide zich om en rende weg, net toen Millie begon te schreeuwen omdat ze naar haar moeder wilde. Alice ging staan en stak haar armen uit. Ze pakte haar dochter en liet zich weer op de stoel vallen alsof ze de kracht niet had om te blijven staan.

'Ik blijf wel bij Tom,' mompelde Jenny.

'Dank je,' zei Gareth. 'Ik kom zo. Ze moeten eigenlijk naar bed.'

Harry keek weer op het schermpje van zijn telefoon toen Jenny de kamer uit glipte.

'Oké dan,' zei Rushton. 'Het volgende wat we deden was kijken naar de opnamen van de bewakingscamera's. Dat is geen sinecure; het is een groot gebouw. Behalve het toneelstuk was er een conferentie in de Northgate Suite en de bar was zeker zo druk als je kon verwachten een paar dagen voor kerst.'

'En?' vroeg Gareth, terwijl hij het water in de gootsteen gooide.

Rushton schudde zijn hoofd. 'De camera's in de foyer hebben niets opgepikt. Natuurlijk liepen er een heleboel mensen door elkaar tijdens de pauze en het is niet onmogelijk dat hij achter iemand anders naar buiten is geglipt, maar een van de leraressen van de school stond bij de deuren om dat nou net te voorkomen. Ze is er heilig van overtuigd dat er geen kind voorbij is gekomen en ze lijkt me tamelijk betrouwbaar.'

'En de andere deuren dan?' vroeg Harry.

'Inclusief de personeelsingang en de nooddeuren zijn er negen uitgangen in het gebouw,' antwoordde Rushton. 'Sommige met een camera en sommige niet. We hebben een stukje dat we jullie willen laten zien. Heb je het, Andy?'

Rechercheur Andy Jeffries, die er meer uitzag als een hangjongere dan een lid van het Lancashire politiekorps, had zijn laptop klaarstaan op de keukentafel. Hij drukte twee toetsen in en draaide het scherm naar Alice. Gareth kwam naar de tafel en leunde over de rugleuning van de stoel waar zijn vrouw op zat. Harry kwam dichterbij. De opname begon te bewegen. Ze zagen een van de gangen in de King George's Hall. Twee personeelsleden kwamen in de richting van de camera en terwijl zij uit beeld verdwenen verschenen er een volwassene en een kind op het scherm die van de camera wegliepen. De volwassene droeg een baseballpet, een broek en een dik gewatteerd jack. Het kind had een veel te grote baseballpet op en een wijde, blauwe, plastic regenjas aan. Ze liepen naar de deuren, de volwassene met een arm om het kind, en samen verdwenen ze naar buiten.

'Wat denken jullie?' vroeg Rushton.

'Laat het nog eens zien,' zei Gareth.
Het stukje film werd weer gedraaid. 'Onmogelijk om het zeker te weten,' zei Gareth, nadat ze het een derde keer hadden bekeken. 'Ongeveer Joe's lengte, dezelfde bouw, maar we hebben helemaal niks van zijn gezicht kunnen zien. Wat denk jij, Al?'
Een moment reageerde Alice niet. Toen schudde ze haar hoofd.
'We zullen deze beelden vanavond ook op het nieuws laten zien,' zei Rushton. Hij keek op zijn horloge. 'Over iets meer dan een uur. We zullen dat stel vragen om zich te melden. Als ze niks met Joe te maken hebben, kunnen we ze uitsluiten.'
'Is dat een man die daar bij hem is?' vroeg Harry. 'Een vrouw? Een tiener?'
'Wie het weet mag het zeggen,' zei Rushton. 'Onze mensen proberen het beeld te vergroten, maar als je alleen maar de achterkant van iemands hoofd hebt is het lastig. Natuurlijk is het mogelijk dat deze twee niks met Joe te maken hebben. Agenten gaan praten met alle buschauffeurs die vanmiddag in dat gebied hebben gewerkt. Ook met taxichauffeurs, voor het geval de jongen kans heeft gezien wat geld mee te nemen. Vanzelfsprekend hebben we ook zijn foto naar alle korpsen in het gebied gestuurd, met een beschrijving.'
Harry legde zijn telefoon voor zich op tafel. 'Hoe zit het met camera's in de stad?' vroeg hij. 'Worden we niet allemaal honderd keer per dag gezien door een camera? Als dat waar is moeten die in Blackburn Joe toch opgepikt hebben?'
'We hebben een team die ze allemaal bekijkt,' zei Rushton. 'Het zal even duren zoals jullie je wel kunnen voorstellen, maar u hebt gelijk, sommige ervan zullen hem opgepikt hebben.'
'Kunnen we helpen?' vroeg Harry. 'Als het een kwestie van mankracht is. Wij kunnen ook meekijken.'
'Ik begrijp uw gedachte,' zei Rushton, 'maar deze dingen moeten worden gedaan door mensen die er niet emotioneel bij betrokken zijn. Uw plaats is hier, bij de familie. Goed, waar was ik gebleven?' Hij keek weer naar zijn aantekeningen. 'We hebben agenten die door het centrum van Blackburn lopen en navraag doen in alle winkels die nog open zijn. Ze hebben allemaal zijn foto bij zich.'
'Joe zou niet zomaar met een vreemde meegaan,' zei Gareth. 'Als hij met iemand uit de King George is vertrokken, dan moet dat iemand geweest zijn die hij kent.'
'Heel goed mogelijk,' zei Rushton. 'Aan de andere kant is hij nog heel jong. En mensen kunnen heel overtuigend zijn. We hebben ook met al zijn klasgenoten gesproken. Als Joe plannen had dan heeft hij dat misschien tegen iemand gezegd. Goed, ik moet nu terug naar het bureau. Als het nieuws is geweest zullen de telefoons roodgloeiend staan.'

Hij klopte Alice op haar schouder. 'Hou moed,' zei hij, toen hij opstond. 'Er is vast iemand die hem heeft gezien.'
'Wacht even,' zei Harry, tegelijkertijd zijn stoel naar achteren schuivend. 'Wat jullie doen in Blackburn ziet er heel gedegen uit, maar wat gebeurt er hier?'
Rushton fronste. 'Hier?' vroeg hij.
'Wie zoekt er hier? Ik heb niks gezien van een zoektocht hier buiten. En we hebben dat meisje waar Tom het over had nog steeds niet gevonden.'
'Blackburn is twaalf kilometer hier vandaan, dominee,' zei Rushton. 'Ik betwijfel of hij uit het theater is weggelopen om in zijn eentje terug te gaan naar huis.'
'En u denkt dat Joe's verdwijning gewoon toeval is?' vroeg Harry. 'Dat het niets te maken heeft met wat er hier aan de hand is?'
Rushton leek op het punt te staan iets te zeggen en veranderde toen van gedachte. 'Ik wil u graag even onder vier ogen spreken, dominee,' mompelde hij, wijzend op de deur naar de hal. Harry stond op en volgde Rushton de keuken uit. Ze liepen de hal door naar de voordeur, met Gareth op hun hielen. Rushton deed zijn mond open om bezwaar te maken.
'Voor zover ik weet is het nog altijd mijn zoon,' zei Gareth terwijl hij zijn armen kruiste voor zijn borst.
'Drie dode kinderen werden in de tuin van dit huis gevonden,' zei Harry. 'En nu wordt er een vermist. Dit kan niet een gewone ontv…'
'Die kinderen waren meisjes, en heel wat jonger dan Joe,' reageerde Rushton. Hij keek Harry even woedend aan, en leek zich toen te ontspannen. 'Ik zal morgenvroeg een team samenstellen,' zei hij. 'We halen de honden erbij, ik zal zien of de heli beschikbaar is, en we gaan op zoek naar dat kleine meisje van Tom. Maar vanavond moet ik mijn manschappen concentreren op de plaats waar de kans om de jongen te vinden het grootst is. Hij is ergens in Blackburn, ik weet het zeker.'

70

'Voel je je al wat beter?'

Evi veegde haar neus af en haalde de zakdoek onder haar ogen langs zodat haar make-up niet al te erg zou uitlopen. 'Ja,' zei ze, hoewel dat niet zo was. 'Het spijt me.'

Na het incident in de kerk was Evi rechtstreeks naar Gillians flat gereden. Er was geen antwoord gekomen op haar aanhoudende geklop. Uiteindelijk had de vrouw van de winkel onder de flat haar verteld dat Gillian nog geen tien minuten eerder een bus had genomen. Evi had geen andere keus gehad dan weer naar haar werk te gaan. Kort nadat ze daar was gearriveerd, had ze een telefoontje van de politie gekregen waarin haar werd verteld over de verdwijning van Joe. Ze had haar afspraken voor de rest van de dag afgezegd en was toen in bijna een uur naar het huis van haar supervisor, Steve Channing, gereden. Zijn vrouw was partner in een groot accountantskantoor en ze woonden in een oud landhuis in het hart van het Forest of Bowland.

'Dat is nergens voor nodig,' zei hij. 'Nou, ben je er klaar voor om te praten?'

Ze knikte.

'De politie legt geen verband tussen de verdwijning van Joe en wat er in het dorp is gebeurd?' vroeg Steve. 'Met wat er twee keer bijna met zijn zusje is gebeurd?'

Evi schudde haar hoofd. 'Nee. Omdat hij is verdwenen in Blackburn en omdat hij niet in het slachtofferprofiel past, zeggen ze dat het onwaarschijnlijk is dat er een direct verband bestaat. De man die de leiding heeft in de zaak denkt dat de recente belangstelling van de media in het dorp Joe's ontvoering in de hand heeft gewerkt. Hij denkt dat iemand een glimp van hem heeft opgevangen op de tv en zich tot hem aangetrokken voelde. Dat is mogelijk, neem ik aan.'

Steve stond op en liep naar het raam. Aan de overkant van de straat brandden de lampen op de veranda's van een rij cottages. Aan het eind van de straat liep een stenen brug over een smalle rivier. Evi was, een tijdje eerder, tegelijkertijd gearriveerd met een troep ganzen. Ze waren met veel lawaai op de oever van de rivier neergestreken. Evi dacht dat ze ze nog steeds kon horen terwijl ze zich klaarmaakten voor de nacht. Toen hoorde ze iets anders. Een vaag piepend geluid dat uit haar handtas kwam. Iemand probeerde haar weer te bellen.

'Wat denk jij?' vroeg Steve.
Ze kon de telefoon niet aannemen, ze kon nu niet met Harry praten. 'Ik vind het allemaal een beetje te toevallig,' zei ze, en ze probeerde zich te concentreren. 'En het zou gewoon ontzettend stom zijn om de mogelijkheid te negeren dat degene die de meisjes heeft vermoord, nu Joe heeft. Ik vraag me af of hoofdinspecteur Rushton bang is om het verband te erkennen, want dat zou betekenen dat hij verantwoordelijk is, tenminste ten dele. Als hij er geen zootje van had gemaakt bij die eerste zaken, zou de moordenaar niet nog steeds op vrije voeten zijn.'
Steve liep weg bij het raam en ging weer zitten. 'Dat is wel een beetje hard, maar je zou gelijk kunnen hebben,' zei hij. 'Wat denk jij dan dat er aan de hand is?'
'Ik snap er helemaal niks van, Steve,' zei ze. 'Het gaat niet alleen om drie moorden en een ontvoering. We hebben ook te maken met bloed in een avondmaalskelk, een pop die van de kerkgalerij is gegooid, inbraken in huizen, spookachtige stemmen, en een ernstig gehandicapte vrouw die rondsluipt en mensen de stuipen op het lijf jaagt. Niemand begrijpt wat er aan de hand is.'
Steve keek haar alleen maar aan.
'Millie Fletcher past in het slachtofferprofiel,' zei Evi. 'Ik denk dat ze vanaf het begin het doelwit was, vanaf het moment dat haar familie in het dorp kwam wonen. Maar waarom zou iemand die al een keer had gemoord, en die van plan was om het nog eens te doen, zoveel van die rare trucs uithalen? Het is bijna alsof ze bedoeld zijn om...' Ze zweeg.
'Ga verder,' moedigde Steve haar aan.
'Mensen te waarschuwen,' ging ze verder, omdat Steve haar op die bepaalde manier van hem aankeek, en ze wist dat hij anders net zo lang zou zwijgen tot ze haar verhaal had afgemaakt. 'Maar dat slaat nergens op. Waarom zou de moordenaar proberen de mensen te waarschuwen die in een positie zijn om...'
'Ga verder.'
O, waarom kon ze niet helder denken? Door Joe's verdwijning was ze helemaal in paniek geraakt. 'De moordenaar zou ze niet waarschuwen,' zei ze uiteindelijk. 'De moordenaar is niet verantwoordelijk voor al die streken.' Ze haalde een hand door haar haar. 'Jezus, het is toch duidelijk,' zei ze. 'De hele tijd hebben we gedacht dat we één persoon zoeken. Maar dat is niet zo. We zoeken twee mensen.'
'Nu ben je op de goede weg,' zei Steve met een irritante glimlach op zijn gezicht. 'De moordenaar van de kleine meisjes, die nu misschien Joe heeft; en de persoon die geprobeerd heeft mensen te waarschuwen die in een positie zijn om ze te beschermen, of, in Gillians geval, haar niet geprobeerd heeft te

waarschuwen want daar was het te laat voor, maar geprobeerd heeft haar te vertellen wat er echt is gebeurd. Wat zei die stem steeds tegen Gillian? "Mammie, mammie, zoek me"? Misschien werd ze verondersteld dat letterlijk te nemen: zoek het graf.'

'Waarom is Harry erbij betrokken?' vroeg Evi. 'Hij is geen ouder.'

'Harry is verantwoordelijk voor de kerk,' antwoordde Steve.

'De moordplek,' fluisterde Evi, toen ze plotseling een visioen kreeg van Joe's leuke, bleke snoetje en zijn lange, magere armen en benen. Ze knipperde hard met haar ogen om het beeld kwijt te raken.

'Precies,' zei Steve. 'Het lijkt mij dat deze vrouw die jullie Ebba noemen, niet de moordenaar kan zijn. Iemand met een ernstige vorm van congenitale hypothyreoïdie heeft gewoon niet de mentale en fysieke vermogens om drie ontvoeringen en moorden te plannen en uit te voeren. Laat staan een bus te nemen naar Blackburn en een jongetje mee te lokken uit de King George's Hall. Ben je dat met me eens?'

'Ja,' zei Evi. 'Natuurlijk. Je hebt gelijk. Maar zij zou degene kunnen zijn die de mensen probeert te waarschuwen.'

Steve boog zich naar haar toe. 'Denk aan wat deze stemmen hebben gezegd. Wat zei ze tegen Tom? "Millie val"? Hij zag het als een dreigement, maar keer het om en het kan net zo goed een aanwijzing zijn. Nou, wanneer heb je voor het laatst je medicijnen ingenomen?'

Evi moest glimlachen. 'Ik heb de dosis van vier uur gemist,' gaf ze toe. 'Ik had veel te veel haast om hier te komen.'

'Kan ik iets voor je halen?'

'Nee, het gaat wel. Ik probeer toch al te minderen. Steve, als Ebba niks te maken had met de ontvoering, als zij heeft geprobeerd mensen te waarschuwen, dan weet ze wie de moordenaar is.'

Steve knikte. 'Het lijkt me dat als je Ebba hebt gevonden, je ook de ontvoerder hebt gevonden. Als je haar vindt voor de moordenaar Joe naar de kerk kan brengen, dan ben je misschien op tijd om hem te redden.'

71

Harry deed de deur naar de crypte onder de kerk open. De muffe lucht van lang vergeten dingen steeg op. Hij pakte de zaklantaarn en de gereedschapskist die hij in zijn auto had meegebracht.
De duisternis beneden leek nog dieper geworden te zijn. Rushton en zijn team zouden hier arriveren zodra het licht was. Ze zouden de kerk en de crypte helemaal op hun kop kunnen zetten. Het zou stom van hem zijn om iets te doen wat hun onderzoek in gevaar kon brengen. Maar aan de andere kant, de zon kwam pas over elf uur op. Misschien was Joe nu hier beneden.
Maar het was zoveel gemakkelijker geweest om die treden af te lopen toen het buiten licht was, toen hij niet alleen was geweest en vóór de lichamen van vermoorde kinderen waren ontdekt. De laatste keer dat hij hier had gestaan was het kwaad nog niet zo dichtbij gekomen dat het hem in de nek hijgde.
Hij liet het licht naar beneden schijnen. Het was een krachtige straal, maar hij kon maar een stuk of tien treden zien. En hij stond nog op de eerste.
De sleutel van de deur zat in het slot. Als hij naar beneden ging en hij liet hem erin dan zou iemand zachtjes de deur dicht kunnen doen, de sleutel omdraaien en... De sleutel ging in zijn zak. Hij haalde diep adem en rechtte zijn schouders. Dit was belachelijk. Hij was een volwassen man. Het was maar een kelder. Moest hij er nu vanavond achter komen dat hij een lafaard was?
De duisternis leek te bewegen in het licht van de zaklantaarn, alsof hij zijn krachten verzamelde en wachtte tot Harry voldoende moed bijeen had geraapt, in de wetenschap dat hem dat waarschijnlijk niet zou lukken. Hij was een man van God. In een kerk. Moest hij er nu vanavond achter komen dat zijn geloof niets voorstelde?
'Ook al loop ik door het dal in de schaduw van de dood, ik vrees geen kwaad,' fluisterde Harry, en hij voelde zich onmiddellijk nog ellendiger. Iedereen die hem hoorde zou weten dat hij loog. Hij was heel bang. 'Ik vrees geen kwaad,' herhaalde hij, 'want u bent met mij.'
Hij stond nog steeds op de eerste tree en Joe, de kleine zes jaar oude Joe, was misschien wel beneden, koud en bang, opgesloten in een van die stenen kisten.
'Want u bent met mij,' herhaalde Harry. Hij had zich niet verroerd. 'O, verdomme,' zei hij, en liep naar beneden.

72

'Doe rustig aan,' zei Steve. Hij stond voorover gebogen en keek naar Evi door het raam van haar auto. 'Het is ver en er is ijzel voorspeld.'

Dat hoefde hij haar niet te vertellen. Ze zag Steves ademhaling wegwaaien in het donker. De vorst glinsterde al op de muren aan weerszijden van de smalle straat. 'Ik zal voorzichtig zijn,' zei Evi. 'En dank je.'

Kennelijk aarzelde hij om haar te laten gaan, want Steve bukte zich nog lager en leunde met beide armen op het portier. 'Er zijn nog een paar dingen bij me opgekomen,' zei hij. 'Deze meisjes zijn om een bepaalde reden gekozen. Als kinderen worden ontvoerd, dan is het meest waarschijnlijke motief het vervullen van een seksuele behoefte.'

Evi moest op haar lip bijten. Daar was Joe weer, zwevend als een kleine geest op de oprit. 'Ik ken dit kind, Steve,' zei ze. 'Hij heeft donkerrood haar en sproeten en...'

'Hou op.'

Evi knipperde hard met haar ogen.

'Zijn moeder mag huilen om zijn rode haar en zijn sproeten. Jij moet je houden aan de feiten als je iets voor hem wilt doen. Nou, Megan en Hayley werden allebei gevonden met de kleren aan waarin ze voor het laatst werden gezien toen ze nog leefden. Wijst dat volgens jou op seksueel misbruik?'

'Dat maakt het minder waarschijnlijk,' gaf Evi toe. 'Dus als het motief van de moordenaar niet seksueel is, moeten we naar iets anders zoeken?'

'Op de tweede plaats is de plek waar ze zijn vermoord belangrijk. Er is een reden waarom ze in de kerk van de galerij zijn gegooid.'

'Daar ben ik het mee eens,' zei ze. 'En Harry ook. Hij denkt dat het allemaal om de kerk draait.'

'Ten derde is er een band tussen deze slachtoffers, waaronder Joe,' zei Steve. 'Degene die hem meegenomen heeft, heeft een band met hen allemaal. Anders zou hij of zij veel verder weg zijn gegaan om slachtoffers te vinden en zo de kans om te worden gepakt hebben verkleind. Hij of zij is gebonden aan een thuisbasis, en daardoor vermoed ik dat het niet zomaar meisjes konden zijn, maar dat het juist die moesten zijn. Vind de link en je vindt de moordenaar.'

'Of vind Ebba.'

'Precies. Zal de huisarts met je willen praten, denk je?'
Evi haalde haar schouders op. 'Ik heb geen idee,' zei ze. 'Misschien denkt hij wel dat ik hem overval als ik op een zaterdagochtend in zijn praktijk verschijn.'
'Nou, je moet het proberen.'
'Ik weet het. Kunnen jouw knieën je zo lang dragen in die houding?'
'Geen enkel deel van mijn lichaam is dezer dagen tot veel in staat. Bel me als je hem gesproken hebt.'
'Doe ik.'
'En hou op jezelf verwijten te maken over Harry. Tot vanochtend heb je alles volgens het boekje gedaan. Mensen worden niet uit het register geschrapt na een verkeerde inschatting.'
'Ik ben je zo dankbaar, Steve.'
'Weet je zeker dat ik niks voor je moet halen tegen de pijn?'
Evi schudde haar hoofd. 'Het is niet zo heel erg. Ik zal iets nemen zodra ik thuis ben.'
'Oké.' Steve stond op, maar leek nog iets te bedenken en boog zich weer naar het raam. 'Er is iets aan Joe wat me zorgen baart, Evi. Hij past niet in het plaatje. Daar heeft de politie absoluut gelijk in. Hij is ergens anders voor nodig.'

73

Tom rilde. Het glas was koud en de muur was koud en alles was koud maar hij kon zich niet bewegen. Niet tot hij de dunne lichtstraal over het pad van het kerkhof zag komen. Hij begon te tellen. Tien, elf, twaalf. Bij dertig zou zijn vader thuis zijn.

Hij hoorde het geluid van een sleutel die beneden in een slot werd omgedraaid en de voordeur die openging. Zijn vader kwam terug van zijn zoektocht over de begraafplaats en hij zou Joe in zijn armen hebben, koud, moe, en zo irritant als wat, maar toch Joe. Zijn vader had hem gevonden, hij wist het gewoon. Tom rende zijn kamer door, deed de deur open en bleef boven aan de trap staan. Gareth stond in de hal beneden, met zijn dikke overjas nog aan. Hij keek op. Hij was alleen.

Tom zag hoe zijn vader zijn jas uittrok en hem over een stoel in de hal gooide voor hij de trap op kwam. Toen hij boven was legde hij zijn handen op de schouders van zijn oudste zoon en draaide hem om. Samen liepen ze terug naar Toms slaapkamer. Tom klom in Joe's bed; zijn vader zei er niks van. Hij knielde op het kleed en streek over het hoofd van zijn zoon.

'Pap, het spijt me.' Tom had de hele avond gewacht op de kans om het te zeggen, maar dit was de eerste keer dat hij en zijn vader alleen waren.

Zijn vader keek verbaasd. 'Waarvoor, mannetje?'

'Dat ik niet op hem gelet heb. Ik weet dat ik op hem moet passen.'

Zijn vader haalde diep adem en er leek een rilling door hem heen te gaan. Plotseling waren zijn ogen vochtig. Tom had zijn vader nog nooit eerder zien huilen. 'Tom, het is jouw schuld niet,' zei hij, en hij greep de koude hand van Tom. 'Het was niet jouw taak om op hem te passen. Er waren leraren aanwezig. Je mag nooit, helemaal nooit denken dat het jouw schuld was.'

Tom had zijn vader nog nooit eerder horen liegen.

'We vinden hem wel, hè pap? Beloof me dat we hem zullen vinden.'

Gareths mond vertrok en het kostte hem moeite te spreken. 'Ik zal de rest van mijn leven blijven zoeken, Tom,' zei hij. 'Dat beloof ik je.'

Gareth sloeg een arm om zijn zoon en leunde met zijn hoofd tegen het kussen. Tom, die vastbesloten was wakker te blijven tot Joe terug was, voelde zijn oogleden zwaar worden. Zijn vader had niet beloofd dat Joe zou worden gevonden, maar alleen dat hij altijd naar hem zou blijven zoeken. Alleen die ene leugen dus maar. Dat was alles wat hij kreeg.

74

De zilverblauwe auto stond niet voor Harry's huis. Het was bijna elf uur. Evi haalde haar mobieltje tevoorschijn en keek op het schermpje. Hij had zes boodschappen achtergelaten, allemaal voor acht uur, maar ze had gewoon met niemand willen praten voor ze de gelegenheid had gehad om na te denken en met iemand te overleggen die er niet emotioneel bij betrokken was.

Ze toetste zijn nummer in en werd verzocht een boodschap achter te laten.

Haar been schreeuwde het uit en haar ruggengraat voelde of ze urenlang naar achteren gebogen over een rots had gelegen. Ze had medicijnen nodig, ze moest eten en ze moest rusten. Ze startte de motor weer.

Toen ze de auto parkeerde probeerde ze zijn nummer nog eens. Geen antwoord. Ze stond er alleen voor.

75

'Petje af voor Burke en Hare,' mompelde Harry toen hij een breekijzer onder het stenen deksel van de sarcofaag duwde en er met zijn hele gewicht tegenaan leunde. De zware steen bewoog een fractie van een centimeter. Met de ervaring die hij had opgedaan na bijna een uur oefenen, verschoof hij het deksel net ver genoeg om er het licht van zijn zaklantaarn in te kunnen laten schijnen.

Niets. En dat was precies hetzelfde als hij gevonden had in de acht stenen kisten die hij had kunnen openen. Geen beenderen, geen gemummificeerde lichamen, geen verschrompelde doodshemden en zeker geen Joe. Hij zou waarschijnlijk nooit te weten komen wanneer de stoffelijke resten van de lang geleden overleden monniken uit de crypte onder de Sint Barnabas waren gehaald, maar ze waren in elk geval weg.

Zijn nervositeit was allang verdwenen. Er ging niets boven een stevige lichamelijke inspanning om de kriebels te verjagen.

Er was maar één nis die een mysterie bleef. De allerlaatste, helemaal achter in de crypte. Geen van de sleutels die hij uit de la van zijn bureau had gehaald paste op het ijzeren hek. Toen de politie hem eerder had doorzocht hadden ze waarschijnlijk een van Sinclairs sleutels gebruikt. Harry had tegen het ijzerwerk getikt, een moersleutel tussen de spijlen door gestoken en tegen de twee sarcofagen geklopt waar hij bij kon, Joe's naam geroepen en minstens tien minuten met gespitste oren staan luisteren. Uiteindelijk was hij wel genoodzaakt het op te geven. Joe was niet in de kerk. Niet erin en niet eronder. Dat wist hij nu.

Harry liep het eerste deel van de crypte door en vond de toegang naar het tweede met de straal van zijn zaklantaarn. Hij was nu onder zijn eigen kerk, en ook al was het bijna middernacht, er scheen nog steeds een beetje licht van de straat naar binnen.

Harry liep naar voren. Onder de indruk van zijn eigen moed knipte hij de zaklantaarn uit. Geleidelijk werden er vage contouren zichtbaar in het donker. Het licht van de straatlantaarns scheen door de ramen van de kerk en een fractie van dat licht drong door tot in de kelder.

Maar hoe?

Hij liep naar de plek waar het licht het sterkst leek te zijn. Ja, heel duidelijk licht, een vierkante straal. Toen hij bij de plek gekomen was keek hij om-

hoog. Recht boven zijn hoofd was een soort rooster. Hij stak zijn hand uit en trok eraan. Geen beweging in te krijgen. Hij probeerde te duwen en het rooster schoot naar boven.
Toen hij het opzij schoof hoorde Harry het over de tegels van de vloer schrapen. Hij greep de randen van het gat dat hij had gecreëerd. Zijn vingers sloten zich om de tegels waarvan hij wist dat ze op het deel van het koor lagen waar geen vloerbedekking lag. Tijd om uit te vinden hoe sterk zijn armspieren waren.
Sterk genoeg. Na een stevige krachtsinspanning was hij boven en keek om zich heen. Hij bevond zich pal achter het orgel, in de nauwe, stoffige ruimte die vaak achter oude instrumenten zit. Door gaten in de pijpen kon hij de preekstoel zien, nog geen vier meter bij hem vandaan.
Tijd om te doden.
'Dus hier zat je,' mompelde Harry. 'Onze kleine vriendin met de stemmen.'
Harry liet zich weer zakken, schoof het rooster op zijn plaats en verliet de crypte. Het vreemde vriendinnetje van de kinderen Fletcher, Ebba, wist heel goed de weg in de kerk, dat was duidelijk. Zij was waarschijnlijk degene geweest die hem zo voor de gek had gehouden op de dag dat hij was gearriveerd.
Harry sloot de crypte weer af en controleerde of de hoofdingang van de kerk op slot was. Hij ging naar het toilet aan de achterkant van het gebouw en liep daarna het schip binnen. Dankzij Jenny Pickup hadden hij en de Fletchers een paar uur eerder iets gegeten. Hij had een reisdeken meegebracht uit zijn auto, die hij een paar honderd meter heuvelafwaarts in een doodlopend straatje had geparkeerd. Hij was er klaar voor.
Toen hij bij het altaar was tilde hij de stof op die om de oude eiken tafel was gedrapeerd. Het altaar was bedekt met het crèmekleurige linnen damast en het dieppaarse brokaat van de advent. Hij duwde er een paar knielkussens onder en kroop er zelf achteraan. Nadat hij de altaarkleden weer recht had gehangen en de reisdeken om zich heen had getrokken, ging hij liggen.
Hij was op de moordplek. Als iemand Joe hier vannacht naartoe zou brengen, was hij in de buurt.

76

Evi keek op haar horloge. Het was bijna halftwaalf maar ze zag licht branden op de eerste verdieping. Ze stak de straat over en belde aan. De pijn in haar been en rug was het afgelopen uur steeds erger geworden. Het was stom geweest om geen pil van Steve aan te nemen.
Na een paar minuten ging het licht aan op de overloop. Een donkere figuur kwam naar beneden. Evi voelde haar borst samenknijpen. De figuur was onder aan de trap. De deur ging open en een moment lang keken de twee vrouwen elkaar alleen maar aan.
'Hallo, Gillian,' zei Evi.
Gillian leek achteruit te zwaaien, haar ogen konden zich niet helemaal focussen op Evi. 'Is het je gelukt je van hem los te maken?' vroeg ze. Ze had gedronken.
Evi's borst leek te zijn gekrompen. Ze moest bijna naar adem happen. 'Nadat je me hebt gezien in de kerk ben ik rechtstreeks hiernaartoe gekomen om je te zoeken,' zei ze, omdat ze wist dat Gillian alleen maar zou luisteren naar iets wat op haarzelf gericht was. 'Toen dat niet lukte ben ik naar een andere psychiater gegaan,' ging ze verder. 'We hebben het een groot deel van de avond over jou gehad. Ik maak me zorgen om je, Gillian. Mag ik binnenkomen?'
'Nee!' Gillians handen grepen de deurpost vast om de ingang te blokkeren, alsof woorden alleen niet voldoende zouden zijn om Evi buiten te houden.
'Gillian, er is geen intieme relatie tussen mij en Harry,' zei Evi. Ze hoorde dat haar stem trilde, maar ze dwong zich de andere vrouw recht aan te kijken. 'We gaan niet samen uit, we komen niet bij elkaar thuis en we slapen al helemaal niet samen. Maar hij heeft de laatste tijd te maken met heel veel stress. Net als ik. Wat jij vanmiddag zag was een vergissing.'
Evi stapte naar voren, probeerde te glimlachen maar faalde. 'Ik ben niet zijn vriendin,' zei ze. 'Maar, Gillian, ik ben bang dat je zult moeten accepteren dat jij dat ook niet bent.'
'Je liegt, trut!'
Meer door de woede op het gezicht van de vrouw dan door haar woorden, stapte Evi achteruit en struikelde bijna.
'Door jou is hij veranderd,' beet Gillian haar toe. 'Hij vond me leuk. We hadden iets. Hij heeft me gekust. En plotseling begon hij me uit de weg te gaan. Je hebt hem allerlei leugens over me verteld, hè? Je hebt hem verteld dat ik

gek was. Je hebt hem vergiftigd omdat je hem voor jezelf wilde.'
'Ik spreek niet over jou met...' Evi zweeg. Zelfs dat kon ze niet meer zeggen. Ze had het met Harry over Gillian gehad.
'Je bent een triest geval, weet je dat?' Gillian stapte naar voren waardoor ze Evi dwong achteruit te lopen, de straat op. 'Ik dacht dat ik niet goed was, maar jij hebt last van waanideeën. Zal ik je eens wat vertellen? Misschien wil hij je wel een keer naaien als hij echt heel erg wanhopig is, maar dat is het enige wat hij ooit zal willen van een mankpoot.'
'Gillian, hou op.' Dit kon ze niet hanteren, niet nu.
'En dan ook alleen nog maar in het donker.'
Dansen in het... Ze ging overgeven. 'Ik kom morgen wel weer een keer langs,' wist ze nog uit te brengen.
'Doe geen moeite.'
'We zullen een andere dokter voor je zoeken. Ik weet dat onze relatie kapot is en dat is mijn schuld...'
Evi praatte tegen zichzelf. Gillian had de deur dichtgeslagen.

77

21 december

Toen Tom wakker werd was het donker in de kamer. De klok op zijn bureau gaf aan dat het bijna drie uur 's nachts was. Hij lag alleen in Joe's bed.
Hij deed zijn ogen weer dicht. Hij herinnerde zich dat hij ooit een televisieprogramma had gezien over mensen die een soort band hadden in hun hoofd. Identieke tweelingen hadden dat vaak, hadden ze gezegd in het programma. Ze konden zeggen wat de ander dacht zonder het hardop uit te spreken. Hij en Joe verschilden niet zoveel qua leeftijd. Vaak wist hij precies wat zijn broer dacht. Misschien hadden hij en Joe die band ook. Als hij zich heel hard concentreerde kon Joe hem misschien vertellen waar hij was.
Zacht begon de kerkklok het uur te slaan. Bong, bong, bong.

Het linnen van het altaarkleed streek langs Harry's gezicht. Met moeite werd hij wakker. Hij bracht zijn arm naar zijn gezicht en drukte op het knopje van de wijzerplaatverlichting op zijn horloge. Tien over drie. Hij voelde een koude vlaag over zijn gezicht. Iemand had een deur geopend.
Zo stil als hij kon rolde Harry onder het altaar uit, ging staan en liep naar het orgel. De kerk leek leeg te zijn. Het vierkante rooster onder zijn voeten lag nog op zijn plek. Niemand was vanuit de crypte omhoog gekomen.
Hij bleef met gespitste oren staan luisteren. De wind was afgenomen; de weersvoorspelling eerder die avond had iets gezegd over mogelijke sneeuwval.
Na vijf minuten liep hij langzaam over het middenpad en controleerde links en rechts de banken. Aan het eind van de kerk voelde hij aan de deur naar de crypte. Hij was nog steeds afgesloten en vergrendeld. De galerij boven was leeg. Hij liep naar de kleine houten deur die naar de klokkentoren leidde. Hij was afgesloten maar niet vergrendeld. Had hij de grendel eerder dichtgeschoven? Het kon zijn van niet. Maar hij wist zeker dat hij dat wel had gedaan.

Niets. Als Joe berichten stuurde dan ontving Tom ze niet. En het was plotseling onmogelijk om stil te blijven liggen. Tom duwde het dekbed opzij en stapte uit bed. Hij stak de overloop over en deed de deur naar Millies kamer

open. Ze was vast in slaap, haar haar vochtig van het zweet, en haar kleine armpjes klemden Simba stevig tegen haar borst.
Wat als Joe nu buiten stond? Wat als hij naar huis gekomen was en niet naar binnen kon? Misschien lag hij wel op de stoep, ijskoud. Tom rende zachtjes de trap af en keek door het glas in de voordeur. Geen kleine, koude jongen op de stoep.
Hij stond op het punt weer naar boven te gaan toen een geluid in de woonkamer hem tot staan bracht. Met een klein sprankje hoop duwde hij de deur naar de woonkamer open. Zijn moeder, nog met de kleren aan die ze de hele dag had gedragen, lag op een van de banken, een deken om haar heupen. Op de andere bank zat zijn vader. Zijn hoofd was achterover gevallen en zijn ogen waren dicht. Hij ademde zwaar.
Tom sloop de kamer in. Op de derde bank lagen kussens en een felgekleurde sprei. Hij ging liggen en trok de sprei over zich heen.

Harry deed de deur naar de klokkentoren open. Allemachtig, dat was koud. De toren was leeg, de klok hing op zijn kop, net zoals hij hem uren eerder had achtergelaten. Het had geen zin om naar boven te gaan. Niemand kon naar buiten klimmen door de toren.
Geen volwassen man tenminste. Een slanke vrouw misschien wel. En Ebba was zo groot als een kind. Harry duwde zich omhoog tot hij goed naar buiten kon kijken. Het dak liep schuin naar beneden. Op de tegenovergestelde hoek, aan de voorkant van de kerk, kon hij een van de neptorens zien. In tegenstelling tot de toren waar hij in stond waren ze leeg. Ze waren alleen maar gebouwd om de kerk esthetisch in balans te brengen. Hij kon de nachtelijke hemel door de stenen pilaren zien. Er was niemand op het dak; hij had de grendel eerder waarschijnlijk toch niet dichtgeschoven. Hij klom weer naar beneden en verliet de galerij. Toen hij door het schip liep keek hij weer op zijn horloge. Tien over halfvier. Hij kon net zo goed teruggaan naar bed.

78

Een hard, schrapend geluid. Daarna een lage, metalige klank toen iets zwaars op steen viel. Harry rolde net op tijd uit zijn schuilplaats om een donkere figuur in de vloer te zien verdwijnen.

'Wacht!' riep hij instinctief. Hij hoorde iets op de grond onder hem ploffen. Hij greep onder het altaar, pakte zijn zaklantaarn en rende over het koor. Het had geen enkele zin meer om zachtjes te doen.

Harry sprong op de grond van de crypte, knipte de zaklantaarn aan en liet de lichtbundel alle kanten op schijnen om schaduwen te vinden die daar niet hoorden, en andere bewegingen dan de zijne. Het eerste gedeelte leek leeg. Hij stond op het punt naar het tweede te lopen toen hij weer een geluid hoorde. IJzer galmde tegen ijzer in het tweede gedeelte.

Harry holde naar de doorgang en bleef staan. Het had geen zin de duisternis in te rennen. Vanuit de doorgang liet hij het licht van de zaklantaarn rond schijnen, over de schelp, de eerste nis, de tweede, de... Het hek naar de zesde en laatste was open. De nis die hij eerder niet had kunnen doorzoeken... Er was nu iemand binnen.

'Ebba!' riep hij. 'Heet je zo? Ebba, ik wil alleen maar met je praten. Ik heb je hulp nodig om Joe te vinden.'

Geen antwoord. Hij liep langs de derde nis, steeds dichterbij.

'Ik wil alleen maar Joe vinden, Ebba. Kun je me vertellen waar hij is?'

Voorbij de vierde nis, in de richting van de vijfde. Het hek naar de zesde was nog steeds open.

Hij ging langzamer lopen naarmate hij dichterbij kwam. Hij herinnerde zich vier sarcofagen in de zesde nis, een smal pad en een kleine houten deur in de achtermuur.

Bedacht op een plotselinge aanval liep hij door het hek. De nis was leeg. Ebba was verdwenen door de deur achterin. Harry liep eropaf. Hij was nauwelijks een halve meter breed en ging naar buiten open.

De kamer erachter was smal en hoog, met een gebogen plafond van baksteen. Aan weerszijden waren ingebouwde richels, met daarop stenen grafkisten. De lucht was droog en aards, en een koude bries kwam door weer een andere deur aan het eind. Ebba was in grote haast vertrokken, en door een heel kleine kier kon hij de nachtlucht zien.

Hij keek op zijn horloge toen hij langs de grafkisten liep. Tien over halfzeven.

Hij duwde tegen de deur en stapte naar buiten, een kleine binnenplaats op, omringd door een hoog ijzeren hek. Hij herkende het direct, hoewel hij nog nooit aan deze kant had gestaan. Hij was de kerk uit gekomen via het familiegraf van de Renshaws.
Nu wist hij hoe Ebba de kerk in en uit kwam zonder gezien te worden. Maar waar was ze? Hij stak de binnenplaats over, het grind knerpte onder zijn voeten, en hij duwde het ijzeren hek open.
Het mocht dan wel tien over halfzeven zijn, en de wereld mocht al snel wakker worden, maar de lucht boven hem was nog net zo zwart als hij de hele nacht was geweest. Hij bleef staan, zijn hart bonkte in zijn borst. Geen geluid, zelfs geen wind.
Toen begon het gras te ritselen en de struiken te bewegen. Iemand kwam zijn kant uit. Harry stapte in de schaduw van een grote laurierstruik. Hij kon haar zien, een klein figuurtje dat zijn richting uit kroop, om zich heen kijkend alsof ze bang was dat er iets tevoorschijn zou springen. Harry stapte naar voren, greep het figuurtje bij de schouders en draaide het om.
'Tom!' zei hij, terwijl hij zijn adem liet ontsnappen. 'Wat doe jij hier in hemelsnaam?'
Tom keek hem met grote ogen en tamelijk nukkig aan, zoals kinderen doen als ze een vraag niet willen beantwoorden. Vooral niet een stomme. Hij zocht naar zijn broer natuurlijk, wat zou hij anders doen?
'Weten je vader en je moeder dat je hier bent?' vroeg Harry.
Tom schudde zijn hoofd. 'Ze sliepen allebei. Ik wilde ze niet wakker maken.'
'Oké, maar we moeten terug.' Hij legde een hand op Toms schouder en duwde hem de heuvel op. Als Alice en Gareth wakker werden en merkten dat er nog een kind weg was, dan zouden ze waarschijnlijk hun laatste restje gezond verstand verliezen.
Ze vonden het pad en Harry voelde zich eindelijk rustig genoeg om iets te zeggen. 'Tom,' zei hij. 'Ik denk dat ik net het meisje heb gezien waar je het over had. Het meisje dat Millie Ebba noemt.'
Tom bleef staan en keek hem aan. 'Je hebt haar gezien?'
'Ja, blijf doorlopen.' Harry gaf Tom zacht een duwtje en ze liepen verder de heuvel op. 'Ze was net in de kerk.'
'Ze is eng, hè?' zei Tom zacht.
'Ik heb haar niet goed kunnen zien.' Ze waren nu dicht bij de muur van de begraafplaats. 'Tom, heb je enig idee wie ze is of waar ze woont?' vroeg Harry. 'Ze kan niet ergens in de heuvels wonen. Het moet hier in de buurt zijn.'
Ze had een sleutel van het familiegraf van de Renshaws. Zou ze misschien...?
'Meestal rent ze weg als ik haar zie,' zei Tom. 'Maar ik weet bijna zeker dat ze tegen Joe praat.'
'Denk je dat Joe nu bij haar is? Denk je dat zij hem meegenomen heeft?'

Tom knikte even. 'Ik heb dat tegen de politie gezegd,' zei hij. 'Maar ze zeiden dat iemand die er zo vreemd uitziet als zij in Blackburn zeker opgevallen zou zijn, vooral in de King George's Hall. Ze denken dat Joe is meegenomen door een volwassene.'
'Hoe dan ook, ik wilde dat we haar konden vinden. Tom, heb je ooit...'
'Tom! Tom!'
Tom begon te rennen. Harry haalde diep adem. 'Hij is hier!' schreeuwde hij zo hard mogelijk. 'Hij is bij mij!'
Even later verschenen Gareths hoofd en schouders boven de muur. Hij duwde zich omhoog en kwam op zijn zoon af.
'Heb jij verdomme wel enig idee...?' begon hij.
Harry liep naar voren. 'Tom kon niet slapen,' zei hij snel. 'Hij kwam hier buiten naar Joe zoeken. Ik kwam hem onder aan de heuvel tegen.'
'Je moeder kreeg bijna een hartverlamming. Vooruit, naar binnen.'
'Rustig aan, man,' zei Harry.
Gareth sloeg zijn handen voor zijn gezicht en ademde zwaar. 'Ik weet het,' zei hij. 'Kom op, maatje.' Hij stak zijn armen uit en trok zijn zoon naar zich toe. Tom sloeg zijn arm om het middel van zijn vader en samen liepen ze naar de uitgang van de begraafplaats. Harry liep achter hen. Hij zag Alice die bij hun voordeur op de uitkijk stond. Haar magere lichaam leek te schokken, en hij vroeg zich af of ze haar best deed om niet te huilen, of te schreeuwen. Aan de overkant van de straat gingen lampen aan en werden gordijnen opzij geschoven. Gareth en hij hadden half Heptonclough wakker gemaakt met hun geschreeuw.
Harry bleef achter toen Gareth en Tom het kerkhof verlieten en in de richting van hun huis gingen. Toen hij zelf bij de uitgang was bleef hij staan. Hij moest eigenlijk naar huis om zich te verkleden en te ontbijten. Over een uur zou het helemaal licht zijn en zouden Rushton en zijn team arriveren. Ze zouden acht, misschien negen uur daglicht hebben. De kortste dag van het jaar.
Iemand stond naar hem te kijken. Hij draaide zich om en keek heuvelopwaarts. De zilveren Audi stond dicht tegen de muur van de kerk. Evi was net uitgestapt, steunend op haar stok. Ze wachtte tot hij naar haar toe kwam.

79

'Waar ben jij verdorie geweest? Heb je enig idee hoe bezorgd ik over jou was?'

Hij hield haar vast bij haar bovenarmen. Het was te kwaad om een omhelzing te zijn, te intiem voor iets anders. Hij rook naar zweet en stof en kaarsen. Zijn ogen waren bloeddoorlopen. Ze hief een hand en streek over de stoppels op zijn kin.

'Waar heb jij de nacht doorgebracht?' vroeg ze. Ze voelde dat haar mond trilde en als hij haar niet snel liet gaan zou ze beginnen te huilen en dat zou betekenen dat ze helemaal niet meer kon functioneren.

Harry haalde een hand van haar arm en wreef over zijn gezicht. 'Dat wil je echt niet weten,' antwoordde hij, waarna hij haar helemaal losliet en zijn handen in zijn zakken stak. 'Kom met me ontbijten.'

Er was niets wat ze liever wilde. Ontbijten bij hem thuis, een bad vol laten lopen voor hem, toekijken terwijl hij zich schoor. Ze schudde haar hoofd. 'Ik heb geen tijd,' zei ze. 'Ik moet bellen naar alle plaatselijke ziekenhuizen en praten met de dienstdoende huisarts als het zaterdagochtendspreekuur begint. Als er de laatste dertig jaar een kind met congenitale hypothyreoïdie is geboren dan moet dat ergens vermeld staan. Ik heb ook beloofd dat ik met de familie naar de persconferentie zou gaan.'

'Wat is er gisteren met jou gebeurd?' vroeg Harry.

Evi zuchtte. 'Ik ben naar mijn supervisor gegaan,' zei ze. 'Hij heeft wat forensische ervaring dus ik dacht dat zijn kijk op de zaak ons zou kunnen helpen. Ik kan je later op de hoogte brengen. Ebba vinden is het allerbelangrijkste.'

'Heb je Gillian gezien?' vroeg Harry, waarbij hij haar blik ontweek.

'Gisteravond laat. Het ging niet goed.' Over zijn schouder kon ze mensen in de richting van de kerk zien lopen. 'En ik moet ook een andere dokter vinden die haar zaak kan overnemen,' ging ze verder. 'Ik zal proberen of ze vandaag nog gezien kan worden. Ik maak me echt ernstige zorgen.'

Twee oudere vrouwen stonden een paar meter verderop te wachten. Het was duidelijk dat ze hem wilden spreken. Ze keek op haar horloge. 'Ik moet gaan,' zei ze. 'Ik kom zo snel mogelijk terug.' Ze liep weer naar haar auto en bleef toen staan. 'Ik zou nu wel wat van dat geloof van jou kunnen gebruiken,' zei ze. 'Heb je wat over?'

Als hij al antwoordde, dan hoorde ze het niet.

80

Toen Harry zich omdraaide, zag hij Minnie Hawthorn en een van haar vriendinnen bij de ingang naar het kerkhof. Bij het zien van zijn verkreukelde kleren en zijn ongeschoren gezicht leken hun ogen hem te verschroeien. 'Goedemorgen, dames,' zei hij, en hij vroeg zich af waar hij de energie vandaan kon halen om beleefd te blijven tegen de bekrompen, nieuwsgierige oude taarten die hier waarschijnlijk alleen maar waren omdat ze genoten van het drama dat zich bij hun voordeur afspeelde.

'Hebt u de wacht gehouden, dominee?' vroeg Minnie, terwijl haar ogen naar zijn voeten en weer omhoog gleden.

'Zoiets,' antwoordde Harry.

'Is de kerk open?' vroeg haar vriendin.

Achter zich hoorde Harry de motor van Evi's auto starten. Hij knikte.

'We redden ons zelf wel dan,' zei Minnie. 'Ik heb over een minuutje een ontbijt voor u gemaakt, dominee.'

Harry draaide zich om, net toen Evi voorbij reed zonder zelfs maar zijn kant op te kijken. Stanley Hargreaves, ook een van zijn parochianen, kwam met nog twee andere mannen aanlopen. Toen verscheen een landrover uit de richting van de hei die voor de slagerswinkel stopte. Jenny en Mike Pickup zaten voorin. Lichten gingen aan in de winkel. Dick Grimes en zijn zoon verschenen via een achterdeur en liepen de straat op.

'Ze willen niet wachten op de politie,' zei Minnies vriendin. 'Ze beginnen zodra u klaar bent met het gebed.'

'Gebed?' vroeg Harry.

'Het gebed voor de kleine jongen,' zei Minnie. Ze pakte zijn arm en leidde hem naar de kerk. 'Voor zijn veilige terugkeer. Kom, dominee, u lijkt een beetje duf, als ik het zo mag zeggen. Ik denk dat u iets warms nodig hebt.'

Evi veegde langs haar ogen toen ze de hoek om sloeg en de kerk niet meer kon zien in haar achteruitkijkspiegel. Ze waren binnen een paar seconden weer volgelopen. Gillian stond bij de voordeur van haar flat. Toen hun blikken elkaar kruisten haalde Evi haar voet van het gaspedaal en de auto minderde vaart. Maar ze kon niet stoppen, wat kon ze in vredesnaam zeggen? Ze zette haar voet weer neer en de auto schoot vooruit.

Was Gillian van plan om mee te doen aan de zoektocht? *Ik heb jaren over de*

hei gezworven, ik ken alle goede schuilplaatsen. Ze was er zeker niet op gekleed, in een dun spijkerjack en laarzen met hoge hakken.
Plotseling verscheen er een beeld voor haar ogen van het lichaam van een kleine jongen dat onder een heg lag. De collies zouden het vinden, waarschijnlijk nog voor de politiehonden arriveerden en dan zou het allemaal voorbij zijn.
Stop. Stop. Het is niet voorbij.
Ze keek op de klok. Het zaterdagochtendspreekuur was van tien tot twaalf. John Warrington was vandaag de dienstdoende huisarts. De persconferentie begon om tien uur en zou waarschijnlijk ongeveer veertig minuten duren. Het zou krap worden, maar wel haalbaar. Er was nog tijd. Het was nog niet voorbij.
Waarom kon ze dan verdomme niet ophouden met huilen?

De kerk was voor de zon opkwam niet meer leeg geweest. Binnen een halfuur na Evi's vertrek waren Harry bacon sandwiches en sterke koffie voorgezet en hield hij een geïmproviseerde dienst voor het zoekteam. Iemand had zijn onderkomen van de afgelopen nacht opgeruimd. Iemand anders had hem gezegd dat hij zich niet druk hoefde te maken over een toga; in die omstandigheden waren een spijkerbroek en een trui prima.
Vijf minuten nadat hij was begonnen, was het gebouw bijna vol. De meeste mensen waren gewoon achterin en aan de zijkanten blijven staan, alsof ze wel tijd hadden om te bidden maar niet om te gaan zitten. Na acht minuten arriveerde de politie en kwam stilletjes aan de achterkant de kerk binnen.
Sinclair en Christiana Renshaw verschenen via de deur van de consistoriekamer en gingen in hun vaste bank zitten. Gillian glipte achter de politie naar binnen en stond, rillend, achterin. Hij kon merken dat de mensen onrustig begonnen te worden. Uit zijn ooghoek zag hij een beweging op de galerij. Gareth en Tom Fletcher stonden daar, stevig ingepakt. Even later voegde Alice zich bij hen, Millie in een draagzak op haar rug. De familie zou later die ochtend op de televisie een oproep doen voor de veilige terugkeer van Joe. Tot dat moment wilden ze geen tijd verspillen. Harry deed zijn boek dicht. 'Laten we Joe gaan zoeken,' zei hij. Hij was de eerste die het gebouw verliet.

81

Een enorme vastberadenheid leek zich meester te hebben gemaakt van de bewoners van de hei. 'We zullen hem vinden,' had Harry meer dan eens horen mompelen. 'We willen er niet nog een verliezen.'
Hij was heel erg tevreden over de efficiëntie van de politie. Rechercheur Andy Jeffries had dertig van de sterkere mannen en oudere jongens meegenomen naar het hoogste punt boven het dorp. Zodra ze bovenaan waren zouden ze zich verspreiden om langzaam over de hei naar beneden te lopen. Ze zochten naar alles wat ongewoon was: kleding, speelgoed, een schoen, alles wat zou kunnen betekenen dat Joe Fletcher hier was geweest. Als ze onderaan waren zouden ze in westelijke richting gaan om hetzelfde te doen, maar dan omhoog.
Het was zwaarbewolkt. Harry weigerde te denken aan de mogelijkheid van sneeuw, maar elke keer als hij omhoog keek leek hij het benauwder te krijgen. Even voor acht uur zag hij aan een gele gloed in het oosten dat de zon een poging deed door te breken. Het zag er niet veelbelovend uit. Hoewel de wind gelukkig zwak was, leek de dag met het halfuur kouder te worden.
Tot dusverre had het zoeken niets opgeleverd. Dertig harten waren sneller gaan kloppen toen een van de collies van Pickup was begonnen te blaffen bij een stapel rotsen. Het in ontbinding verkerende achterlijf van een schaap werd eruit getrokken.

Toen ze bijna twee uur op de hei waren en de kou zelfs door de dikste jas was gedrongen, hoorden ze het regelmatige, indringende gezoem van een helikopter. Niemand kon hem zien boven de wolken, maar door het harder en zachter worden van het geluid van de motor wisten ze wanneer hij in de buurt was. Na vijf minuten vroeg Harry zich af hoe lang hij in staat zou zijn de aanhoudende aanslag op zijn gehoor te verdragen. Na tien minuten had hij het gevoel dat het lawaai in zijn hoofd er altijd was geweest. Een kwartier nadat de helikopter was gearriveerd, blies rechercheur Jeffries op zijn fluitje.
'De baas wil dat we allemaal naar beneden gaan.' Hij moest hard schreeuwen om boven het gedreun van de heli uit te komen. 'Er zijn te veel mensen op de hei.' Hij wees naar boven om zijn punt duidelijk te maken. 'De thermische apparatuur kan zo niks doen,' ging hij verder. 'We moeten weg.'
De ploeg keerde zich om en liep naar beneden, in de richting van het dorp.

‘Ik weet niet wat ik moet zeggen,’ zei Alice. ‘Ik kan niks bedenken.’
‘Zeg maar gewoon wat je denkt,’ zei de persofficier, een vrouw in burgerkleding die de familie onder haar hoede had genomen sinds ze waren gearriveerd op het hoofdbureau van politie. ‘De mensen begrijpen wel wat je doormaakt. Het gaat erom dat we zo veel mogelijk mensen laten weten dat Joe vermist wordt. We willen dat iedereen naar hem uitkijkt. Hoe gaat het, Tom?’
Tom keek haar aan. ‘Goed,’ zei hij automatisch.
Ze boog zich naar hem toe. Ze rook vaag naar sinaasappelen en tandpasta en haar groene pakje zat te strak. ‘Als er iets in je hoofd opkomt, Tom, mag je het gerust zeggen,’ ging ze verder. ‘Als je een boodschap hebt voor Joe, bijvoorbeeld. Misschien zit hij wel te kijken.’
‘Echt?’ Tom keerde zich naar zijn moeder. ‘Is dat echt zo, mam?’
Zijn moeder knikte en Tom voelde hoe zijn keel zich samenkneep.
‘Is het al tijd?’ vroeg Gareth terwijl Tom diep adem begon te halen. Hij mocht niet huilen, niet op televisie, niet als Jake Knowles misschien wel zat te kijken. Maar Jake was op de hei, toch, met zijn vader en zijn broers? Tom had ze in de kerk gezien, en hij had gezien dat ze vertrokken. Jake Knowles was nu daarbuiten, op zoek naar zijn broer.
‘Daar is Evi,’ zei Alice.
Toen Tom zich omdraaide zag hij Evi die in haar rolstoel naar hen toe reed. Grappig, hij had altijd gedacht dat Evi mooi was. Bijna net zo mooi als zijn moeder. Maar ze zag er helemaal niet mooi meer uit.
‘Vee vee,’ zei Millie vanaf de arm van haar vader.
‘Evi, bedankt dat je gekomen bent,’ zei Alice. ‘Kun jij op Millie passen? Ze wil waarschijnlijk wel bij jou blijven.’
Evi stak haar armen uit en Gareth zette zijn dochter voorzichtig op Evi’s schoot. Millie greep Evi’s haar en begon op en neer te springen.
‘Het is tijd,’ zei hoofdinspecteur Rushton. Waar was hij vandaan gekomen? Hij was op de hei geweest met de andere politiemensen. Tom zag dat hij een hand op zijn moeders schouder legde. ‘Ben je zover, meisje?’
Toms ouders volgden de politieman door een deur naar een grote ruimte. Daar zaten een heleboel mensen op stoelen, met het gezicht naar een lange tafel. Lampen begonnen te flitsen terwijl de familie ging zitten.

De consistoriekamer was een kantine geworden. Minnie Hawthorn en haar clubje – oude lieve dames die heel graag alles wilden doen wat ze konden om te helpen – hadden hem compleet veranderd. Een stuk of vijf waterkokers stonden permanent aan. Eindeloze hoeveelheden sandwiches werden gesmeerd en gegeten. Ze waren te oud om te zoeken op de hei, hadden de vrouwen tegen hem gezegd, alsof ze zich schaamden voor hun eigen zwak-

heid, maar ze konden de mensen die dat wel deden te eten geven; en ze konden bidden voor de kleine jongen.
Als Harry nog langer bij hen in de buurt bleef zou hij gaan gillen.
Voor het altaar legde rechercheur Neasden uit waarom ze de zoektocht tijdelijk hadden moeten onderbreken. Als Neasden uitgesproken was zouden ze van hem verwachten dat hij weer voor zou gaan in gebed. Harry wist dat hij niet in de kerk kon blijven.
Buiten cirkelde de helikopter nog steeds rond. Bij de voorkant van de kerk, een beetje afgezonderd, stond hoofdinspecteur Rushton te praten met Sinclair en Tobias Renshaw. De aanwezigheid van Rushton betekende dat de persconferentie was afgelopen. Toen hij Harry zag liet Rushton de Renshaws staan en kwam naar hem toe gelopen. Plotseling uitgeput liet Harry zich op de grafsteen achter zich zakken. Rushton ging naast hem zitten. Hij had een brandende sigaret in zijn hand.
Harry keek Rushton eens goed aan. De politieman droeg een dikke overjas over zijn kostuum, dikke handschoenen en een groene wollen das. Hij had misschien nog wel minder slaap gehad dan Harry.
'Nog nieuws?' vroeg Harry, wetend wat het antwoord zou zijn maar niet in staat de vraag binnen te houden.
Rushton trok stevig aan zijn sigaret. 'Tot dusverre niet,' zei hij, terwijl de rook om zijn gezicht kringelde. 'De persconferentie ging goed. De jonge Tom was een beetje de ster. Hij kreeg de hele zaal aan het huilen toen hij zijn broer vertelde dat hij de doos met soldaatjes voor hem had opgeruimd.'
Harry sloeg zijn handen voor zijn gezicht.
'Het was precies wat we nodig hadden,' zei Rushton. 'Heel Lancashire heeft het nu over Joe Fletcher.'

'Het spijt me dat ik u heb laten wachten,' zei dokter Warrington. 'Het zaterdagochtendspreekuur is altijd druk.'
Evi dwong zich vaag te glimlachen. Na de persconferentie had ze zich gehaast om hier te komen. Terwijl ze in de wachtkamer had zitten kijken naar eekhoorns die door de bomen in de tuin op en neer renden, was ze steeds bozer geworden omdat iedere patiënt met een kuchje of een ingegroeide teennagel, absoluut geen echte spoedgevallen, voor haar werd binnengeroepen.
'Ik heb niet veel tijd voor u.' Hij keek op zijn horloge. 'We slaan om twaalf uur af op de golfbaan.' Er lag een open boek op zijn bureau. Hij sloeg het dicht en zette het op de vensterbank achter zich. Hij had haar niet meer dan een paar seconden aangekeken.
'Er woont in deze regio een vrouw die lijdt aan congenitale hypothyreoïdie,' zei Evi. 'Ik moet haar vinden. Ik denk dat het relevant zou kunnen zijn voor de ontvoering van Joe Fletcher.'

Dokter Warrington zette zijn computer uit. 'Het spijt me, dokter Oliver,' zei hij. 'U kent de regels.'

'Hoe gaat het hierboven?' vroeg Harry, die voelde hoe de rook van Rushtons sigaret zijn longen binnendrong.
'De hondenbegeleiders zijn met een stofkam door de kerk gegaan,' zei Rushton. 'Twee keer. Ze zijn in de kelders en op de begraafplaats geweest. Een paar keer dachten we dat ze iets hadden opgepikt, maar het bleek loos alarm te zijn.'
'De jongens komen tamelijk vaak in de kerk,' zei Harry. 'Ze waren afgelopen zondag nog bij de dienst.'
'Ja, dat zou een verklaring kunnen zijn. We hebben meer geluk gehad met de bewakingsvideo in Blackburn. Ik ben net gebeld.'
'Echt?'
'Ja. Ik heb nog niet de gelegenheid gehad om het zijn ouders te vertellen dus hou het nog even voor u, maar het duo dat we op de beelden in de King George zagen is nog een keer gezien, toen ze in een bus stapten richting Witton Park. We hebben iets meer dan een uur geleden met de chauffeur gesproken.'
'Herinnert hij ze zich nog?'
'Vaag. Hij denkt dat ze ergens op King Street zijn uitgestapt want ze waren zeker niet meer aan boord toen hij bij het park arriveerde. De bus was toen vrijwel leeg.'
'Zijn er daarna nog sporen?'
'Nee. En die komen er waarschijnlijk ook niet. Misschien stond er wel een auto klaar ergens langs de weg. Het belangrijkste is dat het duo zich niet heeft gemeld. Hoewel hun foto gisteravond en vanochtend op het nieuws is geweest en vandaag in de *Telegraph* heeft gestaan.'
'Dus u kunt ze niet uitsluiten?'
'Integendeel. We zijn erin geslaagd het beeld te vergroten tot we een soort sticker op de hiel van de kinderschoen konden zien. Tom heeft ons verteld dat Joe Spiderman-stickers op zijn gympen heeft. We zijn er ook in geslaagd de kleren die ze droegen te traceren. Die baseballpetten en de veel te grote jassen, weet u nog?'
'Ja, die herinner ik me,' zei Harry.
'Dat soort kleren zijn te koop bij British Home Stores, nog geen halve kilometer van de King George. We zijn de kassabonnen nagelopen en hebben een transactie gevonden van precies die vier kledingstukken, bijna op de kop af een uur voor Joe voor het laatst werd gezien.'
'Kleren die speciaal zijn gekocht voor de ontvoering,' zei Harry.
'Er is helaas contant voor betaald, dus we kunnen de creditcard niet achterhalen, maar we zijn er nu vrij zeker van dat het stel op de beelden Joe en zijn

ontvoerder zijn,' zei Rushton. 'Er zijn mensen aan het werk met de beelden, om te zien of ze nog verder vergroot kunnen worden, maar we hebben niet veel hoop. Kleine man, lange vrouw, allebei is mogelijk.'
'De voetafdruk die jullie hebben gevonden bij de Fletchers in de nacht van Millies ontvoering kon ook van een kleine man of een lange vrouw zijn,' zei Harry.
'Ja, dat klopt. En gezien het feit dat Joe op de beelden helemaal niet lijkt tegen te stribbelen, is het waarschijnlijk dat hij met iemand is meegegaan die hij kende.'
'Dus hij zou hier toch kunnen zijn?'
'Ja, dat zou kunnen. En ik vind het prima als ik het helemaal mis heb, zolang we hem maar op tijd vinden. Ik heb een team dat huis-aan-huis gaat. We vragen mensen toestemming om de honden binnen te laten. We kunnen niemand dwingen, natuurlijk, maar tot dusverre werkt iedereen mee.'
'Hoe lang zal het duren om langs alle huizen in Heptonclough te gaan?'
Rushton zuchtte. Hij drukte zijn sigaret uit op de grafsteen en liet hem toen op het gras vallen. 'Dat lukt ons niet vandaag,' zei hij. 'Maar ik heb een paar auto's op beide uitvalswegen van het dorp gezet. Iedereen die vertrekt wordt aangehouden en ondervraagd. We vragen toestemming om in de kofferbak te mogen kijken.'
'En mensen vinden dat goed?'
'Als dat niet zo is willen we weten waarom.'

Nee, hiermee zou hij niet wegkomen. 'Ja, ik ken de regels,' zei Evi, terwijl ze probeerde niet te snauwen. 'Ik heb ze de afgelopen vierentwintig uur drie keer gelezen, dokter Warrington, dus u hoeft ze niet voor me te spellen. Volgens mij kán de arts in situaties waarbij ernstig gevaar dreigt voor een derde partij niet alleen informatie geven, hij is het zelfs verplicht.'
Warrington leunde naar voren en vouwde zijn handen onder zijn kin. 'Dat gaat dan om informatie die aan de politie wordt verstrekt,' zei hij. 'Laat de man die de leiding heeft in deze zaak hier maar naartoe komen en ik zal zien wat ik kan doen.' Hij boog voorover en pakte zijn tas.
'Daar is geen tijd voor,' zei Evi. 'Luister, ik weet dat ik u hier mee overval en dat spijt me, maar ik ben hier al de halve nacht mee bezig.'
Hij deed zijn mond open. Ze gaf hem de kans niet.
'Ik heb de tijd noch de energie om beleefd te zijn, dus ik zeg u dit,' ging ze snel verder. 'Als u me niet helpt en Joe Fletcher gaat dood, dan zal ik ervoor zorgen dat iedereen – de politie, de Medische Tuchtraad, de media, absoluut iedereen – te horen zal krijgen over dit gesprek en dat u regels, om nog maar te zwijgen over golf, belangrijker vindt dan het leven van een kleine jongen.'
Het bleef stil. Evi trilde. Even dacht ze dat het niet zou werken, dat hij haar

de kamer uit zou sturen en een officiële klacht in zou dienen bij de Tuchtraad nog voor hij om twaalf uur af zou slaan.
'Goed,' zei hij, en hij ontweek haar blik. 'Waar zoeken we precies naar?'
'Dank u,' zei ze. 'Ik moet een patiënt vinden, zeer waarschijnlijk onder de dertig jaar, die lijdt aan congenitale hypothyroïdie.'

Rushtons telefoon ging. Hij stond op en liep snel een eindje bij Harry uit de buurt, met zijn telefoon tegen zijn rechteroor gedrukt. Toen kwam hij weer terug en zette de telefoon uit. 'Ze zijn mogelijk gezien in Great Harwood,' zei hij. 'Loopt u maar met me mee naar de auto, dominee.'
Toen ze wegliepen werden ze nieuwsgierig nagekeken. 'Een jongen die voldoet aan de beschrijving is gezien terwijl hij een huis binnen ging,' ging Rushton verder. 'Er wonen daar geen kinderen voor zover wij weten en de eigenaar is iemand die we al een tijdje in de gaten houden. We weten zeker dat het een kinderlokker is, maar we kunnen het niet bewijzen. Hij is heel slim.'
'En u denkt dat hij Joe heeft?' vroeg Harry ontzet.
'Ik hoop het, jongen. Ik hoop het van ganser harte. Want dit telefoontje kwam minder dan een uur geleden binnen. Als het Joe is, dan leeft hij nog.'
'Gaat u het Gareth en Alice vertellen?'
'Niet voor we iets met zekerheid weten. We zullen er binnen tien minuten een wagen hebben. Ze wachten niet op mij.'
Ze waren bij Rushtons auto gearriveerd. De wachtende journalisten die de hoofdinspecteur en zijn gehaaste manier van doen zagen, kwamen op hen af. Rushton sprong in zijn auto en wendde zich weer tot Harry. 'Als ik u was, dominee,' zei hij, 'dan zou ik die kerk weer in gaan en doen waar ik het beste in was.' De auto reed weg en verdween om de hoek uit het zicht.
Omdat hij wist dat hij de journalisten niet aankon, draaide Harry zich om en liep snel de heuvel weer op. Mensen begonnen te vertrekken uit de kerk en hij besefte dat hij de helikopter al een paar minuten niet meer had gehoord. Sinclair en Tobias Renshaw, beiden gekleed met jassen aan, waren Harry en Rushton gevolgd. Een klein stukje achter hen stond Gillian die soms steels naar Harry keek en vervolgens naar de grond.
'Nog nieuws, dominee?' vroeg Sinclair, toen Harry dichterbij kwam.
Harry schudde zijn hoofd. 'Nog niks,' zei hij. Had Joe de nacht doorgebracht bij een bekende pedofiel? Hoe zou hij eraan toe zijn, als hij nog leefde? Nee, hij mocht zo niet denken.
Alice en Millie verschenen voor hem. Naast hen stond Jenny Pickup.
'Hoe gaat het, Alice?' vroeg Sinclair, op een toon die Harry verbaasde door zijn vriendelijkheid. Alice keek op naar de lange man alsof hij haar in een vreemde taal had aangesproken.

'Heeft iemand Gareth en Tom gezien?' vroeg ze.
'Ze waren een halfuur geleden op Lower Bank Road,' zei Gillian terwijl ze dichterbij kwam. 'Ze gingen in de richting van de oude spoorlijn samen met mij en een paar anderen. We wilden de Collingway tunnel controleren.'
'Maar ze zijn vast teruggekomen toen de helikopter met de zoektocht begon,' zei Tobias. 'Alice, ik wil graag dat je met ons mee gaat naar huis om wat te rusten. Het is te koud voor de kleine meid om buiten te zijn.'
'Doe dat maar, Alice,' drong Jenny aan, terwijl ze dichter bij haar grootvader ging staan. 'Of laat in elk geval Millie daar. Vaders huishoudster zal wel een oogje op haar houden. Je kunt haar niet de hele dag op je rug ronddragen.'
Alice' ogen gleden heen en weer. 'Dank je,' zei ze, tegen de dichtstbijzijnde lantaarnpaal. 'Ik wil dat ze bij mij blijft. Nu moet ik Gareth vinden.'
Ze draaide zich om. Steeds meer mensen kwamen de kerk uit. De zoektocht ging verder.

'Het spijt me, ik ben bang dat er verder niets is wat we nog kunnen proberen.'
Evi vroeg zich af waar ze de energie vandaan moest halen om op te staan. Ze knikte. 'Ik weet het,' gaf ze toe.
Een uur nadat Russell Warrington ermee ingestemd had haar te helpen zoeken naar de mysterieuze Ebba waren ze gedwongen het op te geven. Ze hadden op alle mogelijke manieren die ze maar konden bedenken in patiëntendossiers gezocht. Alleen de gegevens van de laatste dertig jaar stonden in de computer, maar Warrington was naar de kelder van de praktijk gegaan en had een paar dozen met oudere gegevens gevonden. Ze waren tot veertig jaar terug gegaan, omdat de kans dat Ebba ouder zou zijn vrijwel nihil was. Maar hoewel ze verschillende mensen hadden gevonden die aan de aandoening leden, waren ze allemaal overleden. In vierendertig jaar was er niemand met congenitale hypothyreoïdie, en niet eens iemand met een krop geregistreerd als patiënt. Ze hadden hun hersens gepijnigd om vergelijkbare aandoeningen te bedenken en nog een paar andere zoekmethoden geprobeerd. Uiteindelijk waren ze wel gedwongen het op te geven.
'Hoe zeker bent u ervan dat ze in deze regio woont?' vroeg Warrington.
'Dat moet wel. Iemand met die aandoening kan niet rijden.'
'Dat geloof ik ook niet,' stemde de arts in.
'Hoe kan zo iemand volledig in het niets verdwijnen?' vroeg Evi, bijna trillend van frustratie. 'Waarom is de diagnose niet gesteld toen ze een baby was? Waarom is ze niet behandeld? En waarom, gezien al haar medische behoeften, weten de plaatselijke artsen niets over haar?'
Warrington antwoordde niet en Evi duwde zich overeind uit de stoel. 'Ik heb al genoeg van uw tijd in beslag genomen,' zei ze. 'Het spijt me dat u uw golfafspraak hebt gemist.'

'Ik zal onze receptionistes nog even thuis bellen,' bood de dokter aan. 'En ook een paar die inmiddels met pensioen zijn. Mogelijk dat zij zich iets herinneren, of iets kunnen bedenken. Als ik iets hoor zal ik contact met u opnemen.'

'Ik kan niet meer, Harry,' zei Alice. Ze waren tot de hoek van het kerkhof gekomen en toen struikelde Alice. Hij moest haar opvangen om te voorkomen dat zij en Millie op de grond vielen.
'Je doet het ongelooflijk goed,' zei Harry. Hij legde een arm om haar schouders en leidde haar naar de muur. Haar ademhaling ging te snel. 'Je blijft kalm, je functioneert en je zorgt voor je andere twee kinderen,' ging hij verder. 'Ik kan me niet voorstellen hoeveel kracht dat kost.'
'Het is het ergste wat je je maar kunt voorstellen,' zei Alice. 'Om niet te weten waar je kind is. Niemand kan dat voelen en toch bij zinnen blijven.'
'Jij wel,' zei Harry, hoewel hij dat eerlijk gezegd niet zeker wist. Hij maakte zich behoorlijk ongerust omdat Alice zich nergens meer op leek te kunnen concentreren.
'Ik zal je zeggen hoe dat voelt,' vervolgde ze, terwijl ze zo dicht naar hem toe kwam dat hij zich er ongemakkelijk door voelde. 'Het is alsof Joe nooit echt bestaan heeft, dat ik me hem alleen maar heb verbeeld. En nu moet ik Tom en Gareth zien, want ik krijg het gevoel dat zij ook zijn verdwenen. En dat Millie ook weg zal zijn als ik om me heen kijk. Het is net alsof iemand ons uitgumt, beetje bij beetje.'
'Millie ligt te slapen op je schouder,' zei Harry snel, en hij besefte dat hij misschien zou gaan huilen als hij ophield met praten. 'Tom en Gareth zijn niet ver hier vandaan op zoek naar Joe. Alice, kijk me aan.'
Ze hief haar hoofd. Hij dacht dat hij misschien wel verliefd zou kunnen worden op die turkooisblauwe ogen, als hij al niet... 'We zullen Joe vinden,' zei hij. 'Heel gauw. Ik wilde dat ik je kon beloven dat hij helemaal veilig en in orde zal zijn als we hem vinden, maar je weet dat ik dat niet kan. Toch zullen we hem hoe dan ook vinden. Dan zul jij weer in staat zijn alles helder te zien, dan zul je in staat zijn verdriet te hebben als dat moet, en dan zul je weer verder kunnen. Je staat er nooit alleen voor.'
'Harry, ik...' Turkooisblauwe ogen gevuld met tranen. Een tweede paar staarde naar hem. Millie was wakker geworden en keek Harry aan alsof ze elk woord verstond.
'Je hebt een ongelooflijke kracht,' zei hij. 'Je gezin zal overleven, want ze hebben jou. Jij bent het hart. Jij bent de ziel.'
'Ik kan zien waarom je priester bent geworden,' zei Alice terwijl ze zijn arm aanraakte. 'Maar het is niet echt, hè?'
Hij dacht dat hij misschien toch wel tranen in zijn ogen had. 'Wat bedoel je?' vroeg hij, hoewel hij het wel wist.

'Het is niet het geloof dat jou nu steun geeft,' zei Alice. 'Geen directe lijn met de man hierboven. Je moet het allemaal zelf doen, hè?'
'Kom op,' zei Harry. 'Laten we jullie twee eens naar binnen brengen.'

82

Evi was in Heptonclough. Het was weer rustig in de straten. Ze parkeerde haar auto langs de stoeprand en stapte uit. Ze kon zich niet herinneren dat ze ooit eerder in haar leven zo moe was geweest. Ze liep het korte pad naar het rijtjeshuis op. Terwijl ze op de stoep stond te wachten zweefde er iets wits naar beneden dat op de mouw van haar jas bleef liggen. De sneeuw die eerder die dag was voorspeld was gearriveerd.

'Ik krijg geen gehoor bij Gillians flat,' zei ze, toen de deur openging. 'Ik maak me zorgen over haar.'

Gwen Bannister zuchtte. 'Kom binnen, liefje,' zei ze. 'Je ziet eruit alsof je zo dadelijk zult instorten.'

Evi volgde Gwen over de gebloemde vloerbedekking van de hal naar een kleine zitkamer. De vloerbedekking was hier en daar versleten, de kamer was al in lange tijd niet opgeknapt. Een televisie in de hoek stond aan.

'Hebt u haar vandaag nog gezien?' vroeg Evi, terwijl ze in de richting van de televisie keek en zich afvroeg of Gwen hem uit zou zetten.

'Ga zitten, liefje. Ik zal water opzetten.'

Het laatste wat Evi wilde was thee drinken, maar ze liet zich dankbaar op de bank zakken. 'Ik weet niet of we nog langer moeten wachten,' zei ze. 'Ik maak me echt heel veel zorgen. Wanneer hebt u haar voor het laatst gezien?'

'Ongeveer twee uur geleden,' antwoordde Gwen na een moment. 'Ze heeft de hele dag geholpen bij de zoektocht. En toen het om vijf uur te donker was geworden om verder te gaan zag ik haar met de dominee praten.'

De televisie stond te hard. Evi kromp in elkaar toen het studiopubliek begon te applaudisseren. 'En leek alles goed met haar?' vroeg ze.

Gwen haalde haar schouders op. 'Nou, misschien zei hij iets wat ze niet leuk vond, want ze draaide zich heel snel om zoals ze soms kan doen en stoof de heuvel af. Is ze niet thuis?'

'Er is licht aan maar ze neemt de telefoon niet op en ze doet de deur ook niet open.'

Evi had een kwartier voor Gillians huis staan wachten, terwijl ze steeds kouder en stijver werd. Uiteindelijk had ze besloten dat ze het op een andere manier moest proberen.

'Ik loop er wel even naartoe om te kijken,' zei Gwen. 'Kan het wachten tot ik mijn thee op heb?'

'Waarschijnlijk wel,' zei Evi, hoewel ze veel liever had gehad dat Gwen direct was gaan kijken. 'Als u om wat voor reden dan ook bezorgd om haar bent, vooral als ze er niet is, dan moet u me bellen,' ging ze verder. 'Als ze redelijk in orde is, wilt u haar dan vertellen dat iemand morgenvroeg contact met haar zal opnemen? Een collega van mij van het ziekenhuis. Zij zal Gillian verder begeleiden.'
Gwen fronste. 'Ik dacht dat jullie samen zo goed konden opschieten.'
'Dat was ook zo. Het spijt me, daar kan ik verder niets over zeggen. Dank u voor uw hulp en bel me alstublieft als het nodig is.' Evi stond moeizaam op.
'Dat zal ik doen,' zei Gwen, die eveneens opstond. 'Er is dus nog geen nieuws over de kleine jongen?'
Evi schudde haar hoofd.
'Zijn arme moeder. Je begint je wel af te vragen wat daarboven allemaal aan de hand is, hè? En in de kerk. Ik heb gehoord dat er vannacht een agent in de consistoriekamer heeft gezeten, voor het geval... Nou, je moet er toch niet aan denken, hè?'
Evi liep naar de deur. Gwen stond voor haar, maar ze had echt geen tijd meer voor een praatje. Evi keek nadrukkelijk op haar horloge en Gwen stapte opzij.
'Ik moet meer sympathie opbrengen voor Gillian, dat weet ik wel,' begon Gwen toen ze Evi volgde naar de hal. 'Ze is haar dochter kwijt en twee andere kleine meisjes waar ze dol op was. Natuurlijk hebben we allemaal gedacht dat het alleen maar toeval was, omdat er zoveel tijd tussen zat. Vier jaar tussen Lucy en Megan, en nog eens drie voor we Hayley verloren. En het ging allemaal zo anders. De ene viel, de andere verdween en de derde kwam om bij een brand. Hoe konden we nou weten dat er een verband was?'
'Dat kon ook niet,' zei Evi. 'Niemand hoeft zich schuldig te voelen.' Ze bleef op een paar stappen van de voordeur staan. *Een verband?* 'Gillian was dol op Lucy en Megan?' vroeg ze.
'O, ja. Ze heeft weleens voor Lucy gezorgd toen ze nog leefde. Kun je de deur open krijgen, liefje?'
Draai je heel langzaam om. Doe niets om haar te alarmeren. 'Ik geloof dat ze me dat weleens verteld heeft,' zei Evi. 'Maar ik wist niet dat ze Megan ook kende.'
'Ze heeft vaak op haar gepast. Dat was zo'n lief meisje. De familie is verhuisd. Ik geloof niet dat je over zoiets heen kunt komen. Ik zou meer met Gillian mee moeten voelen, dat weet ik wel. Kom, laat mij maar even.'
Evi zag dat Gwen langs haar heen boog om de deur te openen. Ze dwong zichzelf een stap naar voren te doen en over de drempel te stappen. 'Dank u,' zei ze. 'Hou me alstublieft op de hoogte.'
Buiten leunde Evi tegen haar auto. De voorruit was al bedekt met een heel

dun laagje sneeuw. Ze moest haar hoofd er nu goed bijhouden. Vind de link, had Steve gezegd: de slachtoffers zijn niet willekeurig gekozen, er is een verband tussen hen. Had ze het gevonden? Had ze genoeg om naar de politie te gaan?
Ze reed de heuvel af, en zag Harry's auto voor het huis van de Fletchers staan. Een paar seconden later parkeerde ze haar auto. In plaats van naar Gillians flat liep ze naar de deur van het postagentschap eronder. De winkel was donker. Ze klopte hard op de deur. Was er een bel? Ja, in de linkerbovenhoek. Ze drukte er vijf seconden op, wachtte even, en drukte toen weer. Achter in de winkel ging een deur open. Lampen gingen aan en iemand kwam haar kant uit. Laat het alsjeblieft... Ja, het was de vrouw met wie ze gisteren had gesproken.
'We zijn gesloten.'
'Ik moet u iets vragen,' zei Evi. 'Ik was hier gisteren, weet u nog wel? Ik probeerde Gillian te vinden.'
'Ik ben haar babysit niet, hoor.' De vrouw was in de zestig, gezet, klein, en had steil grijs haar.
'U vertelde me dat u had gezien dat ze in een bus stapte,' zei Evi. 'Weet u nog?'
'Dat kan zijn,' zei de vrouw, terwijl ze haar armen voor haar borst kruiste.
'Hebt u gezien welke bus ze nam? Waar hij naartoe ging?'
'Wat is dit, *Opsporing verzocht*?' Het gezicht van de vrouw betrok. 'Het heeft toch niks te maken met die kleine jongen, of wel?'
'Het is mogelijk.' Evi was wanhopig. 'Alstublieft, als u zich dat kunt herinneren, het is heel belangrijk.'
'Het was een van die Witch Way bussen,' zei de vrouw, haar agressieve houding was helemaal verdwenen. 'Ze zijn zwart met rood, toch?'
'Ik geloof het wel,' zei Evi, hoewel ze nooit met de bus reisde.
'Groen, dat was het. Ik weet het weer, want ik zag dat Elsie Miller instapte en ik begreep dat ze voor haar maandelijkse controle naar het ziekenhuis ging.'
'En de groene bussen gaan naar...?'
'Langs het ziekenhuis, naar het centrum van de stad.'
'Welke stad?'
'Blackburn, natuurlijk.'

83

'Helemaal van de wereld,' zei Jenny, toen ze de keuken weer in kwam. Ze bleef staan en sloeg een hand voor haar mond. 'Het spijt me, dat was ongelooflijk stom om te zeggen.'
Gareth keek naar zijn vrouw. Alice leek het niet te hebben gehoord. 'We weten wat je bedoelt,' zei hij. 'Ze zijn allebei uitgeput. Tom heeft vandaag net zo ver gelopen als ik. En ik geloof niet dat Millie ooit zoveel frisse lucht heeft gehad. Moet ik even in de oven kijken, Jenny?'
'O, laat mij maar.' Jenny schoof achter Harry langs en boog zich voor de oven van de Fletchers voorover. Ze opende de deur een paar centimeter en stoom stroomde de keuken in. De geur van gebraden vlees vulde de lucht en Harry besefte dat hij honger had.
Alice stond op. 'Ik geloof dat ik moet overgeven,' kondigde ze aan. Ze draaide zich om en verdween door de achterdeur.
Harry betwijfelde opeens of hij echt wel zoveel honger had, en hij zag dat Gareth naar buiten staarde. Het was aardedonker. Harry keek op zijn horloge, meer uit gewoonte dan om een andere reden. Hij had het al lang geleden opgegeven Evi nog te verwachten. Toen hij weer opkeek had Gareth zich weer van het raam afgekeerd.
'Jenny, Mike vergeet nog hoe je eruitziet,' zei hij. 'Weet je zeker dat je niet...?' Hij liet de vraag in de lucht hangen. Harry vroeg zich af of Gareth wilde dat Jenny vertrok, of dat ze allebei vertrokken. Vrienden konden op dit moment niks betekenen voor de Fletchers. Ze konden niet helpen, ze konden alleen maar in de weg lopen.
'Ik wip even naar huis,' zei Jenny. 'We logeren vannacht bij pap zodat we morgen vroeg kunnen beginnen.' Ze keek van Harry naar Gareth. 'Ze komen allemaal weer,' zei ze. 'Mike en alle mannen. Iedereen. We geven het niet op.'
'Dank je, Jenny,' zei Gareth. 'Maar ik geloof dat we nu wel weten dat hij niet hier is.'
Harry stond op om Jenny uit te laten. 'Ik probeer later nog wel even langs te komen,' zei ze zacht toen ze in de deuropening stonden. 'Om even te kijken hoe het gaat. Het eten is over vijf minuten klaar. Zorg dat ze wat naar binnen krijgen.'
Hij deed de deur dicht en leunde ertegenaan. Hij moest ook gaan. Hij kon

hier niets doen. Jenny had tenminste nog voor eten gezorgd. Niemand zou ervan eten, maar ze deed iets. Toen hoorde hij buiten een geluid. Een auto stopte, en vlak daarna een tweede. Twee mensen stapten uit en liepen naar de voordeur. Hij stond op het punt open te doen, in de verwachting dat het journalisten waren. Wat moest hij nu weer zeggen? De familie houdt zich kranig. Ze zijn dankbaar voor alle steun. Blijf alstublieft bidden voor...
Brian Rushton stond op de stoep, de schouders van zijn jas bedekt met sneeuwvlokken. Naast hem stond, bleker dan ooit, Evi.
'Nee!'
Alle hoofden draaiden zich om en zagen Alice in de deuropening naar de keuken staan. 'Nee,' zei ze weer. Toen hij besefte wat ze moest denken, wat het bezoek van Rushton en Evi waarschijnlijk betekende, voelde Harry dat zijn huid begon te gloeien.
'Alice, nee...' zei Evi.
Rushton liep naar binnen, stampte de sneeuw van zijn schoenen, duwde Harry opzij en ging met grote passen op Alice af. 'Rustig maar, meisje,' zei hij. 'We zijn hier niet met slecht nieuws. Nieuws, ja, maar geen slecht nieuws, dus rustig aan maar.'
'Wat?' Harry vormde dat ene woord met zijn mond naar Evi. Ze wierp hem een blik toe die hij niet begreep, sloeg met haar hielen tegen de deurpost om de sneeuw eraf te krijgen en liep achter Rushton en Alice aan. Harry deed de deur dicht en volgde hen.
'Laten we allemaal eerst eens gaan zitten,' zei Rushton. Harry stond op het punt op de laatste stoel naast Evi te gaan zitten, toen hij haar blik opving. Ze zag er ziek uit. Hij liep naar het aanrecht en vulde een glas met water, dat hij zonder commentaar aan haar gaf. Ze dronk het half leeg.
'Dokter Oliver belde me iets meer dan een uur geleden,' zei Rushton. 'Misschien hebben we een doorbraak.'
'Hebben jullie Ebba gevonden?' vroeg Harry, met zijn ogen nog steeds op Evi gericht.
Ze schudde haar hoofd. 'Daar gaat het nu niet om.' Ze keek naar Rushton. 'Wilt u...?' vroeg ze.
'Nee, ga jij maar verder, meisje. Je hebt het net ook heel goed aan mij uitgelegd.'
Evi's handen trilden, ze leek het heel moeilijk te hebben. 'Gisteravond ben ik naar een collega geweest,' zei ze. 'Hij heeft wat ervaring op het gebied van forensisch onderzoek en daarom wilde ik weten wat hij van de hele situatie dacht.' Ze zweeg even en nam nog een slok water. Ze slikte en haar gezicht vertrok van pijn alsof ze iets in haar keel had.
'Steve liet me inzien dat we naar twee mensen zoeken,' ging ze verder. 'Ten eerste, deze Ebba, van wie we denken dat ze weet wat er aan de hand is en die,

op haar eigen manier, heeft geprobeerd jullie te waarschuwen. Maar omdat ze alleen maar contact heeft met de kinderen en omdat ze Tom bang maakt, heeft ze niet veel succes gehad.' Ze draaide zich om naar Harry. 'Jij weet al dat ze rondzwerft in en om de kerk. Ik denk dat zij verantwoordelijk is voor het bloed in de avondmaalskelk die dag en voor de pop met de trui van Millie aan die je hebt gevonden. Ik denk dat ze heeft geprobeerd jou te vertellen wat er gebeurt in de kerk. Over het grote gevaar dat Millie loopt.'

Harry voelde dat Gareth en Alice elkaar aankeken. Hij kon niet inschatten hoeveel ze wisten over de vreemde gebeurtenissen in de kerk. Hij zag dat Gareth zijn mond opendeed om iets te zeggen en dat zijn vrouw hem tot stilte maande.

'Maar het belangrijkste is,' zei Evi, 'dat we zoeken naar de persoon die de kleine meisjes heeft ontvoerd en vermoord. Steve liet me inzien dat ze allemaal met elkaar te maken hebben. De kerk is belangrijk, maar ook het dorp zelf. Het is geen toeval dat de slachtoffers allemaal uit dit dorp komen. Wie de ontvoerder ook is, hij of zij heeft een band met alle drie. Ze zijn gekozen om een bepaalde reden. Ik heb Ebba niet gevonden vandaag, maar misschien heb ik de verbindende schakel wel gevonden.'

'En wat is dat?' vroeg Gareth.

'Niet wat,' zei Evi. 'Wie. Ik denk dat Gillian de verbindende schakel is.'

Tom was wakker. Had hij wel geslapen? Hij dacht van wel maar hij wist het niet zeker. In wiens bed lag hij? Dat van Joe. Hij zag de onderkant van zijn eigen bed boven zijn hoofd. Er was licht aan op de gang en hij kon stemmen horen in de keuken beneden. Het was dus nog niet zo laat. Hij kon beter maar weer gaan slapen. In zijn slaap ging het in elk geval goed met Joe.

Plotseling hoorde hij een ratelend geluid. Hij ging rechtop zitten. Daar was hij wakker van geworden. Een serie scherpe, harde tikken. Iemand gooide steentjes tegen het raam.

Joe! Joe was terug en probeerde naar binnen te komen. Tom sprong uit bed en rende de kamer door. De gordijnen waren dicht. De stof was ruw tegen zijn gezicht en hij kon de kou van buiten voelen. 'Joe,' fluisterde hij.

Hij hoorde nog steeds stemmen beneden. Harry praatte het hardst, het duidelijkst. Hij hoorde ook de stem van een vrouw, veel zachter en kalmer. Maar niet mam, iemand met een Engels accent. Het zou Jenny kunnen zijn, ze was er eerder geweest. Zou hij zijn ouders roepen en hun vertellen dat Joe buiten stond en steentjes naar zijn raam gooide?

Maar kon hij dat mam aandoen? Haar laten hopen dat Joe terug was als het alleen maar een paar takken waren die tegen het raam schuurden?

Er waren geen bomen vlak bij het raam van Toms slaapkamer.

Hij pakte met beide handen de gordijnen vast en vatte moed om ze een paar

centimeter open te trekken. Net ver genoeg om te zien wat er daar buiten was. Een centimeter. Alles was pikzwart. Twee centimeter. Drie.
Het meisje stond in de tuin achter het huis naar hem omhoog te kijken.

In de keuken werd het stil. Toen ging Gareth staan. Rushton stak een hand op. 'Mevrouw Royle is nu waarschijnlijk op weg naar het hoofdbureau,' zei hij, terwijl hij op zijn horloge keek. 'Ik wacht op een telefoontje van rechercheur Neasden om me te vertellen dat ze veilig opgesloten zit. We kunnen haar niet ondervragen tot de dienstdoende psychiater er is, maar dan weten we tenminste dat ze de jongen geen kwaad kan doen.'
'Gillian?' vroeg Alice. 'Hayley was haar dochter.'
'Ze zal niet de eerste moeder zijn die haar eigen kind doodt,' antwoordde Rushton. 'Bij lange na niet. Om eerlijk te zijn was ik nogal sceptisch toen dokter Oliver belde. Ik ben nog niet honderd procent overtuigd maar er zijn genoeg vragen diê beantwoord moeten worden.' Hij knikte naar Evi. 'Ga maar verder, meisje,' zei hij. 'Jij kunt het beter vertellen dan ik.'
Evi staarde even naar de tafel en keek toen weer op. 'Ik maak me al een tijd zorgen om Gillian,' zei ze. De woorden leken met tegenzin te komen, alsof ze het zelfs nu nog moeilijk vond het vertrouwen van een patiënt te schenden. 'Ik wist dat er een heleboel was wat ze me niet vertelde, en ik wist ook dat er meer in haar hoofd omging dan verdriet. Door verschillende dingen die ze me heeft verteld en het gedrag dat ze vertoont heb ik het vermoeden gekregen dat er sprake is geweest van misbruik als kind, maar het meest zorgwekkende voor mij was dat ze had gelogen over de manier waarop Hayley was gestorven. Ze had mij en anderen verteld dat Hayleys lichaam niet was gevonden, dat het was verdwenen in het vuur. Maar dat was niet zo. De brandweerlieden vonden menselijke resten.'
'Die niet van Hayley waren,' merkte Harry op. 'Hayley was al meegenomen voor het vuur werd aangestoken.'
'Ja,' zei Evi. 'Maar hoe kon ze dat weten tenzij ze iets te maken had met de verdwijning van Hayley? Ik denk dat Gillians weigering om te accepteren dat de resten van Hayley waren een manier voor haar was om met haar schuldgevoel om te gaan.'
'Oké, maar dat alleen is niet genoeg,' zei Harry, die een blik op Rushton wierp in een poging te zien wat de andere man dacht.
Evi nam nog een slok water. 'Nee, dat is het niet,' zei ze. 'Maar ik heb ook met haar moeder gepraat, de afgelopen week. Gillians vader is omgekomen bij een auto-ongeluk toen ze drie was. Ze zat bij hem in de auto. Ze was niet gewond, maar toen de politie haar uit de auto haalde, zat ze onder haar vaders bloed.'
'Christus,' mompelde Gareth.

'Ja, zeg dat wel. Genoeg om een schadelijk effect te hebben op ieder kind. Gillians moeder trouwde weer en ik denk – maar ik heb hier geen bewijs voor – dat Gillian is misbruikt door haar stiefvader toen ze nog heel jong was. In haar medische dossier van jaren geleden staan schoolvoorbeelden van misbruiksymptomen en ze praat op een heel minachtende manier over hem, vol seksuele zinspelingen. Ik moest heel voorzichtig zijn toen ik met Gwen praatte. Ik kon haar natuurlijk niet rechtstreeks vragen of Gillian was misbruikt, maar ik kon af en toe een hint in die richting geven. Er was iets, dat weet ik zeker. Gwen weet meer dan ze vertelt. Toen Gillian twaalf was is haar achttien maanden oude zusje overleden. Ze viel thuis van de trap en kwam op de stenen vloer terecht. Klinkt jullie dat bekend in de oren?'
Harry zag dat Alice achteruit schoof en de hand van haar man pakte. Ze leken geen van beiden in staat iets te zeggen.
'Het is verontrustend,' zei Harry met een blik op Rushton. 'Maar is het ook niet indirect bewijs zoals jullie dat noemen?'
'Haar stiefvader vond het kind, maar Gillian was ook in huis,' zei Evi, voor Rushton antwoord kon geven. 'Ze heeft waarschijnlijk het bloed gezien en de man die ze haatte horen schreeuwen van verdriet. Daar kan een gestoorde tiener zich heel machtig door voelen.'
'Het is nog altijd speculatief, Evi,' zei Harry.
'Dat zei ik op dat punt ook,' knikte Rushton.
'Gillians man bedroog haar,' zei Evi. 'Ik denk dat ze Hayley heeft vermoord om hem te straffen, zoals ze haar stiefvader strafte door zijn dochter te vermoorden. Ze doodt omdat ze zich daardoor machtig voelt. Gillian en haar moeder waren bij de Renshaws op de dag dat Lucy werd gedood.'
'Heeft Gwen je dat verteld?' vroeg Harry. Hij dacht even na. 'Dat wist ik eigenlijk ook wel geloof ik. Volgens mij heeft Jenny me dat zelf verteld.'
'Gillian hielp af en toe door op Lucy te passen, ze was een soort onofficieel kindermeisje,' zei Rushton. 'En ze was regelmatig de babysitter van Megan. We hebben natuurlijk geen idee waarom ze die twee meisjes vermoordde, maar zoals ik al zei, we hebben een heleboel vragen.'
Even zei niemand iets.
'Iemand heeft gezien dat Gillian gistermiddag vroeg de bus naar Blackburn nam,' zei Evi.
Nog altijd bleef het stil.
'Ze wist van het toneelstuk,' zei Alice. 'Ze was hier gisterochtend met Jenny. Ik heb haar verteld waar de jongens zouden zijn.'

Tom liep op zijn blote voeten zachtjes de trap af. De keukendeur was dicht. Hij hoorde verschillende stemmen erachter. Hij liep de woonkamer in, naar het raam dat uitkeek over de tuin. Het was niet gemakkelijk om het gordijn

open te trekken want ze zou nu veel dichterbij zijn, maar op de een of andere manier lukte het hem.
Twee ogen. Groot en bruin, met een crêpeachtige, gerimpelde huid er omheen. Rimpels waardoor ze oud en tegelijkertijd niet oud leek. Twee ogen staarden hem aan met een uitdrukking die hij nog nooit eerder had gezien. Hij had haar ondeugend gezien. Hij had gezien dat ze hem en Millie bedreigde. Hij had haar nooit bang gezien.
'Ebba.' Er kwam geen geluid, hij vormde het woord met zijn lippen.
'Tommy,' mimede ze terug.
Hij stapte achteruit en liet de gordijnen terugvallen. Ze tikte zacht op het raam.
Wat moest hij doen?
Als hij schreeuwde om zijn vader zou ze weggaan. En dat wilde hij ook. Het was al erg genoeg zonder Joe, hij kon er niet ook nog monsters bij hebben.
Tik, tik, tik. Luider deze keer. Hij moest een beslissing nemen voor ze het glas brak.
Stilte. Hij verschoof het gordijn. Ze was er nog. Toen ze hem zag wees ze naar het raamslot terwijl haar hand een op- en neergaande beweging maakte. Ze wilde dat hij het raam opendeed. Ze wilde binnenkomen.
Nog in geen miljoen jaar. Hij deed zijn mond open om te schreeuwen.
Misschien had ze Joe.
Dat kon hem niet schelen, hij was niet zo dapper, ze kwam er niet in. Hij schudde zijn hoofd en deed een stap achteruit. De gordijnen vielen weer dicht, maar net niet helemaal. Hij kon haar nog steeds zien. Hij zag dat ze een hand in de hals van haar jurk stak en er iets uit trok. Hij zag dat ze het tegen het glas drukte.
Ze had zijn broer. Hoe kon ze anders Joe's gymp hebben?
Tom kon zich niet weerhouden dichter naar het glas te gaan. Toen hij en Joe hun nieuwe gympen hadden gekregen, hadden ze die zelf versierd. Ze hadden stickers op de hielen geplakt en de veters geruild, zodat Toms voornamelijk zwarte gympen rode veters hadden en Joe's voornamelijk rode gympen zwarte veters. Een rode gymp met een zwarte veter werd tegen het glas gedrukt en de resten van een Spiderman-sticker waren zichtbaar achter op de hiel.
Ze had Joe. Dat had ze de hele tijd al gewild, een van de kinderen Fletcher. Ze had geprobeerd Millie mee te nemen maar toen dat was mislukt, was ze achter Joe aan gegaan.
Ze wees weer naar het raamslot. Ze wilde echt heel duidelijk binnen komen. Zijn vader en Harry waren net aan het eind van de hal. Als hij haar binnenliet kon hij haar grijpen, dan naar de anderen gillen en haar vasthouden tot ze kwamen. Zodra zijn vader haar te pakken had, zou ze wel moeten vertellen

waar Joe was. Haar binnenlaten, alles bij elkaar gillen en vasthouden. Dat kon hij toch wel? Was hij zo dapper?
Zonder zichzelf tijd te gunnen nog langer te denken, knikte hij naar Ebba en stak een vinger op. 'Geef me een minuut,' zei hij tegen haar zonder te weten of ze hem zou begrijpen. Hij rende de kamer uit naar de plek in de hal waar de sleutels werden bewaard. Een ervan paste op het raam.
Seconden later verwachtte hij half dat Ebba er niet meer zou zijn, maar ze was er wel. Hij stak de sleutel in het slot en draaide hem. Zodra de hendel werd opgetild, trok ze aan het raam, deed het open en klom naar binnen, alsof ze dat al veel vaker had gedaan. Hij stapte direct achteruit, want hij wilde absoluut niet in de buurt komen van die vreselijke bult in haar hals. Voor hij tijd had om na te denken sprong ze op de vloer en liep snel de kamer door.
Hij slaakte een kreet en rende achter haar aan, maar ze bleef staan bij de deur en deed hem dicht. Ze stond nu tussen hem en de volwassenen, maar hij kon nog altijd gillen en haar beetgrijpen.
Of niet?
'Tommy,' zei ze. 'Tommy, kom alsjeblieft.'
Het raam stond open en de kou stroomde van buiten de kamer in. Maar Tom wist dat hij niet rilde van de kou; kou voelde je niet zo, niet zo heel diep vanbinnen. Gewone kou door wind en regen veranderde je ziel niet in ijs. Daarvoor was de klank van zijn broers stem nodig; Joe's stem uit de mond van dit meisje was als een boodschap, als een kreet van een plek waar hij nooit naartoe kon, als een...
'Tommy, kom alsjeblieft.'
... als een smeekbede om hulp.

'Als je gelijk hebt,' zei Gareth, 'dan snap ik niet waarom ze van meisjes overgegaan is op Joe. Ze doorbreekt haar patroon.'
'Dat klopt,' stemde Evi in. 'En ik geloof niet dat ze echt in Joe geïnteresseerd was. Ze wilde Millie. Ik denk dat ze Millie in september meenam van het feest naar de galerij in de kerk, en het was puur geluk dat Harry en de jongens op tijd kwamen.' Ze draaide zich om naar Harry. 'Je weet toch nog wel dat ze daar was? Toen jij en de kinderen de kerk uit kwamen, wachtte ze op jullie.'
Harry knikte. 'Ze heeft Millie naar huis gedragen. We waren toen in alle staten. Denk je dat ze daar rondhing om te zien hoe...?'
'Ik denk dat ze hoorde dat er iemand aan kwam en dat ze gevlucht is,' zei Evi. 'Maar ze ging niet zo ver. Er was nog altijd een kans dat het zou lukken, dat je Millie niet op tijd kon bereiken. Daarna heeft ze het in november weer geprobeerd volgens mij, toen Tom en Joe haar tegenhielden. En sindsdien heeft ze haar tijd afgewacht. Tot gisteren.'

'Wat is er gisteren gebeurd?' vroeg Alice.
Evi kon voelen dat Harry naar haar keek. 'Gillian is erg verliefd op Harry,' zei ze. 'En gisteren...'
'Zag ze dat ik Evi kuste,' onderbrak Harry haar.
Alice keek naar haar echtgenoot en toen weer naar Evi. 'Maar wat heeft dat te maken met...' begon ze.
'Harry en ik hebben geen kinderen,' zei Evi, en ze moest zich dwingen om Alice aan te kijken. 'Maar Gillian weet dat we dol zijn op die van jullie. Het spijt me heel erg maar ik denk dat ze Joe ontvoerd heeft om ons te straffen.'
'Ik heb eerder vandaag woorden met haar gehad,' zei Harry. 'Ik was echt niet in de stemming om geduldig te zijn, ben ik bang. Ze nam het niet goed op. O, shit.' Hij sloeg zijn handen voor zijn gezicht.
'Als dokter Oliver gelijk heeft, heeft Gillian Joe hier mijlenver vandaan gebracht, zodat we geen verband zouden zien met wat er met de meisjes is gebeurd,' zei Brian Rushton. 'Joe kent Gillian. Als zij hem heeft verteld dat ze is gestuurd door zijn moeder, dan is de kans groot dat hij haar geloofde.' Hij keek weer op zijn horloge. 'Waar blijft Jove?' mompelde hij. Op dat moment begon zijn telefoon te rinkelen. Hij verontschuldigde zich en verliet de keuken.
Het werd stil in de keuken omdat iedereen probeerde een deel van Rushtons gesprek op te vangen. Ze hoefden niet lang te wachten. Binnen drie minuten hoorden ze zijn voetstappen terugkomen door de hal. De deur ging open. Zijn grauwe huid leek nog bleker geworden.
'Niet zulk goed nieuws,' zei hij, zonder de keuken binnen te komen. 'Volgens Jove en zijn mannen zag de flat van Gillian eruit alsof er een misdaad was gepleegd. Overal bloed. Het blijkt dat ze vanavond geprobeerd heeft een einde aan haar leven te maken.'
Evi stond half op. Ze had de kracht niet om verder te komen en zonk weer op haar stoel. Naast haar was Harry heel stil geworden.
Rushton schudde zijn hoofd, alsof hij wakker probeerde te worden. 'Haar moeder heeft haar gevonden en een ambulance gebeld,' zei hij. 'Ze ligt in het Burnley General. Beide polsen doorgesneden. Ziet er niet goed uit, zeggen ze.'
Evi had een hand voor haar mond geslagen. 'O, mijn god,' fluisterde ze.
'Zal ze het overleven?' vroeg Alice. 'Als ze dood gaat...'
'Rustig maar,' zei Rushton. 'Ik ga er nu naartoe. Ze hebben nog niet met haar kunnen praten, maar ik zal zien of ik wat druk kan uitoefenen op de dienstdoende arts. En Jove heeft niet stilgezeten. Hij praat nu met haar moeder over connecties die zij en Gillian hebben in Blackburn: oude vrienden, familie, plekken waar ze gewoond hebben.'
'Ik moet met u mee,' zei Evi, opnieuw omhoog komend.

'Evi... ik geloof niet...' begon Harry.
'Ik ben haar arts.'
'Ik wil niet onbeleefd zijn, dokter Oliver, maar ik betwijfel of u boven aan de lijst staat van mensen die ze nu zou willen zien,' zei Rushton terwijl hij zijn jas dichtritste. 'Ik denk dat we beter de dominee kunnen bellen als we een beetje overredingskracht nodig hebben. Excuseer me nu, mensen.'
Rushton ging weg. Hij had het mis. Gillian was haar verantwoordelijkheid, zij moest naar het ziekenhuis. Evi stond op en liep de keuken door toen de voordeur achter hem dichtsloeg. Ze was halverwege de hal toen Harry haar te pakken kreeg.
'Jij gaat nergens naartoe,' zei hij.
Ze worstelde om los te komen. 'Dit is allemaal mijn schuld,' zei ze zacht, omdat ze de kinderen niet wakker wilde maken, en niet wilde dat Alice en Gareth zouden horen wat voor een puinhoop ze ervan gemaakt had. 'Ik ben verantwoordelijk voor haar welzijn en ik heb haar verraden.'
'Helemaal niet.' Het scheen dat Harry niet in staat was zachtjes te praten. 'Sinds we elkaar hebben ontmoet, heb je je uiterste best gedaan om te doen wat goed was. Ik ben degene die je niet met rust wilde laten, en als iemand schuld heeft dan ben ik het. Ik ga naar het ziekenhuis.'
'Geen van jullie gaat ergens naartoe.' Toen Harry zich omdraaide kon Evi Gareth in de deuropening naar de keuken zien staan. 'En ik heb nu wel genoeg egocentrisch geklets gehoord voor vanavond,' ging hij verder. 'Nou, kom weer naar binnen allebei en help ons bedenken waar ze Joe naartoe kan hebben gebracht.'

Tom stond in de donkere zitkamer te luisteren naar de geluiden uit de hal. Hij hoopte dat iemand de deur zou opendoen en hem en Ebba zou zien, maar hij was niet in staat om te roepen. Toen sloeg de voordeur dicht. Hij kon Harry en Evi horen ruziën in de hal en zijn vader die iets zei. Daarna gingen alle volwassenen terug naar de keuken.
'Ik moet mijn vader halen,' zei Tom.
Het meisje trilde over haar hele lichaam. Ze schudde haar hoofd en keek naar de deur, toen weer naar hem, toen naar het raam. Ze deed een stap ernaartoe.
'Hij zal je geen pijn doen,' zei Tom, hoewel hij met de beste wil van de wereld niet kon zeggen wat zijn vader zou doen met iemand die Joe pijn had gedaan.
Ze deed nog een stap naar het raam. Ze ging weg, ze zouden haar nooit kunnen pakken, een heleboel agenten hadden de hele dag gezocht in het dorp en ze hadden haar niet gevonden. Ze zou gaan en zijn laatste kans om Joe te vinden zou verkeken zijn.
Werd hij minder bang omdat hij zag hoe bang zij was? Want ook al was dit een van de raarste ervaringen van zijn leven – en hij had er de laatste tijd di-

verse meegemaakt – hij merkte dat hij niet zo bang was als hij eigenlijk had verwacht. Nog wel behoorlijk bang, zeker, maar niet... Joe was nooit bang geweest voor Ebba.
'Wacht,' hoorde Tom zichzelf zeggen. 'Ik zal het hem niet vertellen.' Waar had hij het over? Dat was toch het plan geweest? Haar vasthouden en zijn vader roepen?
Maar Millie was ook niet bang geweest. Toen Millie Joe's tekening van Ebba had gezien, was haar gezichtje gaan stralen, alsof ze naar een portret van een oude vriendin keek.
'Tommy, kom,' zei Ebba met uitgestoken hand. Ze was op weg naar het raam, in een seconde zou ze weg zijn.
Hij knikte. Was hij gek? 'Oké,' zei hij.

Alice, Evi en Harry zaten weer aan de keukentafel. Alleen Gareth bleef staan. Hij keek naar Evi. 'Waar denk jij dat ze hem mee naartoe heeft genomen?' vroeg hij.
Evi schudde haar hoofd. 'Forensisch onderzoek is niet mijn specialiteit,' zei ze. 'Ik ben in mijn werk nooit bij een misdaad betrokken geweest.'
'Nee, maar je lijkt Gillian beter te kennen dan wie ook. Zou ze hem hier hebben opgesloten of ergens anders?'
Evi dacht even na. 'We mogen het dorp niet uitsluiten,' zei ze uiteindelijk. 'Hier voelt ze zich thuis. Als ze van plan is hem mee te nemen naar de kerk als alles weer wat rustiger is geworden, dan wil ze hem op een plek hebben waar ze snel kan komen. Als ze hem in leven wil houden zal ze hem te eten moeten geven. En ze kent de hei beter dan wie ook. Ik kan je niet vertellen hoe vaak ze daar tegen mij over opgeschept heeft. "Ik ken de allerbeste verstopplekken," zegt ze.'
'Dat denk ik ook,' zei Gareth. 'Ze is hier de hele dag geweest. Ik heb haar tientallen keren gezien. En ze heeft geen auto. Ze kan niet snel het dorp in en uit wippen.'
'Wat als ze niet wil vertellen waar hij is?' zei Alice. 'Als ze weigert vinden we hem misschien nooit. Als hij buiten is houdt hij het niet lang vol in dit weer. We moeten de politie weer terug laten komen. We moeten blijven zoeken.'
'Maar het wemelde op de hei van de honden,' zei Harry. 'Ze hebben thermische apparatuur gebruikt. Hij kan niet op de hei zijn.'
'Gillian voelt zich thuis op de hei,' zei Evi. 'Het is de meest waarschijnlijke plek voor haar om hem te verbergen.'
'Als hij er nog is,' zei Harry, 'dan zit hij op een plek waar de honden en de warmtezoekers hem niet konden vinden.'
Stilte.
'Wat bedoel je?' vroeg Alice, na een paar seconden.

'Ergens buiten hun bereik,' zei Harry. 'Van de honden en de apparatuur.'
'Water?' zei Gareth. 'Het Tonsworth reservoir, dat is minder dan drie kilometer hier vandaan. Er zijn gebouwen bij, voor de pompinstallatie.'
'Daar hebben we gezocht,' zei Harry. 'Het nutsbedrijf heeft ze voor ons open gemaakt. De honden zijn binnen geweest.'
'Ergens in de lucht?' suggereerde Evi. 'Ik weet het niet – in een boom, een boomhut. Dan zouden de honden hem niet kunnen vinden.'
'Maar de helikopter wel. Een grote warmtebron als een kind, zelfs het lichaam van een kind – sorry, Alice – zou door de apparatuur zijn opgepikt.'
'En onder de grond?' vroeg Alice. 'Zijn er mijnen op de heide? Of grotten? Je weet wel, zoals in Derbyshire, waar ze de Blue John mijnen hebben?'
'Ik geloof het niet,' zei Gareth. 'Harry en ik keken gisteren op stroomgebiedkaarten, ik weet zeker dat ze... O, jezus.'
'Wat?' vroeg Evi. De twee mannen staarden elkaar aan. Toen rende Gareth de keuken uit.
'Wat is er?' zei Alice.'Waar denk je aan?'
'Geef hem een moment,' zei Harry.
Ze wachtten en hoorden het geluid van Gareth die in de andere kamer tussen papieren stond te zoeken. Toen was hij terug. Hij leunde over de tafel en spreidde een grote zwart-witte kaart uit. Zijn hand bleef er even aarzelend boven hangen.
'Daar,' zei hij, wijzend met zijn vinger. De twee vrouwen leunden voorover. Harry bleef waar hij was. 'De boorput.'
'Wat is een boorput?' vroeg Alice.
'Een diep gat in de grond,' zei Gareth. 'Helemaal tot aan de grondwaterspiegel.'
'Je bedoelt een bron?'
Haar man knikte. 'Daar worden boorputten meestal voor gegraven.'
'Wacht even, man,' zei Harry. 'Ik kan niet geloven dat daar niet gezocht is. Het is minder dan een halve kilometer buiten het dorp.'
'Maar waar is het precies?' zei Alice. 'Is het dat kleine stenen gebouwtje vlak onder de Morrell Tor? Dat de kinderen het huisje van Roodkapje noemen? Maar daar hebben we Gillian gezien.'
'Ik heb haar daar ook gezien,' gaf Harry toe. 'En als ze al die jaren al kind aan huis is bij de Renshaws, heeft ze ruim de tijd gehad om de sleutel te stelen. Maar er móét gezocht zijn.'
'Er kan geen boorput in dat huisje zijn,' zei Alice. 'Sinclair vertelde me dat Jenny en Christiana er speelden toen ze kinderen waren.'
'Boorputten en oude bronnen worden doorgaans afgedekt,' zei Gareth. 'Het is verdomd gevaarlijk om dat niet te doen. Maar ze heeft misschien een manier gevonden om hem open te krijgen.'

‘Ik weet zeker dat er gezocht is,’ zei Harry.
‘Wat is het bereik van de snuffelhonden?’ vroeg Evi. ‘Hoe diep zou een kind in een put moeten zitten om buiten bereik te zijn?’
Niemand antwoordde. Niemand wist het. En oordelend naar de blik op hun gezichten hadden ze allemaal hetzelfde beeld in hun hoofd.
‘Als hij ver genoeg onder de grond zit kon de thermische apparatuur hem misschien niet opvangen,’ ging ze verder.
‘Ik moet ernaartoe,’ zei Gareth al op weg naar de deur.
‘Ik ga ook mee.’ Alice volgde hem op zijn hielen.
Harry sprong overeind en hield haar tegen. ‘Jij moet bij Tom en Millie blijven,’ zei hij. ‘Ik ga mee. Ik heb een touw in mijn auto. En een tuigje. We kunnen het grootste deel van de weg rijden als we Gareths vrachtwagen nemen.’
Hij zweeg met een frons op zijn voorhoofd. ‘De deur zal op slot zitten!’ riep hij naar Gareth. ‘We hebben gereedschap nodig.’
Ze hoorden Gareth de hal doorlopen en de voordeur open trekken. Harry keerde zich naar Evi. ‘Heb je het nummer van Rushton?’ vroeg hij.
Ze knikte.
‘Bel hem. Vertel waar we heen zijn en vraag of hij iemand kan sturen. Accepteer geen nee. We hebben ook een reddingsteam van de brandweer nodig.’ Hij draaide zich om, pakte zijn jas van een stoel en trok hem aan. Een paar seconden later hadden hij en Gareth het huis verlaten.

84

Tom had zijn gympen bij de voordeur gevonden, en een gele trui met capuchon achter een van de banken in de zitkamer. Maar binnen een paar seconden nadat hij uit het raam was geklommen, bevroor hij al bijna. De stenen vensterbank was ijskoud door zijn pyjama. Sneeuwvlokken landden op zijn hoofd en gezicht. Hij trok het raam bijna helemaal achter zich dicht.
Ebba pakte zijn hand en trok hem snel mee door de donkere tuin. Ze kwamen bij het gat in de muur en ze kroop er als eerste door. Hij volgde haar en ze stonden op de begraafplaats.

Harry sprong in de vrachtwagen, het klimtouw op zijn knieën. Voor hij het portier dicht had reed de vrachtwagen al. De banden lieten verse sporen in de sneeuw achter. Gareth reed de oprit af en stond op het punt de heuvel af te rijden richting Wite Lane.
'Ga verder omhoog,' zei Harry. 'Heuvelopwaarts, het dorp uit.'
Gareth keek nog steeds heuvelafwaarts. 'Alice en de kinderen gaan altijd via Wite Lane naar de hei,' zei hij.
'Ja, maar dat is heel steil. Ik weet niet hoe ver je dan kunt komen met de vrachtwagen.'
Gareth haalde diep adem. 'Wat stel jij dan voor?' vroeg hij.
'Bijna een kilometer buiten het dorp is aan de rechterkant een hek,' zei Harry. 'Ik geloof dat Mike Pickup het gebruikt om voer naar zijn dieren te brengen. We kunnen erdoor rijden en het gebouwtje van boven naderen. De grond is tamelijk hard, we kunnen vermoedelijk het grootste deel van de weg wel rijden.'
Gareth drukte zijn voet op het gaspedaal en de auto reed de heuvel op. Ze meerderden snelheid en de sneeuwvlokken die voor hen rond dwarrelden werden groter toen ze het dorp achter zich lieten.
'Langzamer,' zei Harry. 'Langzamer. Daar is het.'
De vrachtwagen stopte en Harry sprong eruit. Hij rende voor de wagen langs terwijl Gareth achteruit reed. Even later beschenen de koplampen het metalen hek.
Harry duwde het open en Gareth reed erdoor. Het gebouwtje lag minder dan een kilometer verderop.

Een vlaag van pure vermoeidheid overviel Evi toen de achterlichten op de hei verdwenen. Ze wilde niets liever dan gaan liggen, de ogen sluiten en het verder aan anderen overlaten. 'Goed,' zei ze. 'Ik heb de telefoon nodig.'
'Die staat recht achter je,' zei Alice. 'Ik ga even bij Tom en Millie kijken.'
Alice liep de trap op en Evi draaide zich om naar de telefoon. Hij was er niet. Terwijl Evi de hal in liep kwam Alice uit Millies kamer en stak de overloop over. Evi hief haar hand om haar aandacht te trekken maar Alice keek niet naar beneden.
En toen kwam er een gesmoorde kreet van boven. Evi bleef staan. Haar hart bonkte, maar haar hersenen weigerden de mogelijkheid te accepteren dat er weer iets was gebeurd. Iets wat helemaal niet goed was, te oordelen naar het gezicht van de vrouw boven aan de trap.

Tom en Ebba zochten hun weg over de witte begraafplaats. *Tommy, kom alsjeblieft.* Tom wist dat hij de rest van zijn leven de stem van zijn broer in zijn hoofd zou horen als hij hem nu negeerde.
Ze passeerden Lucy Pickups nieuwe graf en leken op weg te zijn naar de kerk, wat geen zin had, omdat de kerk al uitgebreid was doorzocht met honden en zo, en zelfs als dat niet zo was geweest, nu konden ze er toch niet in. Tom had de volwassenen eerder horen praten. De voordeur en de deur naar het dak waren op slot en vergrendeld, en de sleutels van de deur naar de consistoriekamer waren nu bij Harry en de politie. En een politieagent sliep in de consistoriekamer, voor het geval dat.
Of de sneeuw dempte elk geluid of het was later dan Tom had gedacht, want het was bijna helemaal stil. Hij dacht dat hij een motor hoorde starten en dat dezelfde auto snel de hei opreed, maar toen was het weer stil. Ze waren bij het familiegraf waar alle dode Renshaws werden begraven, behalve Lucy omdat Jenny, Lucy's moeder, het haatte. De politie had het vandaag doorzocht; ze hadden alle stenen grafkisten opengemaakt om zeker te weten dat Joe niet in een ervan verstopt zat. Ze hadden het doorzocht en weer afgesloten en Sinclair Renshaw had een enorm hangslot op het hek gehangen, dus waarom had Ebba daar een sleutel van? Ze gingen toch niet naar binnen? Hij kon 's nachts niet een graftombe binnengaan, zelfs niet voor...
Tommy, kom alsjeblieft.
Ebba had eerst het hangslot opengemaakt en toen het ijzeren hek. Het zwaaide open en ze ging naar binnen alsof ze regelmatig oude graftombes binnenging. Tom stond bij de ingang en deed voorzichtig een stapje naar voren. Ze waren alleen maar in de kleine, omheinde binnenplaats, Ebba kon toch niet het gebouw zelf...
Ebba maakte de deur naar de grote stenen doos open. Ze wenkte hem. Haar gezicht vertrokken van ongeduld. Ze meende het, ze nam hem echt mee naar

binnen. Maar de kerk was de hele dag vol mensen geweest. Joe kon niet in de kerk zijn. Dit was een soort val.
Tommy, kom alsjeblieft.
Hou vol Joe. Ik kom.

De vrachtwagen zat muurvast. Gareth probeerde al vijf minuten achterwaarts uit de kleine beek te komen waar zijn voorwiel in was gezakt en de twee mannen hadden geen tijd meer te verliezen. Harry had zijn klimtouw om zijn nek en een zaklantaarn in zijn hand. Gareth had een kist vol gereedschap in zijn ene hand en een sloophamer in de andere. De twee mannen liepen met grote passen door de sneeuw.
Tijd om te doden. Had Ebba geweten wat Gillian van plan was, van de moorden op de drie kleine meisjes, van Gillians belangstelling voor Millie? Had ze geprobeerd hen te waarschuwen?
'Sorry, man,' hijgde Harry toen ze bij het eerste van de vervallen gebouwen waren. 'We hadden het via jouw route moeten proberen.'
Gareth draaide zich niet om. 'Zou geen verschil hebben gemaakt,' zei hij. 'Rijden over de hei is al bijna onmogelijk op een goede dag. De sneeuw bedekt alles.'
De twee mannen haastten zich tussen de vervallen gebouwen van de molen door.
Als Ebba had geprobeerd hen te waarschuwen, was het kwellen van Gillian dan een soort straf geweest? *Mammie, zoek me.* Waarom zou Ebba dat zeggen?
Gareth wees naar links, waar ze net een klein gebouwtje konden zien. 'Is dat het?' vroeg hij.
'Dat is het,' zei Harry. 'Wees voorzichtig. Er liggen hier een heleboel losse stenen.'
Gareth ging het laatste stukje langzamer lopen. Er lag al sneeuw op het dak, waardoor het er nog meer uitzag als een huisje uit een sprookje.
Was Gillian het huis van de Fletchers binnengedrongen op de avond van het grote vuur? Had zij geprobeerd Millie te ontvoeren? De insluiper had rubberlaarzen gedragen. Had hij ooit gezien dat Gillian van die dingen droeg?
Ze kwamen bij de deur en Harry nam even de tijd om op adem te komen. Ze konden niet zomaar binnenstormen. Als er in deze hut een boorput was zou het ongelooflijk gevaarlijk zijn om hier 's nachts te zijn. Hij vroeg zich af hoe lang het zou duren voor de politie er was. Ze zouden moeten lopen. Hij keek hoopvol naar beneden. Er waren nog geen lichten te zien die hun kant uit kwamen.
Hij legde zijn hand tegen de deur. Zoals te verwachten was hij op slot.
'Achteruit,' beval Gareth.

Harry deed wat hem was gezegd. Gareth hief de enorme sloophamer boven zijn hoofd en zwaaide hem naar voren.

Sneller dan ze in jaren had bewogen, wist Evi halverwege de trap te komen. Ze greep de leuning en hield hem stevig vast. Als Alice nu viel, zouden ze vermoedelijk allebei onder aan de trap belanden. Ze zag hoe de andere vrouw wankelde en toen een hand uitstak om steun te zoeken tegen de muur.
'Alice, kalmeer,' riep ze. 'Haal diep adem. Ga zitten. Buig je hoofd naar beneden.'
Alice zakte in elkaar op de vloer en staarde recht voor zich uit terwijl Evi de laatste treden op strompelde. 'Wat is er?' hijgde ze, terwijl ze zich naast Alice liet zakken. Christus, ze had niet geweten dat het mogelijk was om zoveel pijn te hebben. Ze kon elk moment flauwvallen.
Alice probeerde alweer op te staan. 'Ik moet gaan,' zei ze. 'Ik moet naar Gareth, naar buiten, ik moet...'
'Alice!' Evi pakte de arm van de andere vrouw vast.
'Tom is weg,' ging Alice verder. 'Tom is nu ook weg. Ik raak ze allemaal kwijt, een voor een, ze pakt ze allemaal van me af.'
'Alice, kijk me aan.'
Alice probeerde oogcontact te maken met Evi maar slaagde daar niet in. Ze deed haar best om overeind te komen.
'Tom kan niet weg zijn,' zei Evi. 'We zijn hier de hele tijd geweest, de deuren waren op slot. Heb je in de badkamer gekeken?'
Alice keek of ze geen idee had wat een badkamer was. Ze was in shock. De stress van de laatste vierentwintig uur was te veel geworden en Toms onverwachte bezoek aan de badkamer had haar over de rand geduwd.
'Tom!' riep Evi. 'Tom!' riep ze weer, een beetje harder, toen er geen antwoord kwam. Met groeiende ongerustheid worstelde Evi zich overeind. Haar stok lag onder aan de trap en de pijn was veel erger dan ze ooit had meegemaakt.
Alice rende de trap af. Ze rukte de voordeur open. 'Bel Gareth, alsjeblieft,' smeekte ze, terwijl ze zich naar Evi omdraaide. 'Vertel hem dat hij terug moet komen. Ik ga buiten kijken.'
De voordeur zwaaide wijd open toen Alice verdween. Sneeuwvlokken dwarrelden naar binnen en smolten direct op de leistenen vloer.
Gareth bellen? Evi had de politie nog niet eens gebeld. Ze had de telefoon nog niet eens gevonden. Steun zoekend tegen de muur liep ze naar de dichtstbijzijnde kamer. Het was die van Millie. De peuter sliep verder, onbewust van het drama dat zich om haar heen afspeelde. Evi draaide zich om. Tom was in huis, dat moest wel.
'Tom!' riep ze en ze besloot toen dat ze dat niet weer ging proberen. Het was te zenuwslopend om een kind te roepen en geen antwoord te krijgen.

'Tom!' Dat was Alice die buiten liep te roepen.
Tom kon niet naar buiten zijn gegaan, de deuren waren op slot geweest.
Ze liep naar Joe's kamer om te kijken of Tom misschien in zijn broers bed sliep om troost te zoeken. Ze duwde de deur open en stond hijgend in de deuropening. De kamer was leeg.
Zich afsluitend voor de pijn liep Evi naar Toms kamer en duwde op het lichtknopje. 'Tom!' hoorde ze van buiten. Alice was nu achter het huis, in de tuin. Evi liep de kamer door en moest zich vastklemmen aan de vensterbank om weer op adem te komen. Ze kon Alice door de tuin zien rennen. Goed, ze moest in de badkamer kijken en in Gareth en Alice' kamer. Verdorie, als Alice niet over haar toeren was geraakt dan had ze binnen een paar seconden de bovenverdieping kunnen doorzoeken. Het kostte Evi kostbare minuten terwijl ze de politie moest bellen.
'Tom!' riep ze, beseffend dat ze huilde. 'Tom, alsjeblieft. Dit is echt niet leuk.'
Tom antwoordde niet, en ze liep verder over de overloop.

Tom rende hard, doodsbang dat hij Ebba uit het oog zou verliezen en alleen achter zou blijven in de griezelige duisternis. Hij had geen idee hoe groot de ondergrondse kamer was waar hij doorheen racete, hij kon geen muren zien. Niet dat hij keek, zijn ogen waren gefixeerd op het meisje voor hem.
Elke keer als Tom in de verleiding kwam om om te keren, dwong hij zichzelf aan zijn broer Joe te denken, van wie hij soms had gedacht dat hij naar de aarde was gestuurd om zijn leven te verzieken, die een ontzettende lastpak was geweest vanaf de dag dat hij was geboren, die altijd zijn zin kreeg en die hij in gedachten minstens één keer per week had vermoord. Joe, zonder wie hij de rest van zijn leven niet kon leven.
Een muur dook voor hen op en Ebba schoot onder een boog door. Tom ook, voor hij zich af kon vragen of dit eigenlijk wel een goed idee was. Dit was helemaal geen goed idee, het was waarschijnlijk het slechtste idee dat hij ooit in zijn leven had gehad, maar dat vreemde wezen voor hem had de schoen van zijn broer.
Ze stond nu op een omgekeerde krat en strekte zich uit naar iets in het plafond. Toen zag Tom dat er licht doorheen scheen. Een minuut later stonden hij en Ebba in de kerk. Er was geen spoor van de agent, de deur naar de consistoriekamer zat stevig dicht. Ebba was weer opgestaan en rende het middenpad door naar de achterkant van de kerk.

Tom was niet in huis. Alice had gelijk gehad en Evi had kostbare tijd verloren. Ze had zelfs geen telefoon gezien. En ze had ook al minutenlang niets meer van Alice gehoord. Ze moest naar beneden en de politie bellen. Ze

konden hier binnen een paar minuten zijn. Ze zou haar mobieltje gebruiken, dat lag buiten, in haar auto.
Toen ze vlak bij de voordeur was sloeg hij tot haar schrik dicht. Ze haalde even diep adem. Er waaide nog steeds een koude wind door het huis. Toen werd de deur van de zitkamer dichtgeblazen.
Ze liep de hal door en opende hem weer. Het raam aan de andere kant van de kamer stond open. Zo snel als ze kon liep Evi de kamer door en leunde naar buiten. Alice was nergens meer te zien in de tuin.
'Tom!' riep Evi.
Tom antwoordde niet, en dat had Evi ook niet verwacht. Tom was weg. Een duidelijk spoor van voetstappen dat door de tuin naar de muur om de begraafplaats liep, veel te klein om van een volwassene te kunnen zijn, was daarvan het onomstotelijke bewijs.
Evi leunde nog verder naar buiten en keek naar de grond dichterbij. Een tweede stel afdrukken was zichtbaar in de sneeuw, vlak naast die van de jongen. Hoewel ze wist dat het vreselijk pijn zou doen ging Evi op de vensterbank zitten, zwaaide haar benen omhoog en draaide zich om zodat ze zich in de tuin kon laten zakken.
De sneeuw begon de sporen al te bedekken, binnen een uur zouden ze waarschijnlijk nauwelijks meer te zien zijn. Maar nu waren ze nog duidelijk genoeg. Nog niet zo lang geleden was iemand vanaf de muur de tuin door gelopen en daarna omgedraaid en weer teruggelopen, deze keer met Tom. Toms voetstappen waren en scherp en regelmatig. Ze zagen er niet uit alsof Tom was meegesleurd of was gedwongen. Evi tuurde naar de andere afdrukken. Ze hadden het formaat van een volwassene, hoewel niet heel groot, en ze waren heel anders dan het geribbelde patroon van de zolen van Toms gympen. Evi zag de omtrek van een heel grote teen, de ronding van een hiel. Dit waren afdrukken van iemand die geen schoenen droeg.
Tom was met Ebba meegegaan.

De deur gaf mee bij de vierde klap en Harry greep Gareth bij zijn schouder om te voorkomen dat hij binnen zou stormen. 'Boorput,' zei hij.
Harry drong zich naar voren en liet zijn zaklantaarn door het kleine gebouwtje schijnen. Er was maar één ruimte, van ongeveer vier bij drie meter. Toen hij opkeek zag hij dat hij de balken aan het plafond bijna kon raken. In de middelste balk was een grote metalen ring geschroefd. De vloer onder hun voeten was van grenenhout.
Gareth liep naar binnen en stampte met de hak van zijn laars op de planken.
'Dat klinkt vrij massief,' zei Harry.
Gareth schudde zijn hoofd. 'Dit klinkt anders,' zei hij.
Harry luisterde terwijl Gareth van de ene plek naar de andere liep en zijn

voet steeds hard liet neerkomen. Het verschil was minimaal.
Harry liep langzaam heen en weer terwijl hij zijn lantaarn naar beneden liet schijnen, op zoek naar afwijkingen in de planken die aangaven dat de vloer kon worden opgetild. Er was niets te zien. Behalve, zo'n halve meter van de deur, een klein rond gaatje in een van de planken. Hij boog zich voorover.
'Wat is dat?' vroeg Gareth.
Harry cirkelde met zijn pink om het gaatje. 'Schroefgat,' zei hij na een moment. 'Ik kan de schroefdraad voelen. Er hoort hier iets ingeschroefd te zitten.' Hij keek op en scheen met de zaklantaarn om zich heen, alsof datgene wat in het gaatje geschroefd hoorde te worden zomaar voorhanden zou zijn. 'Zoiets als dat,' zei hij, en hij richtte de zaklantaarn op de ring in de plafondbalk.
Gareth keek op en liep toen verder naar achteren. 'Zoals dit,' zei hij, wijzend op een vergelijkbare ring die was bevestigd in de achtermuur. Onder de ring in de muur lag een gedraaid stuk metaal. 'Dit is een hijsmechanisme. Geef me dat touw eens.'
Harry gooide hem het touw toe en zag hoe Gareth het touw eerst door de ring in de muur en vervolgens door de ring aan het plafond haalde. Toen liep hij ermee naar de plek waar Harry op zijn knieën lag.
'Deze ring is weg,' zei Harry.
'Natuurlijk,' zei Gareth. 'Met die ring zou het veel te gemakkelijk zijn om in de boorput te komen. Hij is waarschijnlijk uit veiligheidsoverwegingen weggehaald. Of Gillian heeft het gedaan.' Hij liet zich plat op de vloer vallen. 'Joe!' schreeuwde hij. 'Joe!'
Harry voelde een rilling door zich heen gaan. Gareth kwam weer overeind en haalde een beitel en een hamer uit zijn gereedschapskist. Hij duwde het scherpe eind in de naad tussen twee planken en liet de hamer hard neerkomen. Het hout versplinterde. Gareth bleef maar doorgaan. Toen stopte hij, pakte een andere beitel en hamer en gooide ze Harry toe. 'Andere kant,' beval hij.
Harry vond de kleine, smalle opening en ging ook aan het werk. Het hout was oud en versplinterde vrij snel. Toen hij een paar centimeter diep in het hout was gekomen slipte de beitel bijna uit zijn hand.
'Ik ben erdoor,' zei hij. 'Het is hol hieronder.' Gareth was al bezig het eind van het touw door het gat te halen dat hij had gemaakt en duwde het in Harry's richting. Harry stak zijn vingers in het gat en wriemelde tot hij het touw vond. Toen trok hij het omhoog.
Gareth pakte het aan, bond het vast, sprong op en liep snel naar de andere kant van de ruimte. Hij keek Harry aan. 'Achteruit,' zei hij. 'Tegen de muur.'

Trillend bij elke stap was het Evi gelukt weer in huis te komen, en ze was vastbesloten om haar mobiele telefoon uit haar auto te halen. Toen ze de voordeur opendeed moest ze zich vastgrijpen aan het kozijn, want ze kon elk moment in elkaar zakken. Een donkere vorm verscheen om de hoek van het huis.
'Alice?' riep Evi, onzeker. Te lang om Alice te kunnen zijn.
'Ik ben het.' Een vrouwenstem. De figuur stapte in het licht. Jenny Pickup, Alice' vriendin. Ze was hier eerder geweest om te helpen met de kinderen. Godzijdank.
'Jenny, Tom is ook weg.' Evi merkte dat ze ontzettend buiten adem was en dat elk woord haar moeite kostte. 'We moeten hulp halen,' wist ze uit te brengen. 'Hij is met dat meisje meegegaan waar hij het steeds over had, met die hormonale afwijking. Het meisje dat steeds om het huis zwerft.'
Jenny fronste heel even haar wenkbrauwen en keek over haar schouder. Toen liep ze naar voren. 'Evi, je ziet er vreselijk uit,' zei ze. 'Kom mee naar binnen. Laat me iets voor je pakken.'
'We moeten de politie bellen. Tom is weg. Ik heb geen idee waar Alice is.'
Jenny legde een hand op de deur en de andere op Evi's arm. 'Rustig aan,' zei ze. 'Kom eerst maar even op adem. De politie is onderweg.'
'Ja?'
'Ja, beslist,' antwoordde Jenny. 'Ik heb Brian zelf gebeld. Hij zei tien minuten. Alice heeft me gevraagd om even bij Millie te gaan kijken. En jij moet echt gaan zitten.'
'Heb je Alice gezien?' vroeg Evi, achteruitlopend omdat de andere vrouw zo dichtbij was dat ze onmogelijk anders kon. 'Luister, Tom is weg, we moeten mensen vragen om te gaan zoeken.'
'Evi, kalmeer, dat doen ze al. Luister naar me.'
Evi dwong zichzelf in Jenny's kalme hazelnootkleurige ogen te kijken. Iets van de zelfbeheersing van de andere vrouw leek tot haar door te dringen. Evi had het gevoel dat ze haar ademhaling weer een beetje onder controle kreeg.
'We kwamen Alice net tegen op straat,' zei Jenny. Ze sprak langzaam, alsof zij de psychiater was en Evi de hysterische patiënt. 'Ik, pap, Mike en een van Mikes mannen. Ze zijn allemaal meegegaan om haar te helpen zoeken. Tom kan niet ver zijn gekomen.' Ze zweeg en haalde een hand door haar lange, blonde haar. Het hing los, vol met sneeuwvlokken. 'Vooral niet als hij met Heather is meegegaan,' ging ze verder. 'Ze heeft de kracht niet om ver te komen. En de politie kan hier elk moment arriveren.'
Godzijdank. Wat moest ze nu doen? Gaan kijken bij Millie. Evi draaide zich om naar de trap, zette twee stappen en greep de leuning. Achter haar duwde Jenny de voordeur dicht.
'Heather?' herhaalde Evi. Ze draaide zich weer om naar Jenny toen de woor-

den eindelijk tot haar doordrongen. Heather, door een tweejarig kind uitgesproken als Ebba. 'Het meisje dat Tom heeft meegenomen,' ging ze verder. 'Heet ze Heather? Je weet wie ze is?'

Harry drukte zich tegen de deur van het gebouwtje en zag dat Gareth aan het touw begon te trekken. Eerst gebeurde er niks, toen begon het stuk hout waar de mannen gaten in hadden geslagen te trillen. Gareth trok nog een keer heel hard en de hele vloer, behalve een rand van dertig centimeter rondom, begon omhoog te komen. Het was een enorm, vierkant luik, met een scharnier bij de achtermuur. Zodra hij in beweging was gekomen ging het gemakkelijk en binnen een paar seconden had Gareth hem helemaal opgetild en viel hij met een doffe klap tegen de muur.

Harry stapte naar voren op de ruwe steen van de oorspronkelijke vloer. Uit zijn ooghoek zag hij dat Gareth het touw vastbond en omliep om naast hem te komen staan. Plotseling nerveus door de afgrond voor zijn voeten liet Harry zich op zijn knieën vallen en kroop naar voren.

Er steeg een geur op uit de grond die hem deed denken aan kerken die heel lang gesloten waren geweest. Hij had verwacht dat de boorput – als dit er inderdaad een was – rond zou zijn. Dit was slordig gegraven en zag er onaf uit. De stenen aan de randen waren ruw en hoekig. Hij kon vijftig, misschien zestig centimeter in het gat kijken. Daarna was het zo intens zwart dat hij bijna het gevoel had dat je erop kon staan. Inmiddels was Gareth naast hem geknield.

'Geef me de lantaarn eens aan,' zei Harry, terwijl hij naar het gat bleef kijken. Gareth verroerde zich niet.

'Hé, ik heb de lamp nodig,' zei Harry. 'En ik kan er niet bij.' Hij duwde de andere man tegen zijn arm en wees naar de zaklantaarn op de grond. Alsof hij slaapwandelde draaide Gareth zich om, stak een hand uit en gaf de zaklantaarn aan Harry.

Ondanks de kou waren Harry's handen vochtig van het zweet. Hij greep het handvat van de lamp en kroop naar voren tot hij over de rand kon leunen. De straal leek als een steen in de diepte te vallen. Harry zag bakstenen, losjes bij elkaar gehouden door verkruimelde specie, en hij kon net een slijmerig soort vegetatie zien die kon gedijen zonder licht. Hij dacht dat hij misschien zelfs water zag, heel ver onder hem. Maar het enige wat hij echt goed kon zien, was dat ding waar hij zijn ogen niet van af kon wenden: de roestige ketting, bijna een halve meter onder de rand in de muur bevestigd, die verder in de diepte verdween dan de straal van de zaklantaarn reikte.

Hij keek om en wist dat Gareth hem ook had gezien. Praten leek een belachelijke verspilling van tijd en energie. Harry liep om het gat tot hij plat op zijn buik kon gaan liggen en strekte toen een hand uit naar de ketting.

Jenny stond net binnen de voordeur. De straatverlichting scheen door het gekleurde raam van de hal en gaf haar haren een vreemde, paarse kleur. Maar haar gezicht was zo wit als de sneeuw buiten. 'Natuurlijk weet ik wie ze is,' zei ze bedroefd. 'We wonen al bijna tien jaar in hetzelfde huis. Het is mijn nichtje.'
Een moment dacht Evi dat ze het verkeerd had verstaan. 'Je nichtje?' herhaalde ze.
Jenny knikte en leek zich te vermannen. 'Christiana's dochter,' zei ze. 'Zullen we naar boven gaan? Alice heeft me nadrukkelijk gevraagd om even bij Millie te gaan kijken.'
Evi kon alleen maar staren. Zij en Harry hadden het gehad over afgelegen boerderijen, cottages ver weg hoog op de heide, terwijl het meisje al die tijd vlak onder hun neus had gewoond, hier in het centrum van het dorp.
'Ze heeft congenitale hypothyreoïdie, hè?' zei ze.
Jenny kwam een stap dichterbij. 'Een direct gevolg van de bodem hier,' zei ze. 'Het komt al eeuwen in onze familie voor. Als we gewoon eten zouden kopen bij de supermarkt zou het niet gebeuren.' Ze stond inmiddels voor Evi, onder aan de trap.
'Maar de aandoening kan nu behandeld worden,' zei Evi, terwijl ze opzij stapte zodat ze het pad van de andere vrouw blokkeerde. 'Het is voor de geboorte al te zien op de scans zodat de baby medicijnen kan krijgen. Het bestaat vrijwel niet meer.'
Jenny zuchtte. 'En toch hebben we een mooi voorbeeld in huis. Ik moet echt even bij Millie gaan kijken, nu. Mag ik er langs?'
'Hoe is het gebeurd?' vroeg Evi. Ze wist niet zeker waarom het belangrijk was om zo veel mogelijk te weten te komen over het meisje, maar wel dat dat zo was. 'Heeft Christiana de behandeling geweigerd?'
'Er is Christiana nooit een behandeling aangeboden,' zei Jenny. 'Ze heeft haar hele zwangerschap opgesloten gezeten in huis en is bevallen met een plaatselijke vroedvrouw die heel veel geld heeft gekregen om haar mond te houden. De geboorte is nooit aangegeven.' Haar ogen gleden naar boven, naar een plek op de overloop. Evi weerstond de verleiding zich om te draaien.
'Hoeveel mensen weten ervan?' vroeg Evi, die nauwelijks kon geloven dat niemand het bestaan van Heather had genoemd tegen de Fletchers, vooral niet nadat Tom het vreemde kleine meisje begon te zien.
'Heel weinig, denk ik,' antwoordde Jenny. 'Zelfs Mike heeft geen idee van haar bestaan, hoewel hij natuurlijk ook niet zo erg slim is.'
Op de een of andere manier had Evi een stap achteruit gedaan. Ze stond nu op de onderste tree en schudde haar hoofd. 'Hoe is dat mogelijk?' vroeg ze.
'O, Evi, je zou ervan staan te kijken wat je allemaal kunt doen als je de eigenaar van een heel dorp bent,' zei Jenny, terwijl ze een hand uitstak naar de

trapleuning. Ze legde hem vlak naast die van Evi. 'Ze mag het huis niet uit, natuurlijk. Christiana brengt het grootste deel van de dag met haar door, leest haar voor, speelt eenvoudige spelletjes met haar. Christy heeft een eindeloos geduld, maar als ze even pauze nodig heeft, kijkt Heather naar een kinderprogramma op de televisie.'
'Ze wordt de hele dag in huis gehouden?'
Jenny knikte. 'Niemand van het personeel komt ooit boven,' zei ze. 'Christiana houdt de bovenste verdiepingen op orde. Als iedereen naar huis is mag Heather in de tuin spelen,' ging ze verder. 'Om eerlijk te zijn denk ik dat er wel een paar mensen zijn die over haar weten. Toen ze ouder werd, lukte het haar steeds beter om 's nachts naar buiten te sluipen, soms zelfs overdag. Ze is tamelijk dol geworden op de kinderen van Alice en Gareth. Maar de mensen houden hun mond, ze willen mijn vader niet tegen zich in het harnas jagen.'
Evi voelde iets in haar borst samenknijpen, iets wat verder ging dan zorgen om de kinderen Fletcher. Een jong meisje was haar hele leven gevangen gehouden – een gevangene in een onnodig mismaakt lichaam en in haar eigen huis. 'Waarom?' vroeg ze. 'Waarom overtreedt jouw familie in hemelsnaam de wet op deze manier? Dat meisje had normaal geboren kunnen worden.'
Jenny knipperde twee keer met haar heldere bruine ogen. 'Jij bent psychiater, Evi,' zei ze. 'Waarom denk je?'

Ebba haalde de deur achteraan op de galerij van het slot en begon de korte wenteltrap op te klimmen. De wind blies door haar haren, die om haar hoofd wapperden als een vlag. Tom bleef staan. Het zou krankzinnig zijn om naar boven te gaan.
Tommy, kom alsjeblieft.
Voor hij tijd had om te bedenken wat hij moest doen, greep Ebba zijn hand en trok hem het dak op. Ze liet zich op handen en knieën vallen en hij deed hetzelfde. Onder hem knerpte de sneeuw en de wind drong onder zijn trui. Ebba kroop over de rand van het dak, door een soort met lood bedekte goot. Links van haar helde het dak geleidelijk omhoog, rechts was een stenen rand van tien centimeter die zeker niet hoog genoeg was om een barrière te vormen als ze uitgleed. Moest hij daar ook langs? Kennelijk wel want ze wachtte en keek naar hem om. O, shit.
Tom ging naar voren, zijn ogen strak op de goot gericht waar hij doorheen kroop. Dit was waanzin. Er was niets op het dak waar Joe zich kon verbergen. De andere drie klokkentorens waren leeg, dat kon je al vanaf de grond zien. Je kon de lucht er zo doorheen zien. Ze waren op weg naar de toren in de noordoostelijke hoek, de toren die altijd in de schaduw leek te staan omdat de zon er niet bij kon. Hij kon hem over Ebba's schouder zien, zo leeg als een

cadeaumand na pakjesavond. Hij zag door de gaten tussen de pilaren sterren schijnen, hij zag de wolken bewegen, hij zag de zilveren bal van de volle maan.
Maar de maan was achter hen.

Evi hoefde niet lang na te denken. 'Wie is haar vader?' vroeg ze. 'Is het jouw vader? Is het Sinclair?'
Jenny's gezicht vertrok. 'Ga door,' zei ze.
Evi dacht snel na. Ze wist zo weinig over de Renshaws, behalve wat Harry en de Fletchers haar hadden verteld. Ze wist niets van mogelijke broers, alleen maar de vader: een lange, zeer gedistingeerde man met grijs haar, en de...
'Toch niet je grootvader?' vroeg ze zacht, doodsbang dat ze het mis zou hebben, maar door de blik op het gezicht van de andere vrouw begreep ze dat dat niet zo was. 'Maar hij is...' Hoe oud was Tobias Renshaw? Hij was zeker in de tachtig.
'Hij was eind zestig toen Heather werd geboren. En al goed op dreef op dat moment.'
'Je arme zus. Wat bedoel je, al goed op dreef?'
Jenny's ogen bleven op die van Evi gericht. Ze zei niets.
'Heeft hij jou ook misbruikt?' zei Evi.
Niets, alleen maar die lege blik.
'Het spijt me,' zei Evi.
Niets.
'Hoe oud was je? Toen het begon?'
Jenny zuchtte diep en liep achteruit tot ze tegen de deur van de eetkamer botste. Evi had het gevoel dat ze weer adem kon halen. 'Drie. Misschien vier,' zei Jenny. 'Ik kan me geen moment van mijn jeugd herinneren waarin ik niet werd gepord en geprikt en betast door grote, ruwe handen.' Ze keek Evi recht aan. 'Hij stond altijd bij de deur van mijn slaapkamer te kijken als ik me aankleedde,' zei ze. 'Hij kwam binnen als ik in bad zat en waste me. Ik heb nooit zeggenschap gehad over mijn eigen lichaam, nooit. Kun je je voorstellen hoe dat is?'
'Nee,' zei Evi naar waarheid. 'Het spijt me. Heeft hij je verkracht?'
'Op die leeftijd? Nee, daar was hij te slim voor. Als je een kind van vier verkracht, dan zal iemand het merken. Hij stond altijd boven me te masturberen, raakte me met een hand aan en trok met de andere aan zijn, je weet wel. Toen ik wat groter was moest ik eraan zuigen. Het verkrachten begon toen ik tien was. Het verbaasde me dat hij zo lang had gewacht. Ik had hem namelijk al gehoord met Christiana. Ik wist wat er zou gaan gebeuren.'
Evi's handen vlogen naar haar mond. Ze ging vallen. Ze greep snel de leuning weer vast. 'Het spijt me zo,' zei ze. 'Waarom heb je het niemand verteld? Je

ouders, je moeder, zij zou toch wel...' Ze zweeg. Jenny hoefde geen antwoord te geven. Kinderen vertelden het niet. Het werd hen verboden en ze deden het niet. Kinderen deden wat volwassenen zeiden.
'Heeft hij je bedreigd?' vroeg ze.
Jenny kwam weer naar haar toe. Ze had gedronken, merkte Evi nu. 'Hij deed meer dan dreigen,' zei ze. 'Hij sloot ons op in het mausoleum, met alle stenen grafkisten. Zelfs nadat mijn moeder daar te ruste was gelegd, sloot hij er ons op. Of hij nam ons mee tot boven aan de trap, naar de galerij in de kerk, zelfs de Tor op, en liet ons over de rand bungelen. Soms aan een enkel. We moesten ons goed gedragen, zei hij, want anders liet hij ons vallen. Ik wist dat hij het ook bij Christiana deed; ze heeft ontzettende hoogtevrees.'
Evi probeerde het beeld uit haar hoofd te verdrijven. 'Je moet doodsbang zijn geweest.'
'Ik heb nooit geschreeuwd, Evi. Dat had geen zin. Ik deed gewoon mijn ogen dicht en vroeg me af of het moment nu was gekomen, of dit de dag was dat hij me los zou laten en ik die windvlaag zou voelen en zou weten dat het voorbij was.'
Ze had zich vergist. Evi had Gillian beschuldigd en ze had het mis gehad. Ze had Harry en Gareth volkomen zinloos de hei op gestuurd en nu ging Gillian misschien wel dood, Joe en Tom werden vermist en Alice... Waar was Alice?
'Jenny,' zei Evi, 'heeft je grootvader de kinderen vermoord? Heeft hij Joe?'

Trek die ketting omhoog. Denk verder nergens aan. Trek die ketting omhoog en bid tot de God die je heeft verlaten dat er niets aan zal hangen. Kijk niet naar Gareth die op instorten staat, misschien al ingestort is. Het enige verstandige was om samen snel te verdwijnen, voor een van hen werd gedood, maar Harry wist dat hij dat nooit zou doen. Dus trek die ketting omhoog, want ze waren zover gekomen en nu moesten ze het weten.
De ketting bewoog, kwam met elke ruk van zijn arm verder omhoog, maar er zat iets zwaars aan het eind. Trek met de rechterarm. Haal hem met de linker over de rand, denk niet na, maar ga door. Iets schraapte langs de muren, bleef haken, waardoor het moeilijker werd om te trekken, kwam dichterbij.
De spieren in Harry's arm schreeuwden het uit en hij had nog steeds geen idee hoeveel ketting er nog moest komen. Nog twintig keer trekken en hij zou moeten rusten. Hij wist niet of hij de twintig zou halen. Nog tien, nog zeven... Meer waren niet nodig. Aan het eind van de ketting was een grote canvas tas vastgemaakt met een zware, ouderwetse rits. Zonder na te denken of te rusten trok Harry hem op de stenen vloer en trok de rits open.
Oogkassen – lege oogkassen – waren het eerste wat hij zag.

Tom knipperde met zijn ogen. Er zat sneeuw in en hij kon niet goed zien. Hij keek beslist naar de maan, die door de pilaren van de noordoostelijke klokkentoren scheen. Hij draaide voorzichtig zijn hoofd. De maan was achter hem. Twee manen? Ebba was bijna bij de toren. Ze schoof er snel naartoe en keek om, wachtte op hem. Wat dacht ze nou? De helikopter was er een paar keer die dag overheen gevlogen. Door de kleine daken op de klokkentorens zou de bemanning onmogelijk in de torens zelf hebben kunnen kijken, maar de heli's hadden warmteapparatuur, zij zouden een warm lichaam hebben opgemerkt. Ebba wenkte hem.
De kerk was vol mensen geweest. Toen de helikopter met zoeken was begonnen, had de politie iedereen van de hei gehaald en ze waren allemaal naar de kerk gegaan. Bijna tweehonderd mensen waren in de kerk geweest toen de helikopter in de lucht hing. Tweehonderd warme lichamen. Waar verberg je een naald? In een hooiberg. Tom was zo dichtbij dat hij de klokkentoren kon aanraken, dat hij zijn handen tussen de stenen pilaren op de hoeken kon steken. Hij stak een hand uit en zag hem weerkaatsen, zag zijn eigen gezicht in de spiegelende tegels die tussen de stenen pilaren van de toren zaten, zodat er een kleine doos werd gevormd op het dak van de kerk, net groot genoeg om...

'Zal ik je zeggen wat het ergste was, Evi? Het ergste wat hij ons aandeed?'
'Wat?' vroeg Evi, terwijl ze dacht dat ze dat eigenlijk, absoluut niet wilde weten. Wanneer had ze Alice voor het laatst horen roepen? Moest de politie hier nog niet zijn?
'We hebben een oude bron op de heide. Er hebben daar ooit een watermolen en een paar cottages voor de arbeiders gestaan. De gebouwen zijn allemaal weg maar de put is om de een of andere reden nooit dichtgegooid. We hebben er een stenen schuurtje omheen gebouwd voor de veiligheid. Veilig voor de schapen en ronddwalende kinderen. Maar niet veilig voor ons, voor Christiana en mij, want hij installeerde een tuigje en een touw, en als we moeilijk deden, als we het waagden om nee te zeggen of als we niet zo hard zogen als hij wilde, dan hing hij ons in de put. Hij trok ons het tuigje aan en liet ons naar beneden zakken. Daar liet hij ons uren hangen, in het donker. Hij deed het ook bij andere kinderen. Tot hij er eentje te lang liet hangen en dat leuke spelletje afgelopen was.'
Jenny stond te dichtbij. Evi had geen andere keus dan achteruit te lopen, de trap op. Zodra ze dat deed volgde Jenny haar.
'Jenny, je hebt hulp nodig,' zei ze. 'Dat weet je toch? Dit was allemaal jouw schuld niet, maar je hebt hulp nodig om het te verwerken. Het heeft je beschadigd. Christiana ook. Ik kan iemand voor je zoeken die je kan begeleiden. Het zal tijd kosten, natuurlijk, maar...'

Jenny leunde naar voren. 'Denk je echt dat dergelijke schade kan worden gerepareerd, Evi?' vroeg ze. 'Door te praten?'
Ze had een punt. Evi wilde alleen maar dat ze niet steeds zo dichtbij kwam staan. 'Niet helemaal,' zei ze. 'Niets kan de herinneringen wegnemen. Maar een goede begeleider kan je helpen om het te verwerken. Maar het belangrijkste is nu dat we Joe vinden. Harry en Gareth zijn nu naar die bron. Is Joe daar?'
Er gleed iets over Jenny's gezicht. 'Zijn ze naar het huisje?' vroeg ze. 'Daar is al vijftien jaar niemand geweest. We hebben het afgesloten nadat...'
'Nadat wat? Wat is daar?'

'Luister naar me. Luister alsjeblieft naar me.'
Gareth Fletcher luisterde niet, hij schreeuwde en bonkte met zijn hoofd tegen de stenen muur, sloeg er met beide vuisten tegenaan. De huid op zijn voorhoofd was al geschaafd en het bloed liep langs zijn neus. Harry greep hem bij een arm en probeerde hem om te draaien. Gareths vuist kwam Harry's richting uit zwaaien. Harry stapte achteruit, gevaarlijk dicht bij de put.
'Het is Joe niet!' schreeuwde hij uit alle macht. 'Het is Joe niet!'
Bereikte hij hem? Gareth hield op met schreeuwen en leunde tegen de muur, zijn hoofd verborgen in zijn handen.
'Gareth, je moet naar me luisteren,' zei Harry. 'Dit kind is al jaren dood. Kijk maar. Nee, je moet ernaar kijken. Het kan Joe niet zijn, echt niet, kijk maar.'
Gareth hief zijn hoofd. Zijn ogen leken onnatuurlijk helder toen hij een stap in Harry's richting zette. Harry vermande zichzelf. Hij was de langste van de twee, maar de ander was waarschijnlijk sterker. Hij wilde absoluut niet in een soort fysieke strijd verzeild raken zo dicht bij de rand van een put. Hij pakte Gareth bij de schouders en dwong hem op zijn knieën tot ze allebei weer op de koude stenen zaten.
'Kijk,' zei hij, terwijl hij de tas open hield. Zijn handen trilden toen hij de zaklantaarn pakte en het licht erin liet schijnen. 'Dit kind is al jaren dood,' herhaalde hij. 'Kijk, je moet kijken. Het vlees is bijna allemaal weg. Het kan Joe niet zijn, het is onmogelijk.'
Gareth keek alsof hij moeite had met ademhalen. Elke ademhaling was een grote, raspende snik, maar hij keek naar de tas, naar het kind in de tas.
'Niet Joe,' zei Harry weer, zich afvragend hoe vaak hij het moest herhalen voor de andere man hem zou geloven. Of het eigenlijk wel Gareth was die hij probeerde te overtuigen.
Gareth streek over zijn gezicht. 'Jezus, Harry,' zei hij. 'Wat is hier allemaal aan de hand?'

'Joe!'
Tom knipperde de sneeuw uit zijn ogen. Hij keek naar zijn broer die opgerold als een slak in de noordoostelijke klokkentoren lag, opgebonden als een kerstkalkoen met touwen om zijn polsen en enkels. Joe, bleek als een champignon, koud als een blok ijs, maar levend. Joe, die lag te rillen als een geleipudding en naar hem opkeek met ogen die alle kleur hadden verloren, maar nog altijd de ogen waren die hij zich herinnerde. Joe, hier, minder dan honderd meter van hun huis.
Ebba leunde voorover in de toren en trok een smerige lappendeken hoger over de schouders van zijn broer, in een poging hem warm te houden.
'Joe, het is goed,' fluisterde Tom. 'Het is goed nu. Ik haal je naar beneden.'
Joe reageerde niet. Hij keek alleen maar omhoog naar Tom met zijn lichte ogen. Zijn hoofd schokte, zijn armen en benen trilden. Het ging niet goed met hem, dat zag Tom wel. Op de een of andere manier had Joe een nacht en een dag op het dak van de kerk overleefd; hij zou het niet veel langer uithouden. Ze moesten hem naar beneden krijgen. Tom leunde voorover en probeerde zijn handen onder de schouders van zijn broer te krijgen. Hij kon hem aanraken, de huid die te koud aanvoelde om levend vlees te bedekken, maar toen hij trok bleef Joe waar hij was.
Tom draaide zich om naar Ebba. Ze zat nog steeds gehurkt aan de andere kant van de doos naar hem te kijken, met haar veel te grote handen om de rand van de spiegeltegels geklemd.
'Hoe krijgen we hem hier uit?' vroeg Tom.

'Er ging een kind dood, Evi,' zei Jenny. 'Een klein zigeunermeisje dat Tobias in haar eentje op de hei was tegengekomen toen hij naar een paard in de buurt van Halifax ging kijken. Hij liet haar daar achter, op de hei, hangend in de put.'
Waar bleef de politie verdomme?
'Het is heel fijn om met jou te praten, Evi. Je luistert. Je oordeelt niet. Nu ga ik Millie halen.' Jenny duwde zich langs Evi, zacht maar nadrukkelijk, en manoeuvreerde zich op een hogere tree. Evi draaide zich om, waarbij ze zich stevig aan de leuning vasthield om te voorkomen dat ze viel.
'Niemand zou jou veroordelen, Jenny,' zei ze. 'Je was een kind. Heb je nooit gedacht dat je misschien aan je vader kon vertellen wat er aan de hand was?'
Er glinsterde iets in Jenny's ogen. 'Denk je dat hij het niet wist?' vroeg ze.
'Nee toch zeker?'
'Waarom denk je dat hij er zo op tegen was dat de Fletchers dit kavel kochten? Hij wist dat ze een dochtertje hadden. Hij wist dat dit dorp niet veilig is voor kleine meisjes.'
Evi had erg veel moeite om te begrijpen wat er werd gezegd. 'Maar zijn eigen dochters?'

'Hij stuurde me naar een kostschool toen ik dertien was, vlak nadat Heather was geboren. Toen moest hij het wel onder ogen zien. Het was natuurlijk te laat voor Christiana, zij was te oud voor school.'
Evi stak haar hand uit en raakte de arm van de andere vrouw aan. 'Jenny, we moeten dit allemaal aan de politie vertellen,' zei ze. 'Ze moeten hem tegenhouden voor er nog een kind wordt gedood. Ik moet ze weer bellen. Om te zorgen dat ze opschieten.' Ze deed een stap omlaag.
'Wacht, alsjeblieft.' Nu werd Evi's arm stevig vastgegrepen. 'Ik heb je nog niet alles verteld.'
Christus, wat kon er nog meer zijn? Evi keek naar het raam dat uitkeek over de straat, in de hoop het zwaailicht van een politieauto te zien. 'Wat moet je me vertellen?' vroeg ze.
Jenny liet haar hoofd voorover zakken. 'Het is zo moeilijk,' zei ze. 'Ik had nooit gedacht dat ik dit nog eens aan iemand zou vertellen.'

'Hoe krijgen we hem hieruit?' herhaalde Tom. Ebba's gezichtsuitdrukking veranderde niet en ze gaf ook geen teken dat ze hem had begrepen. Tom keerde zich weer naar zijn broer en probeerde in elk geval een deel van hem op te tillen. Joe bewoog niet en Tom begreep waarom dat was. Met dezelfde touwen waarmee zijn broer was vastgebonden, zat hij ook vast aan de toren.
'Joe, ik moet hulp gaan halen,' zei hij. 'Er is een agent beneden. Ik ben over vijf minuten terug, Joe, dat beloof ik.'
Joe's ogen waren dichtgegaan. Zijn broer achterlaten in de toren was het moeilijkste wat Tom ooit had gedaan, maar hij slaagde erin zich om te draaien en terug te kruipen door de goot langs het dak. Hij kon Ebba niet achter zich horen en hoopte dat ze misschien bij Joe was gebleven om hem te steunen.
Hij was weer terug bij de echte klokkentoren die naar beneden naar de kerk leidde. Zijn voet vond de bovenste trede en een hand sloot zich om zijn blote enkel.

De twee vrouwen zaten op de trap. Jenny was omlaag gezakt en had Evi meegetrokken. Ze trilden allebei.
'Wanneer is het opgehouden?' vroeg Evi. 'Toen je naar school ging?'
Jenny schudde haar hoofd. 'Het ging daarvoor al een beetje beter. Hij had namelijk iemand anders gevonden om zijn aandacht op te richten. De dochter van onze huishoudster. Ze was blond en mooi en heel jong, precies zoals hij ze graag had.'
'Gillian?' zei Evi. 'Heeft hij Gillian ook misbruikt?' Was er dan tenminste nog iets waar ze gelijk in had gehad?
Jenny haalde haar schouders op en knikte toen. 'Ik geloof dat Gwen Ban-

nister vermoedde wat er aan de hand was,' zei ze. 'Ze zou het nooit gedurfd hebben om mijn grootvader te beschuldigen, maar ze bracht haar dochter buiten zijn bereik. Dat was meer dan iemand ooit voor mij had gedaan.'
'Is hij weer met jou begonnen nadat Gillian was vertrokken?'
'Als ik thuis was van school, ja. Maar toen ik negentien was liet zijn geluk hem in de steek. Ik raakte ook zwanger. Tegen de tijd dat ik de moed had gevonden om het pap te vertellen was het te laat om de baby te laten verdwijnen en daarom haalde hij Mike over om met me te trouwen. En hij wist Tobias zover te krijgen dat hij alle bezittingen aan hem overdroeg.'
'Ik kan niet geloven dat je vader hieraan meegewerkt heeft. Je moet je zo verraden hebben gevoeld.'
Jenny liet Evi's handen los. 'Evi, mannen verkopen hun dochters al eeuwen voor rijkdom en macht,' zei ze. 'Denk je dat dat ophield toen we de twintigste eeuw bereikten? Maar het was ook goed voor mij. Ik was vrij. En ik kreeg Lucy.'
Tobias' dochter. Lucy was het kind geweest uit incest, gepleegd door haar overgrootvader.
'Wat is er met Lucy gebeurd?' vroeg Evi zacht. 'Hoe is ze echt gestorven?'
'Ik hield zoveel van haar, Evi.'
'Dat geloof ik. Heeft hij het gedaan? Heeft Tobias haar gedood?'
'Ze was nog maar twee toen hij naar haar begon te kijken, Evi. Ze was blond en heel mooi, net als Christiana en ik toen we heel klein waren. Ik zag zijn ogen over haar lichaam gaan. Hij kon toen nog rijden en hij kwam heel vaak langs. Ik weigerde haar te verschonen of in bad te doen als hij in de buurt was, maar hij leek altijd om haar heen te hangen. Ik wist dat ik het niet weer kon laten gebeuren, niet met Lucy.'
'Maar met Lucy was het anders. Ze had jou om haar te beschermen. En Mike.'
'Maar ik wist hoe slim hij was. Hij wist dat hij haar ten slotte toch wel te pakken zou krijgen. Dus ik begon manieren te bedenken om hem te vermoorden. Dat leek de enige mogelijkheid. Ben je nu geschokt?'
Evi dacht dat dat wel erg voorzichtig was uitgedrukt. 'Ik denk dat het heel begrijpelijk is dat je zo kwaad was,' zei ze.
'Ik dacht eraan hem te laten stikken in zijn slaap, iets in zijn eten te doen, hem van de trap te duwen, hem met een smoes naar de Tor te lokken en hem dan naar beneden te duwen. Maar op een dag besefte ik dat ik hem niet hoefde te vermoorden om te zorgen dat hij niet kreeg wat hij wilde.'
'Nee?'
'Nee. Ik kon haar vermoorden.'

Tom werd naar beneden getrokken. Zijn rug bonkte pijnlijk tegen de harde treden.
'Wat doe jij, verdomme?' zei een stem die hij kende. Twee grote handen grepen hem om zijn middel en trokken hem nog een paar treden naar beneden. 'Achteruit, laat ons erlangs,' beval dezelfde stem. Tom hoorde verschillende paren voetstappen achter hen weglopen en toen stond hij weer op de galerij van de kerk.
'Joe is op het dak,' wist hij uit te brengen. 'In de andere klokkentoren, waarvan iedereen denkt dat hij leeg is, maar dat is niet zo. Hij is daar en hij bevriest en we moeten hem nu naar beneden krijgen.'
De vier jongens staarden hem aan alsof ze een buitenaards wezen hadden gevangen dat plotseling bevelen begon uit te delen.
'Je broer?' Jake Knowles was de eerste die iets zei. 'Die we de hele dag hebben gezocht?'
'Op het dak?' herhaalde Jakes oudste broer, wiens naam Tom zich niet kon herinneren.
Tom keek naar de vier gezichten en had het gevoel dat zijn hart was opgehouden met kloppen. 'Jullie hebben dat gedaan,' zei hij. 'Jullie hebben hem daar naartoe gebracht.'
Het gezicht van de oudere jongen vertrok. 'Wat denk jij verdomme wel dat we zijn?' zei hij. 'Fucking psycho's?'
'Is hij echt daarboven?' vroeg Billy Aspin. 'Levend?'
Tom knikte. 'Hij is vastgebonden,' zei hij. 'Ik kon hem er niet uit krijgen. Ik moet mijn vader halen. Wat doen jullie hier? Als jullie hem daar niet naartoe hebben gebracht waarom zijn jullie dan hier?'
'We zijn je gevolgd,' zei Jake. 'We zagen jou en dat misbaksel van Renshaw over het kerkhof rennen en we zijn jullie gevolgd. We raakten de weg kwijt in die verdomde kelder. Waar is zij nou?'
'We moeten hulp halen. Er is een agent...' zei Tom, en opeens besefte hij dat hij geen idee had wat er met Ebba was gebeurd.
'Kom op,' onderbrak de oudste jongen van Knowles hem. 'Laten we eens kijken waar hij het over heeft.'

Evi had het gevoel dat ze in brand stond. Grappig, ze had patiënten vaak over angstgevoelens horen praten. Geen van hen had haar ooit verteld hoe warm dat was. Of dat het leek alsof je hersenen daardoor in een lagere versnelling gingen werken. Jenny? Jenny was degene geweest die de hele tijd achter Millie aan had gezeten? Nee, dat kon niet waar zijn. Ze had het ergens verkeerd begrepen. Ze was oververmoeid.
'En het krankzinnige was... Tobias hield echt van haar.' Jenny had Evi weer vastgegrepen zodat het onmogelijk was om zich te bewegen. Haar gezicht

was rood, haar ogen onnatuurlijk helder. Evi moest opstaan. En dan? Naar boven, naar Millies kamer, of naar buiten naar de telefoon?
'Hij was er helemaal kapot van,' ging Jenny verder. 'Ik heb er namelijk voor gezorgd dat hij het zag gebeuren. Ik wist dat hij naar de kerk ging – hij was al jaren kerkvoogd – en ik ben hem gevolgd met Lucy in mijn armen. Ik ben omhoog geklommen naar de galerij en heb hem toen geroepen.'
Zweet liep tussen Evi's schouderbladen naar beneden. De politie kwam niet. Jenny had ze niet gebeld. En waarom moest ze zo dicht bij haar zitten?
'Ik zal het nooit vergeten,' zei ze. 'Hij kwam uit de consistoriekamer en ik hield haar vast aan haar enkels, zoals hij ook altijd met mij had gedaan, en ze schreeuwde en schreeuwde en ik kon zien dat hij naar mij schreeuwde en riep dat ik op moest houden. Hij rende naar voren en ik liet haar los, zomaar.'
De geur van de vrouw was bijna erger dan de hitte: alcohol en zweet en exotische bloemen. Evi wist dat ze zou gaan kokhalzen als ze zich niet bewoog. Handen naar beneden, hard duwen, de pijn negeren; ze had sterke armen, het moest lukken.
'Het duurde zo lang voor ze viel,' ging Jenny verder. 'Ik had zoveel tijd om te denken, om te beseffen dat het altijd voorbestemd was geweest dat ik hem uiteindelijk zou vernietigen, om wat hij mij had aangedaan.'
Doe het nu. Evi kwam omhoog, werd tegengehouden en weer naar beneden getrokken.
'Het lukte hem bijna.' Jenny fluisterde nu in haar gezicht. 'Hij ving haar bijna. Maar ze kwam hard op de stenen vloer neer en het bloed vloog alle kanten op, alsof ik er een zak vol van had laten vallen. Ik dacht even dat ik er daarboven op de galerij nog door geraakt zou worden.'
Evi slikte en vocht tegen de verleiding haar adem in te houden. Ze moest blijven ademen. Als ze haar adem inhield zou ze flauwvallen.
'Ik heb nooit plezier beleefd aan seks, Evi, niet één keer, hoe zou dat ook kunnen?' zei Jenny. 'Dat orgasmegedoe waar mensen zich zo druk om maken, ik heb geen idee waar ze het over hebben. Maar die dag, toen ik al dat bloed zag en toen ik hem hoorde schreeuwen... Ik kan je niet vertellen hoeveel plezier ik voelde. Ik viel bijna flauw op dat moment, zo intens was het. En het geluid van de bons toen ze de tegels raakte, als een rijpe vrucht die openbarstte. Ik hoorde het steeds weer in mijn hoofd en de bloedplas om haar heen spreidde zich steeds verder uit. Ik kon het in golven weg zien stromen, terwijl haar hart vocht om door te blijven gaan.'
Evi wist dat ze niet kon schreeuwen. Niemand anders dan Millie zou haar horen.

De twee mannen renden de hei af, de straal van hun zaklantaarns gericht op de witte grond onder hun voeten. Door het beukenbos, langs de verlaten

watermolen, over de beek. Zodra Gareth weer bij zinnen was gekomen, was Harry bevangen geraakt door paniek. Ze moesten terug. Dat was het enige waar hij aan kon denken – teruggaan.
Er waren al meer dan veertig minuten voorbij gegaan sinds ze het huis hadden verlaten. De politie had er allang moeten zijn. Er stonden politieauto's op de toegangswegen naar Heptonclough, niet meer dan vijf minuten van het huis van de Fletchers. Als Evi ze gebeld had toen hij en Gareth vertrokken, zouden ze nu al zijn gearriveerd. Maar dat waren ze niet en dat betekende dat ze niet gebeld had. Er was iets anders gebeurd. Het was nog erger nu, erger dan alleen Joe, de ellende die Gillian had veroorzaakt. Ze moesten terug.
Zijn mobiele telefoon zat in de zak van zijn spijkerbroek. Hij kon de politie zelf bellen, het huis bellen. Maar om dat te doen moest hij stilstaan.
Ze kwamen bij een hek. Harry klom erop, sprong naar beneden en rende verder. Gareth deed achter hem hetzelfde. Ze waren op het oogstveld, vlak boven het dorp. Nog honderd meter en ze zouden de plek van het vuur op Allerzielen passeren. Ze kwamen bij het volgende hek en Harry sprong erover. Langs Gillians oude huis, de keien glibberig van de sneeuw, huizen nu aan weerszijden. Gareth haalde zwaar adem naast hem. Ze waren aan het eind van het weggetje en sloegen net af, de hoofdstraat in toen de kerkklokken begonnen te luiden.

'Hij sleurde me mee, natuurlijk,' zei Jenny. 'Terug naar huis. We trokken allebei andere kleren aan en begonnen toen naar haar te zoeken. Maar hij wilde niet terug naar de kerk, hij kon dat niet aan. Dat moest ik doen.'
Denk, blijf kalm. De politie kwam niet, maar Harry en Gareth zouden terugkomen. Ze zouden inmiddels wel bij het huisje zijn, al dan niet iets hebben gevonden, en weer op weg zijn naar huis. Evi moest kalm blijven. En voorkomen dat deze vrouw nog meer ellende aanrichtte. Ze moest haar bij Millie uit de buurt houden. Als het maar niet zo warm was.
'En toen?' zei Evi, terwijl ze haar uiterste best deed om zich te ontspannen op de trap en diep adem te halen. 'Was het toen voorbij? Toen je hem had gestraft? Heb je...' Jezus wat moest ze verdomme zeggen? 'Heb je vrede gevonden?' probeerde ze.
Jenny knikte. 'Een tijdje, ja,' zei ze. 'Het was alsof ik de controle terug had over mijn leven, begrijp je?'
'Natuurlijk,' zei Evi, bewust langzaam pratend, zoals ze altijd deed bij een opgewonden patiënt. 'Controle is heel belangrijk,' zei ze. 'Dat hebben we allemaal nodig.'
'Ik miste haar vreselijk, natuurlijk. Nog steeds. Ik ben er nooit helemaal overheen gekomen.'
'Nee,' zei Evi, vechtend tegen de verleiding op haar horloge te kijken, en te-

gen een nog sterkere aandrang om haar hoofd achterover te gooien en te gillen. 'Ik geloof niet dat ouders ooit over het verlies van een kind heen komen.'
'Maar ik voelde me alsof er een hoofdstuk was afgesloten, dat ik weer verder kon.' Jenny's ogen knepen samen. Ze keek op haar horloge, maar het ging zo snel dat Evi niet kon zien hoe laat het was. 'Het wordt al laat,' zei ze. 'Kom, ik zal je de trap op helpen.' Ze ging staan en boog zich voorover om Evi onder haar armen te pakken. Evi zette zich schrap maar de andere vrouw was sterk. Ze werd overeind gesleurd en toen sloeg Jenny haar arm om haar middel.
'Kom,' zei Jenny. 'Ik geloof dat ik haar net hoorde huilen.'
'Met Millie is alles goed,' zei Evi. 'Maar Jenny, dit is heel belangrijk.'
Jenny wachtte maar hield Evi stevig vast om haar middel. 'Wat?' vroeg ze en haar stem was harder geworden. Ze begon haar geduld te verliezen.
'Ik... Die andere meisjes,' zei Evi. 'Megan, Hayley. Waarom moesten zij dood?'
Jenny hield haar hoofd scheef. 'Nadat Lucy was gestorven, had ik het voor het zeggen,' zei ze na een moment. 'Steeds als Tobias zijn boekje te buiten ging, als hij ongewenste aandacht begon te schenken aan jonge meisjes, kon ik hem tegenhouden. Kom op nou, nog een stap, en nog een.'
'Het spijt me,' zei Evi. 'Ik heb moeite met trappen. Kunnen we even rusten? Dus hij begon Megan te misbruiken? Zelfs na wat er met Lucy was gebeurd?'
Jenny's greep op Evi werd een klein beetje losser. 'O, ik weet niet zeker of het ooit zover is gekomen,' zei ze. 'Maar ik zag hem naar haar kijken, terwijl hij zijn uiterste best deed om aardig te zijn tegen haar moeder. Dat kon ik niet accepteren, niet nadat ik Lucy had verloren. Ik wilde niet dat hij haar vergat en belangstelling begon te krijgen voor een ander kind.'
'Dus je hebt Megan ook gedood?' vroeg Evi. 'En Hayley? Je hebt ook geprobeerd Millie te doden?'
Jenny keek Evi aan alsof ze niet goed bij haar hoofd was. 'Ik had mijn eigen kind al gedood,' zei ze. 'Dacht je dat het daarna moeilijk was om dat van iemand anders te doden?'
'Maar waarom dan Joe?' vroeg Evi, toen Jenny op het punt leek zich om te draaien en verder de trap op te lopen. 'Je grootvader zou helemaal niet in hem geïnteresseerd zijn. Waarom heb je hem meegenomen? Want dat heb je gedaan, of niet?'
'Evi, hij begon me uit te dagen.'
'Joe?'
'Mijn grootvader. Je hebt geen idee wat voor een gemene oude duivel hij is. Hij bleef maar grappen maken over het feit dat de Fletchers beter beveiligd waren dan de kroonjuwelen, dat haar moeder Millie nooit uit het oog verloor, en dat hij hier bijna elke dag kwam, om te poseren voor dat stomme

portret, en ik wist dat hij met Millie speelde, haar op zijn knie liet zitten, en haar beentjes streelde, terwijl zijn vingers steeds hoger gleden, terwijl hij Lucy helemaal vergat. Dat kon ik niet laten gebeuren.'
'Maar Joe? Wat heeft...'
'Ik wist dat Alice' waakzaamheid alleen zou verslappen als een van haar andere kinderen vermist zou worden.'
Evi kreeg het gevoel alsof ze een klap in haar gezicht kreeg. 'Joe was een afleidingsmanoeuvre?'
Jenny haalde haar schouders op. 'Een lieve jongen,' zei ze. 'Hij ging zonder protest met me mee. Ik vertelde hem dat zijn zusje een ongeluk had gehad en dat zijn moeder wilde dat ik hem meenam om haar in het ziekenhuis te bezoeken. Maar hij begon zich behoorlijk te verzetten toen het kwartje eenmaal viel. Ik moest hem bewusteloos slaan om hem...'
'Waar? Waar is hij?'
'Ergens waar ze hem nooit zullen vinden. Ze hebben Megan niet gevonden en ze zullen Joe ook niet vinden. Evi, één stapje nog.'

Jake Knowles' oudere broer liep langs Tom en begon de trap weer op te klimmen. 'Hij is vastgebonden,' herhaalde Tom. 'Je kunt hem er niet uit krijgen.'
De jongen stak zijn hand in de zak van zijn spijkerbroek en haalde er een dunne reep metaal uit van ongeveer vijftien centimeter lang. Zijn duim bewoog en er schoot een lang, zilverkleurig mes uit. 'Geen punt,' zei hij, en hij verdween in de toren. Een voor een volgden de andere drie. Jake was de laatste. Met zijn voet op de onderste tree draaide hij zich naar Tom.
'Kom op,' zei hij, voor ook hij verdween.
Tom volgde hem, hoewel hij niet wist of dit beter of slechter was. Joe had een volwassene nodig en niet deze vier idioten. Zelfs als ze erin slaagden hem eruit te krijgen, dan zouden ze waarschijnlijk eerder met hem van het dak vallen dan dat ze hem beneden kregen. Voor hem kroop Jake naar buiten het dak op. Tom krabbelde de laatste paar treden op en keek naar buiten.
'Dan is er bijna,' zei Jake. Tom keek over het dak. Jakes broer, Dan, was maar een paar stappen van de noordoostelijke toren. De middelste broer was pal achter hem. Er was geen spoor van Ebba.
'Hij is hier!' schreeuwde Dan, die de toren had bereikt en zich voorover boog.
'Ik heb hem.' De tweede broer was nu ook bij de toren. Tom kon twee in spijkerbroek gehulde achtersten omhoog zien steken toen de beide jongens naar voren hingen. Toen kwam eerst de ene en vervolgens de andere overeind.
'Will heeft hem,' zei Jake. 'Hij haalt hem eruit, kijk maar.'
Jakes andere broer had beide armen om Joe's middel en trok hem uit de toren. De lappendeken bleef achter en Joe's bleke, naakte lichaam glansde als

een schelp in het maanlicht toen hij en Will Knowles op het dak tuimelden. Toen tilde Dan Knowles Joe op. Met de kleine jongen als een baby in zijn armen begon hij door de goot naar Tom, Jake en Billy te lopen. Terwijl hij dichterbij kwam konden ze hem iets horen schreeuwen wat klonk als: *schiep, vooui, wui die stomme klok, ioten*. Jake begreep het een moment eerder dan Tom en beide jongens tuimelden de trap af, vechtend wie het eerst het touw van de klok los kon maken en de eerste ruk kon geven.
Bam. De oude klok schudde protesterend omdat hij zo laat werd gewekt. Bam. Luider nu. Hij kreeg zijn zelfvertrouwen terug. Bam. Tom wilde enerzijds het touw wel loslaten en zijn handen tegen zijn oren duwen, maar anderzijds voelde het zo fantastisch om aan dat touw te trekken en die klok te luiden. Bam. Kom op, iedereen, kom naar buiten en zie hoe Joe over het dak wordt gedragen. Joe, gelukkig helemaal in orde, Joe, op weg naar huis. Hij kon niet wachten om het gezicht van zijn moeder te zien.

'Jenny, je kunt die kamer niet in gaan.'
'En jij denkt dat een mankpoot mij kan tegenhouden? Dat geloof ik niet.'
Jenny ging op haar tenen staan en keek over Evi's schouder. 'Een stenen vloer in de hal,' zei ze. 'Weet je hoe dat klinkt, als de schedel van een kind breekt op steen? Een beetje als het breken van een eierschaal, maar dan duizend keer versterkt. Je zult het wel horen... Misschien.'
'Waar is Joe?' vroeg Evi.
Jenny liep achterwaarts over de overloop. Haar hand tastte naar de kruk van Millies slaapkamerdeur.
'Weet Heather waar hij is?' vroeg Evi.
Voor het eerst keek Jenny onzeker. 'Nee,' zei ze.
'Weet je het zeker?' vroeg Evi. 'Want ik denk dat ze alles weet over jou. Ik denk dat ze geprobeerd heeft op haar manier mensen te waarschuwen. Ze heeft geprobeerd vriendschap te sluiten met Joe, Tom en Millie, en om met Harry te praten. Ze heeft zelfs geprobeerd Gillian te vertellen wat er met haar dochter is gebeurd.'
'Ze is een hersenloze idioot.' De kruk ging naar beneden, de deur werd een paar centimeter open geduwd.
'Ze heeft Tom vanavond opgehaald,' zei Evi. 'Waarom zou ze dat doen zo laat op de avond, tenzij ze wist waar je Joe hebt verborgen?'
Jenny dacht even na, en haalde toen haar schouders op. 'Het maakt niet uit,' zei ze. 'Hij is vast al dood.'
Evi deed een stap naar voren. 'Weet je waar ik nou zo pissig van word, Jenny?' zei ze. 'Het is allemaal nep. Je doet net of je dit allemaal doet omdat Millie het volgende slachtoffer van je grootvader is. Nou dat is bullshit. Hij is waarschijnlijk nauwelijks bij haar in de buurt geweest. Hij heeft Hayley of

Megan waarschijnlijk helemaal niet aangeraakt. Je zei zelf dat hij nauwelijks in de buurt van Lucy mocht komen. Je hebt deze meisjes vermoord omdat je dat prettig vindt.'
'Hou je kop.'
'Ik zag de blik op je gezicht toen je me vertelde over de dood van Lucy. Je genoot ervan.'
'Ik hoef hier niet naar te luisteren.' Jenny draaide zich om. Ze moest haar tegenhouden, haar iets anders geven om zich op te richten dan Millie.
'Je grootvader, alles wat er in het verleden is gebeurd, het is alleen maar een excuus. Je doet het voor de lol.'
'Je weet niet waar je het over hebt.' Jenny was inmiddels in de slaapkamer.
'Ik ben psychiater,' riep Evi. 'Ik heb al jaren te maken met verknipte ellendelingen als jij. En maak nu dat je wegkomt bij dat bedje.'
Jenny kwam op haar af. Ze was in een paar tellen de kamer uit; nog een seconde later lagen haar handen om Evi's hals en struikelden ze samen achteruit, langs de trap.
'Heb je je ooit afgevraagd hoe het zou zijn om te vliegen, Evi?' siste Jenny in Evi's oor. 'Je staat op het punt om dat te ontdekken. Ze zullen denken dat je met de kleine Millie in je armen bent uitgegleden en van de trap bent gevallen. Alleen de oude Tobias zal de waarheid weten.'
Evi's luchtpijp werd dichtgeknepen. De patholoog zou weten dat ze was gewurgd. Een schrale troost. De leuning drukte in haar rug, het deed afgrijselijke pijn maar hij ondersteunde haar gewicht. Ze bracht haar goede been omhoog en gaf de andere vrouw een knietje in haar kruis. Jenny gromde en haar greep verslapte even, maar ze was natuurlijk een vrouw en er was niet veel schade aangericht. Evi wist zich om te draaien en probeerde greep te krijgen op de leuning, maar voelde toen dat ze werd opgetild en er overheen werd geduwd.
Voor ze zich schrap kon zetten waren haar heupen over de rand en viel ze bijna. Ze greep om zich heen en met één hand wist ze de balustrade te pakken, maar haar benen werden hoog opgetild; ze werd geduwd en iets sloeg tegen haar hand, bonkte erop en ze had geen andere keus dan los te laten.
Het leek heel lang te duren voor ze de leistenen vloer bereikte.

Ze waren opgehouden met het luiden van de klok. De drie jongens klommen de toren in. Hadden ze Joe nog? Ja, daar was hij, in de lappendeken gewikkeld, zijn gezicht tegen Dan Knowles borst gedrukt, nog steeds vastgebonden met dun, nylon touw, nog steeds trillend, nog steeds levend.
Dan Knowles, die tijdens zijn korte verblijf op het dak leek te zijn gegroeid en meer op de jonge man leek die hij over een jaar of wat zou zijn dan op een pesterige tiener, was onder aan de trap gekomen en liep de galerij op. Zijn

broer Will volgde en daarna Billy, toen opeens het geluid van een zware deur die werd geopend door de kerk echode.
'Hallo!' schreeuwde een luide, Noord-Engelse stem.
'Hij is hier, boven! We hebben hem!' riep Dan Knowles terug.
'Joe!' schreeuwde Toms vader.
'Pap!' schreeuwde Tom.
'Politie! Blijf staan, iedereen!'
De twee groepen ontmoetten elkaar op de trap naar de galerij. Gareth Fletcher en Dan Knowles liepen bijna tegen elkaar op. Het kleine, trillende bundeltje werd van de een naar de ander doorgegeven en Joe kreunde zacht toen de armen van zijn vader zich om hem sloten. Hoger op de trap, over zijn vaders hoofd, ontmoetten Toms ogen die van Harry. De dominee draaide zich om, duwde zich langs de verwilderd kijkende politieman en rende de kerk uit.

Evi was nauwelijks bij bewustzijn. Ze had het heel koud. Een ijzige wind blies om haar heen. Sneeuw viel zacht op haar gezicht en de wereld werd donker. Was ze weer in de bergen? Nee, nog steeds in het huis van de Fletchers. Dat was Millie die ze hoorde, gillend als een bezetene. De voordeur was open en een man stond nog geen drie stappen bij haar vandaan. Bruine leren schoenen, vochtige plekken eromheen op de stenen. Iets in zijn linkerhand, lang en dun, van metaal, iets waarvan ze dacht dat ze het herkende, maar het leek zo weinig op zijn plaats dat ze er niet zeker van was.
'Laat haar los,' zei een stem. Te laat, dacht Evi, ik ben al gevallen.
'O, dat zal ik doen,' antwoordde een vrouwenstem ver boven hen.
'Blijf daar staan,' zei de man. 'En zet dat kind neer.'
'Dat meen je niet,' antwoordde de vrouw.
Het ding dat de man in zijn hand had werd opgetild, zodat Evi het niet langer kon zien.
'Het is voorbij,' zei de man. 'Zet haar neer.'
Een stilte waarin de wereld stil leek te staan, toen een voetstap en een explosie van geluid. Evi hoorde het tweede schot niet, maar ze voelde de trilling door haar lichaam gaan en ze zag de verblindende lichtflits. Toen was er niets meer.

Harry hoorde het eerste schot toen hij over de muur sprong en om Alice' auto dook. Hij ving een glimp op van Alice zelf, die naar de kerk rende, maar er was geen tijd om te stoppen. Hij zag de open voordeur en de lange figuur van Tobias Renshaw in de deuropening die een geweer op zichzelf richtte. Even later explodeerde zijn hoofd in een massa van bot en bloed. Harry sprong over het lichaam op de grond nog voor het helemaal stil lag.

Een scherpe gil trok zijn aandacht. Millie, overdekt met bloed en kleine stukjes grijze massa, stond boven aan de trap. Op de overloop lag het onbeweeglijke lichaam van een vrouw. Toen ze iemand zag die ze kende liep de peuter naar voren, gevaarlijk dicht naar de rand van de eerste tree. Harry rende naar boven en tilde haar op. Toen draaide hij zich om. Onder aan de trap, nog geen drie stappen van het lichaam van Tobias, lag een jonge vrouw in een paarse trui. Terwijl hij keek viel er een sneeuwvlok op haar zwarte wimpers. Haar ogen waren net zo blauw als hij zich herinnerde.

Epiloog

Februari had nog meer sneeuw naar de hei gebracht en al vanaf de vroege ochtend waren mannen bezig het pad van de kerk naar de begraafplaats schoon te maken. Maar desondanks liep het groepje voorzichtig het pad af.
Op de zacht uitgesproken aanwijzingen van de begrafenisondernemer tilden de zes dragers de kist van hun schouders en lieten hem zakken. De rozen op de deksel bewogen toen hij tot stilstand kwam op de brede, platte banden die over het open graf hingen. Harry ging rechtop staan en wreef in zijn handen. Ze waren ijskoud.
De oudere priester die zijn plaats had ingenomen in de parochie, en die zou invallen tot een permanente vervanger was gevonden, begon te spreken.
'Het heeft de Almachtige God behaagd om de ziel van onze overleden zuster tot Zich te nemen...'
De jonge vrouw in de kist was niet gestorven in de nacht van de zonnewende, de avond dat Joe Fletcher was teruggebracht bij zijn familie. Haar verwondingen waren ernstig geweest, maar een paar weken lang was er hoop geweest dat ze zou herstellen. Aan het begin van het nieuwe jaar had ze echter een infectie opgelopen die zich snel had ontwikkeld tot een longontsteking. Haar zwaar gehavende lichaam had niet de kracht gehad om ertegen te vechten en ze was tien dagen geleden gestorven. Toen hij het nieuws hoorde was er in Harry ook iets gestorven.
Terwijl hij en de andere dragers de kist in de grond lieten zakken, besefte Harry dat Alice er recht tegenover stond. Het was misschien wel de laatste keer dat hij haar zag. De familie zou binnen een paar weken uit Heptonclough vertrekken. Sinclair Renshaw, die hoogstwaarschijnlijk nog een politieonderzoek en een aanklacht te wachten stond, was niettemin vastbesloten zijn greep op het dorp te behouden. Hij had de Fletchers een genereus aanbod gedaan voor hun huis en ze hadden het geaccepteerd.
Het ging goed met de jongens, Alice leek iedereen die het vroeg constant gerust te stellen. Hun nieuwe hulpverlener bleef maar zeggen dat ze moesten blijven praten, toegeven dat ze bang waren geweest, en eerlijk moesten zijn als ze kwaad waren. Maar bovenal dat ze geen wonderen moesten verwachten, het zou lang gaan duren.
Van alle Fletchers leek alleen Millie dezelfde. Het leek wel alsof ze met de dag

drukker en ondeugender werd, alsof de energie die de rest van haar familie kwijt was een weg had gevonden om zich te uiten via haar. Harry dacht soms dat de familie de afgelopen weken niet doorgekomen zou zijn zonder Millie.
Naast Alice, haar veel te grote hand in de kleine van Alice geklemd, stond haar nieuwe petekind: Heather Christine Renshaw. Vroeg in het nieuwe jaar had Harry Heather gedoopt, zijn laatste officiële taak als dominee van de parochie. De dienst was kort geweest, en werd alleen bijgewoond door de laatste leden van de familie Renshaw: Christiana, Sinclair en Mike, en ook, op hun eigen aandringen, door Alice, Joe en Tom. Heather – of Ebba, zoals hij altijd aan haar zou blijven denken – kreeg nu een medische behandeling. Het was te laat om de schade die was veroorzaakt door de jaren van verwaarlozing helemaal terug te draaien, maar de medicijnen zouden helpen. Belangrijker nog, haar dagen als gevangene waren voorbij.
Uit zijn ooghoek zag Harry een beweging verder heuvelafwaarts. Mike Pickup, die eerder in de kerk was geweest, was niet achter de baar aan gekomen. In plaats daarvan stond hij bij Lucy's nieuwe rustplaats, waar haar moeder nu ook lag. Tobias lag als een verslagen koning in een van de stenen grafkisten in het familiemausoleum.
De priester zweeg. Hij wierp een blik op Harry, die moeizaam glimlachte. De begrafenisondernemer gaf een kistje aarde door. Mensen pakten er een handvol uit, wierpen het op de kist en stapten opzij. Een voor een draaiden de rouwenden zich om en liepen de heuvel weer op tot Harry bijna alleen was. Een lange, zwaargebouwde man die hij niet kende mompelde iets en liep een paar passen verder. Hij keek om naar de twee mensen die achterbleven bij het graf en staarde toen over het dal.
'Wanneer vertrek je?' vroeg de bleke jonge vrouw in de rolstoel. Haar ogen leken te groot voor haar gezicht en ze waren dof geworden sinds hij haar voor het laatst had gezien. Ze leken niet meer op paarse viooltjes.
'Vandaag,' zei Harry. Toen keek hij omhoog naar de heuvel, waar zijn volgepakte auto stond. 'Nu,' voegde hij eraan toe. Hij had de afgelopen dagen al afscheid genomen. Dit zou het laatste zijn.
'Gaat het een beetje met je?' vroeg ze.
'Niet echt. En met jou?' Het was niet zijn bedoeling geweest om boos te klinken, ze had haar eigen problemen, dat wist hij. Hij kon het alleen niet helpen.
'Harry, je moet met iemand praten. Je moet...'
Hij kon haar niet meer aankijken. Als hij weer naar haar keek zou hij nooit kunnen vertrekken. 'Evi,' wist hij uit te brengen. 'Ik kan niet meer met God praten, en jij wilt niet dat ik met jou praat. Er is niemand anders. Zorg goed voor jezelf.'
Hij draaide zich om bij het graf en liep het pad op. De andere rouwenden

waren allemaal vertrokken. Het was veel te koud om lang buiten te zijn. Terwijl hij de heuvel op liep hoorde hij dat de doodgraver was begonnen aarde op de kist te scheppen. Plof, plof.
Hij dacht dat hij ook het gepiep van Evi's rolstoel hoorde, maar hij keek niet om.
Plof, plof. Harry begon sneller te lopen, maar het geluid van aarde die op hout viel leek hem te achtervolgen. De doodgraver werkte snel. Voor er een uur voorbij was zou het nieuwe graf klaar zijn, een zachte hoop aarde bedekt met bloemen. Ze zouden verwelken en doodgaan, dat deden bloemen altijd, maar de mensen zouden andere brengen, ze zouden het graf onderhouden. De mensen die maar weinig om Gillian hadden gegeven toen ze nog leefde, zouden voor haar graf zorgen.
Ze eerden hun doden in Heptonclough; sommige tenminste.

Noot van de schrijfster

Heptonclough

Heptonclough is geïnspireerd door, maar niet gebaseerd op het dorp Heptonstall (van het oud Engelse *hep* – wilde roos, en *tunstall* – boerderij) in het Yorkshire-deel van het Penninisch Gebergte, niet ver van de grens met Lancashire. Net als zijn verzonnen tegenhanger heeft Heptonstall zijn welvaart in het verleden te danken gehad aan de wolhandel, en het stadje kan bogen op twee kerken (een oude en een heel oude), een White Lion pub, een oude school en talloze klinkerstraten met hoge, stenen huizen. Bezoekers hoeven niet te zoeken naar Wite Lane, het Abbot's House of het splinternieuwe huis van de Fletchers, maar ze zullen zeker tienerjongens kunnen zien die op hun fiets over de oude kerkmuren rijden. Ik heb ze gezien.

Congenitale hypothyreoïdie

> *'Ik zie een hoofd van een ongewone vorm en afmeting, een kort en gezwollen figuur, een domme blik, wazige, holle en zwaarmoedige ogen, dikke, uitpuilende ogen, en een platte neus. Zijn gelaat heeft een loodkleurige tint, zijn huid is vuil, slap, en bedekt met eczeem en zijn tong hangt over zijn vochtige, rode lippen naar beneden. Zijn mond, altijd open en vol speeksel, laat rottende tanden zien. Zijn borst is smal, zijn rug gebogen, zijn ademhaling astmatisch, zijn ledematen kort, misvormd, krachteloos. De knieën zijn dik en naar binnen gebogen, de voeten zijn plat. Het grote hoofd valt lusteloos op de borst; de maag is als een zak.'*
>
> Beaupre, *Dissertation sur les cretins*, c. 1850

Congenitale hypothyreoïdie, die genetisch, sporadisch of endemisch kan zijn, is een aandoening met een ernstig verstoorde fysieke en mentale ontwikkeling, veroorzaakt door een tekort aan het hormoon thyroxine. In Groot-Brittannië wordt een op de 3500 tot 4000 kinderen geboren met congenitale hypothyreoïdie. Vergelijkbare cijfers komen uit de Verenigde Staten en Europa. Het komt vaker voor bij meisjes dan bij jongens, maar de reden hiervoor is tot nu toe onbekend.

Zonder behandeling blijft de volwassen lengte onder het gemiddelde, variërend van één meter tot één meter zestig; de groei van de botten en de puberteit blijven sterk achter en onvruchtbaarheid komt veel voor. Een zwakke tot zeer zwakke neurologische ontwikkeling is te verwachten. Cognitieve ontwikkeling, denken en reflexen zijn trager. Andere tekenen van de aandoening kunnen zijn een verdikte huid, een grote tong of een vooruitstekende maag. Door het screenen van pasgeboren baby's en een levenslange behandeling komen genetische en sporadische congenitale hypothyreoïdie, veroorzaakt door een abnormale ontwikkeling van de schildklier voor de geboorte, vrijwel niet meer voor in ontwikkelde landen.
De endemische vorm ontstaat door een dieet met een tekort aan jodium: het essentiële sporenelement dat het lichaam nodig heeft om schildklierhormoon te produceren. In veel geïsoleerde gebieden op alle continenten bevat de aarde te weinig jodium met als resultaat dat het voedsel dat daar wordt geproduceerd daaraan eveneens een tekort heeft. Door te weinig jodium wordt de schildklier geleidelijk groter, en de zwelling die daardoor optreedt wordt krop genoemd. De endemische vorm van de aandoening is nog steeds een groot probleem voor de gezondheidszorg in veel ontwikkelingslanden.
'Cretin', van een dialect uit een regio in de Franse Alpen waar de aandoening veel voorkwam, is in de achttiende eeuw een medische term geworden. Hij werd in die zin nog vaak gebruikt in de negentiende en het begin van de twintigste eeuw, maar daarna werd hij in populair Engels vooral negatief gebruikt voor iemand die zich stom gedraagt. Vanwege zijn ongunstige bijklank in populair taalgebruik gebruiken mensen in de gezondheidszorg de term vrijwel niet meer.